盧荷生教授七秩榮慶論文集

盧荷生教授七秩榮慶論文集編委會編

文史哲出版社印行

國家圖書館出版品預行編目資料

盧荷生教授七秩榮慶論文集/ 盧荷生教授七秩榮慶論文集編委會編. -- 初版. -- 臺北市 :文史哲,民 90
面; 公分.
含參考書目
ISBN 957-549-365-6 (精裝)

1.圖書館學 – 論文,講詞等 2 資訊科學 – 論文,講詞等

020.7 90009104

盧荷生教授七秩榮慶論文集

編　者：盧荷生教授七秩榮慶論文集編委會
出版者：文　史　哲　出　版　社
登記證字號：行政院新聞局版臺業字五三三七號
發行人：彭　正　雄
發行所：文　史　哲　出　版　社
印刷者：文　史　哲　出　版　社
臺北市羅斯福路一段七十二巷四號
郵政劃撥帳號：一六一八〇一七五
電話 886-2-23511028・傳真 886-2-23965656
精裝新臺幣八〇〇元

中華民國九十年六月初版

ISBN 957-549-365-6（精）

盧荷生教授七十近照

盧教授率領學生參加校運會

盧教授參加學生迎新生活營

盧荷生教授七秩榮慶論文集

目 次

門生祝賀文

荷生學長七秩榮慶

七十曰稀 七十曰始

八千為秋 八千為春

弟喬衍琯謹賀

辛巳正月二十三日

自今以始樂餘年

——賀盧荷生教授榮休暨七十大慶

王　振　鵠

國立台灣師範大學社會教育學系教授

國立中央圖書館館長（民國66年4月至78年7月）

在台灣圖書館界的同道中，具有深厚人文素養，兼有圖書館學理論研究和實務經驗的，雖不在少數；但一直秉持奉獻圖書館事業的精神，積極參與，全力投入的，當以盧荷生教授最爲圖書館界所推重。

盧教授從民國四十五年起就投入圖書館事業，迄今已有四十五年的歷史，可以說經歷了台灣圖書館發展的大半過程。在他的求學期間，曾在台大歷史系和師大國文研究所目錄學組攻讀研究，先後受教於姚從吾、蔣復璁先生，奠定了兩學科的深厚基礎。盧教授畢業後受聘於中央圖書館，而後應北一女江學珠校長之邀，擔任該校教師兼圖書館主任。民國五十九年輔仁大學文學院成立圖書館學系，爲充實師資陣容，特聘盧教授講授圖書館史和圖書館行政等課程，以其豐富的學術素養和圖書館管理經驗啓迪後學。民國七十四年接掌輔大圖書館學系系主任職務，對系務的推展，圖書設備的充實，不遺餘力。嗣後，校方爲借重其長才，榮聘爲文學院院長一職，規劃協調，推展院務，貢獻卓著。

盧教授雖課務、院務繁重，但對圖書館活動仍熱心參與，未因公務忙碌而稍懈。每逢圖書館學會集會必親自出席，多年來始終如一。最爲難能可貴的是盧教授對於台灣圖書館問題觀察洞澈，處事不偏不倚，發言則言必有中，素爲圖書館界同道所悅服。

盧教授著述甚豐，有兩本書是我在師大教學時經常利用參考的。一本是《中國圖書館事業史》，另一本是《圖書館管理》。《中國圖書館事業史》以論述中國歷代圖書和圖書館的發展經緯爲主，旨在探討自漢代至清代不同環境背景中的圖書館制度，以歷史學的研究態度分析圖書館事業的進程，該書在研究方法上雖與比較研究法有別，但就書中舉列的我國圖書館發展的四項特點：源於官府、旨在濟世、囿於學術和疏諸群衆四方面，實已從歷代圖書館的設置、功能、特質和服務等角度作一結論，其內容不僅採取敘述、分析步驟，間也具有綜合並列比較的論斷。尤其在所敘述特點中指明圖書館的功能「旨在濟世」，一針見血的說明了圖書館的公益性質，可說是圖書館的致力目標。民國七十二年圖書館界的耆碩嚴文郁教授在輔仁大學任講座教授時曾編撰《中國圖書館發展史》一書，介紹清末至抗戰勝利該一階段圖書館事業的成就，並對當時圖書館界同道在艱苦困窘的環境下，奮力耕耘的精神及茹苦含辛的史實加以記述。該著與盧教授的《中國圖書館事業史》一書在內容年代上彼此銜接，兩書相連成爲一部完整的中國圖書館事業發展史，足供研究我國圖書館史之參考。

另一本書是漢美圖書公司在八十三年出版的《圖書館管理》。近年來管理科學盛行，各校圖書館學系所多將圖書館管理列爲核心課程之一。盧教授依據管理學的理論，參酌國內實際情況加以論述。他認爲圖書館管理是一種精神的顯現，經由理念和目標的認同，形成合作進取和熱誠服務的態度與精神。盧教授並指出圖書館將藉管理科學發現其嶄新的生命，管理科學亦可藉圖書館證明其價值。該書文從字順，鞭辟入裏，頗具啓發性。

我和盧教授相交五十年，得機共同參與圖書館界的各項活動，也多次應教育部與文建會之邀訪視全省各縣市文化中心和學校圖書館業務。民國七十九年，兩岸圖書館界初次交流，圖書館界組團分訪大陸北京、天津、武漢、上海、杭州等地，盧教授熱心協洽，安排一切，使參訪計劃得以順利進行，更令人感念。中華圖書資訊教育學會成立後，在胡述兆、李德竹、莊道明諸位教授細心籌畫下，兩岸圖書館界定期舉行研討會，盧教授每次必參加會議並提出論文，對圖書館事務之評析，均深中肯綮，不僅爲海峽兩岸同道所肯定，也顯現出他對兩岸圖書館界合作交流的努力和熱心。

盧教授長期在輔仁大學教學研究，默默耕耘，培養人才無數。古謂桃李不言，下自成蹊，當爲盧教授的寫照。茲逢盧教授七十大壽，並旋將屆齡退休，功成身退。謹祝盧教授松柏長青，永保健康快樂！惟望盧教授今後在遨遊山水之餘，退而不休，繼續推動圖書館事業之發展。

學術研究的良朋——盧荷生教授

為慶賀盧教授七十大壽而作

胡述兆

國立台灣大學圖書資訊學系所 名譽教授

歲月不居，在不知不覺中，盧荷生教授也到了屆齡退休之年。值此圖書資訊界為盧教授歡祝七十大壽之際，我想藉此機會，來回顧一下我們多次在學術研究上的合作。

我認識盧荷生教授，始於1980年。那年我應台大文學院院長侯建教授之邀，自美回台，擔任台大文學院圖書館學研究所的首位客座教授。在當時中央圖書館館長王振鵠教授所主辦的一項學術研討會中，盧教授就我國圖書館的的編目規則發表意見，他的態度溫文，聲音沉穩，要言不繁，言簡意賅，短短幾分鐘，就掌握了主題，表達了重點，使我印象極為深刻。

1983 年，我受侯院長的敦促，辭去美國的教職，回到台灣來，出任台大圖書館學系的系主任暨圖書館學研究所的所長。其後不久，盧教授也膺任輔仁大學的圖書館學系主任。由於彼此在職務上的關係，我們見面的機會日多，加以有多年，我們連續當選中國圖書館學會的常務理事，經常在一起開會，而對一些議題的意見，常常不謀而合，看法一致，更拉近了我們的距離，並開始在學術上的合作。

1989 年，我受國立編譯館館長曾濟群博士的委託，主編《

書館學與資訊科學大辭典》（1995 年漢美圖書公司出版，全套三冊，400 萬字），我特地敦請盧教授擔任副總編輯（另一副總編輯爲李德竹教授），並請德高望重的王振鵠教授擔任總校訂。六年之中，我們朝斯夕斯，日以繼夜，全力以赴，除自己撰稿外，並負責審稿、改稿及出版時的全文校讀，其中的辛苦，不足爲外人道，但我們的合作卻極爲愉快。

幾乎在同一時期，我們又與大陸的吉林省圖書館館長金恩輝教授合作，編輯《中國地方志總目提要》（1996 年漢美圖書公司出版，全套三冊，600 萬字），此一鉅大的學術工程，共收錄 1949 年以前的中國地方志 8577 種，對中國歷代府、州、廳、縣、鄉、鎮等地方志的存佚、版本、作者、內容、價值等，作了系統的介紹，同時進行了辨章學術、考鏡源流的研究，每一志爲一條，每條字數自 400 字至 1000 字不等，是繼《四庫全書總目提要》以來，中國又一部提要性的工具書，“也是地方志由目錄性總結發展到考評性總結新階段的重要標誌”。這一學術工程的編輯工作，係由金恩輝教授與我共同主持，特請盧教授擔任台灣地區的主編，並負責編輯《台灣現藏「本提要」未收方志書名目錄》，及《台灣現藏「本提要」所收方志書名目錄》兩種附錄，使大陸與台灣地區所收藏的中國方志，有一全面性的總目錄，其價值可不待言，而其認眞負責的敬業精神，更令我感佩不已。

1990 年，教育部圖書館事業委員會，針對台灣地區圖書館界所面臨的一些問題，擬訂了十項研究計劃，分別由圖書館學的教授及館長擔任主持人，盧教授與我是“圖書館與資訊教育之改進”研究計劃的主持人。協同主持人爲教育部人事處長林政弘先生，研究委員包括王振鵠、楊國賜、李德竹、林美和、朱則剛等教授，研究助理則爲謝文和（教育部社教司科長）及陳昭珍（時爲台大圖書館學研究所博士生），並由陳昭珍擔任研究報告的起草工作。此一研究工作，爲時近一年，研究範圍涵蓋：當前圖書館教育所面臨的問題，圖書館學與資訊科學之整合，圖書館教育課程之改進，圖書館教育師資之培養，圖書館教育的層級，基層圖書館員（中小學及鄉鎮圖書館）之培育，圖書館員的在職教育，及現行圖書館員任用相關法規之檢討。在報告中，我們獲致二十多項結論，並提出三十多項建議，對我國當前圖書館教育之改進，具有相當影響及重要參考價值。

1990 年 7 月，漢美圖書公司開始出版「圖書館學與資訊科學論文叢刊」，刊印台灣地區各大學圖書館學研究所的博碩士論文。因爲我在台大講授圖書館教育有年，所以由我擔任主編，另請一人擔任共同主編。截至 1997 年止，此一叢刊共出版 7 輯，每輯 10 册，共 70 册，都約 900 萬字。除第 1 輯、第 2 輯及第 5 輯，係由我及其他教授共同主編外，其餘 4 輯都是由盧教授與我共同主編。

在我的學術研究歷程中，我與盧荷生教授合作的次數最多，時間最長，範圍也最廣，說盧教授是我的學術研究良朋，誠屬相宜。我以此爲榮，也以此爲盧教授壽。

2001 年歲次辛巳 3 月 14 日

於桃園楊梅大台北世外桃源靜廬

壽盧教授荷生先生七秩華誕

黃世雄

中國圖書館學會理事長

淡江大學教授兼文學院院長

欣逢盧教授荷生先生七秩華誕，門人故舊與圖書館界同道發起祝壽之議，以編印榮慶文集作爲隆重獻禮。忝爲同道，有幸獲邀，略書感念，藉申衷心祝賀之至忱。

時光荏苒，與先生結緣已二十餘年，深感先生待人誠懇正直，心口如一；宅心仁厚，從無機心；主張公道，仗義直言。多年來先生參與圖書館界活動，時相過從，無論隨意閒談，或執疑求教，先生都能知無不言，言無不盡，獲益良多。

先生從事圖書館教育三十餘年，任教世新圖資科、輔大圖資系，爲圖書館界作育人才，桃李遍布各界。先生對於促進圖書館事業發展之理念至爲執著，一向秉持此一理念，闡揚此一理念，並深信在今後資訊發達的社會，必須全民力行終身學習，提高知識文化水準。此則有賴於積極加強普及圖書館學的教育功能，才能臻此目標。證諸先進各國，莫不如此。從而可知，圖書館學教育關係個人的智愚，與推動國家現代化建設工作的成敗。圖書館事業發展切不可等閒視之。

先生博學多聞，學養精湛，化雨之餘，潛心於研究圖書館理論與實務的結合，圖書館與資訊教育的改進，及我國圖書館史等方面，並將各項研究成果與心得撰寫專書與論文，公開發表，嘉惠社會。專書有：中學圖書館的理論與實務、圖書館行政、中國圖書館事業史、圖書館與資訊教育之改進研究報告、圖書館管理等；論文散見於專業期刊。

先生爲我館界圖書館人的典型，中國圖書館學會各項活動無不熱心參與。自民國66年以來，擔任學會舉辦歷屆暑期圖書館人員研習會講座；膺任學會理事、監事、常務理事等職務，爲促進我國圖書館事業耗盡心血，義無反顧。退休後，仍應聘爲學會榮譽理事，最近館界所完成具有畫時代意義的壯舉，如發表我國圖書館事業白皮書，圖書館法完成立法程序等仍本初衷，盡心獻替。

先生老當益壯的精神，堪爲後學典範。忝爲同道，與有榮焉。敬謹祝福 先生福如東海，壽比南山。

豐盛的一課

謹以本文恭賀盧教授荷生七十大慶

張 淳 淳

輔仁大學圖書資訊學系副教授

這篇短文早就想寫，這些話也一直在心裡。欣逢盧老師七十大慶，我願在此表達多年來深摯的感謝之意！

壹、生命中的貴人

卅六歲那年，我在工作上遭遇前所未有的挫折與打擊，憤而離開堅守了十四年的崗位。雖然嘴裡說著要休息半年再重新起步，心裡卻不免為中年轉業感到茫然。爸媽陪我度過極其沮喪的三天，我撥了通電話到我兼了七年課的輔大圖書館學系，想告訴助教我已離職，以後有事就和家裡聯絡。助教不在，系主任接的電話，盧老師聽我簡短報告了現況，也不多問，只說：「你要不要來輔大教書？」同時約我當面談談。

我一直熱愛教書，也願意對年輕的孩子付出關懷，不過在工商界待了十餘年，總覺緊張、忙碌才有成就感，教書嘛，太單純、安逸了，缺乏挑戰性，我還是客串一下，兼課即可！

見面那天，盧老師在校車上又力邀我到輔大，還替我規劃了可以擔任的課程。我竟愣頭愣腦地告訴他：「我很喜歡教書，可是老了才要教。」「老了就沒機會啦！」這是盧老師給我的回答。於是，在盧老師的鼓勵與提攜之下，我到輔大專任教職。

那年暑假絕對是我這輩子非常重大的轉折。盧老師讓我只「失業」了一個禮拜，沒開始找工作即覓得新職；他幫助我在最短的時間內撥雲見日，重展笑顏。我非但沒有被挫折擊倒，反而更加開朗、快樂，信心滿滿地立刻投入我衷心喜愛的新工作。塞翁失馬，焉知非福？事隔多年，每當憶及這段陳年往事，心底依舊激盪不已！而我的「貴人」-盧老師，平心而論，那時我們其實還稱不上十分熟稔。

如今，我在輔大已逾十個寒暑，卻一直沒有機會向盧老師鄭重致謝。此刻，讓我誠摯地說一聲：「謝謝您，盧老師！」

貳、記憶中的身影

求學階段，我無緣受教於盧老師；在輔大兼課時，接觸的機會也不多，只覺他溫文儒雅，是一位非常關心學生、課程與設備的系主任。

我到輔大後，有一回，閒談中聊起我是北一女畢業的，盧老師突然問我：「你有沒有在北一女看過我？」我腦中一閃，不禁睜大眼睛驚呼：「有啊！現在想起來了，有啊！」剎那之間，高中時每天早晨開朝會的情景清楚地浮現在眼前。那時，常有個挺拔的身影站在隊伍旁邊，不知道是哪一班的老師？我想起來了，那確確實實就是盧老師，樣子一點兒都沒變！

盧老師曾任北一女圖書館主任。在那個心中只有聯考的日子裡，其實我不曾好好利用過那個圖書館。只記得曾有一個中午，與好友席地坐在圖書館的樓梯上，互相傾訴「上大學」這個年少時唯一的夢，還約定以後午休時間都要躲到這裡用功，免得被其他同學打擾……。

或許眞的太苦悶了，我對高中生活的印象並不深刻；盧老師有時會和我聊起北一女的人事物，才多少勾起我的一些回憶。而那棟圖書館，雖然我早已忘了它的外觀，說不出它的顏色，也不知道它的館藏、分類、編目、流通、參考……，但它竟自此成爲我心目中北一女最具代表性的建築，在我的記憶中輪廓鮮明！

記得的當然不只圖書館，朝會隊伍旁的身影歷歷在目。而隊伍中的年輕女孩當年可曾料到，後來她學圖書館、教圖書館，與盧老師的淵源原來如此深厚！

參、態度溫和、立場堅定

盧老師的行政長才一直是有目共睹、有口皆碑的。我不多言他在系主任任內是如何綜理日、夜間部系務並兼任圖書館總館長，日理萬機卻總是有條不紊、應付裕如；我特別要說的是，以盧老師的年齡和背景，卻能在那個年代體認圖書館的未來趨勢，不但要求學生修習資訊學分，更爲隸屬於文學院的系上爭取到幾十部個人電腦，實在令我非常欽佩。

盧老師榮任輔大文學院院長，我們與有榮焉。他領導特色、需求均不相同的九個科系-包括中文、歷史、哲學、圖資、新聞、廣告、影傳、應心、體育學系，難度之高實非外人所能了解。我雖未親眼看到他與各系間的溝通、協調，但屢屢聽旁人提及盧院長的擔當、公正、耿直及對原則的堅持，還有更重要的-對他的「服氣」。

除了在輔大，盧老師亦積極參與圖書館界的活動，是台灣圖書館界的主要領導人。我們常在全國性的場合看到盧老師，其實他對文化中心、鄉鎮圖書館亦十分關心。盧老師主持會議的功力是很多人津津樂道的，尤其是遇到「狀況」時，他總能四兩撥千斤，化解尷尬。好幾次我在散會後看見與會者翹起大拇指，讚不絕口！

前幾年，我負責輔大圖資系日、夜間部系務及兼任圖書館總館長，經常忙得焦頭爛額。每當我感到事情棘手或力不從心時，盧老師就是我最好的請益對象。不單單因爲他了解做事的程序，熟悉輔大的文化，指導我從雜亂無章中迅速理出頭緒；最最重要的，也是我時刻謹記在心的，他告訴我：「態度要溫和，立場要堅定。」我知道我離這幾個字還有一段距離，但盧老師的箴言的確在很多時候幫助我勇敢面對困難，順利解決問題。

說到「立場要堅定」，我倒想起了一件趣事。1990 年暑假，我陪爸爸、媽媽到美國觀光，在事先不知情的情況下，我們居然在旅行團裡巧遇盧老師和師母。到了拉斯維加斯，衆人皆摩拳擦掌，準備小玩一把。我記得隔天我問盧老師戰績如何，老師徐徐地說：「我是個天主教徒，昨天我們找了個教堂做禮拜。」我心裡大叫：「天哪！這是賭城呀！您未免太……」十年了，不知盧老師和師母是否曾舊地重遊？我眞的很想知道：「盧老師，您是否還像上個世紀那般立場堅定？您贏錢了沒？」

肆、另類的盧爺爺

盧老師自院長卸任後，專職教書，在學生嘴裡，他也從盧爸爸「升格」爲盧爺爺。我很好奇，這群不同世代的孩子究竟如何看待這位「當流亡學生那段漂泊的日子，其中之酸甜苦辣眞是三天三夜也訴說不盡」的盧老師？於是，我找出輔大圖資系十年來的畢業紀念册：

「猶記大一新生的第一堂課，老師就強調『本分』，做學生的本分-上課不缺席、不說話、不睡覺。上課帶本小册子，標題寫在黑板，四年來我們就這樣坐著聽老師講課，告訴個個小故事……。一頭灰白，踏著平緩的步伐，常從黑框眼鏡射出的眼神，總是手指著我們這群小鬼頭說：『不要以為我不知道你們在做什麼~』……」（89 年 7 月）

「……有人覺得他過於嚴厲了，對自己和學生的要求都很高且一板一眼，上他的課壓力很大，絲毫不敢放鬆；有人則覺得，他是難得一見學者型的教授，是圖資系的大家長，說的話蘊涵著無限智慧與生活哲學，使人如沐春風，果真『聽君一席話，勝讀萬卷書』哪！可惜少有人能馬上領悟他話裡的玄機，總以為那些三不五時就會重複的小故事不值得一聽，四年後才驚覺受他潛移默化的影響有多大，正如老師常說的：『課本裡教的內容容易忘，我說的這些可都是生活經驗的累積喔！這些往往會影響日後為人處世的態度，記住了喔！』……」（88 年 6 月）

「盧老師的記憶力是超強的，『我好像罵過你，不要討厭我，現在會跟你們講這話的人不多了，我不會討好學生！』盧老師就是因為有這些原則，在現今的聲音之下，反而是一種另類，卻跨越我們的年齡與經驗，時時提醒我們……」（87 年 5 月）

「念到大四才有點聽得懂老師的課，或許是大一的貪玩、大二的狂妄、大三的迷戀都已過去。收心之後，想想自己的未來，老師的話就像鼓舞學步的幼兒，教我們前進比較容易站起來。」（85 年 6 月）

「也許我們曾嫌過老師嘮叨，也許我們曾無法體會老人家的心情，但我們深信，盧老師的話將會是終生受益。」（82 年 5 月）

「你們也許感覺得出來，基本上，我有我的理想，對於學生可能會要求比較多，而且在某些地方我不太肯退讓。」（81 年 6

月訪談）

伍、豐盛的一課

爲了這篇文章，我仔細讀了一年又一年的畢業紀念册，原本只是要看看年輕氣盛的孩子對「上課不可以坐最後一排，不可以吃東西，不可以遲到，不可以聊天，不可以看窗外……等十誡」的想法，結果卻像上了一堂豐盛、充實的課，我忍不住想讓大家和我一起分享：

關於課程，盧老師說：「對於輔大圖書館學系，在傳統上我和藍乾章老師所走的二條路線是：1.是強調人與人合作的觀念，2.是以實務的角度來做圖書館學。因爲我和藍老師都是多年的圖書館員，根據多年的經驗，所以從實務的角度上去要求，設想及設計這些東西。」（81 年 6 月）

關於圖書館與圖書館員，學生們寫道：「老師慣用有趣的故事和淺白的例子講課，其中有兩個記憶比較深刻。講到新進館員的訓練，老師說『就像白天放養在河裡的鴨子，晚上小鴨及新進來的鴨都會跟著原本的老鴨一起回鴨寮，絕不會跟錯了別人的鴨，這就是融入自己的團體，和屬於自己的團體走共同的方向』；講到圖書館內各部門的合作，老師說『就像人體的組織一樣，是分工卻又彼此相關，是功能互相配合而不是各自表現自己比別的部門強』。聽故事比較容易記，記得故事也就記得老師所要教的東西；淺白的例子比較容易懂，懂了例子也就懂了原本玄之又玄的內容。」（85 年 6 月）

關於教書，盧老師說：「教書的人，沒有別的樂趣，唯一的樂趣就是每年每年看到學業完成的人，走出校門，進入社會，得到大家的肯定；另外又有人進來，一代一代下去生生不息。」

（81 年 6 月）

關於生活的體驗，盧老師說：「天下道理只有一個，就看你能不能觸類旁通而已。」「專家往往只是摸清楚了象牙，卻不知道什麼是大象。」「每個人看到的都是眞理，只是都不是全部。」「不要沒有學會擇善，倒學會了固執。」（85 年 6 月）

另外，盧老師也寫了不少勉勵同學的話：

「耐心一點。所謂水到渠成，水不滿，渠怎麼能成呢？無論是想增加財富或提高地位，都是靠累積而成的，別心急！」

「以學習的態度來過日子，用學習的方式來充實生活。」

「虛心地求學問、誠懇地與人相處，不要忘記時時充實自己，這才是最重要的。」

「在我們人生的旅途中，常有一些無法預料的『偶然』因素出現而發生影響，希望大家不要太在意。要緊的是另外一些『不偶然』的事要好好掌握。」

「謙虛好學，對一個圖書館員或資訊工作者來說，應該是很重要的，我們除了工作技術之外，還要有足夠的知識。」

「大學畢業了，該想一想，這些年來，學到了些什麼？又學會了些什麼？用以做人做事，夠嗎？如果不夠，該怎麼辦？」

「我們求學，知識累積，一點一點地在增加；有如爬山，一步一步地在登高，不能偷懶，也無法取巧。當一個階段結束，我們的知識增廣了，心胸開闊了，境界提升了，不會休止，正是邁向另一階段的開始。繼續學習，不斷進步，學習就有進步，因爲知識是無窮盡的，人生的境界也是無極限的。這才是眞正的終身學習！」

看完了這些，你是不是也和我一樣，上了無比豐盛的一課！盧老師原本就是一本內容豐美的書，一所館藏豐富的圖書館呀！

一位智慧圓融和寬宏大度的長者

——賀盧老師荷生七十大壽

吳政叡

輔仁大學圖書資訊學系副教授兼系主任

盧老師荷生在大學時爲我的班導師，雖然在大學時因爲忙於社團，較少參與班上的活動因而未能與盧老師多所請益。有幸的是，自美學成歸國後能再回母系任教，因而得以與盧老師經常接觸，近六年來在其亦師亦友的薰陶下獲益良多。如今欣逢盧老師荷生七十大壽暨榮退，謹將一些與盧老師日常接觸的感念記下，一方面感謝其日常的教誨，一方面做爲自己言行的座右銘。

盧老師是一位胸懷磊落、行事光明的長者，他曾提及在接任輔大文學院院長之際，並未如一般慣例撤換院秘書，反而是繼續延用前任院長的秘書，因爲盧老師以爲若是自己行事光明磊落，處處遵守學校的典章制度，又何必一定要任命自己熟悉的人。後來也證明延用的院秘書非常幹練，與盧老師也能緊密配合，在任期屆滿後，由於領導和行事風格備受肯定，學校有意打破慣例請其繼續擔任院長，也被老師以遵守學校的典章制度爲由拒絕。觀察現在政治上的許多亂象，泰半與爲官者隨意任命自己的親信和戀棧權位有關，盧老師此種行事光明磊落的風格，也常被自己奉爲言行的座右銘。

盧老師另外一個常被自己奉爲言行準則的，是其寬宏大度的胸襟與不恥下問的精神。由於忝為系上教師，因此常會與盧老師在系務會議等場合討論系上的事務，有時因為生活背景、理念、看法等的不同，在此種公開場合提出與老師不同的見解，老師亦不以為忤，可見盧老師胸襟的寬宏大度，如今自己也開始慢慢「桃李滿天下」，常常會在系外的會議場合碰到自己教過的學生，因此也時時以學習老師這種寬宏大度的胸襟自勉。

不恥下問的精神也是與盧老師相處時常有的體會，有一陣子因為研究室不足而與老師在同一間研究室，因而經常會與盧老師碰面。由於我有電腦博士的背景，老師常常會就一些電腦相關的問題請教，絲毫不因為是自己的學生而有難於啓齒的感覺，正是「知之為知之，不知為不知，是知也」精神的體現。

學生 吳政叡敬筆

民國九十年四月七日

US MARC 21 社區資訊機讀格式

李德竹

國立臺灣大學圖書資訊學系教授

摘　要

MARC 21 社區資訊機讀格式是針對處理社會中多樣的非書目性資源而設計的格式，雖然始於 1980 年代初期，至今仍甚少為圖書館界重視而予以運用。本文試介紹社區資訊格式之設計理念、特質、應用、問題、及實例，強調其重要性並呼籲圖書館界重視利用。

關鍵詞： MARC 21 Format　社區資訊　MARC Community Information Format

1999 年，美國國會圖書館和加拿大國家圖書館聯合對外公告將 US MARC 和 CAN/MARC 兩格式合而爲單一格式，並命名爲 MARC 21，以達到未來廿一世紀和全世界使用之目的。MARC 21 格式涵蓋五種格式，是一個機讀格式家族模式(family of formats)，其中有書目(Bibliographic)、權威(Authority)、館藏(Holdings)、分類(Classification)和社區資訊(Community Information)五種格式。同時加拿大亦出版法文版的 MARC 21(註 1)。本文旨在介紹鮮爲圖書館界認識而又少被應用的 US 21 MARC 社區資訊機讀格式(US MARC Community Information Format，簡稱 CIF)。MARC 社區資訊格式重要的特色是專爲描述社區需要的非書目性資源(Non-bibliographic resources)而設計的機讀格式。這些非書目性資源，如計畫/節目(programs)、服務(services)、組織/機構(organizations)、個人(individuals)、事件(events)或其他對社區有用的資源(other resources)，其目的是對社會中各方面多樣又不同的需求皆可以提供資訊服務。(註 2)1980 年代初期，由於社區資訊多爲非書目性的，更具有動態的、活潑的而又不斷發展的特性，其資料單元(Data elements)無法放入標準機讀格式中，另外又因無編目規則可循，美國圖書館界之解決方法當時則是另外爲社區資訊設計格式，或修改已有的MARC格式以容納社區資訊的資料單元。(註 3)

1985 年至 1993 年間是社區資訊格式發展時期，其間經過美國公共圖書館協會技術委員會和已自行開發以機讀形式輸入館內的自動化系統之圖書館共同擬定「社區資訊標準化資料單」(詳見下表一)，該委員會於 1989 年向美國國會圖書館網路發展(The Network Development and MARC Standards Office, the Library of Congress)和 MARC 顧問小組(US MARC Advising Group)提出要求，要求由國會圖書館爲社區資訊設計機讀格式。美國國會圖書館於 1992 年 4 月核准 US MARC Community Information Format 爲暫時性的格式，期許透過圖書館的使用，得到經驗而再予以修改。(註 4)最後，美國社區資訊機讀格式終於 1993 年正式出版，是一個較新的而最少被使用的機讀格式，爲溶入MARC家族之一員，故其格式內容設計類似和/或仿用書目性格式(bibliographic)所用之欄位和編碼，其設計理念與書目性格式相同，也可用於公共目錄中。(註 5)

表一：美國MARC社區資訊格式採用之標準資料單元項目表(1992 年)

(Standardized list of data elements for community information)

Accessibility	Licensing/Accreditation
Additional Address Locations	Meeting Room/Facilities/Equipment
Affiliation (membership; parent organization)	Meeting Times
Annual Budget	Mission Statement/Purpose
Application for Service (required documents)	Mutual Support Groups
Cataloging Record Source	Name of Public Contact Person
Child Care	Officer Names/Advisory Board Members/Peer Advisory Group
Classification Number	Primary Address
Control Number	Program Description/Description of Services
Date of Record (original entry date/ date record updated)	Programs (titles)
Director's/Administrator's Name	Publication Titles
Eligibility Requirements	Size of Staff
Fee	Speakers Bureau
Former Name(s)/Acronym(s)	State
Funding Source	Subject Headings
Geographic Area/Location Served (in text and in coded form)	Target Group
Handicapped Accessibility	Telephone Number--including TTD, FAX, 800 number; electronic mail address
Hours of Operation	Title of Organization (program name/ popular name)
Human Service Number	Volunteer Opportunities
Languages in which Services are Provided (in text and in coded form)	Waiting List
Languages Spoken by Staff (in text and in coded form)	Year Established/Founding Date
	Zip Code

首先比較 US MARC 社區資訊格式與書目格式不同之處，詳見下表二：（註 6）

表二：美國 MARC 社區資訊格式與書目格式欄位之比較

(一)記錄標示(Leader)

US MARC Community Information Field		US MARC Bibliographic Field	
00-04	Logical record length	00-04	Logical record length
05	Record status c Corrected or revised f Deleted n New	05	Record status c Corrected or revised d Deleted n New a Increase in encoding level p Increase in encoding level from prepublication
06	Type of record q Community information	06	Type of record (codes a-g, i-k, m, o, r)
07	Kind of data n Individual o Organization p Program or service q Event z Other community information data	07	Bibliographic data (codes a-d, m, s)
08-16	(same as for the bibliographic format)		
17-19	Undefined	17	Encoding level
		18	Descriptive cataloging form
		19	Linked record requirement
20-23	(same as for the bibliographic format)		

(二)段(Blocks)

US MARC Community Information Field	US MARC Bibliographic Field
0XX Control Information, Numbers, and Codes	0XX Control Information, Numbers, and Codes
1XX Primary Name	1XX Main Entry
2XX Titles, Addresses	2XX Titles and Title Paragraph
3XX Physical Information, Etc.	3XX Physical Description, Etc.
4XX Series Information	4X35 Series Statements
5XX Notes	5XX Notes
6XX Subject Access Fields	6XX Subject Access Fields
7XX Added Entries Other than Subject	7XX Names, Etc. Added Entries or Series; Linking Fields
8XX Miscellaneous	8XX Series Added Entries; Holdings and Locations
9XX Reserved for Local Implementation	9XX Reserved for Local Implementation

US MARC 社區資訊記錄之有別於其他 US MARC 記錄是在格式中記錄標示(Leader)/06(記錄種類)位置上是以" q "代碼標示其爲社區資訊記錄，同時在 Leader/07(資料種類)位置以下列代碼標識之：(註 7)

n (Individual)：代表"個人"方面之資訊；

o (Organization)：代表"組織/機構"相關之資訊；

p (Program or service)：代表某計畫或服務項目的資訊；

q (Event)：表示某事件之相關資訊；

z (Others)：表示除以上資源種類外，與社區相關之其他資源。

以下介紹 MARC 社區資訊格式記錄實例：(註 8)

(一)機構

COMMUNITY INFORMATION RECORD: AGENCY

This example can be identified as a record for an organization (including agencies) by code o in Leader/07. The record contains fields 110 (Primary Name-Corporate) and 270 (Address), two fields used with organizations.

Leader/06 q [community information]

Leader/07 o [organization]

001 < control number >

003 < control number identifier >

005 < date and time of latest transaction >

008 930917aaaaaaeng

040 ##$a< MARC code > $c< MARC code >

041 0#$aengspa

110 2#$aHaven House.

270 1# $aP.O. Box 50007 $bPasadena $cCA $e91115 $j213-681-2626 (24 hour hotline)

307 ##$a24 hours a day, 7days a week.

520 ##$aA residential shelter for women and their children who have been abused by alcoholic partners.

531 ##$aWomen (18-64) with their children (0-18) who need shelter from physical and emotional abuse due to alcohol in family member; $bfrom $1.50/day (Residential) to $20.00/month (Group CNSL); $ctelephone; no walk-ins.

546 ##$aEnglish, Spanish.

574 ##$aPublic transportation. Call RTD: 818-246-2593.

650 #0$aBattered women.

650 #0$aWomen's services.

(二)計畫 / 節目

COMMUNICTY INFORMATION RECORD: PROGRAM

The example can be identified as a record for a program or service by code p in leader/07. The record contains field 245 (Title), a field used with events and programs. A field 004 (Coded Dates Fixed Field) is also present.

Leader/06 q [community information]

Leader/07 p [program or service]

001 < control number >

003 < control number identifier >

005 < date and time of latest transaction >

008 921229aaaaaa | | |

040 ##$a< MARC code > $c< MARC code >

046 ##$f19931226 $g19931221 $h19931115 $i19931220

110 2#$aUnited States Marine Crops.

245 #0$aToys for Tots.

270 1#$aP.O. Box 223 $bBroken Arrow $cOK $e74012 $pSgt. Kathy Hibner

307 8#$aBegins November 15, 1993.

500 ##$aAnnual toy drive.

500 ##$aCollection locations include: All fire stations in Tulsa, Broken Arrow; Tulsa National Bank, 71st and Yorktown; All Wendy's restaurants; Eastland Mall; All three American

Shopping Channel Stores; Riverside Chevrolet; West Star Bank on Garnett; Scissors Hair and Body; Dresser Rand; Kindercare; Capelli's Hair Salon; All U-Haul locations and Bargain Time in Sand Springs.

501 8#$aUpdated 6/93.

572 ##$aSponsored by the United States Marine Corps.

650 #0$aChristmas.

(三)組織

COMMUNICTY INFORMATION RECORD: ORGANIZATION

This example can be identified as a record for an organized by code o in leader/07. The record contains field 110 (Primary Name-Corporate) and 270 (Address), two field used with organizations.

Leader/06 q [community information]

Leader/07 o [organization]

001 < control number >

003 < control number identifier >

005 < date and time of latest transaction >

008 930608aaaaaaeng

040 ##$a< MARC code > $c< MARC code >

046 ##$f199311uu

110 2#$aWasatch Front Road Runners.

270 1#$aP.O. Box 8344 $bSalt Lake City $cUT $e84108 $k467-4203 $pRichard Barnum-Reece

308 ##$aM-F, 8-5.

501 ##$aSERVICES: Runners organization.

502 8#$aDate revised: 9/93.

531 ##$bFees for membership/newsletter.

581 8#$aPublishes the newsletter The Utah Runner and Cyclist.

587 ##$aSPORTS ORGANIZATIONS: CIF pamphlet file.

650 #0$aRunning.

650 #0$aJogging.

730 0#$aUtah Runner and Cyclist.

(四)事件

COMMUNITY INFORMATION RECORD: EVENT

This example can be identified as a record for an event by code q in leader/07. The record contains field 245 (Title), a field used with events and programs.

Leader/06 q [community information]

Leader/07 q [event]

001 < control number >

003 < control number identifier >

005 < date and time of latest transaction >

008 930816anannneng

040 ##$a< MARC code > $c< MARC code >

046 ##$g19931002 $h19931001 $i19931001

245 #0$aContemporary Music and Inter-disciplinary Music Theatre.

270 1#$aRadcliffe Dance Center, Agazziz House $k437-2247

307 8#aOct. 1, 1992, 2 p.m.

440 #0$aLearning through Performers Program

511 ##$aA lecture/demonstration by Paul Dresher and Rinde Eckert, composers and members, Paul Dresher Ensemble.

520 8#$a"About 'Pioneer', which examines the burden of the American frontier past and the uncertainty of the future through Dresher's innovative electronic score and Ekert's arrangement."

531 ##$bGeneral admission, $6.00; free for Harvard and Northwestern faculty, staff, and students; half-price discount for seniors, students, and advance sales buyers.

650 #0$aTheatre.

US MARC 社區資訊格式應用上的問題

US MARC 社區資訊格式自公布以來，一些自動化系統中亦有增列社區資訊記錄者，但也被一些大學和公共圖書館以及圖書館系統代理商所採用，社區資訊格式但並不常被使用，似乎並未得到圖書館界之重視，其原因分析如下：(註 9)

1. 編目對象之選擇：由於社區資源甚廣，非書目性資料種類繁多，如何選擇適當的資源，根據何種編目規則，特質不易取捨，又圖書館如何訂定其館藏發展及採購非書目性資料之政策皆需要進一步的研究及規範。

2. 編目規則：任何一種機讀格式之設計，除社區資訊格式外，皆是先有編目規則再訂定格式。對社區資訊而言，情況複雜，訂定編目規則並不容易，正因爲無適當之編目規則可依據，其標目形式和資料單元的款目以及統一用語之問題甚多。

3. 資訊來源：社區資訊來源甚廣，難以掌握，如何確定和評估其來源之眞實性，皆需費時查詢確認。以個人記錄爲例，常由於介紹個人爲依據爲宣傳材料，是否適合選用列入記錄很有爭議。

4. 記錄之更新：社區資訊多爲動態的，變化無窮，除一些已完成的事件外，組織機構之改變，服務項目之變更，個人資料等，常因更新太慢而使記錄失去眞實性、正確性、有效性，故需要常常維護，時時更新記錄；又何況社區資訊記錄需要原始編目(Original Cataloging)，所需人力時間甚多，以圖書館有限的人力而言，書目性的記錄已耗去甚多人力，已無力顧及非書目性的資料。

雖然，社區資訊格式在應用上有多種問題，但由於其活潑有彈性，而優點甚多，如例用社區資訊格式建立內部館員資料、各種活動節目，如內部訓練、會議、新知告知等。亦可將校園內之設備、活動、服務項目，利用此格式建置於線上目錄中，供讀者使用。對外可建立個人關係聯絡之資料網路，亦可增強對外界之公共關係。何況將社區內公園、游泳池、高爾夫球場和其他設施之資訊一併建置亦是很有意義的資訊！雖然這些資訊皆需原始編目，但大家一起來，正如書目性資料庫，亦是一筆筆建立起來的。（註 10）

結　論

當今圖書館界正在憂心如何處理那麼多的非書目性資源，如網路資源、機構團體、個人資料、服務項目或事件等等，國內外一窩蜂的設計各式各樣不統一規格之Metadata格式，其實這些格式設計理念仍看到 MARC 之影子，爲何不考慮試用 MARC 社區資訊格式？而另創新格式，使大環境又掀起了春秋戰國時代之局面，各自挖空心思，各顯風騷，到頭來各做各的，各玩各的，製造亂局。MARC 社區資訊格式，其設計活潑、有彈性，並採用 ISO 2709 及 ANSI 39.2 之標準，是很容易溶入現有MARC之資料庫中。因此作者特撰文介紹 MARC 21 社區資訊機讀格式，並建議圖書館與資訊界不妨嘗試研究運用此格式，以解決所有資料資源處理上之問題，俾使世界上各類型資源記錄之標準統一。

【附 註】

註 1 http://lcweb.loc.gov (Accessed by April 26, 2001)

註 2 Mary Engle, "Using the Community Information Format to Access Non-bibliographic Information, LITA Online Catalog Internet Group Meeting, American Library Association Conference, San Francisco, June, 1992," Technical Services Report 10(4) (1993): 57-63.

註 3 同上註。

註 4 Phyblis Burns, "The US MARC Community Information Format: A History and Brief Description," Information Technology and Libraries 11(4) (Dec. 1992): 387-392.

註 5 同上註，頁 392-401。

註 6 http://www.loc.gov/marc/community/eccildrd.html (Accessed by Jan. 8 2001); "The MARC 21 Formats: Background and Principles," Rivised Nov. 1996. http://www.lcweb.loc.gov/marc/96principl.html

註 7 Deborah J. Byrne, Marc Manual: Understanding and Using MARC Records, 2nd ed. Englewood, Colo.: Libraries Unlimited, 1998, pp.233-235. "MARC 21 Concise Community Information: Introduction; http://www.loc.gov/marc/community/ecciintr.html

註 8 MARC 21 Format for Community Information: Including Guidelines for

Content Designation, 2000 ed., prepared by Network Development and MARC Standards Office, Library of Congress in Cooperation with standards and Support. National Library of Canada. Appendix B. pp.1-4.

註 9　同註 7。Deborah J. Byrne, pp.237-239.

劉蘇雅，「US MARC 社區信息格式-圖書館自動化信息服務的新發展」，中國圖書館學報 24 卷 113 期（1998 年 1 月）：35-40。

註 10　同上註。

圖書館與現代神學教育

胡 歐 蘭

國立政治大學圖書資訊學研究所教授

摘 要

長久以來台灣地區的天主教或基督教所設立的神學院，甚至佛教團體所興辦的佛學院，在教育體制中一直處在「妾身未明」的狀態中。最近教育部即將修訂宗教法，旨在將神學教育正式納入高等教育體系中，因此引起各宗教教義研修機構之關切。

本文就神學院，特別是基督教神學院在納入正式體制中，神學院圖書館之設置及其角色功能，謹就筆者個人信仰的立場，提出一些見證，並就網路環境下，圖書館在神學院所要扮演的角色，從聖經的角度，探索神學院圖書館發展方向，以期提供基督教神學院圖書館建置與經營之參考。

關鍵詞：宗教圖書館　神學教育　知識管理　網際網路　福音網路　基督教教育　信仰見證

一、前　言

每次思及自己一生中所執著兩件事：㈠圖書館專業服務；㈡基督教信仰，常覺得有數不盡的恩典要述說，也尚有很多事情要做，當然還有許多學不完的專業技能，需要繼續不斷地接受磨練。所以學「圖書資訊學」是件沒完沒了的終身學習，而學了又能用，用在使別人得到「好處」。因此，專業服務與基督的信仰的結合，成爲每一項工作的目標，「要在主的恩典與知識上有長進」（彼得後書三：14-18）即成爲我的祈盼與動力。

俗言：「貧者因書而富，富者因書而貴」，雖知書中自有黃金屋，書中自有美如玉，確實在圖書館服務中——特別在圖書資料整理過程中看了很多書，同一本書也摸過好多遍，眞正讀得不多，如同中央銀行管家，數了無數的鈔票，用不到鈔票一樣，但仍樂此不疲，尤其看到成群結隊的讀者從圖書館借走那些曾被自己摸過的書，心中就有說不出的滿足與喜樂。這豈不是如經上所說「……你們既盼望這些事，就當殷勤，使自己沒有玷污，無可指摘，安然見主」（彼得三：14），所以圖書資訊服務是富足與尊貴的工作，使我擁有許多確據與應許。

在大學校院中，我們常比喻圖書館是「大學的心臟」，神學院是培養神職人員的學府，更須要有一個健全的心臟來維持神學院正常的運作。今年（民國 90 年）教育部成立宗教教育小組，研訂宗教教育納入教育體系的具體方案，經第一次會議（民國 90 年 2 月 22 日召開）決議中，已擇定 10 所神學院：涵蓋天主教、基督教、佛教、道教等，其中基督教/天主教神學院有四所：包括台灣神學院、輔仁大學附設神學院、中華福音神學院及玉山神學院等，先行通過納入高等教育體制。(註 1)此方案的通過對於課程和師資之認定，招生對象、校地規模等均將有所規定。(註 2)而圖書館是宗教教育中的「知識寶庫」，將在神學院中不可或缺的設置項目，對於資料的充實，軟硬體配備等作業，當不可等閒視之。

基於以上的主客觀催逼與需求，將就資料蒐集層面、管理技術層面及合作經營層面來談現代神學教育中必備之圖書館如何承接新的使命。

二、資料之蒐集與知識管理

知識經濟時代，知識管理不但是企業界熱門課題，也是圖書館界，在資料的蒐集、組織、服務等層面必須要去經歷與創新的門徑，面對即將要開展的神學院圖書館，雖然過去有些神學院己擁有些基礎，但神仍然會透過聖經，給我們諸多的提醒與教導，因此對於資料之蒐集與利用新技術管理「知識」，我們仍然要非常留心過去所擁有，現在所發生以及未來將出現的「知識」來履行「傳承使命」的大異象。

㈠效法早期傳教士之精神，負起蒐集、保存、傳播文化的責任

蘇精在他的大作《馬禮遜與中文印刷出版》描述英國傳教士馬禮遜(Robert Marrison,1782-1834)(註 3)對於中國文化的熱愛，在神職工作之餘，將西方印刷術傳入中國。我於 1998 年夏季赴英國倫敦大學考察，在亞非學院看到不少有關馬禮遜在中國大陸傳教期間蒐集近萬種的中國歷代珍藉帶回英國，倫敦大學亞非學院特將這批珍籍整理編目成書。(註 4)對傳教士對於當代的傳教與文化傳播的貢獻感佩不已。其他如戴德生(Taylor Hudson,1832-1905)及馬偕(George Leslie Mackay,1844-1901)等，在談知識管理的今天，就「如同雲彩圍著我們……」成為我們效法的榜樣。

㈡知識管理中之顯性知識與隱性知識

神學院圖書館應比一般大學圖書館擁有更多的隱性知識的掌握任務，依據聖經上的教導：「敬畏耶和華是知識的開端」(箴言一：7)，凡難以用文字描述的經驗或知識，無論人與神或人與人間之關係中湧流不絕，如何使隱性知識成顯性知識，圖書館扮演蒐集傳媒、轉移、保存的重要角色。而顯性知識的蒐集，有系統的組織、保存，成爲可利用的資源，使神學教育呈現多元化，培植具有使命的新血輪。因爲圖書館應以蒐集資料爲橫軸，開發資源爲縱軸，成爲神學教育中重要利器。

㈢「立足本土，放眼世界」之理念與實務

1998 年美國圖書館學會年會，針對網路時代的來臨，以〝Global Reach , Local Touch〞爲主題，呼籲圖書館員從資料的蒐集、擷取等，應由本土化走向國際化。神學院圖書館之開始，也應由「點」、而「線」，再連成「面」。各就自己的特色立足發展，配合培養「福音精兵」的政策，打穩根基，然後利用資訊技術連線至全球性的網站，才能達成 神所託咐的「施行祂的救恩直至地極」。(使徒行傳十三：47)。換言之，資料之蒐集先立定方向，建立本土特色，朝向多元化、多語文走入地球村。

三、現代神學教育與新科技技術之應用

教育的目的是灌輸知識、學以致用，並且進一步的知道怎樣做人。而宗教教育的目的是建立與促進神與人和人與人之間的關係。(註 5)由現代新科技教育之觀點，其實亦非常符合聖經上的教導。

㈠宗教教育與電腦輸入/(I/O)的關係

「教」是注入的程序-即注入知識、觀念是所謂的輸入(Input)，使受教者形成理想的觀念。

「育」是發育、培育長大成熟——即引出活力是所謂的輸出(Output)。

以宗教經驗而言，就是在神面前接受祂的啓示、感動、引導；然後向神崇拜、讚美、禱告、奉獻與事奉。(註 6)

因此基督教在教育的意義與目標上亦可顯明下列三點貢獻：(註 7)

1.認識人類文化遺產；

2.發展潛在的能力；

3.預備有效的生活。

然而最終的目的應該可讓受教者享受「榮神益人」無私無我的生活境界。

㈡「下網打魚」與上「網」打魚同時並進

1900 多年前耶穌傳道常常喜歡引用非常普通而易懂的生活比喻，當他的門徒西門彼得漏夜補魚一無所獲，精疲力竭時，他竟要彼得把船開到水深處，下網打魚，他們順從他，下了網就圈住許多魚，魚網險些裂開(路加福音五：4-6；約翰福音二十二：4-8；馬可福音十六：16-20 均有記載)，這一段故事給在困境中的基督徒有很多警示與提醒，在無望中，有新的決策與新希望是基督徒的生活觀；然而在科技進步的今天，神也要基督徒善用新科技上「網」打「魚」——傳福音。今日的資訊傳播，無論聲音、影像、文字均不受時空限制，均可透過網路傳遞、索取。因此在神學教育正可教導神學生接受「新命令」與新訓練上網打「魚」的方法。

總之，圖書館的經營與神學教育，仍要遵守「開到水深處、下網打魚」，也要在彈指間上網，無遠弗屆，得人如得魚。

㈢遠距教學與福音網路

近年來在我的電子信箱中時常出現我兒子從美國傳來他在教會的一些活動狀況，不但有文字報導，也有一些活動影像。開始我只當做是兒子個人思鄉念母的眞情流露，後來仔細思考是整個大環境的轉型，己波及神學教育與福音的傳佈方式，因此神學院設置網站提供遠距圖書資訊查詢服務；設計課程在網路提供遠距教學，使更多人得到終身神學教育。

教會方面更可利用網站之設置，公告教會現況與活動，利用電子郵件寄信名單(mail list)加強會友間之連繫，藉此分擔牧長的瑣碎事務。

四、資源之整合與共享

在教育部研訂神學教育納入正式體制之前夕，不禁地讓我時時會去思考，在正式的高等教育系統中如何經營具有特殊使命的神學院，確實滿值得現有的神學院未雨綢繆的課題，我只能由圖書館經營所經歷的得失經驗，加上聖經上的教導，先從資源之整合與共享提出個人所「知」，供有關神學院參考：

㈠效法圖書資訊界之館際合作聯盟組織，規劃圖書資訊整合共享的作業

由於各學院有限的資源及人力資源與財務資源，合作運用人力與財力，校際間相互提攜；館際間分工採購圖書設備，或引進各種昂貴電子資源，尤其對於自動化系統軟硬體的開發更該同心協力，發展一個完整的整合性系統。誠如經上所記「凡事謙虛溫柔忍耐，用愛心互相寬容，用和平彼此聯絡，竭力保守聖靈所賜合而爲一的心」(以弗所四：2-3)。如此寶貴的提醒，相信在基督裏必有一個美好的開始。

㈡效法企業界找出一條又新又活的道路

企業管理學家 Myron Rush 在他的著作《管理學：聖經的觀點與方法》一書中，在管理學上強調之目標管理，(Management by Objective,簡稱 MBO)，全面品質管理(Total Quality Management,簡稱 TQM)，甚至現代的所謂知識管理(Knowledge Management,簡稱 KM)，Rush 一再強調成功的企業管理，領導的好榜樣非常重要，領導者每一天都能從聖經上的話語尋求指引，必能使一個企業機構變得更有效率與生產力。(註 8)如今面對即將轉入正式體制中的神學院，誠如希伯來書十二：19-20 所說的：「...我們既因耶穌的血得以坦然進入至聖所，是藉著他給我們開了一條又新又活的路……」，這一條路既然爲基督徒打開，當存「誠心和充足的信心」坦然接受。

㈢資訊時代華文神學資料之國際化

近些年來，台灣地區出版天主教與基督教的刊物非常多，由於無法掌握出版消息，所以無法統計總數量，筆者在家中每月大約都有十多種免費供應的該類刊物可翻閱，而且每種刊物的品質——無論內容、封面設計越來越精緻，這些精神食糧有的來自各教會，有的來自各神學院，相信這些作品對於神國度的推廣多少必有其作用。

此次爲了想進一步瞭解至目前爲止對於筆者想探討的「圖書館與現代神學教育」問題，國內有多少發表文章可供參考，所以就在網路上進入國家圖書館所建置的《中華民國期刊論文索引系統》查索，該系統現收錄有台灣地區出版的期刊 2000 多種，我查 1970 年 1 月至 2000 年 9 月止 30 年零 9 個月的資料，以「基督教+教育」共查得 13 篇；以「基督教+圖書館」查得 0 篇，再仔細探索該系統收錄的基督教與天主教的刊物才知道只有 3 種而已。後來我再轉移查英文資料，以美國著名期刊代理商 EBSCO 所建置線上期刊目次服務系統 EBSCOhost Online，只查 1990 年至 2000 年止 11 年間的資料，以〝Library〞and〝Christianity〞共得到 24 篇；以〝Christian education〞共有 134 篇，該系統所收錄有關基督教與天主教的英文刊物就有 59 種，其中有 55 種有全文。

我仔細研究中文期刊文章爲何查獲率那麼少的原因時，我發現我家那十幾種編製精美，內容不差的基督教期刊，都沒有登記國際標準期刊號(International Standard Serial Number,簡稱 ISSN)，當然可以理解爲什麼《中華民國期刊論文索引系統》收錄宗教方面刊物少的原因不言而喻，走遍台灣地區各層級圖書館也都不可能擁有宗教界所出版的刊物，由此可知福音要傳到世界每個角落何等不容易啊!

華文神學出版品若要隨著資訊傳播/福音傳到「地極」就必須要快快納入正式的出版品登記國際標準編號的體系，才能走上國際化的路線。

五、結　語

在這瞬息萬變的時代中，無論是資料的蒐集，資訊的擷取稍縱即逝，圖書館在神學教育中的角色功能是任何優質化、制度化的神學院不可忽視的單位。

爲開啓網路新世界的一門窗迎接新曙光，現代神學教育必須思考資訊利用教育的需要性，提升神學院師生的資訊素養，並建立具有特殊性的神學院。

最後在正式的教育體制下誠盼能掀起神學教育的新契機，培育更多上帝旨意以及維護社會善良風氣的精英。

欣逢盧公荷生教授七秩華誕，知悉盧公近年來除了熱心栽培與提攜圖書資訊界後進外，對於社會公益事業的參與與推動，更是不餘遺力，如此美好的榜樣個人深感望塵莫及，因此再言數語於下，藉此表示敬意，並激勵我自己。

人生七十古來希，活到八十不希奇。

不煩惱來不生氣，一天到晚笑嘻嘻。

親朋好友不去比，兒孫瑣事讓他去。

上台下台一齣戲，演來怎能滿人意。

大風大浪不畏懼，因有天主在一起。

早來感謝晚讚美，公益事業伴長青。

後學　**胡歐蘭**祝賀

2001 年 6 月

【附　註】

註 1　教育部宗教教育小組第一次會議決議，民國 90 年 2 月 22 日，網址：http://www.edu.tw/cgi-bin/checkgopher.

註 2　林本炫，《神學院、佛學院納入高教體制政策之觀察》，台灣基督教神學院校聯合聚會(台北市：中華福音神學院，2001 年 4 月 30 日)：6-10。

註 3　蘇精，《馬禮遜與中文印刷出版》，台北市：台灣學生書局，2000 年。

註 4　魏安(Andrew C West)編，《馬禮遜藏書書目》*Catalogue of the Marrison Collection of Chinese Books*，London: University of London, School of Oriental and African Studies,1998.

註 5　張繼忠，「達成肉身-基督教的基本精神與信仰」。

註 6　同上註，頁 67。

註 7　同上註，頁 70-72。

註 8　麥農・路希(Myron Rush) 著，洪瑞浩譯，《管理學：聖經的觀點與方法》*Management: A Biblical Approach*，台北市：橄欖基金會，民 81。

西洋圖書館史略

盧 秀 菊

國立臺灣大學圖書資訊學系教授

摘 要

本文為西洋圖書館史略，分上古、中古、近代三大時代，縱貫五千年，起自遠古、巴比倫與亞述、埃及、希臘、羅馬、中經拜占庭帝國、阿拉伯帝國、文藝復興時期、宗教改革時期、啓蒙時期、以迄十九、二十世紀的圖書館簡史。本文概述各時期圖書館之發展與特色，並探討各時期圖書館對西洋文化之貢獻。

關鍵詞： 圖書館史　西洋圖書館史

壹、前 言

盧教授荷生之名著《中國圖書館事業史》一直爲「圖書館史」課程的必備教科書之一。筆者曾經濫竽充數，開授臺灣大學爲大一本系生開設之「圖書館史」課程數年。中國圖書館史部份，即採用盧教授之大著。西洋圖書館史部份，則採用幾本通論性著作，包括：高禩熹譯 Jean Key Gates 著之《圖書館事業導論》

（註 1）與鄭肇陞譯 Jesse H. Shera 著之《圖書館學概論》（註 2）二書中有關章節；尹定國譯 Elmer D. Johnson 著之《西洋圖書館史》（註 3）專書；以及其他著作（註 4）。

近三年，筆者又開授大一「圖書館學導論」課程，其中一講爲圖書館史，一直想爲大一學生撰寫西洋圖書館史略一文，作爲大一新生參考。欣逢盧教授荷生七秩榮慶，筆者乃不耑鄙漏，撰此短文，爰以爲賀，敬祝盧教授福如東海，壽比南山，歲歲年年，福壽無疆。

貳、上古時代圖書館

一、圖書館的起源

西洋圖書館起於何時，迄無定論。但古代即有具備原始圖書館或檔案室特徵的處所，以典藏文獻。一般而言，具備圖書館與檔案室功能的處所有四：（註 5）

1. 寺院圖書館

寺院圖書館是原始圖書館之一種。藏書包括聖律、教義、聖歌、神話、諸神列傳等的抄本。此後加入權威宗教家對聖典之解釋。重要的經典可能刻於石上、皮革上、銅器上、或刻於經過火焙燒的泥磚上。次要的宗教文獻可能寫在當地最普遍的書寫材料上，如紙草紙（Papyrus）或羊皮紙卷上（Parchment）。神學典籍的收藏所，由僧侶管理，只有寺院中高僧有權使用，爲少數人所有、管理與利用。寺院圖書館爲古埃及、巴勒斯坦、巴比倫、希臘、羅馬最重要的原始圖書館。

2. 政府檔案

稅收、貢物、法律、條約、協定、統治者間的諒解等，皆爲保存範圍。此類公文、記於泥版上、或書於紙草紙及羊皮紙卷上，亦可刻在銅條及青銅版上，保存了當時政府的主要動態。

3. 商業文書

古代的城鎮依水流而發展，政府或宗教中心皆集中在人口密集的地方。其後商業發達，須保存並整理有關財產、貨品、買賣、稅金、與捐贈之記錄。古代各大城市，商業檔案或圖書館是很常見的，爲大商家的紀錄。

4. 私家文件

早期社會，財產的所有權及繼承權受到重視。最早期的私家文件中，有遺囑、契約、售賣手續、家畜或奴隸的清單。此外，有關宗譜、婚嫁的紀錄。此後，私人藏書中加入宗教典籍的註釋、傳統史詩、故事及歷史文學著作，即轉變爲私人圖書館了。

古代最普遍的書寫材料有三種：紙草紙、羊皮紙卷、及泥版（Clay Tablet）。泥版與紙草曾同時普遍在埃及使用，可能紙草紙及羊皮紙卷曾普遍通用於巴比倫，尤其是耶穌紀元前數世紀間，但因巴比倫天氣潮濕，紙草紙及羊皮紙卷皆已損壞。古典時期的希臘、羅馬，大部分文獻皆寫在紙草紙及羊皮紙卷上。西元四世紀時，一種羊皮摺頁式書（Codex）開始流行，其形式與現代書相同。摺頁書爲早期基督徒用來抄寫聖經之用。（註 6）

二、巴比倫與亞述圖書館

一般認爲，西方文明起源於兩河流域的肥腴月彎及尼羅河流域的埃及。公元前 3000 年末期，蘇美人（Sumerian）已在泥磚、稜柱和圓筒上刻有文字，爲最早的文字記載。公元前 2700 年，蘇美人已建立寺廟、政府和私人的圖書館。其後，巴比倫王國與起，吸收蘇美人的文字和文化。亞述人繼而統治此區，亞述王國首都尼尼微（Nineveh）城的亞述巴尼巴王（Assurbanipal, 668?-616? B.C.）的宮廷圖書館是古代世界的著名圖書館。（註7）此外，巴比倫王國及亞述王國尚有寺院圖書館、私人藏書及商業檔案等藏書處所。（註8）

三、埃及圖書館

古埃及文明發源甚早，最早的書寫文字可能始於公元前4000年末期。公元前3200年，已採用紙草紙為書寫材料。古埃及圖書館所知不多，但迄今尚有寺廟及古埃及國王圖書館的遺址及證物。（註9）

埃及文字發展到某一地步，文獻蒐求即開始。寺院及宮廷中，一些秘室即用以貯藏公文抄卷。檔案室之出現先於圖書館。政府、教堂及商業文字之保存，在圖書館蒐求歷史、文學、神學書籍之前。早期的檔案室皆由受過特殊訓練的書記人員管理。

古埃及圖書館之考古證據比巴比倫少。古埃及最有名的圖書館是在底比斯（Thebes）城的雷米斯二世（Ramesses II, 1300-1236 B.C.）王宮中，藏書達二千卷之多，除政府檔案外，尚有宗教書。古埃及歷代遷都，故在 Memphis, Thebes 及 Heliopolis 等處皆發現皇家圖書館的遺蹟。

埃及寺院圖書館之遺跡較宮廷圖書館為多。最初數王朝，寺院與宮廷在同一建築內，國王亦被遵奉為神，寺院圖書館藏有關宗教之書。其後，世俗文學亦入藏。亦藏天文、醫學書。寺院有訓練書記之學校。此外，貴族與富商的宅第中，亦有私人書藏。（註10）

四、希臘圖書館

公元前2000年左右，克利特島（Crete）為高文化區，採用

Linear A 文字。公元前 1460 年被早期希臘之麥錫尼人（Mycenaeans）征服，採用 Linear B 文字。公元前八世紀，希臘人採用腓尼基人字母，而有拼音之希臘文字。（註 11）

1. 亞里斯多德圖書館

希臘古典時期（公元前六至三世紀）圖書館留下遺物甚少。依現有文獻可證明當時已有圖書館存在。公共圖書館之建立，爲保存書籍及當時流行之劇作家之劇本。公元前五世紀，希臘散文、歷史等著作開始蓬勃發展。此時希臘市鎮已有學校，教師與作家都必須有其私人藏書。一般相信，柏拉圖（Plato, 427-348 B.C.）必有一爲數不少的私人藏書。而亞里斯多德（Aristotle, 384-322 B.C.）的圖書館是古希臘最大的私人藏書。此外希臘兩位史家 Thuydides（471?-400? B.C.）與 Herodutus（5th cent. B.C.）也必定有大批文獻作爲其著作之參考文獻。亞里斯多德曾創一逍遙學派（Peripetetic）之哲學，教誨生徒。他的圖書館藏書數百卷，有自購者及門人所贈者。他死後，由其門人 Theophrastus（372?-287 B.C.）所有，並將亞氏之書院擴充爲一所大學。此後這批圖書輾轉在其門人手中保存。據記載，雅典爲羅馬人所佔時，羅馬將軍蘇拉（Sulla, 138-78 B.C.）把此一圖書館遷至羅馬。另一種記載是：在埃及南部建國的托勒密（Ptolemies）諸王中之托勒密二世（Ptolemy II, 285-246 B.C.）把亞氏藏書運到埃及，後來成爲亞歷山大城圖書館藏書之一部分。（註 12）

2. 亞歷山大城（Alexandria）圖書館

古希臘時期最重要的圖書館不在希臘本土，而在埃及。亞歷山大大帝（Alexandria the Great, 336-323 B.C.）征服西方世界後，在尼羅河口建立一亞歷山大城。其後托勒密王朝將之建立成一重要的文化中心。

亞歷山大圖書館創建肇始於托勒密一世（Ptolemy I, 367?-283 B.C.），經二世、三世而擴充，成爲希臘文化的知識中心，各方學者蜂擁而來，從事研究。利用埃及的紙草紙，促進書籍的翻譯和利用、出版。希臘、波斯、希伯來和印度的手抄本，陸續從亞洲及希臘各地輸入。亞歷山大圖書館的手抄本成爲希臘世界的標準版本。希臘著名學者擔任館長，其中 Callimachus（ca. 310-240 B.C.）曾編纂一份書目「卷錄」（Pinakes），共 120 卷。今有殘卷傳世，分爲八大類：演說術、歷史、法律、哲學、醫學、抒情詩、悲劇及雜項。（註 13）

亞歷山大圖書館之總館在Bruchium，在一大建築物內即有此圖書館及一所博物館及一所學術院。不久，總館發展迅速，托勒密二世（Ptolemy II, 309?-247? B.C.）又在六翼天使寺（Temples of Serapis）設一分館。爲了增加藏書，凡亞歷山大城所有之書籍，皆抄繕複本藏於館內。該館興盛達數百年之久，據估計其館藏曾多達七十萬卷。此一數字或過於誇大，含複本及不同版本，而六翼天使寺之分館藏書即有四萬卷之多。其後托勒密王朝式微，圖書館亦受影響。公元前 47 年，凱撒（Julius Caesar, 100?-44B.C.）征服埃及，亞歷山大城一戰，焚燬了位於Bruchium之總館，藏書受損。其後安東尼（Mark Antony, 83?-30 B.C.）曾將由柏加曼城（Pergamum）圖書館掠奪之書籍二十萬卷贈予埃及女王 Cleopatra（69-30 B.C.），以賠償凱撒所焚燬之損失。但不久復被損毀。在耶穌紀元後，亞歷山大城圖書館漸式微，其藏書一部分運至羅馬，以充實羅馬圖書館之館藏。至公元 391 年，亞

歷山大城主教 Theoptilus 焚燬了六翼天使寺分館之「異教」館藏。（註 14）

3. 柏加曼城（Pergamum）圖書館

小亞細亞東北角的柏加曼城，曾由柏加曼王 Attalus I（241-197 B.C.）及其子 Eumenes II（197-159 B.C.）建一古代世界第二大圖書館，次於亞歷山大城圖書館。圖書館建在柏加曼之雅典娜女神寺（Temple of Athena）。其遺址已被發掘出，其一室即可藏書一萬七千卷之容量，有多室。該館聘學者爲館長，如文法學家 Crates，曾編纂該圖書館之目錄。當時柏加曼城的書籍製造業很發達，埃及禁止紙草紙之出口，想遏止柏加曼圖書館之發展，柏城乃發展羊皮紙卷以代替紙草紙，這種羊皮紙卷兩面光滑可用，書寫容易。到公元四世紀時，羊皮紙卷古抄本較紙草紙更佔優勢。公元前 133 年，柏加曼爲羅馬人所陷，該館之藏書被掠去不少，安東尼即曾以 20 萬卷贈埃及女王以充實亞歷山大圖書館。其後 20 萬卷之一部分可能爲羅馬皇帝奧古斯都（Augustus, 63B.C.-14A.D.）又運回柏加曼，直至回教徒征服柏加曼後，柏加曼圖書館告終。（註 15）

總之，公元前三世紀末，希臘本土圖書館已相當普遍，雅典及各大小城鎮皆有公共圖書館。此外，已有中學、大學、醫學等專門學院的圖書館。私人圖書館亦興盛，希臘古典時期作家大都有私人藏書。寺院之柱廊側邊亦設有圖書館。希臘古典時期，是西洋圖書館史上一個黃金時代。（註 16）

五、羅馬圖書館

古羅馬之圖書館，在類型、組織及內容上，皆直接繼承希臘圖書館。公元前 30 年時，羅馬帝國疆土南起小亞細亞，北至英格蘭，最初圖書館乃由希臘或小亞細亞掠獲之戰利品。

1. 公共圖書館

羅馬在凱撒時代，受希臘影響，文風日盛。凱撒提倡公共圖書館之建立。第一所公共圖書館由波利歐（Pollio）在自由寺於公元前 37 年成立，開放給民衆閱覽。自羅馬皇帝奧古斯都開始，歷代羅馬皇帝皆重視圖書館之興建。奧氏本人即建有二所著名的公共圖書館：阿波羅（Apollo）寺和奧大維亞（Octaviae）柱廊圖書館。最大的圖書館爲圖雷眞皇帝（Trajan, 98-117 A.D.）於公元 114 年，在「民衆會場」所建額爾比安（Ulpian）圖書館。羅馬典型的圖書館乃設於會所與寺廟之迴廊上，藏書分希臘作品與拉丁作品二部份典藏。（註 17）

2. 私人圖書館

羅馬第一所著名之私人圖書館，爲羅馬將軍艾米略（Paulus Aemilius）攻陷馬其頓之戰利品。而羅馬將軍蘇拉於公元前 86 年攻陷雅典所奪回戰利品所設圖書館更爲有名，其中一部分圖書爲亞里斯多德圖書館之舊藏。而羅馬著名演說家西塞羅（Marcus T. Cicero, 106-43 B.C.）私人藏書豐富，其友阿提克（Atticus）亦爲一大藏書家。總之，公元一世紀左右，羅馬富豪之家有很多私人圖書館。（註 18）

3. 圖書館形制

羅馬圖書館的建築形式及藝術裝飾，與當時紀念性建築物大致相同。最相似的是，大廳中有一些神像，及作家的畫像。精緻的圖書館，以珍貴木材或大理石爲建築材料，以獎章、銘刻、象牙、玻璃、和精巧的鑲嵌工藝來裝飾各處。卷軸皆貼上標籤，或平放書櫃及書架，或直立於圓筒式的木筒

裡，書架或書櫃都嵌入牆壁中。（註 19）

羅馬鼎盛期，有一種新的圖書形式出現，即由羊皮紙裝訂成册的抄本或摺頁本（Codex）取代了以往卷軸式紙草紙或羊皮紙書卷。公元二世紀時，羊皮摺頁本已出現，公元四世紀時普及，此種圖書形式翻閱容易，兩面抄寫，册式較易保存。（註 20）

4. 基督教圖書館興起

羅馬帝國末期，古代的大圖書館式微，繼之者爲基督教圖書館。公元三世紀，基督教文獻數量急增。1947 年發現的「死海書卷」（Dead Sea Scrolls），爲其明證。早期基督教徒因須保存與傳播其經典文獻，故頗有效地應用書本及圖書館。公元 180 年左右，在亞歷山大城就有兩所重要的基督教學術中心。另外在凱撒利亞（Caesarea）也有一座著名的圖書館。而北非的迦太基（Carthage）是最早的基督教學術和圖書館中心。（註 21）公元三世紀，羅馬帝國勢衰，由皇帝戴克里先（Dicoletian, 284-305）開始振興，分帝國爲東、西，自治東羅馬，公元 303 年開始迫害基督教徒。至君士坦丁大帝（Constantine I, 288?-337）即位（313 A.D.），頒布「米蘭詔令」（Edict of Milan），恢復基督教徒自由，並恢復其財產權和公民權。在戴帝迫害基督教期間，圖書遭受破壞。（註 22）君帝承認基督教，才使公元四世紀末，教堂及基督教圖書館發展迅速。

參、中古時代圖書館

西洋中古時代（476-1453 A.D.）是西方文化史上的黑暗期。但在保存文化方面，有三大中心。西歐方面，有賴基督教的大教堂和修道院的圖書館保存基督教書籍與文化，而一般非基督教文化與書籍則輾轉入藏於東方君士坦丁堡之拜占庭帝國和回教之阿拉伯帝國的圖書館中，成爲中古時代的學術文化中心。

一、拜占庭帝國

1. 帝國圖書館

君士坦丁大帝於公元 330 年，遷都拜占庭（Byzantium），改名君士坦丁堡，所建立帝國圖書館，維持到公元 1453 年土耳其人佔領君城，東羅馬帝國滅亡爲止。君士坦丁大帝建帝國圖書館，並派人至帝國各處蒐集基督教文獻，容許希臘文及拉丁文之俗世作品入藏。逝世時，館藏約七千卷左右。（註 23）

2. 學術院圖書館

狄奧多西二世（Theodosius II, 401-450 A.D.）在君士坦丁堡建一所學術院（哲學大學）圖書館，該學術院興盛達數世紀之久。學術院於公元第八世紀關閉，但第九世紀（850 A.D.），重建一所大學。該大學的圖書館在第十一世紀拜占庭「文藝復興」時擔任重要地位。羅馬皇帝賈斯丁尼安（Justinian I, 483-565）在公元 529 年關閉了雅典的最後一所古典學府，因他認爲該校所講授之哲學與基督教教義相違悖。同時，賈斯丁尼安所勒令編纂的羅馬法典－賈斯丁尼安法典（Justinian Code）加上其文摘及補遺的「民法全集」（Corpus Iuris Civilis），爲中古時代以迄近代西歐所有民法之基礎。（註 24）

3. 大主教圖書館

君士坦丁堡之第三所圖書館爲大主教圖書館。大主教爲東方教會名義上的領袖，該館的規模與地位時有變動。以君士坦丁大帝所收賀禮 50 卷繕寫精美的羊皮紙書卷肇始其館藏。（註 25）有一所學術院附於大主教之下，以訓練宗教教職人員。

4. 修道院圖書館

在羅馬帝國境內，尚有其他教會圖書館，其形式皆與狄奧多爾（A. Theodore）在君士坦丁堡附近所建修道院相類似。大約在西元 825 年，狄奧多爾建立了一所圖書館與繕寫室，除了作爲抄寫手稿之場所外，亦爲教育教士的學校。此乃典型的修道院圖書館。（註 26）

5. 拜占庭帝國之其他圖書館

除君士坦丁堡之外，帝國大多數主要城鎮中皆設有一所或多所圖書館，設於修道院、學校和教堂內，如凱撒利亞、貝魯特、雅典等處。除作家及宗教領袖外，尚有不少私人圖書館。（註 27）

二、阿拉伯帝國

公元六世紀時，在先知穆罕穆德（Muhammad, 570-632）領導下之阿拉伯崛起，回教徒乃一支尚武的勢力。七世紀時，已取得大部分的敘利亞、巴比倫、美索不達米亞、波斯及埃及等地。此時君士坦丁堡仍足與之抗衡，於是佔領部份非洲和西班牙，成立阿拉伯帝國。從八世紀到十五世紀，回教阿拉伯帝國保存文化知識的過程與拜占庭佔同等重要的地位。在阿拉伯世界中，知識的廣爲傳播，乃基於二個因素：⑴標準阿拉伯語的形成；⑵公元 800 年左右，造紙術由中國傳入，紙張之應用使書籍大量的發行。（註 28）

1. 大馬士革（Damascus）

大馬士革爲烏米依王朝（Umayyid, 661-750）之中心。

該王朝諸王皆講求學術，建立一皇家圖書館，館內並貯藏教堂及政府檔案。所藏大量的宗教與非宗教的著作，開放給研究學者及學生使用。館內藏有世界各地文獻之抄本，包括鍊金術、醫學、占星學、文學、歷史、哲學著作，及回教之各種文獻。公元 750 年時，大部分當時傳世之希臘文籍皆有阿拉伯文譯本。（註 29）

2. 巴格達（Baghdad）

巴格達為哈利發王朝（Caliphs, 750-1100 A.D.）或稱 Abbasid 王朝的中心。該王朝諸王皆鼓勵學術與辯論，並鼓勵大學與圖書館之設立。當時由阿瑪蒙（al-Mamum the Great, 813-833 A.D.）在巴格達所設立之大學名聞遐邇。該大學附設圖書館及實驗室，並有一天文觀測站。自西班牙至印度之學者慕名而至。圖書館內藏有十餘種文字之學術著作，校中亦有說不同語言之教職員及學生，對學者公開其館藏。至公元 900 年時，巴格達足以與君士坦丁堡抗衡，成為回教世界圖書館之典範。（註 30）公元 891 年，該城有書商逾百家。文化鼎盛時，有公共圖書館 30 餘所。（註 31）一直到十世紀，圖書館為回教世界圖書館之典型。

中古時代回教世界，圖書館之多與圖書之充裕，為西方基督教世界所不及。回教勢力所及，遠至西班牙之都市都有圖書館和回教文化中心。回教圖書館除分佈普遍外，所包括知識廣闊，除了其他宗教的經典書籍不予收藏外，館藏在回教藏書之外，包括全部的知識：詩、小說、醫藥、法律、天文、鍊金術、魔術、哲學、數學、演講，以及各種教科書與字帖。蒐藏以古抄本為主，亦有紙草紙或羊皮紙卷。館藏依學科排列。大圖書館則闢有專科圖書室。書籍裝訂良好，書

法講究，並有飾字飾畫。在富人的私家圖書館，往往能找到精湛之本子，這些圖書館通常對學者開放。（註 32）

三、修道院及大教堂圖書館

公元第三世紀時，埃及、巴勒斯坦即已有修道院之設立。最早的基督修道院是設在埃及，修道生活於公元第四世紀末傳至西歐，有早期修道者在羅馬四周聚居。當北方野蠻民族入侵，西方文明開始崩潰時，虔誠的基督徒乃四散修道。公元 540 年，加西道拉斯（M. A. Cassiodorus, d.575）在義大利南部維瓦留（Vivarium）設立修道院，並設立圖書館，收藏圖書，大部分爲古典拉丁著作，亦有少數古典希臘作品及宗教典籍，並利用繕寫室（Scriptorium）作爲抄寫古籍之所。公元 529 年，聖本尼狄克（St. Benedict, 480?-543?）及其門人所創之蒙地卡辛諾（Monte Cassino）修道院，將讀書與抄繕書卷列爲修道生活之一部分。此風影響歐洲各修道院。教皇格里高里一世（Gregory I, 540-604）原爲本尼狄克派僧侶，對該派規律極力提倡，風氣由羅馬傳至義大利各地。教皇派赴英格蘭傳教之教士聖奧古斯丁（St. Augustine, 354-430）也屬該派。八世紀時，英國僧侶更將此規傳入法蘭克人和日耳曼人的修道院；至此，修道院遍於歐洲。修道院觀念傳遍歐洲，是由於來自愛爾蘭的傳教士所設立的。在羅馬人於公元 50 年征服英格蘭南部，在羅馬人統治下，英格蘭尚未完全改信基督教。而愛爾蘭則在聖巴特瑞克（St. Patrick, 389?-461?）及其他教士引導下，於五世紀改信基督教。六世紀時，愛爾蘭修道院的教士遠赴英格蘭、法國及歐洲其他地區傳教。各地所成立的修道院中，皆重視書籍與學術（註 33），繕寫許多精美的寫本，其圖書館中，並藏有俗世文籍與宗教經典。

各地修道院圖書館之外，羅馬教皇亦在羅馬發展教皇圖書館。而以教皇格里高里一世最積極。至十二世紀，大教堂圖書館取代修道院圖書館。大教堂是主教或大主教佈道之所，負責訓練僧侶及初級俗世教育，藏書豐富，除宗教書外，亦有禮拜用書及學校用書。（註 34）

四、中古晚期之大學圖書館

以上所述中古時代之各類圖書館，修道院圖書館、拜占庭圖書館和阿拉伯圖書館，都對西方文明有保存古典時期的文化遺產有功。在應用圖書方面：修道院圖書館偏重於神學作品；拜占庭圖書館以註疏家、百科全書、法典及各種文摘編纂家作品應用較多；阿拉伯圖書館的應用以科學書籍最佳。但要圖書館能充分發揮其功能，必須使其藏書能充分被利用。在中古時代，最能保存古籍，並推廣應用的，是大學圖書館。十二世紀末葉，大學首次出現，大學以 1250 年成立的巴黎大學與 1350 年成立的牛津大學最爲著名。1500 年以前，在歐洲其他地區，包括西班牙至瑞典，西西里至蘇格蘭，共有大學七十五所。各校組織與規模皆以巴黎大學與牛津大學爲典範。其圖書館類型亦大致相同，早期大學圖書館的形制承襲自修道院和大教堂圖書館，而其主要不同之處，乃其藏書被充分利用。（註 35）

肆、近代圖書館

一、文藝復興時期

中古時代晚期，鄂圖曼土耳其人對拜占庭帝國之侵擾，使得君士坦丁堡中希臘研究之學者逃往西歐，在棲身義大利時，身懷古典典籍的博學學者，不但促成了義大利文藝復興（十四至十六世紀），並開啓了近代文明及圖書館之昌盛時代。（註 36）

文藝復興時期，最大且最重要的圖書館爲教廷梵蒂岡圖書館

（Vatican Library）。經教皇尼古拉五世（Nicholas V, 1447-1455）之推動，教廷圖書館成爲世界上最大的研究圖書館之一。（註37）

二、宗教改革時期

十六、十七世紀的宗教改革時期，馬丁路德（Martin Luther）鼓勵優良圖書館之興建，德國許多圖書館建築及市立圖書館都是此一時期開始的。當時即已成立了許多教會圖書館及私人圖書館。據史書記載，十六世紀時，德國「書香處處」。在法國，皇家圖書館在法蘭西斯一世（Francis I, 1494-1547）以後繼續成長。1622 年出版之圖書館目錄，列館藏書籍約 6000 餘種。圖書館管理員諾第（Gabriel Naude）在 1627 年出版了第一本圖書館組織和管理的指導書籍「組織圖書館指導」（Advis pour dresser une biliotheque），曾被譯爲英文。諾第陳述他的藏書哲學，強調現代書籍和古籍珍本的重要性，異教書籍和宗教著作同等重要，並主張依主題分類系統排列書籍。英國方面，鮑德萊爵士（Sir Thomas Bodley, 1545-1613）於 1598-1603 年重建牛津大學圖書館。同時他說服英國 Stationers 公司出版新書時，送一本給以他命名的 Bodlean Library，爲早期的版權託管制度。該館迄今仍爲重要圖書館。義大利與西班牙方面，都有著名圖書館成立。總之，許多宏偉的國家圖書館，都是在十七世紀內設立的。（註 38）

三、啟蒙時期

十七世紀末葉到十八世紀末葉是啓蒙時期。此時期在科學家、哲學家、天文學家等的開路下，是知識組織、分類、和聯想結合的時代。各種學社成立於各國。各國發展皇家圖書館供各國學者使用，編纂百科全書。法國皇家圖書館擴充館藏，注意資料的分類。十八世紀中葉，迪特洛（Denis Diderot, 1713-1784）和奧林伯特（d'Alembert, 1717?-1783）合編的百科全書巨構業已著手。皇家圖書館之館藏可供啓蒙時期學者利用。十八世紀初，英國卞得里（Richard Bentley, 1662-1742）向國會建議成立國立圖書館，未果。後經過多人之努力，至 1759 年，喬治二世（George II, 1683-1760）將他的私人藏書捐出，大英博物館才成立，是英國的國家圖書館兼博物院。德國啓蒙運動的大師萊比尼茲（G. W. Leibniz, 1646-1716）亦是圖書館員。他對圖書館的館藏發展和組織頗有績效。但他的最大貢獻在於他所闡述的原則，以及他對在位帝王所提的建議。法國的革命和浪漫運動的來臨，結束了啓蒙時代。法國革命，並未造成對圖書館的重大損害，而是分散了圖書館。據估計，在此期間八百多萬册圖書易手，而在巴黎一地，即有二百萬册易主。（註 39）

四、十八及十九世紀

1789 年法國大革命，教會圖書館成爲國家財產，而亡命的革命分子的圖書館亦遭充公。大量的圖書都被強迫搬離其原主而集中在已先行建置妥當、以便收容之「文學著作國會圖書館登記處」內。其中許多圖書館分配給大學圖書館，不過絕大部分則被移送至「法國皇家圖書館」，該館後來成爲國有財產並改爲「法國國家圖書館」。至法國大革命時止，圖書館除了要向學者開放以外，每週還向民衆開放。在十八與十九世紀內，國家圖書館在歐洲各國紛紛設立，如在佛羅倫斯市的義大利國立中央圖書館，在斯德哥爾摩市的瑞典皇家圖書館，在柏恩市的瑞士國家圖書館等。許多私人圖書館亦告成立。1598 年，鮑德萊爵士著手重建牛津圖書館之工作，至 1602 年該館開放閱覽時館藏圖書有二千册。規定大型學術研究圖書館的原則，是由德國的萊比尼茲所提出來的。萊氏的圖書館原則至今仍屬確切有效，其中包括以定量撥款做爲圖書館的穩定的經濟基礎，長期而有系統地採購全部學術性重要著作，以及全部典藏予以分類，以便利用。在十八世紀，閱讀已成爲婦女的時尚；閱讀習慣已深入到社會的最低階層；爲教育、政治目的，及消遣而閱讀之興趣相當普及。但是爲滿足無能力購買所需新書的人們，一種新型圖書館應運而生，即租書，或流通圖書館。至十八世紀末，租書圖書館已普及於西歐各城鎮。1850 年，英國議會通過最早的「公共圖書館法案」（Public Libraries Acts），准許地方議會組織圖書館並以地方稅收維持之，不過其所能動支之費用總額有限制。第一座公共圖書館設立在曼徹斯特，由愛德華茲（Edward Wdwards）擔任館長。在「公共圖書館法案」獲得核准之過程中，艾氏曾發揮其影響力。（註 40）

五、美國圖書館

美國的圖書館發展受到了歐洲的影響。直接方面，歐洲圖書館的組織模式的實際移植，助長了圖書館發展，如圖書俱樂部、聯誼性圖書館、流通圖書館，都源自歐洲。間接方面，歐洲圖書館豐富的蒐藏及組織，啓發美國人民認識到圖書館在新文化統合中的重要性。因此美國的新英格蘭諸州的圖書館，奠定了今日各類型圖書館的基礎。美國圖書館運動的特色在於美國的高等教育，以及學術機關的圖書館，模仿歐洲既定的形式，然而美國公共圖書館的運動，則是美國本土的一項新嘗試。公共圖書館經費取之於衆，用之於衆的觀念，使公共圖書館興起並發展，奠定了今日公共圖書館制度的基礎。（註 41）

美國早期移民所攜皆爲生活必需品，待安定後，即有書籍之需求。早期的移民所攜帶的圖書中，以神學和道德的著作最多，此外爲自我教學的教本；醫學、法律、暨農業手册；字典暨百科全書；以及部份歷史、政治、科學、古典文學著作。殖民地早期居民私人蒐藏規模大小不一，最多者不過三、四百册書。早期移民設立學院，而學院之圖書館視爲重要部份。有名的學院中，如哈佛、耶魯學院皆得捐贈圖書，其學校的圖書館得以成長。而殖民期第一所公共圖書館或市鎮圖書館乃波士頓公共圖書館，由奇尼上尉（Captain Robert Keayne）於 1656 年逝世時所贈波士頓之遺產之一部分而建立，其中有奇尼氏生前之藏書。十七世紀末葉，英國國教牧師布雷（Rev. Thomas Bray）在美洲殖民地（北起麻省，南迄南卡州）建立了 39 所圖書館，共有圖書三萬四千多册。而這些圖書館又分三類：（1）教區圖書館，專供牧師利用；（2）地方圖書館（Provincial Libraries），供各種身份之讀者利用：（3）世俗圖書館（Layman's Libraries）。（註 42）

十八世紀前半葉，美國獨立革命前，除私人藏書外，有社會圖書館（Social Library）之興起。社會圖書館最早由富蘭克林（Benjamin Franklin）開始。從社交俱樂部（Social Club）之觀念引發，1731 年成立費城圖書公司（Philadelphia Library Company），由會員集資購買圖書，是 Subscription Library（自費圖書館，或會員圖書館）之始。其後，這一類的社會圖書館即在北美各地展開，至十八世紀中葉，新英格蘭殖民地區至少設立了十二所社會圖書館。南方殖民區在革命前，只有二所社會圖書館。（註 43）

十八世紀後半葉，美國獨立後，社會圖書館繼續成長。此外，亦出現流通圖書館（Circulating Library）或租書圖書館（Lending Library），乃使用者付費的圖書館。（註 44）

十九世紀的美國圖書館持續發展，乃美國獨立革命後，在政治、經濟和社會上發生了轉變。國家主義意識之發展、西向拓展、正規教育和自我教育之發展，以及龐大個人財產之集中，都影響到各類型圖書館之設立：美國國會圖書館，各州之州暨地方圖書館，學區圖書館，公共圖書館，大學院校圖書館等皆穩定成長。（註45）此外，圖書館專業學會，美國圖書館學會（American Library Association）亦於 1876 年成立。（註 46）而美國圖書館中，最引以為傲的乃其以稅收支持而免費公共圖書館之蓬勃發展。

六、二十世紀圖書館

迄二十世紀，各類型圖書館皆持續蓬勃發展。各國國家圖書館如法國國家圖書館、大英圖書館皆聞名於世。而美國三大國家圖書館（國會圖書館、國立醫學圖書館、國立農業圖書館）尤其著名。公共圖書館經英、美兩國首先倡導，各國皆視其為民主政治的資源，積極推動。此外，大學院校圖書館暨學術圖書館、學校（中、小學）圖書館、專門圖書館皆穩定發展，在現代國家發展上有不可磨滅的功勞。

伍、結　語

自有人類，便有歷史與文化，就有文字紀錄。整理、保存和應用人類文化與歷史的紀錄即產生了圖書館。

遠古社會，有書寫的文字，有複雜的政府和宗教系統，至少小部份人識字的條件下，產生圖書館。圖書館因實用而產生，保存帝王的法律和命令、土地所有權的紀錄、教堂的正式禮儀等，古埃及圖書館即是在此環境下產生。巴比倫及亞述貯存泥版，認為圖書館要保存人類一切知識，因此除已出土的實用記錄外，尚加入哲學、神學和文學，雖然這類泥版大都未出土。希臘除單純實用記錄外，增入文學著作，保存劇本；早期雅典的公共圖書館，像是一所有法定儲存權的「版權室」。希臘大師編訂圖書館藏書，傳授學生。亞歷山大圖書館除保存記錄、蒐藏各種文字資料外，還要加以編輯、批評、翻譯、校正，以保持文獻的精確。羅馬早期，圖書館雖只是貴族的收藏而已，但隨著羅馬文化的傳播，圖書館儘量開放給民衆免費使用。書籍能保存思想，亦能傳佈思想，早期基督教故事及門徒傳福音的羊皮紙書隨著羅馬軍團而傳遍歐洲。書籍和圖書館的價值，到中古時代黑暗時期，羅馬帝國瀕臨滅亡之際，基督教和古典文明的遺產，保存於偏遠的修道院中，君士坦丁堡和阿拉伯帝國的書卷和摺頁本之中。直至中古時代末期，基督教著作和希臘古典作品流傳義大利而促成了文藝復興，西洋古典文明因而復甦。十五世紀活字印刷的發明，及紙張的廣泛應用，產生更多的書籍，更多更大的圖書館，更多的資訊和知識，促成了近代歐洲昌盛的文明。十六、十七世紀宗教改革時期，各國提倡優良圖書館的興建，十八世紀啓蒙運動時期，歐洲各國大型國家圖書館的興起，十九世紀免費公共圖書館的肇始，二十世紀各類型圖書館的齊頭並進發展，皆代表了圖書館在近代歐美的輝煌成就。（註 47）

總言之，圖書館在西方文明中扮演重要角色，並發揮了各種重要功能，在不同的時代完成其不同的歷史使命。至於二十一世紀的圖書館何去何從，則有待我們這一世代的努力，才能繼往而開來，完成傳承的神聖使命。

【附　註】

註 1　Jean Key Gates 著，高禩熹譯，《圖書館事業導論》（臺北市：文史哲，民國 69 年）。

註 2　Jesse H. Shera 著，鄭肇陞譯，《圖書館學概論：圖書館服務的基本要素》（新竹市：楓城，民國 75 年）。

註 3　Elmer D. Johnson 著，尹定國譯，西洋圖書館史（臺北市：臺灣學生書局，民國72年）。

註4 Michael H. Harris, *History of Libraries in the Western World,* 4th ed. （Metuchen, N.J.: Scarecrow Press, 1995）.

註5 同註3，頁13-15。同註4，頁8-10。

註6 同註3，頁16-18。同註4，頁11-15。

註7 同註1，頁3-6。

註8 同註3，頁19。

註9 同註1，頁3-6。

註10 同註3，頁41-43。同註4，頁27-30。

註11 同註1，頁6-7。

註12 同註3，頁50-52。同註4，頁40-41。

註13 同註3，頁53-56。同註4，頁42-46。

註14 同註3，頁56-57。同註2，頁4。

註15 同註3，頁58-59。同註4，頁48-49。

註16 同註3，頁60-61。同註4，頁50-51。

註17 同註3，頁64-66。同註2，頁6-7。

註18 同註3，頁66-67。同註1，頁11-12。

註19 吳瑠璃，〈西洋古代圖書館史〉，《圖書館學報》7期（台中市：私立東海大學圖書館編印，民國54年7月），頁188。

註20 同註3，頁71。同註4，頁62。

註21 同註3，頁69-71。同註4，頁60-62。

註22 同註1，頁13-14。

註23 同註3，頁77-78。同註2，頁7-8。

註24 同註3，頁78。同註2，頁8。

註25 同註3，頁78-79。同註2，頁8。

註26 同註3，頁79。同註4，頁73-74。

註 27 同註 3，頁 80。同註 4，頁 74-75。

註 28 同註 3，頁 82-83。同註 4，頁 77-79。

註 29 同註 3，頁 83。同註 4，頁 79。

註 30 同註 3，頁 84。同註 1，頁 27-28。

註 31 同註 3，頁 84-85。同註 1，頁 29。

註 32 同註 3，頁 87。同註 4，頁 82。

註 33 同註 3，頁 93-97。同註 4，頁 89-93。

註 34 同註 3，頁 100-101。同註 4，頁 97-98。

註 35 同註 3，頁 107-114。同註 4，頁 107-116。

註 36 同註 1，頁 34-37。

註 37 同註 2，頁 15。

註 38 同註 1，頁 46。

註 39 同註 2，頁 124-125。

註 40 同註 1，頁 48-51。

註 41 同註 2，頁 23。

註 42 同註 1，頁 54-57。同註 2，頁 22-23。

註 43 同註 1，頁 58-60。

註 44 同註 1，頁 66-67。

註 45 同註 1，頁 68。

註 46 同註 1，頁 68-81。

註 47 同註 3，頁 21-27。

論公共圖書館提供資訊的特性

宋 建 成

國家圖書館副館長

摘 要

本文係從公共圖書館事業的演進及發展過程，探討公共圖書館提供資訊的特性乃具有文化性、教育性、政治性、資訊性及休閒性。

關鍵詞： 公共圖書館　公共圖書館宣言　公共圖書館角色　圖書館哲學。

公共圖書館應該提供民衆什麼樣的資訊？這是以機構導向爲角度所提出問題。因此，首先得思考公共圖書館爲何而設？社會賦予公共圖書館什麼功（職）能？

一、文化性

廿世紀以前，我國祇有藏書事業史，並無圖書館史，也無圖書館這個名詞，但有藏書樓。有公藏，也有私藏。沒有文獻學，但有文獻整理工作，它的主體內容是目錄學、校讎學、版本學。這種文獻整理與藏書樓，它的功能應該是文化的，整理的目的也是爲著保存與典藏。

論及我國藏書事業，可稱淵遠流長，伴隨著文字的出現而產生。雖然有人說夏代就可能有了文獻，但是今天能看到的最早文獻，是商朝甲骨卜辭。民國 15（1926）年在河南安陽小屯村 YH127 號坑，經發掘到儲藏甲骨文獻的地窖，可證明殷商甲骨文獻典藏的情況。

我國春秋戰國時期，業已流行簡冊，及漢代又有帛書。漢成帝時劉向奉命主持天祿閣皇家圖書校理工作。這一項創舉的工作，即以漢初以來，所留下一大堆編次散亂，沒有統一書名、篇名，錯別字很多的簡冊和帛書爲對象；堆積如山，有的編繩也已斷已爛。整理這麼多雜亂無章的「古籍」，並不簡單，整個校書編目的工作，從河平 3（公元前 26）年到建平 2（公元前 5）年，一共進行了 22 年之久。中國「古籍」經過劉向等人的校訂和編次，每部書都有了明確的書名、篇名、作者、目錄、敘錄、正文和附件。全書次序井然，字句標準化，使得在二千年後的今天，仍然清晰把握我國文化發展脈絡。（註 1）整理文獻、保存文獻，眞是貢獻卓著。

自是歷朝莫不重視文獻整理工作，目錄學昌盛。及至清乾隆，訪求遺書，編四庫全書，置七閣，堪稱盛事。因此，依據我國固有的藏書傳統，公共圖書館所提供資訊的特性，第一是具文化性。惟由於國家圖書館與公共圖書館分設，公共圖書館應儲集地方文獻。

公共圖書館蒐集地方文獻，「乃是出自於一種機構本質上的任務，這是公共圖書館責無旁貸的責任」。（註 2）地方文獻的蒐集，應有目的，可以以編纂方志、地方年鑑爲鵠的。公共圖書館提供場地及地方文獻，備供有志者從事編纂編輯，用以達成

「藏」與「用」合一。公共圖書館全方位蒐集地方文獻，提供讀者篩選利用。

二、教育性

究我國近代公共圖書館爲何興起？主要受西方的影響，認爲圖書館具有啓迪民智，促進教育的功能。考我國藏書事業雖然悠久，但是近代公共圖書館事業的發軔，實肇端於清末變法維新運動。由於西方船堅砲利，中國被迫變法圖強，以救亡圖存。當時有識之士，已注意到改良教育爲中國富強要圖之一，並對西方圖書館的優點，知之甚稔。復因百日維新，鑒於守舊勢力頑強，朝廷不可依靠，乃轉提倡於民，期能喚起國民的輿論，振興國民的精神，爰特別重視民衆教育問題。藉廣設學校、開報館、建藏書樓、改科舉、獎勵學會等措施，以開通民智，廢除舊俗，以達到興學育才和富國裕民的目的。

光緒 31（1905）年科舉廢除後，各種學堂紛紛成立，醞釀已久的圖書館運動至此始初露端倪。我國第一所官辦的公共圖書館—湖南圖書館，正式在長沙成立。宣統元（1909）年「京師及各省圖書館通行章程」頒布，以「圖書館之設，所以保存國粹，造就通才，以備碩學專家研究學藝，學生士人檢閱考證之用，以廣徵博採，供人瀏覽爲宗旨」（第一條）。國人已從藏書樓觀念進化至圖書館經營。

自鼎革以還，民國初年教育部特設社會教育司，與普通專門兩司並立。首任教育總長蔡元培因在歐多年，有鑒於各國社會教育的發達，我國民衆失學的佔大多數，以此立國危險很大，遂竭力提倡社會教育，注重圖書館等社會教育的設施。另民間受到新文化運動的啓示，認識圖書館在文化、教育、學術、社會等方面的重要性。於是，掀起新一波圖書館運動，圖書館由保存而趨於利用。

其次，美國模式圖書館觀念的輸入。溯自庚子之役前後，日本及西洋新式圖書館的觀念，陸續被介紹引入。光緒 29（1903）年美國聖公會傳教士和圖書館學教育家韋棣華（Mary Elizabeth Wood, 1861－1931）女士在武昌成立文華學校圖書館，取名「文華公書林」，這是我國成立最早具有公共性質的圖書館之一，它不僅爲文華大學和中學服務，而且也爲當地其他學校、機關和個人服務，它還設有3處分館和巡迴書庫。復創辦文華大學圖書科，該科獨立爲文華圖書館專科學校，這是我國第一所獨立的圖書館學校。適我國留學海外的第一代圖書館學家包括沈祖榮、胡慶生、劉國鈞、洪有豐、戴志騫、袁同禮、李小緣、杜定友等人已絡續回國，圖書館和圖書館學的觀念正廣爲傳播。民國 14（1925）年中華圖書館協會成立。以「研究圖書館學術，發展圖書館事業，並謀圖書館之協助」爲宗旨。韋女士代表協會參加了美國圖書館協會和英國圖書館協會的有關活動。「女士開辦早期的公共圖書館並爲中國的圖書館事業積極奔走呼號，積極參與中國圖書館事務的組織與管理活動及促成和加強中國圖書館學與西方的交流活動」（註3），對我國圖書館事業，是極具貢獻的。

案韋女士畢業於波士頓西蒙斯學院（Simmons College），專攻圖書館學。光緒 25（1899）年來華探視其在武昌傳教的兄長，並應美國教會所辦文華大學的邀請，於該校任職，從而結下中美圖書館緣。

1858 年波士頓公共圖書館新廈落成，開啓了美國新圖書館運動。究它的產生原因，有人認爲是宗教的貢獻；19 世紀美國新英格蘭地區的宗教，認爲閱讀是好事，教徒相信圖書館透過書籍可以讓人能罪惡悔改，使道德提昇。也有人認為早期公共圖書館的產生，最主要是推動社會的進步，讓窮人的生命更光明；幫助離開家鄉和親人在城市謀生的人遠離城市的不良誘惑。也有人認為波士頓公共圖書館之所以產生，是基於三個信仰：人是無限的完美；書籍是人類邁向思想完美的主要工具；書籍價格太高並非平常人所買得起。（註4）

深信這些思想均將影響韋女士，致熱愛圖書館事業。女士開啓了中國圖書館學大門，引進了美國公共圖書館精神，促成了中國圖書館學的產生與發展，將美國圖書館的經營法流入中國，使日後中國圖書館的管理及服務，一是以美國為準。女士對我國圖書館事業的影響可謂深且鉅矣。

在美國的圖書館發展史中，公共圖書館是自 19 世紀中葉起始，才體認到其本身的職責所在的。美國教育當局在 1876 年曾編印了一部有關美國公共圖書館的特別報告，其中強調公共圖書館應作為公共教育的輔助單位，其職能不僅是供應民衆各項資料，而最主要的應該認識到本身職責有如一位教師，肩負有重大的教育責任。（註5）

從公共圖書館發展，可知公共圖書館提供資訊的特性，第二是具教育性。假若我們將圖書館類別，簡單的分為兩種，一為學術的，另一為非學術的圖書館，公共圖書館毫無疑問的是非學術的圖書館。除非該圖書館的歷史沿革，收藏有供學術研究的文獻，如國立中央圖書館臺灣分館的臺灣文獻、南洋文獻，公共圖書館不是也沒有需要扮演學術圖書館功能，提供高層次學術研究資料；而是協助讀者運用科學的知識來改善及提升生活的品質。公共圖書館應努力發展下列範疇的館藏：㈠供應新的知識，使民衆知識能與現代學術保持並進；㈡使民衆獲有職業方面及實際事務方面的專業知識與技能，如行業知識、家庭教育、營養衛生、兒童看護等，使其知能能與時並進。

三、政治性

在 19 世紀初期，美國政府領導階層，深信知識是良好政府成長所必需，因而普遍相信，普及教育乃民主社會所必需的。

1835 年紐約州議會通過一項法案，各學區徵收稅金以支應公共圖書館之需。1838 年又通過第二項法案，由州撥款補助地方稅以為購書之用。經過這兩個法案的施行`，促進了該州圖書館事業的發展。1852 年波士頓公共圖書館確定了公共圖書館的使命，是繼續教育、培育有知識的公民，以及提高整個社區文化暨知識水準。同年也是麻薩諸賽州首次通過義務教育法。1854 年紐約市免費公共圖書館，開始對紐約市民服務。

自是，美國公共圖書館乃屬公眾機構，須經得州法律授權，從公共財源或為此目的而開設的專門稅收獲得支援，以人人公平利用為基礎，為維持服務地區居民利益而妥為管理。

案美國公共圖書館是民主政治的產物，若欲有健全民主政治，必須先造就有智慧的國民。依史賓塞（Gwladys Spencer）探究芝加哥公共圖書館興起的原因，共有 84 個因素，可歸納為 8 個內在的（Intrinsic）主要因素及外在的因素。這種外在的因素可歸納為 3 個動機。其中一個動機「為民主制度培養與發展具有能力與智慧的公民，換句話說，培養高品質的選民，使共和政府能達到自由與民主，保障所有人的權益」。再以波士頓公共圖書館為例，席拉（Jesse H. Shera）認為對波士頓公共圖書館的成立及服務極具有代表性的人物，其一，艾芙瑞（Edward Everett），另一，帝克諾（George Ticknor）都體會到，公共圖書館如果要成為

民主的推廣機構，就必須為所有人服務，而不能祇為少數菁英及知識份子服務。（註 6）

我們可以說對民主的信念，一方面義務教育推動，學校興；一方面由於強烈的公民責任感，使公共圖書館朝向民主與平等化經營。無論任何人都有失學離校的一天，在學校靠老師；離開學校後，靠公共圖書館及其參考人員。我國自推翻滿清，歷軍政、訓政、憲政時期，看到公共圖書館社教機構的一面，尚未能睹民主政治的功效。就如同美國總統退位，屬公的檔案歸國家檔案館，而私函因或有論及公務，遂自動歸總統圖書館保存，均允民衆調閱，使總統施政均能接受民衆的檢驗，健全了民主政治的推行。因此，公共圖書館提供資訊的第三個特性是政治性，以造就熟悉選舉、罷免、創制、複決四權運用的公民為旨趣。依據 1940 年代美國圖書館協會出版相關文獻，認為公共圖書館資源所應努力發展的「知識範疇與興趣」，第一個即提及「公共事務，公民責任」，期公共圖書館館藏能㈠有助於激發民衆閱讀與討論重要的問題的興趣；㈡增進民衆的能力，使其能參與各項活動，作為一個本社區的、美國的、及世界的良好公民；㈢協助民衆養成對公衆問題提供建設性的意見，同時消除對公衆問題的無知及㈣提高民主的態度與價值。（註 7）

四、資訊性

1949 年頒布，1972 年修訂，1994 年再次修訂的「聯合國教科文組織公共圖書館宣言」（Unesco Public Library Manifesto）闡述，公共圖書館是民主信念的具體表現。「宣言」中指出「公共圖書館是地方上通往知識的門戶」。依「宣言」首載：「個人和社會的自由、繁榮和發展是人類生存的基本價值，如要實現這一基本的價值，就應使每一個見聞廣博的公民能夠行使其民主權利，並在社會中發揮其積極的作用。因此，個人接受充分的教育，並且能夠自由而無拘束的獲取知識、思想、文化和資訊，可說是有效參與及推展民主活動必要條件」（註8）。換句話說聯教「宣言」主要的精神，在將公共圖書館作爲民主社會中的一個有力的教育文化機構，在維護民衆知的權利，保障民衆自由利用，提供民衆充分的資訊方面，扮演著非常重要的角色。

依「中國大百科全書」釋「資訊」（Information）乙辭，簡單的說是「被傳遞的知識或事實」，它的功能和概念仍在發展中。有認爲「資訊」是「作爲儲存、傳遞和轉換的對象的知識」；是「在特定時間，特定狀態下，對特定的人，提供的有用知識」；是「判斷、意志、決心、行動所需要的、能夠指引方向的知識和智慧」。換言之，「資訊」是「解決問題所需要的知識」。

資訊與信息、知識的概念，有著十分密切的關聯。信息是事物運動的狀態和運動的方式。有的觀察者能夠從中獲得大量的信息或是有用的信息；但同樣一個事物的運動狀態和運動方式，對於有的觀察者來說，可能是一無所獲或是毫無價值，甚至有害的信息。但信息不因爲人們是否認識而轉移或不存在。

而知識則是人類通過加工吸收信息，對自然界、人類社會以及思維方式與運動規律的認識與掌握，是人的大腦通過思維重新組合的系統化的信息的集合。人類既要通過信息來認識世界、改造世界，而且要根據所獲信息，組織知識。

一般說來，新知識首先發生並存在於人腦中，即主觀知識。如將頭腦中認識結果，透過某種物質載體紀錄下來，就變成可以傳遞的客觀知識。隨著人類認識的深入發展，這種客觀知識，已逐步形成較完整的知識體系。

信息、知識與文獻也有密切的關聯。復依「中國大百科全書」釋「文獻」乙辭，是「紀錄有知識和信息的一切載（媒）體」。它的構成要素，有「㈠所紀錄的知識和信息，即文獻的內容；㈡紀錄知識和信息的符號，文獻中的知識和信息，是借助於文字、圖表、聲音、圖像等紀錄下來爲人們所感知的；㈢用於紀錄知識和信息的物質載體，如竹簡、紙張、膠捲（片）等。它是文獻外在形式；㈣紀錄的方式和手段，如鑄刻、書寫、印刷、複製、錄音、錄影等。它們是知識和信息與載體所聯繫方式」。文獻目前仍是資訊的最主要來源。

公共圖書館提供資訊的特性，第四是具有資訊性。所稱公共圖書館是通向知識之門，是指圖書館所建立的館藏，是經過整理的圖書資訊，蘊涵了古今中外的知識或事實。讀者可經由圖書館可獲取各種新的信息和知識。公共圖書館也應提供各種資訊資源，主動滿足社會不同使用者的資訊需求。

處資訊社會，公共圖書館應推動終身學習，建立多元、終身的學習環境，培養民衆的資訊素養。電子化（數位化）與網路化已爲處理資訊的主要方法，因此，利用電腦及網路也成爲資訊素養中非常重要的一環。1998 年美國國家資訊論壇（National Forum on Information Literacy）進度報告，強調具備資訊素養的公民將是美國廿一世紀最大的財富。資訊時代培育具有資訊素養的國民已成爲現代民主社會及現代國家的必備條件。爲迎接現代化美好的資訊人生，提升國家競爭力，任何國家均將以培植終身學習與富有資訊素養的國民爲首務。

五、休閒性

鑑於科技及醫藥衛生的進步，人類平均壽命的延長；加以工作時間減少，休閒意識高，個人如何運用時間是需要規劃的事，也是公共圖書館經營值得關注的事，「如何創造高深精緻的文化產品，以確保人們休閒生活的品質，使之在世變方亟、社會多難之秋，得以安定人心，這將是圖書館事業責無旁貸的神聖使命。」（註9）

回憶蔣總統經國先生於民國67年2月在當時行政院長任內向立法院所提施政報告曾說：「建立一個現代化國家，不單要使國民能有富足的物質生活，同時也要使國民能有健康的精神生活。」政府繼十項建設之後，決定進行十二項建設。其第十二項即是：「建立每一縣市文化中心，包括圖書館、博物館及音樂廳」。這一計畫是為全民的精神建設。享受健康的精神生活最重要的是健全國民心智與調適民衆的生活，而鼓勵民衆從事正當的休閒活動，更為調適民衆生活的手段。公共圖書館為一社教機構，也是提供民衆正當休閒生活的場所。公共圖書館提供資訊第五個特性，乃具休閒性。公共圖書館擁有具知識和資訊的館藏，館舍寬敞，光線充足，動線靈活，格調高雅，一趟兼具知性與感性的「圖書館之旅」，將使參觀民衆享盡知識的盛宴。館內備有文藝性著作、傳記、遊記及適合各種興趣嗜好的讀物，備供民衆閱覽；並可利用其環境設備，舉辦文化講座、音樂與美術展覽、讀書會、好書交換等活動。均有助於增進民衆生活情趣與見聞，培養優美情操，且可藉此變化氣質，矯正社會不良風氣（註10）。

公共圖書館應建立藝術修養資源，提升民衆在文化領域中美的鑑賞和創作能力。從事任何職（行）業的民衆，如均具備藝術及人文的修養，將減少暴戾而造致祥和社會。

1995 年，美國圖書館協會通過「公元 2000 年目的」（ALA Goal 2000），由該文獻來看，經營圖書館的基本理念並未改變，然而該文獻一再提及資訊社會中，民衆知識與資訊需求的滿足，必須圖書館積極的參與（知識參與, Intellectual participation）而達成。（註 11）

公共圖書館將會朝向何處發展？廿一世紀公共圖書館的景象如何？公共圖書館仍舊將依現今狀況提供民衆服務，因爲它所提供資訊的特性具有文化性、教育性、政治性、資訊性及休閒性，將不克爲其他機構所取而代之。

【附　註】

註 1　姚福申，《中國編輯史》（上海市：復旦大學出版社，1990），頁 62,65。

註 2　陳仲彥，「公共圖書館與地方文獻資料服務」，《圖書館學與資訊科學》24 卷 1 期（民國 87 年 4 月），頁 96。

註 3　徐引篪、霍國慶，《現代圖書館學理論》（北京市：北京圖書館出版社，1999），頁 105。

註 4　賴鼎銘，《圖書館學的哲學》（台北市：文華圖書館管理資訊公司，民國 82 年），頁 109, 114-115。

註 5　王振鵠，〈美國公共圖書館制度〉，《圖書館學論叢》（台北市：臺灣學生書局,民國 73 年），頁 226。

註 6　同註 4，頁 111,115-116。

註 7　同註 5，頁 236-237。

註 8　"The UNESCO Public Library Manifesto," *Libri* 44:2（June 1994）：171-173。

王振鵠，〈從聯教宣言談公共圖書館服務〉，《書苑季刊》41 期（民國 88 年 7 月），頁 20。

註 9 廖又生，〈試論圖書館事業的休閒機能〉，《中國圖書館學會會報》62 期（民國 88 年），頁 24。

註 10 王振鵠，〈文化建設與圖書館〉，同註 5, 頁 525-526。

註 11 盧秀菊，〈試論公共圖書館之未來發展〉，《台北市立圖書館訊》17 卷 1 期（民國 88 年 9 月），頁 11。

我國圖書館技術服務合作的回顧與前瞻

鄭恒雄

輔仁大學圖書資訊學系副教授

摘　要

本文在回顧近年來國內圖書館在館際合作涉及「技術服務」的層面，包括合作採訪（館藏發展）、合作編目、建置聯合目錄以及各項技術服務規範合作建置的發展情況，提供未來發展的三點建議。

關鍵詞：館際合作　技術服務　合作編目　聯合目錄　館藏發展　規範

壹、前　言

圖書館的「館際合作」一般是指多個圖書館在合作的基礎上，相互支援、互通有無，以達到提昇工作效能及服務品質、節省人力經費，共享彼此的資源等多種目標。「館際合作」的範圍包括合作採訪、合作編目、合作典藏、合作流通互借等。其中合作採訪、合作編目乃至合作典藏都屬於圖書館的「技術服務」範疇，可以說是「讀者服務」的基礎。長期以來，國內圖書館館際資源的流通互借成效欠佳，究其原因甚多，其中「技術服務」的合作遲緩似爲要因之一。因此，在國內圖書館從個別的服務提昇到館際合作的服務，是一個漫長的歷程。本文擬探討國內圖書館館際合作涉及「技術服務」的層面，包括合作採訪（館藏發展）、合作編目、建置聯合目錄以及各項技術服務規範合作建置等的發展情況。

貳、館際技術服務合作的發紉

台灣圖書館事業的推展，長期以來多半是各自爲政，館際之間缺乏合作。民國 57 年 12 月國立中央圖書館訂定「公共圖書館館際互借合作辦法」，爲台灣地區最早的館際合作協定。繼在 58 年 10 月由 12 所大學簽訂「大學圖書館館際互借合作辦法」。實際上這兩項辦法實施的成效低，其「宣示合作」的意義大於實質。其後陸續有行政院經濟研究單位、基督教會大專院校圖書館，以及科技館際合作組織、人文社會科學圖書館館際合作組織、法律資料合作交流組織以及大陸資料館際合作組織等之成立與運作，近來又整合爲「中華圖書資訊館際合作協會」。另有「技專校院暨專科學校圖書館委員會」、「技專館際合作協會」等組織。但是大部分以圖書互借、期刊複印、參考諮詢與經驗分享爲主。較少在「技術服務」上進行合作。

圖書館技術服務的主要依據是編目規範，包括圖書分類法、編目規則及主題表等等。台灣光復之初，各圖書館的技術服務工作仍承繼大陸時期及日據時期遺留的各項規範。如分類法沿用劉國鈞、杜定友、何日章以及王雲五等的圖書分類法；編目法則以民國 24 年的《國立中央圖書館中文圖書編目規則》以及國立北平圖書館的《中文目錄檢字法》爲準則。這些規範雖然有統一編目的作用，但是仍是以圖書館個別營運與服務為目的，很少跨越到館際之間技術服務的合作層次。

圖書館館際間技術服務的合作與採行自動化作業關係密切。電腦在圖書館的應用使得館際間的相互支援成為可能。在此之前，雖有「聯合目錄」的編印出版，但是大都以紙本方式發行或以聯合卡片目錄形式提供使用。如國立中央圖書館編印的《中華民國圖書聯合目錄》提供讀者進行館藏的查詢與利用，基本上是採行人工作業。因此，它的時效與範圍都有侷限性。「62 年首由國家科學委員會科技資料中心以電腦編製《中華民國西文科學期刊聯合目錄》第三版，此為我國第一本電腦編印的聯合目錄，也開啓我國電腦編目的先河。63 年中山科學研究院圖書館率先引進美國國會圖書館機讀編目磁帶（LC MARC Tape）印製西文圖書目錄卡片，並於 67 年展開電腦整體作業系統之規劃，內含期刊控制、採購編目資訊檢索出納及專題資訊選粹服務(SDI)等子系統。」（註 1）

民國 68 年間國立中央圖書館與王安電腦公司合作，首次以電腦建立「中文」期刊聯合目錄檔，並編印《中文期刊聯合目錄》。約在此一時期國內若干圖書館如淡江大學、台灣大學及國立中央圖書館等相繼推動圖書館自動化作業，而多半由「技術服務」做起，仍然側重在各自藏書的編目建檔。為了自動化的需求，圖書館的技術服務規範需要重新調整或訂定，尤其需要考慮到國際的標準，為圖書館的合作發展奠定基礎。

民國 69 年 4 月，中國圖書館學會與中央圖書館合組「圖書館自動化作業規劃委員會」並設立三個工作小組，分別研訂：中文機讀編目格式、中國編目規則及中文圖書標題總目三項規範。而在 68 年，行政院也召開會議籌劃電腦用中文字形的整理與制訂工作，在 69 及 70 年間完成兩套中文資訊交換碼，即「通用漢字標準交換碼」及「中文資訊交換碼」(CCCII)。這些規範都成爲國內圖書館進行自動化作業，尤其是書目建檔的主要依據，近年來也陸續的進行修訂與維護，爲圖書館館際「技術服務」的合作創造條件。

參、館際合作編目的發展

國內近十幾年來有關技術服務的合作，偏重在推動「合作編目」，合作建置書目資料庫，分享取用書目記錄。其主要發展情況略述於下：

一、試行館際集中編目：

國立中央圖書館約在 68 年起開始試行編目自動化系統，建立書目檔。70 年間聯合台北地區七大圖書館，將民國 70 年起在台灣地區出版的中文圖書先行編目建檔；在期刊方面則聯合台灣地區 170 所圖書館，將其館藏資料建檔，惜因人力所限，民國 73 年起，暫停該項集中編目建檔作業。（註 2）這項計畫雖未能完成，卻是館際合作試行集中編目建檔的先聲。民國 76 年又訂定「學術圖書館合作編目建檔暫行辦法」，再度聯合 15 所國立大學院校圖書館試行合作編目，最後雖然也因人力不足而告停止，但也顯示圖書館企圖經由合作編目，實現資源分享，爲線上合作編目催生。

二、NBINet 網路合作編目：

由於自動化作業的開展，圖書館逐漸由個別發展到區域性及全面性的需求。中央圖書館爲因應此項發展趨勢，在 76 年起著手規劃圖書資訊網路計劃，於 79 年 3 月引進了在加拿大的 UTLAS 系統，又參照國內的需求建立「線上合作編目系統」。80 年 10

月系統正式啓用,稱爲「全國圖書資訊網路」(National Bibliographic Information Network,簡稱 NBInet)。參與合作的圖書館有 26 所，共同合作建立書目資料庫，總書目記錄達 161 餘萬筆，用以提供各館轉錄(Download)書目資料，建立電子書目資料庫，以節省重複編目的人力與經費。至 87 年 10 月止，檢索量達 1,790,001 次，圖書館轉錄量 725,914 筆。這是國內建立的第一個電腦書目網路系統，其中關於軟體需求的研訂、系統的研發建立與測試、合作辦法的訂定、中文環境與字集字碼問題的解決等等，在合作館共同努力下具有整合的成效。

UTLAS 系統使用至 87 年 11 月爲止。85 年 6 月選定美國 Innovative Interfaces 公司的 Innopac 書目網路新系統，於 87 年 3 月啓用，接續原 UTLAS 系統提供各圖書館合作編目及轉錄，以分享編目資源。目前的書目量已達 1,642,634 筆，館藏檔 2,586,671 筆，並持續增加中。新系統具備 Z39.50 主從式(Client/Server)架構、集中式書目資料庫系統、提供 OPAC 及 WEBPAC 兩種公用目錄及書目暨權威記錄 MARC 之轉換功能等多項功能。目前許多圖書館都從此資料庫取用進行轉錄，對於合作編目及讀者查詢都有助益。行政院於 87 年 12 月訂頒「書目網路合作辦法」，國家圖書館亦訂有「全國圖書資訊網路系統合作編目要點」作爲實施的依據。

近年來書目資訊中心引進大陸北京圖書館的書目，建置「大陸出版品（民 38 至 87 年）書目」資料庫，可供讀者查詢的書目量達 1,135,880 筆，供合作館專用的書目達 613,344 筆。此項書目亦建置於 NBINet 系統中，便於合作編目及讀者查詢之用。目前正在進行的另一項重要計畫是「台灣地區善本古籍聯合目錄」系統，已建置 120,177 筆，並增添書影，亦可在 NBINet 系統中查到。88 年度起又委託國立中正大學資訊工程學系開發「中文期刊聯合目錄」及「館際互借系統」，都以NBInet系統爲基礎，希望進一步擴充及延伸其功能。

三、ISBNNet 新書書目資源分享：

國家圖書館「中華民國書號中心」於86年7月建置「全國新書資訊網」(ISBNNet，http://lib.ncl.edu.tw/isbn/aa.htm)，提供查詢利用「國際標準書號」（ISBN）及「預行編目資料」(CIP)的系統。包含：出版前三個月的新書預告、已出版的圖書及出版機構的基本資料。自民國 87 年 10 月起增加書目下載服務，以國內各圖書館暨資料單位及任何公私立出版機構爲主要服務對象，也可連結各出版社及經銷商的網站。「全國新書資訊網」對於圖書館及出版業界建立新書書目檔及圖書採訪都有助益，可由書名、作者、叢書名、標題、出版者、ISBN、分類號、出版日期等途徑查詢新書。自 78 年至 89 年書目資料庫總量達 304,374 筆。書號中心依據此項 ISBN/CIP 資料庫另編印出版者名錄、《全國新書資訊月刊》，又發行「全國新書資訊光碟系統」(NewBooks)。其中預行編目（CIP）書目並納入館藏目錄及NBINet系統。「全國新書資訊網」可以說是由各出版商及機構隨時提供新書資訊，而由國圖書號中心集中編目，建立新書書目資源，提供圖書館、出版單位以及民衆下載利用。

四、大陸出版品的合作編目：

行政院大陸委員會爲整合台灣地區大陸資源，便利館際合作與資源共享，於83年規劃「建立大陸書目資料庫作業計畫」，經由各館配合之下於84年7月編印完成《臺灣地區大陸研究圖書聯合目錄》書本式目錄，收錄台灣地區蒐藏大陸圖書較豐的單位，包括主要大學及中央研究院各所約計19個單位，共收書目資料十萬餘筆，並建立「大陸研究圖書聯合目錄」資料庫(http://lib.mac.gov.tw)，經由網路提供線上檢索。陸委會的此項書目計畫已移轉至國圖 NBINet 系統，經由 NBInet 系統進行大陸出版品的合作編目。目前大專校院入藏的大陸出版品愈來愈多，如何有效的採訪及編目建檔，提供利用是各館面臨的課題。

國圖於民國 87 年引進大陸北京圖書館的書目光碟及書目檔，並在 NBINet 中建置「大陸出版品（民 38 至 87 年）書目」，除提供一般檢索外，亦提供合作館轉錄書目記錄，便利大陸出版品的編目建檔。

五、虛擬書目中心：

由於網路科技的迅速發展，圖書館可以經由 Telnet 及 WWW 的途徑查詢其他圖書館的館藏資源。因此，多數用戶希望經由單一窗口查詢多數圖書館的書目，尤其以 I E 或 Netscape Navigator 介面查詢彼此的藏書資源。中正大學圖書館與該校資訊工程係合作發展整合書目查詢系統，建立「國內圖書館圖書虛擬聯合目錄」（http://www.lib.ccu.edu.tw/b_booksearch.htm），可以即時的一次查詢多館的目錄與館藏狀態，並以此進一步發展館際互借與合作。雲林科技大學圖書館開發的「整合式圖書目錄查詢系統」（http://www.lib.yuntech.edu.tw/lib7/lib7320.html）也具有類似的功能，但是兩者仍著重各館目錄的查詢檢索，非以書目紀錄的共建與分享爲主要目標。

六、期刊聯合目錄的建置：

教育部高教司於民國 85 年 8 月舉辦「台灣地區各醫學院圖書館期刊合作館藏發展計畫」說明會中，決議以委託專案研究方式，將本計畫委託台灣大學醫學院圖書館及國立交通大學計算機中心兩單位負責執行，因而進行開發「台灣地區各醫學圖書館醫學期刊聯合目錄暨館際合作系統」，目標在建立國內完整的中西文醫學期刊聯合目錄，並利用資訊網路傳遞複印文件，以達到資源共享及節省經費的目標。

爲了將該系統的使用範圍能擴展到全國，87 年 9 月，國科會科學技術資料中心續委託交大圖書館開發建立「台灣地區各圖書館期刊聯合目錄暨館際合作系統」，期以進一步協助國內各圖書館合作發展館藏、積極落實館際合作。本系統目前全稱是「全國期刊聯合目錄暨館際合作系統」（http://ill.stic.gov.tw），可查詢全國西文、中文及大陸期刊聯合目錄、科資中心博碩士論文目錄及全國圖書資訊網路 NBINET 等。系統主要包括管理與統計兩大模組，各合作館可掌握期刊館藏狀況，讀者可直接線上申請帳號以申請國內外期刊複印、圖書互借及向科資中心申購博碩士論文全文。本系統列入「國科會數位圖書館暨館際合作系統建置計畫」中，並建立「館際合作服務中心」的服務機制。

在國家圖書館的 NBINet 系統上也有中「文期刊聯合目錄」系統，可以連結查詢各館最新的期刊館藏狀態。中正大學圖書館也有「南區中西文期刊目錄整合查詢系統」（http://www.lib.ccu.edu.tw/SMagazine/libgais.html）可查詢 31 所圖書館的期刊資源。

七、古籍聯合目錄的建置：

善本古籍書目乃華文書目資料庫中最爲珍貴的資料。臺灣地區曾於民國 60 至 61 年間彙集臺灣地區八所圖書館所出版的臺灣地區善本公藏目錄，雖有聯合目錄之效果，唯屬書本式目錄，並未隨著各館資料之異動而即時更新。在目前各館自動化已具規模情形下，紙本式目錄應非唯一的選擇，因此考慮重新進行聯合目錄計畫。希望藉自動化之便，提供易於更新、易於查詢的資料庫系統。

國家圖書館的善本及普通本線裝書書目已整合於 URICA 系統中，同時也正逐步轉入全國圖書資訊網路系統。基於建立「國家書目」資料庫的發展目標，期望建立較完整的古籍善本資料庫，乃有「臺灣地區善本古籍聯合目錄建檔計畫」。此計畫先擇定國內善本古籍收藏較有規模的故宮博物院、臺灣大學圖書館、政治大會圖書館、臺灣師範大學圖書館、東海大學圖書館、國立中央圖書館臺灣分館、中研院史語所圖書館、中研院文哲所圖書館、中研院民族所圖書館等九單位及國圖特藏組，共同進行資料庫之建置。計畫之初先行瞭解各館收藏現況，隨即於 87 年 9 月召開第一次會議及「工作會議」，討論資料收錄範圍及類型、建檔格式、分類法、未建檔資料建檔方案等資料庫建置相關議題。

基於各館建檔情形仍有相當之差異性，目前各館提供已建檔之書目均先使用漢珍 TTS 系統建置，可由 NBINet 進入以利查詢，可窺目前各館館藏之善本古籍。截至 90 年 1 月止各合作單位的書目量如下表：（註 3）

合 作 單 位	書目資料量
故宮博物院圖書館	17,334 筆
台灣大學圖書館	15,287 筆
中央圖書館台灣分館	8,595 筆
中研院傅斯年圖書館	4,256 筆
中研院文哲所圖書館	14,786 筆
東海大學圖書館	4,469 筆
國家圖書館	61,957 筆
總　　計	126,684 筆

肆、館藏發展之合作

「館藏發展指包括協調選書政策、評估讀者及潛在讀者的需求、館藏使用調查以及館藏淘汰等有關館藏發展的活動。合作館藏發展係指兩個或兩個以上的圖書館，經由館藏發展協定責任上的分配，同意在一定範圍內，盡量購買或蒐集可獲得之資料，以促進資源之共享及避免重複之浪費。合作館藏發展的目的在：

㈠ 提供使用者更廣泛的館藏及服務；

㈡ 提高使用者獲得資料的比例；

㈢ 減少罕用資料的重複購置或蒐集；

㈣ 使個別圖書館能提升館藏的專門性，以反應本館讀者的基本需求；

㈤ 藉著利用合作組織內各館的資源，使圖書館資源擴充而不增加成本。(註 4)

國內圖書館在館藏發展的合作方面運作的方式，偏重於合作採購國外期刊及資料庫。「民國 64 年，國科會曾有經援及協助各大專院校統籌採購西文期刊的作法，但因諸種原因未能有進一步協調專科分工發展的計畫。自民國 70 年起，也有許多合作館藏的建議，但是十幾來，卻未見有實際的館藏合作實施。」(註 5)

國科會科學技術資料中心以「集中採購」方式，統籌向國外訂購。這項措施具有減少重複，合作建立館藏的目的。但是採用的方式是「集中採購」，而非合作採訪。「集中採購」提供各圖書館共用資料庫的方式，與眞正的館際合作採訪仍有距離。國科會的這項統購計畫在 84 年 6 月全面停止。

近年來由於期刊訂費的漲幅日益增加，且各圖書館購書經費逐年減少，使得各館經費不足以應付期刊之漲幅，而需面臨刪除期刊之窘境。在經費不足且必須刪除期刊之際，各館亦面臨不知應該刪除何種期刊之難處。因此，合作進行期刊館藏發展可謂勢在必行。然而合作發展期刊館藏之前提必須瞭解各館訂購狀況，並積極落實館際合作系統。建立一套完整、正確的期刊聯合目錄，並利用日益成熟的網際網路協助進行期刊館際複印作業，將對期刊館藏發展與各圖書館資源共享有正面影響。

在公共圖書館方面，比較可提的是省立台中圖書館在民國82年5月曾出版《台灣省公共圖書館特色館藏聯合目錄》收錄21所縣市文化中心圖書館的特藏館藏。依據當時「台灣省加強文化建設第三期重要措施」中提及「各縣市文化中心圖書館建立館藏特色資料，由各縣市政府主（承辦）；教育廳、省立台中圖書館協辦；經常辦理。」（註6）該項措施中訂有「館藏特色表」，從宜蘭到台東縣都有館藏色之訂定，希望各文化中心的館藏發展各具特色。可惜這項計畫未能持續。

近兩三年來，館藏發展的合作略有進展，除了國科會之外、若該大學及醫學圖書館，甚至公共圖書館也躍躍欲試，簡述如下：

一、臺灣地區各醫學院圖書館期刊合作館藏發展計畫：

「國內外醫學圖書館在面臨資訊爆增、預算刪減及期刊訂費上漲的情況下，欲以一館之館藏來滿足讀者的資訊需求，無異是緣木求魚！由於經費不足，國內各醫學圖書館皆以刪除期刊做爲因應之道，但同時亦面臨不知該刪除何種期刊之窘境，此一現象的確已造成各館實質上的負擔。爲此，自民國84年起各醫學圖書館便不斷地開始研討各醫學院合作採購外文期刊的可能性。經過四年的努力，終於在臺大醫圖張主任慧銖的領導下，執行一項教育部委託專案研究計畫『臺灣地區各醫學院圖書館期刊合作館藏發展計畫』(執行期限：86.01.01 至 88.02.28)，於該計畫中訂定一份期刊合作館藏發展協定，說明各合作館之間的權利與義務，以協調各館合作，共享資源，使期刊經費能妥爲運用。目前該協定已於民國 88 年 4 月 30 日『全國公私立醫學校院院長會議』通過，並完成 14 所醫學圖書館之簽署事宜。因此，爲使該協定能順利推動並落實於各合作館間，我們特擬訂『臺灣地區醫學圖書館期刊合作館藏發展行動綱領』，並經民國 88 年 9 月 3 日中國圖書館學會醫學圖書館委員會第五次會議通過。」(註 7)，綱領第一條即是在中國圖書館學會醫學圖書館委員會之下設立「合作館藏發展小組」，以協調各館間期刊合作訂購事宜。

二、「全國學術電子資訊資源共享聯盟」（CONCERT）：

國外有許多使用量大且發展良好的電子化資源，但是價格昂貴，各校如果各自引進不僅浪費經費，亦需面臨版權與使用權利上的諸多問題。國科會科學技術資料中心爲協助國內各機構順利引進國外最新資訊，共享數位圖書館資源，並獲得更佳之產品及服務，特邀集相關單位，共同組成「全國學術電子資訊資源共享聯盟」(CONsortium on Core Electronic Resources in Taiwan，簡稱 CONCERT) (http://www.stic.gov.tw/fdb/index.html)。自 87 年 9 月成立以來，順利引進多種資料庫系統，包括：Chadwyck-healey、：ComputerSelect、CSA IDS、EBSCOhost、Ei Engineering Village、GaleNet、Grolier Online、IDEAL、IEL Online、JCR Web、JSTOR、Lexis-Nexis、LINK、OCLC FirstSearch、Ovid、PQDD、ProQuest、ScienceDirect OnSite、SilverPlatter WebSpirs、SwetsnetNavigator、Web of Science 等。使用者僅限訂購該資料庫之聯盟會員機構所屬人員，以及對外開放之圖書館到館讀者，有特定需求者可就近詢問相關圖書館。

CONCERT 聯盟經過年來的努力，引進多種電子期刊及全文資料庫系統，各大學圖書館收錄的電子期刊因而日益增多，部分館員為迅速推廣使用及呈現館藏訊息，亦已紛紛於圖書館網頁提供電子期刊清單的瀏覽或簡易查詢功能。部分圖書館則因人力不足或資料多所重複，故而建請提供整合性之服務。國科會為回應這些需求，特商請交通大學圖書館於進行本中心「國科會數位圖書館暨館際合作系統建置計畫」中，順帶建置「CONCERT 電子期刊聯合目錄」，並由國科會向各資料庫廠商徵集電子期刊基本資料，加以整理建檔，於 89 年 12 月初終告完成第一階段功能，並公告開放各使用單位測試。目前之「CONCERT 電子期刊聯合目錄資料庫」包括有 IDEAL、IEL、LINK、SDOS 等四個電子期刊資料庫，以及 EBSCOhost ASE、BSP 與 ProQuest ABI/INFORM Global、ABI/INFORM Research、Education Complete 等五個電子全文資料庫所收錄共 4,752 種期刊，除刊名、出版者、ISSN、資料庫名稱等四項可供查詢外，並提供相關 URL 之連接。

三、南區大專院校期刊快速服務建置計畫：

成功大學、中正大學、中山大學及高雄醫學大學四校圖書館為因應每年預算短絀，每年購藏之期刊數量日益減少，經四校圖書館同意共同努力克服困難，加強彼此之合作採購西文期刊，並辦理快速而有效之館際合作服務。此項計畫是自民國 88 年 7 月 1 日起，由中山、中正及成大三校彼此間合作，開始試辦文章複印優惠服務，自民國 90 年 2 月 1 日加入高雄醫學大學。凡四所學校之教職員生，在教學研究上所需之圖書期刊上之文章，在所屬學校之圖書館內無蒐藏時，均可透過所屬學校圖書館申請館際合作服務，向其他兩所大學中之任一所大學圖書館複印所需之文章。四校間進行期刊合作採購，期以整合各校圖書館資源，減少期刊重覆訂購，並建立各校館藏特色，加強合作，共享資源。

四、全國公共圖書館共用資料庫：

為提升民衆資訊素養及落實全民終身學習的目標，原台灣省政府教育廳、文化處及文建會成立「公共圖書館資訊網路輔導諮詢委員會」積極推展資訊輔導工作，績效良好。教育部於民國 88 及 89 年度撥補經費分別由國立台中圖書館及國立中央圖書館台灣分館統一購買線上資料庫，透過 Internet 提供民衆免費在全國各縣市公共圖書館及八所高中圖書館查詢使用。六種資料庫分別是國家圖書館遠距圖書服務系統（包括期刊資源、政府資訊、文學藝術）、國家考試題庫資料庫系統、美加研究所資料庫、美加大學院校資料庫、卓越商情資料庫、即時報紙標題索引及全文影像資料庫系統。」（註 8），此法可使多所圖書館使用虛擬館藏，分享資源延伸館藏。

伍、規範與館際合作計畫之研訂

技術服務的各項規範是館際合作的基礎，國內有關此項規範的具體成果可在國家圖書館建置的「編目園地全球資訊網路」系統以及經濟部標準檢驗局所建置的「中國國家標準檢索系統」中查詢利用。另外，館際合作的規劃是實現館際合作的重要因素，這幾年政府當局也作了若干計畫的研訂。這些標準或計畫的訂定，雖由某一機構或專家主持，往往也是組成小組匯集各方意見合作訂定的。茲分述如下：

一、編目園地全球資訊網 (http://datas.ncl.edu.tw/cat-web/)：

國家圖書館編目組於民國 86 年 8 月起於「國家圖書館資訊網路系統」中建置「編目園地」，目的是希望經由網路提供一溝通之「園地」，作爲我圖書館界同道相互溝通信息之橋樑，藉以促進圖書資訊著錄與系統建置之標準化，以利各圖書館及資料單位進行分類編目與建檔，而有助於書目資源之共享與利用。從「編目園地」中可查詢到國內研訂之各項編目規範與標準，包括：文獻編目著錄、機讀及權威編目、文獻分類、文獻標引、權威檔、詮釋資料格式、規範工具資料庫等。其實都是幾十年來國內圖書館界及同道陸續研訂的，往往由一所圖書館或學會所主持，然而大多數也是匯集各館同道集思廣益合作訂定的。

二、中國國家標準（CNS）檢索系統（http://www.cnsppa.com.tw）：

標準檢驗局前身爲「中央標準局」，係依據經濟部組織法成立之國家最高商品檢驗機關，主要任務之一爲國家標準與法規之編修與管理，以配合國家經濟建設。

近幾年來中國圖書館學會設置「標準委員會」積極的進行一系列的標準制訂工作，尤其在台灣大學圖書資訊學系李德竹教授的領導下，接受中央標準局的委託規劃，進行了一系列圖書資訊相關標準的研訂。這些標準分由圖書館界的同道共同研擬訂定，又配合舉辦分區「標準說明會」而有顯著的開展。所訂定的標準大都是遵循我國中央標準局國家標準制訂辦法訂定的，也就是依據國家標準制訂程序與辦法來進行。統計至87年6月1日止，我國國家標準總數，已制定14,626種，其中圖書館相關標準近五十種，在「國家標準分類目錄」中屬於「一般及其他」類之「雜類」（類號是 Z7），如「機關團體簡稱標準」之標準總號爲CNS13490，類號是「Z7 259」。各項標準的檢索可以利用標準檢驗局建置的「中國國家標準檢索系統」，由關鍵字、CNS標準號碼、標準名稱等方式進行檢索。一般讀者可以申請爲會員方式，經由購置點數取得標準影像資料。

三、館際合作相關計畫之研擬：

近年來國科會、教育部及原台灣省政府等機關都進行一些與圖書館「館際合作」相關的研究調查與計畫，其中不乏有關「技術服務」的合作，可資參考。舉要如下：

1. 建立全國圖書館合作服務制度促進資源共享政策/王振鵠、沈寶環主持。——台北市：教育部，民80年6月，（教育部圖書館事業委員會專題研究報告）。

2. 推動全國圖書館館藏發展計畫 / 曾濟群研究主持。——台北市：教育部社教司，民 84 年 12 月，（教育部圖書館事業委員會專題研究報告）。

3. 全國圖書館館際合作綱領/曾濟群研究主持。——台北市：教育部，84 年 6 月，（教育部圖書館事業委員會專題研究報告）。

4. 公共圖書館城鄉合作模式之調查研究報告/台灣省政府文化處「台灣省公共圖書館資訊網路輔導諮詢委員會」公共圖書館城鄉合作模式之調查研究小組。——南投中興新村：台灣省政府文化處，民 88 年 6 月。

5. 民 87 年國家科學委員會「國科會數位圖書館暨館際合作計畫」。科資中心並於交大圖書館設置辦公室，推動「數位圖書資訊服務」與建置「館際合作系統」。

陸、展 望

「館際合作」是圖書館事業發展與成功的重要因素。長期以來，國內圖書館館際資源的流通互借成效不佳，究其原因甚多，其中「技術服務」的合作遲緩似為要因之一。圖書館的主要業務包括「技術服務」與「讀者服務」，讀者服務的成效應是以「技術服務」爲基礎。從近年來國內圖書館技術服務的合作的發展來觀察，各館間的技術服務合作偏重在「合作編目」，且已有相當好的成效，館際的「館藏發展」方面仍待加強。提升館際「技術服務」的合作將有助於館際間「讀者服務」的成效。

近幾年來「合作編目」的發展主要是國家圖書館建置的 NBINet 系統，尤建立的合作機制，包括「合作館館長會議」、「書目共享工作小組」、「品質控制小組」以及「字集字碼工作小組」等，經常結合各館專家及業界從業人員，持續的討論解決相關的問題，而長期以來國內所研訂的各項規範包括：機讀格式、編目規則、BIG5 及 CCCII 字集字碼等都是主要的依憑。因此，經由「合作編目」，資料庫得以持續壯大，提供各圖書館轉錄書目記錄，以及提供讀者查詢利用。

然而，書目資料庫的建置固然重要，但是書目的內容如品質、數量與新穎性等也同樣重要，因此如何充實資料庫的內容，仍有賴於「館藏發展」的推動與實現。也就是說「合作編目」的上游應是經由合作「館藏發展」以充實藏書的內容與質量。相對的其下游則是進一步連接「館際互借」與合作系統，以實現資源共享的目標。展望未來，謹提供數點意見如次：

㈠整合國內「聯合目錄」資料庫系統：建議仍以國家圖書館 NBINet系統爲主軸，經由合作的機制使各種館藏書目資料庫整合爲一。當然，這並不是意味著各圖書館不需要建立自己的書目資料庫，相反的，應是更積極的建立本身的書目資料庫，經由充分的分工合作，更有效率的相互支援與分享，使書目資料庫的內容更具充實完備與新穎，使合作單位彼此受益。舉例而言，各館應提供館藏外文書目轉入 NBINet、盡快的提供新編館藏書目，使

NBINet名符其實的成爲全國的「聯合目錄」，國家圖書館成爲眞正的全國書目資訊中心，各圖書館及讀者都可以由此方便的取得書目資訊。另外系統的連結也十分重要，譬如，目前 NBINet 建置的「中文期刊聯合目錄」即可與國家圖書館的「遠距圖書服務系統」結合，查詢「期刊指南」、「期刊論文」及「期刊目次」，如果能再與國科會之「台灣地區各圖書館期刊聯合目錄暨館際合作系統」連結或整合，對於查詢利用將更爲方便。

㈡推動「館藏發展」的合作：近幾十年來，館際間的「合作編目」與「流通互借」多少都在進行，唯獨「館藏發展」的的合作裹足不前。從前述的發展中，可知主管單位亦已進行多項計畫之研擬，館藏發展的倡議與討論亦不在少數。然而，「我國圖書館界在資料影印及借閱方面的館際合作已行之有年，在合作館藏發展方面卻未見具體計畫」。(註 9)目前，國內推展「館藏發展」合作的時機已漸成熟，建議由主管機關責成國家圖書館及「中華圖書資訊館際合作協會」依據業已擬定的合作計畫逐步推動館藏發展計畫。目前「中華圖書資訊館際合作協會」所定之「館際合作辦法」仍以圖書資料之借閱或複印資料爲主，建議似有增加館藏發展合作之需要，先期似可以協助各館訂定館藏發展政策、擬定館藏發展綱要，並依據不同類型的圖書館建立合作模式。另外，在引進國外資料庫方面，目前國科會推動的「全國學術電子資訊資源共享聯盟」已有相當好的成效，期望仍由國科會繼續扮演積極的角色，協助各類型圖書館推動國外資訊的館藏發展。

㈢國家圖書館應依據圖書館法規定積極研訂各項規範：本年初政府已公布「圖書館法」，其中第六條爲（圖書資訊之技術規範）明訂：「圖書資訊分類、編目、建檔及檢索等技術規範，由中央主管機關指定國家圖書館、專業法人或團體定之」。既有法源依據，宜由國家圖書館寬列經費（以往經費捉襟見肘），由已設立之研究組協調中央標準局、中國圖書館學會及館界共同推動各項規範的研修與維護工作。

【附　註】

註 1　胡歐蘭，〈圖書館自動化作業〉，《第二次中華民國圖書館年鑑》，台北市：國立中央圖書館，民 77 年，頁 82。

註 2　同上註，頁 91-92。

註 3　http://nbinet.ncl.edu.tw。

註 4　王淑君，〈醫學圖書館網路資源合作館藏發展〉，教育資料與圖書館學第 36 卷第 4 期(民 88 年 6 月)，頁 477-478。

註 5　王振鵠、吳美美，〈合作館藏發展制度的建立〉，中國圖書館學會會報第 48 期（民 80 年 12 月），頁 39。

註 6　曾昆賢，〈館藏合作發展的理論與實踐：爲推動全國各級公共圖書館特色館藏合作發展計畫請命〉，書苑第 39 期（民 88 年 1 月），頁 3。

註 7　應家琪，〈台灣地區醫學圖書館期刊合作館藏發展行動綱領〉，台大醫學院圖書分館館訊第 44 期（民 88.11.15）(http://www.lib.ntu.edu.tw/pub/mk/mk44)。

註 8　劉彩瓊，〈公共圖書館館藏資源的建設與發展-以國立台中圖書館爲例〉，《公元二千年海峽兩岸公共圖書館基礎建設研討會論文集》（台北市：行政院文化建設委員會，民 89 年 9 月），頁 5-48。

註 9　同註 4，頁 480。

廿一世紀圖書館與資訊服務新角色以及專業人員能力初探

王梅玲

玄奘人文社會學院圖書資訊學系副教授兼主任

摘要

本論文旨在探討廿一世紀圖書館與資訊服務的新角色與專業人員應具備的能力以迎接新世代的挑戰，內文首先探討資訊時代與資訊社會的特徵；其次，研究資訊新世紀，圖書館與資訊服務的新角色與任務，主要作業功能，以及圖書館與資訊服務就業市場；並進一步界定專業能力的意義與內涵；以及析論圖書館與資訊人員應具備能力的相關研究，最後綜合結論並對台灣地區圖書資訊學教育提出建議。

關鍵詞：資訊社會　能力　專業能力　圖書館與資訊服務　知識與技能　圖書館與資訊專業人員　圖書資訊學教育

壹、前言

在一片Y2K緊張的守候中，人們揮別了廿世紀，迎接廿一世紀的到來。逝去的廿世紀中有許多重要的科技發明包括汽車、飛機、電視、原子分裂、雷射、太空科技、電腦及網際網路，後兩者的發展在世紀末影響尤其深遠。網際網路是 1969 年美國國防部基於國防考量所設立，並在發明全球資訊網(WWW)的英國電腦奇才伯納斯李的推動下，漸漸爲民間使用。網際網路風靡全球，據估計 1999 年已有一億八千三百萬人上網，到 2003 年使用者將達到五億人。電腦與網路科技一日千里，未來個人電腦、通訊、電視、電影、電玩都將整合統一，爲人類生活帶來徹底的改變。(註1)網路的蓬勃發展使上網擷取資訊、通訊、工作、學習或從事商務交易更形便利，也促進電子商務、數位經濟與知識經濟的發展。

許多趨勢預測家、經濟學家認爲 1990 年代美國的經濟成長、產業改變、甚至全球產業趨勢，都顯示代表新經濟的「知識經濟」時代已經來臨。未來學家托佛勒(Alvin Toffler)在 1980 年代之初，就已預告人類文明進入第三波階段，知識經濟時代正式登場。管理學大師杜拉克(Peter F. Drucker)深信，我們已進入後資本主義時代與知識社會，也就是知識已成爲社會的重要資產，資本與無產階級將被知識工作者與服務業者取代，而後資本主義社會經濟的成敗將取決於知識工作以及知識工作者的生產力。(註 2)

資訊時代爲人類社會帶來許多變革，圖書館與資訊服務也是知識工作與服務業，早在 1950 年代已開始運用資訊科技在作業上，如今受到資訊社會影響，產生重大轉變：首先，館藏從印刷媒體轉成電子媒體，成爲資訊與檢索的主要形式，並整合文字、聲音、影像、動畫等不同媒體成爲多媒體；其次是圖書館與資訊機構的責任加重，如以使用者服務爲導向、重視工作績效評量等；復次是新組織型態產生，如主從式電腦架構、工作任務編組、與團隊工作、委託外包作業、遠距圖書館服務、組織再造、組織合併等。其他尚有：數位圖書館、遠距教學、全球競爭力、新興電腦與通訊科技、以及資訊與知識管理等。(註 3)

我國圖書館與資訊中心約 5, 000 餘所，專門培育人才的圖書資訊學系所共有 8 校，提供從學士班、碩士班、到博士班完整層級的正規教育。在即將邁進廿一世紀新紀元之際，資訊時代與資訊社會有什麼特徵？人類的世界將會是什麼面貌？圖書館與資訊服務一向是保存人類歷史文化、教育社會大衆與提供資訊服務的重要社會機構。受到資訊社會的影響，其角色、功能與任務是否有所改變？這些年來圖書館界與圖書資訊學教育界均在思考未來的發展方向；對於專業工作而言，新世代的圖書館與資訊專業人員應具備什麼知識與技能？從人力資源發展來看，對於新時代需要的專業能力，圖書資訊學的教育與訓練是否足夠培育出適當的人才？而人力資源的供應與市場需求是否平衡？這些均是邁向廿一世紀圖書館與資訊服務關懷的重要課題。

本論文旨在探討廿一世紀圖書館與資訊服務的新角色與專業人員應具備的能力以迎接新世代的挑戰，研究的軸心原則在於新時代圖書館與資訊專業人員的角色與能力，沿此原則發展的軸心結構包括：⑴瞭解資訊時代與資訊社會的特徵；⑵探討資訊新世紀，圖書館與資訊服務的新角色與任務，主要作業功能，以及圖書館與資訊服務就業市場；⑶界定專業能力的意義與內涵；以及⑷研究圖書館與資訊人員應具備的能力。

貳、資訊時代與資訊社會的特徵

電腦與網路資訊科技是廿世紀人類最具爆發力的發明，不僅改變人類的生活、工作、學習、經濟、文化、政治，還將人類從工業時代帶進資訊社會。由於電腦通訊科技進步神速，加上網際網路的發展如虎添翼，使得廿世紀末期美國等工業強國紛紛投入資訊基礎建設計畫(NII)，利用 Interent 打造網路化的資訊社會，七大工業強國並且聯手建設全球資訊基礎建設，想要打造全球資訊社會。電腦業與通訊業加上資訊內容業形成新的數位經濟，在科技、經濟、管理、學習、生活、與娛樂各方面帶來許多改變。面對廿一世紀，新資訊社會的具體特徵已呈現，並且對圖書館與資訊服務發生影響。以下就資訊社會演變過程中的重要理論與特徵研析。

一、後工業社會的來臨(註 4)

對於資訊社會最早提出前瞻見解首推貝爾(Daniel Bell)在 1973 年所撰的專書【後工業社會的來臨：對社會預測的一項探索】，事實上早在 1959 年一場學術研討會上他已提出「後工業社會」的名詞，這就是今日我們說的「資訊社會」(Information Society)。他之使用「後工業社會」一詞的理由，是強調這些變遷的間隙和過渡本質，並強調智識技術的主要原則，雖然已明確描繪出資訊社會的輪廓，但在當時這些僅是剛出現的特徵，因此未斷然採用資訊社會名詞。貝爾運用社會預測的方法，輔以詳細資料與數據從五個面向描述後工業社會的全貌：⑴經濟層面：從生產商品的經濟轉爲服務業經濟；⑵職業分布：專業與技術人員階級處於主導地位；⑶軸心原則：理論知識的首要性，是社會革新與制定政策的源泉；⑷ 未來取向：控制技術發展，對技術進行鑑定與評量；⑸政策構定：新智識技術產生。

從貝爾對後工業社會的描述，已見到資訊社會形成，並具備幾項特徵：⑴人類以資訊爲基礎的「智識技術」和機械技術並駕齊驅，並且制定決策主要依賴新的智識技術；⑵後工業社會主要課題在於如何發展出電腦通訊資訊技術的適當基礎建設，把後工業社會連繫起來；(3) 專業與技術人員在社會中居於主導地位；(4) 資訊經濟學形成，資訊是集體財貨，要採取合作策略，使知識的傳播與使用增加，但後工業社會的政策和理論將帶來新問題，爲經濟學者與決策者帶來新挑戰。

二、資訊地球村(註 5)

1980 年代日本未來學家增田米二(Yoheji Masuda) 撰寫【資訊地球村】(Managing in the Information Society--Releasing Synergy Japanese Style)一書，更進一步描繪資訊社會的形貌。他認爲資訊社會立論基礎在於：「資訊價值將取代物質價值，成爲社會及經濟變革背後之驅策力量」。資訊社會之核心科技是電腦，具有三大特徵：首先是知識完全具體化，原創資訊可以從電腦產生，而擴展人類智能；其次是生產知識性資訊；其三是資訊網路。此外，「全球主義」將成爲資訊社會的新時代精神，主旨在解放人類之心靈，其次，是共生的觀念，將使研究人類與自然相依共存之生態學蔚然興起。最重要的是全球資訊空間的概念，以資訊網路相互連接，資訊經由網路跨越了區域界線與國界，無遠弗屆。

三、資訊基礎建設與全球資訊社會(註 6)

網際網路(Internet) 是促成網路化資訊社會的關鍵，有人稱它是本世紀最偉大的科技、人類史上第二次文藝復興；它是人類繼印刷術、收音機、電視機之後影響全人類文明的第四種新興的媒體；它創造世界地球村、資訊地球村，形成虛擬圖書館；它聚合研究學術界、商業界、工業界、傳播界、與政府等各行各業；它提供不限時間、空間均可傳遞與查詢利用的資訊；它將文字、數字、聲音、影像、圖片的各種媒體資訊聚集並提供連接相關資訊的功能。它在 1980 年代開始受到重視，1990 年代蓬勃發展，並促成畫時代的重要建設——NII 的誕生。

美國柯林頓總統於 1993 年在加州矽谷宣布新產業政策——「國家資訊基礎建設計劃」(National Information Infrastructure，簡稱 NII)，確認資訊科技是發展國家經濟之動力，將在 9 年內投資建立全國性高速網路架構與發展區域技術中心，推動高科技政策。NII 爲資訊化社會的基礎建設，其目的在結合政府與民間力量，建立全國資訊網路有如高速公路，以利全國各行業在此網路上充分使用及開發各種資訊，享受資訊化社會的生活與便利。美國希望藉網路連線至每一行政機關、企業、團體和民衆，使用者可在 NII 上取得行政、醫療、金融及科學等資訊，並進行資訊交換活動，爲美國創造未來競爭優勢並爲資訊社會奠定基礎。

歐州各國、日本、新加坡、我國等相繼跟進，紛紛推動國家資訊基礎建設計畫，國際經濟合作發展組織(Organisation for Economic Co-operation and Development，簡稱 OECD)更在 1997 年提出「全球資訊基礎建設——全球資訊社會的構想與政策報告」(Global Information Infrastructure--Global Information Society Policy Requirements，簡稱 GII-GIS)，主張通訊網路與互動式多媒體的應用將從現在的社會與經濟關係轉型成爲資訊社會的基礎，造成工業結構與社會關係典範的轉移，對經濟與社會帶來正面的影響，刺激經濟成長與生產力，創造新經濟與新工作，並且改善教育、醫療等社會服務，以及文化與休閒等。全球資訊基礎建設——全球資訊社會將涵蓋高速通訊網路的發展與整合，系列數位式的核心服務與應用，以建設全球整合性網路。此全球網路可提供互動式資訊查詢利用，以及全國與跨國性網路服務，並結合文字、聲音、影像等提供多媒體服務。電腦與通訊技術將形成全球資訊基礎建設——全球資訊社會的基礎，而電腦硬體、軟體、與多媒體技術、內容與資訊將扮演重要角色。全球資訊基礎建設——全球資訊社將由於通訊與電腦技術改革而形成資訊經濟(Information Economy)，並促成電腦業、通訊業、以及資訊/內容業的匯聚，未來電子商務與多媒體內容產品將是主要資訊經濟市場。(註 7)

四、數位化經濟

有關電腦與網路技術對社會與經濟影響的探討又以泰普史考特(Don Tapscott)在【數位化經濟時代：全球網路生活新模式】(The Digital Economy)提出的新經濟見解引起關注。他認爲數位化革命是第二波資訊革命，帶給人類經濟、政治、社會、文化以及生活層面的挑戰。舊時代體系，資訊流通靠實體的傳輸，但在新的經濟體系之下，所有資訊將數位化，簡化爲位元儲存於電腦，並以光的速度，跨越網路相互傳遞，打破時間與空間的限制。數位化經濟時代將科技聚合而成新的工學，電腦業(含軟體、硬體、服務)、電信業(含有線通信、人造衛星、無線通信)、資訊內容業(娛樂業、出版業、資訊提供業)將匯聚形成互動式多媒體，結合文字、數據、聲音、影像、圖片、動畫等龐大的資料量。(註 8)泰普史考特將圖書館歸屬於資訊內容業，因此圖書館與資訊服務也爲新媒體產業。多媒體工作機會成長總值在 1992 年爲 7%，預估在 2005 年將成長二倍以上到 16%，這也意味著圖書館與資訊服務市場將持續成長。(註 9)

數位化經濟帶來下列十二項重要課題：(1) 知識化：新的經濟體系是知識的經濟網；(2)數位化：新的經濟體系是數位化的經濟網；(3)虛擬化：資訊形態由類比轉變到數位化，具體事物可能成爲虛擬的，如此虛擬化改變了經濟世界替換代謝作用，改變了體制、組織的形態和可能的關係；(4) 分子化：新的經濟體系是分子式經濟網，企業組織不一定會消失，但一定會轉型，經濟及社會生活的所有層面，都已經由多數聚集轉變成分子離散的形式：⑸跨網路化：新經濟體系是網路狀經濟網，整合了分子狀的個體而成了群集狀的型態，並且為了創造財富而彼此交織成網；⑹中介者去除：活動於生產者和消費者之間的中間人，其功能由於數位式網路發展而漸趨式微。中間業務、中間功能、和中間人都必須創造新的價值，否則因中介者角色消失而出局；⑺聚合化：新經濟體系是由電腦業、電信業、和資訊內容業三個聚合的產業所建立；⑻創新化：新經濟體系是以創新為基礎的經濟網；⑼生產及消費合一：消費者和生產者之間的隔閡漸趨模糊；⑽即時性：即時性是經濟活動和企業成功的主要關鍵及變數；⑾全球化：形成全球化經濟；⑿矛盾衝突性：前所未有的社會議論紛紛展開，造成大量的潛在震驚和衝突。數位化經濟將帶來跨網路式企業與科技革新，跨網路式運作將影響企業發展、政府、旅遊業、以及學習等。(註 10)

五、資訊社會的理論

1995 年英國學者韋伯斯特(Frank Webster)評論著名的資訊社會理論，並綜合提出資訊社會有五大面向的定義，每個面向又各自以數個標準來辨認新的內涵。這五個面向是：科技的、經濟的、職業的、空間的、文化的。從科技來界定資訊社會：係資訊處理、儲存與傳輸等方面的突破，已經使得資訊科技幾乎運用在社會的各個角落。從經濟學來看，資訊經濟學(economics of information)已形成，馬赫路普(Fritz Machlup)評估資訊工業的規模及其成長，並以經濟概念與術語，建立測量資訊社會的若干準則。從職業變遷來看，社會出現許多資訊相關的工作，所有創造與處理資訊及資訊基礎建設的職業均在持續成長，1860 年至 1980 年間平均每 18.7 年，資訊勞動人口就增加一倍。從空間來看，資訊網路具有核心的地位，它們將散落在各個地方的位置連結成網，於是也就對於時間與空間的組織，造成了戲劇化的效應。從文化面來看，生活充滿更多的資訊，較於先前文化，當前文化明顯負載了更多的資訊色彩。(註 11)

六、資訊社會的特徵

英國資訊專家摩爾(Nick Moore)1987 年提出資訊社會產生許多新的資訊專業，以及因資訊科技形成新興市場(Emerging Market)，對於傳統圖書館業造成巨大衝擊，並提出圖書館與資訊服務新興市場的見解。(註 12)摩爾 1999 年對資訊社會提出更具體的看法，並列舉資訊社會具有的重要特質：⑴ 資訊密集型組織形成(information-intensive organizations)：社會組織機構利用資訊與相關科技來提升工作效率與從事革新，同時致力產品與服務的品質改良而增進效能與競爭力。各組織機構進行重新組織以增進價值與國民所得。⑵ 資訊機構角色的重要(a significant information sector)：資訊社會已發展許多重要的資訊機構並納入經濟體系中，這些重要資訊工業包括資訊內容、資訊傳遞、資訊處理三部份。⑶ 社會重視資訊的利用：社會大眾重視資訊使用與提升資訊利用水準，並且注重智慧財產權保護、個人資料保護以及利用資訊的權利等課題。⑷ 學習社會的到來：迎接資訊社會，民眾認識到知識是重要的資產並且需要終生學習。(註 13)

綜上所述，圖書館與資訊服務相關的資訊社會特徵可歸納如下，本文將據此形成下節論述圖書館與資訊服務的新角色、作業功能、以及人力資源發展的理論基礎：

1. 資訊與知識是資訊社會的重要資產。

2. 資訊科技與資訊基礎建設形成資訊社會的主幹成爲社會營運與發展的主要基礎。

3. 專業與技術人員成爲資訊社會的主導者。

4. 資訊經濟與數位經濟已形成新經濟體系，主要由電腦業、電信業、和資訊內容業匯聚的產業所建立。

5. 全球主義將成爲資訊社會新時代的精神，經由資訊網路建立全球資訊社會。

6. 資訊網路革命性的發展將促成使用者消費者運用整合性的網路平台，直接使用資訊、娛樂、通訊傳播、電子商務等各種服務，中介者終將取消。

7. 新科技、新生活、新工作、新觀念等迫使人類要不斷學習才能跟上時代。

參、圖書館與資訊服務的新角色與新功能

圖書館向來是社會重要的教育文化機構，運用科學方法，採訪、整理、保存各種印刷與非印刷的資料，以便讀者利用，同時也是有組織地收集各類圖書資料以提供個人或團體之實體性、書目性、與知識性地利用資料，並由訓練有素的圖書館員，針對個人、團體的資訊需求提供服務與活動。傳統圖書館的任務爲：保存文化歷史、傳播人類文化、提供資訊服務、教育社會大衆、以及促進休閒娛樂。近年來爲改善服務品質與提升作業效率，運用資訊科技在圖書館作業上。在面臨資訊社會與廿一世紀，圖書館與資訊服務將會有什麼進展與改變？於此，本節將探討資訊時代圖書館與資訊服務的新角色、新作業功能、以及因電腦與網路科技產生的新興就業市場。

一、資訊社會對圖書館與資訊服務的影響

基於前節所述及的資訊社會特徵可推論出對於圖書館與資訊服務產生的影響如次：

1. 資訊與知識是資訊社會的重要資產。社會各行各業重視資訊與知識的運用，因此愈發加重圖書館與資訊機構的任務，以及培育民眾資訊素養的責任。

2. 資訊科技與資訊基礎建設成爲資訊社會的主幹與社會發展的基礎。圖書館與資訊服務將大量運用電腦通訊科技與網路技術，傳統印刷形式館藏爲主的圖書館與將與電子圖書館並存。

3. 專業與技術人員是資訊社會的主導者。圖書館與資訊服務是專業，圖書館員與資訊專家在資訊社會中將扮演重要角色，因此尤應具備專業的能力。

4. 數位經濟將由電腦業、電信業、和資訊內容業三個聚合的產業形成。圖書館與資訊服務是重要的資訊行業，將隨著資訊科技的進步，蓬勃發展延伸至新興工作市場。

5. 全球主義經由資訊網路建立全球資訊社會，圖書館與資訊服務將跨越時間與空間的限制，提供立即性全球圖書館與資訊服務，以實踐全球資訊社會的理想。

6. 資訊網路革命性的發展將促成使用者消費者運用整合網路平台，使用資訊、娛樂、通訊傳播、電子商務等各種服務，中介者的角色終結。圖書館與資訊服務本質上是資訊知識的中介者，應及早檢討轉型爲資訊創造者與知識工程師，並新增附加價值，否則會面臨中介者消失的危機。

7. 資訊社會不斷進步致使人類需要終生學習，圖書館與資訊機構應以教育民眾、協助民眾、以及成爲終生學習資源中心爲要務，同時積極推動資訊素養教育活動。

二、資訊科技造成圖書館與資訊服務典範的轉移

資訊科技在圖書館與資訊服務應用已有長遠的歷史，1960 年代開始發展圖書館自動化，1980 年代整合性圖書館自動化系統成

熟，1990年代從主機架構、迷你電腦、及微電腦，而改爲Internet與WWW之應用，並以Client/Server主從架構，提供圖形界面模式檢索資料庫、全文檢索功能、提供WWW操作界面功能與支援Z39.50協定。讀者服務與資訊檢索應用資訊科技始自1960年代線上資訊檢索的設計，1970年代開始提供資料庫檢索服務系統，1980年代發展光碟資料庫與全文資料庫提供讀者查詢。1990年代期刊目次系統與電子文件傳遞系統普及，電子期刊在1990年代末期發展蓬勃，藉由網路提供閱讀期刊全文服務。

圖書館與資訊服務歷經科技與經濟變革，也影響館員在文化、社會、經濟結構中扮演的角色。圖書館新服務、互動式媒體、資訊傳播網路均考驗著圖書館未來的角色。數位化與互動式網路科技、線上服務蓬勃、電子資訊媒體形成新資訊服務典範，這些造成虛擬式、互動式、多媒體、數位文化社會的形成，圖書館在面臨新電子媒體、新資訊科技與新資訊服務型態，必須重新界定其任務、角色、作業功能與程序。以下從數位圖書館、印刷媒體與電子媒體、二元圖書館型態、後現代圖書館學、以及圖書館服務新五律來說明圖書館與資訊服務的新典範。

㈠數位圖書館

數位圖書館(Digital Library)有許多同義詞，如電子圖書館(Electronic Library)，數位館藏(Digital Collection)，虛擬圖書館(Virtual Library)，近來也常與數位博物館(Digital Museum)並提。此名詞最早溯自1975年查爾斯坦(Roger W. Chirstian)以Electronic Library爲書名， 1992年美國高爾副總統(Al Gore)在NII計畫中提出數位圖書館理念。一般對數位圖書館較具體的定義是：「從實體圖書館的延伸、資訊檢索系統的延伸，在多媒體、分散式、及協力網路環境中，提供以使用者爲導向的電子資源之儲存、搜尋、處理、瀏覽、檢索、與傳遞等功能。」

美國資訊基礎建設計劃將傳統圖書館將轉型為「數位圖書館」，並具體描繪其理念與要件。數位圖書館即擁有各種類型的資料與存放在不同地點的電子館藏，並以電子方式提供民眾利用各種數位化資訊之圖書館。圖書館為了保存資料與解決空間問題將紙本資料、類比式館藏逐漸轉為機讀形式，並繼續提供大眾自由公平地取得資訊。圖書館除了負擔保存國家文化與智慧財產之重責，更將提供免費或便宜與遍布世界各地之數位資訊。(註 14)

數位圖書館涵蓋各式各樣的數位形式資料，諸如：文件、圖片、音訊、視訊等，並提供使用者在任何地點使用，其須具備下列要件：⑴數位圖書館存在網路之網路中，網路間相互連結及交互作用；⑵資料採分散式處理；⑶數位圖書館包含原自印刷、聲音與視訊形式的媒體轉換的數位資料，因此需要發展一致性數位化資料之徵集、儲存、與建檔等技巧；⑷需要發展網路資源的導航與檢索工具，以辨識、利用與檢索數位化資源；⑸支援實體文件或固定數位形式文件之傳遞；⑹具備呈現資料的技術並符合標準，以保證具有展現智識內容的能力；⑺具有大量儲存資料之能力；⑻支援充分人力資源，以培育新時代圖書館員具有知識與導航能力，實行圖書館員再訓練，與訓練大眾使用新科技與電子資訊資源。(註 15)

美國自 1995 年至 2000 年進行第一期數位圖書館計畫(National Digital Library Program, 簡稱 NDLP)，推動許多實驗計畫並有了豐碩的成果，例如美國國會圖書館的「美國回憶先導計畫」(American Memory Pilot)，選擇該館所藏代表美國文化遺產的歷史性檔案及影像予以數位化，西元 2000 年適逢該館二百周年館慶，預計將有 500 萬份數位化資料文件在網路上提供。而伊利諾大學自

1971 年進行「古騰堡計畫」(Project Gutenberg)，將屬於公共版權的文學資料如【愛麗絲夢遊仙境】、【莎士比亞全集】、【羅傑大辭典】等輸入，提供人們藉由電腦與網路來取得資料。此外，全套三十二册、四千四百萬字的大英百科全書也自 1999 年在網際網路提供利用。我國台灣大學「電子圖書館與博物館計畫」將台灣原住民史料、台灣開拓史、台灣文化遺產等重要史料與研究成果，透過網際網路建立電子圖書館與博物館。(註 16)

㈡印刷媒體轉為電子媒體以及實體館藏與虛擬館藏

傳統圖書館館藏以圖書、期刊、視聽資料為主，陳列於圖書館建築的書架上，主要為印刷出版品，使用者需要親自到圖書館查卡片目錄使用這些實體館藏。從前重視「館藏的所有權」，認為擁有愈多館藏的圖書館地位愈重要。

電腦與通訊科技進步促進電子出版事業發達與電子媒體多樣化，也對圖書館館藏型態發生衝擊。館藏從印刷媒體轉成電子媒體，成為資訊與檢索的主要形式，並整合文字、聲音、影像、動畫等成為多媒體。圖書館發展虛擬館藏，電子資料庫、電子出版品、電子期刊成了重要館藏，使用者不必親自到圖書館，只要藉由電腦與網路與圖書館相連，並可使用電子館藏。虛擬館藏重視的是館藏的「利用權」，可查詢使用的資訊愈多愈好，最好是直接立即讀取全文，讀者不再以獲取豐富的書目資訊為滿足，而是希望即時利用最多的資訊，因此網路資源成了重要的資訊資源。許多圖書館開始建置自己的網站，將該館的電腦館藏目錄、電子資料庫、電子期刊、視訊系統與館外資源結合於同一網際網路平台提供整合服務。

㈢二元圖書館服務型態

蘭開斯特(F. W. Lancaster)有感於資訊科技進步，認為現代圖書館員角色須要調整，從圖書資料保管者改爲「網路圖書館員」(cybrarian)與「知識工程師」(knowledge engineer)。電腦與通訊技術改變了圖書館員的工作方式，一方面在實體圖書館中工作，提供傳統圖書館服務，一方面在網路環境中執行知識工程師的工作，研發新資訊工具與服務並從事電子出版。(註 17)所以現代圖書館呈現二元化圖書館與資訊服務形貌。

無獨有偶的，英國也提出類似的觀念——「二元圖書館」(Hybrid Library)，被視爲邁向未來數位圖書館的過渡狀態。此名詞是在 1996 年蘇坦(S. Sutton)提出，認爲從傳統圖書館邁向數位圖書館將經歷四種類型：傳統圖書館、自動化圖書館、二元圖書館、以及數位圖書館。傳統圖書館的形式是有固定館藏、具體資訊、並受到地理限制；自動化圖書館著重在圖書館作業自動化並整合一起；而二元圖書館是印刷與數位化資訊平衡的圖書館，逐步邁向數位化發展方向，傳統與數位館藏並存，並可查詢本館館藏以及藉網路通道而不受地理限制利用遠距數位資源。(註 18)

㈣後現代圖書館學(註 19)

楊彼得(Peter R. Young)基於後現代主義以及後現代社會的趨勢，提出後現代圖書館學說。後現代的主要概念係描述人類在面臨電腦、通訊與資訊的歷程中，對於自己與其世界的一種改變，即「眞實」(reality)、「自我」(self)。後現代主義對社會發展的影響，係電腦改變人類生活方式後，大衆對虛擬實境(virtual reality)與網際網路文化(cyberculture)的關懷。人們逐漸用數位資訊科技(digital information technologies)來界定活動與認同之概念架構與意義。於是後現代社會主義呈現的特質是：分散式、支離、流動、透明、非線性文化網絡。

後現代主義與後現代社會對圖書館造成影響，而形成後現代圖書館學說，從現代圖書館到後現代圖書館的改變包括：⑴從固定式、永久、印刷的館藏轉變爲流動與易變的多媒體資源；⑵從固定書架轉變爲自由、彈性與虛擬的資訊空間；⑶從制式資料來源、引用文獻、參考書目轉變爲個人化註解與易變的創作成品；⑷從提供個人讀者服務轉變爲對團隊量身訂作的服務；⑸從標準參考服務轉變爲個人化諮詢與分析；⑹從專業服務轉變爲整合式服務；⑺從本館擁有永久館藏轉變爲整體式、整合的網路系統；⑻從集中式館藏與服務轉變爲傳播式、分散式的全球資訊利用；⑼從層級式組織結構轉變爲參與與聯合的關係；⑽從學科專長轉變爲科際——多科--跨學科研究；⑾從一般使用者服務轉變爲使用者/使用特定相關服務；⑿從正式出版品徵集轉變爲整合與非正式資訊徵集。這些改變造成圖書館服務典範的轉移，充分地反映了後現代社會的趨勢：從永恆到易變、從一般性到個人化、從本館館藏使用到全球資訊利用。

㈤圖書館服務新五律(註 20)

郭福德與高曼(Walt Crawford and Michael Gorman)鑑於圖書館與資訊服務受到資訊科技的影響，探討未來圖書館的角色與功能。他們從印刷業的改革、科技恐懼、電子出版與行銷、挑戰電子資訊、全電子未來的夢想、圖書館的多元化、館藏經濟學與館藏利用等面向探討，並歸納圖書館服務新五律如下：

1. 圖書館服務全人類：圖書館服務個人、社區與社會。

2. 圖書館尊重各種傳播的知識：不論「圖書終結」、或「無紙社會」之說，圖書館均尊重各類媒體，而保存載於各媒體形式之知識，無論其爲印刷資料、視聽資料、或電子資料。

3. 圖書館善用科技以加強服務：善用科技包括尋求問題之解答，而非一味應用新科技；對於任何改革，首先要盱衡成本效能與效益；不為自動化而自動化，而是要重新思考自動化的規劃、服務以及工作流程。圖書館採用許多資訊科技如線上目錄、網路索引摘要服務、圖書館自動化系統、以及線上資料庫系統，電子系統成為最佳查詢資料的工具，未來「依需求列印資訊」(print on demand)將為主要傳播媒體。

4. 圖書館維護自由利用資訊的權益：圖書館要負起社會機構的責任，將人類言行紀錄與知識傳承給下一代；圖書館是社會、政治與智慧財產自由的中心；圖書館必須保存所有社會的紀錄，並且提供所有紀錄供全人類使用。

5. 圖書館尊重過去與創造未來：未來的圖書館應是保存最好的過去，圖書館與人類傳播的歷史。唯有認識永恆的歷史與知識，並持續發揮圖書館的任務功能，圖書館才能永遠存在。

最後他們肯定圖書館將永恆存在，而其永遠的任務為：蒐集、保存、組織與傳播人類言行的知識與資訊。圖書館幫助人類與社會增益其核心價值——包括社區、讀寫素養、服務、理性、民主、智識自由等，這些也是圖書館的文化價值所在。

三、資訊時代圖書館與資訊服務的新任務與新角色

從以上所述，可看出圖書館原有的社會、文化、與傳播機構的任務依然保持，但資訊科技造成圖書館與資訊服務典範轉移，並增加更多的角色與任務，更形複雜兼具挑戰性，歸納圖書館與資訊服務新任務為：

1. 保存人類的所有言行紀錄、資訊與知識，不論載於任何媒體形式；

2. 教育社會大眾；

3. 推廣資訊的利用與提升民眾資訊素養；

4. 不受時間與空間限制提供直接立即的全球資訊服務；

5. 傳播人類的資訊與知識；

6. 推動休閒娛樂活動；

7. 創造資訊、建置資訊系統與資料庫，以及益增附加價值。

從這些新任務，又進而推論圖書館與資訊服務扮演的新角色爲：

1. 資訊的徵集者；

2. 資訊的組織者；

3. 資訊的傳播者；

4. 資訊服務與利用提供者；

5. 圖書資料與資訊知識的保存者；

6. 知識工程師；

7. 資訊與資料庫的產製者；

8. 資訊素養的教育者；

9. 資訊與知識的諮詢顧問；

10. 資訊的領航者；

11. 數位館藏與數位圖書館的建置者。

四、資訊時代圖書館與資訊服務的作業功能

㈠ 傳統圖書館與資訊服務的作業功能

傳統圖書館與資訊服務的內涵包括：1.圖書資料的徵集：社區分析、館藏發展政策的制訂、圖書資料的選擇、圖書資料的採訪、圖書資料的淘汰、圖書資料的評鑑。2. 圖書資料的組織：圖書資料的分類、圖書資料的編目、主題標目的制訂、索引與摘要服務、權威控制。3. 圖書資料的傳播與利用：圖書資料的流通、館際互借與期刊複印、參考諮詢與服務、教師指定參考書、資料庫查詢、編製館藏目錄、編製圖書聯合目錄、編製期刊聯合目錄、編製各種主題書目、編製期刊論文索引、書展、演講、研習

班、讀書會等。

㈡ 資訊時代圖書館與資訊服務的新作業功能

1985 年金氏夫婦(Jose-Marie Griffiths and Donald W. King)在【圖書館與資訊科學教育新方向】研究報告(以下簡稱金氏報告)中，指出資訊時代中由於受到資訊科技進步與資訊流動的影響，資訊工作市場發生很大改變。他們將圖書館與資訊服務作業功能畫分 22 大類：⑴圖書資訊徵集、⑵分類與編目、⑶流通與讀者服務、⑷館藏維護、⑸館際互借、⑹管理、⑺參考服務、⑻期刊管理、⑼索引典發展與控制、⑽索引與摘要編製、⑾出版品與產品管理、⑿展覽管理、⒀組織/管理支援、⒁資訊分析/研究、⒂專案管理、⒃參考服務/二次資料分析、⒄研究、分析與設計、⒅行銷、⒆客戶支援、⒇參考服務/資訊分析、(21)分類/索引、(22)研究與發展。(註 21)

金氏報告迄今又經過 15 年，資訊社會內涵更加豐富，網際網路對圖書館與資訊服務深具影響，綜合現況，大致將資訊時代圖書館與資訊服務作業功能纑列說明如次：

1. 資訊的徵集：圖書資訊的選擇與採訪、網路資源的選擇與徵集、電子期刊的徵集與管理、實體與虛擬館藏發展與管理、館際互借與文件傳遞等；

2. 資訊的組織：圖書資料的分類與編目、索引與摘要服務、電子資料庫的組織、網路資源的組織(metadata)等；

3. 資訊的傳播與利用：圖書館電腦目錄、網路圖書館自動化系統、網路圖書館服務、遠距圖書館服務、圖書館聯合目錄、圖書館目錄與電子資料庫以及館外資源整合性網路服務、隨選視訊與多媒體服務等；

4. 資訊的創造：配合社區使用者需求的網路資訊製作與電子

出版、圖書館網站建置、電子資料庫建置、電子圖書館建置與檢索等；

5. 資訊素養的教育與訓練：圖書館利用教育、資訊素養教育、網路圖書館利用教育等；

6. 資訊與知識的諮詢顧問：知識與資訊仲介者、資訊檢索代理者、資訊瀏覽者、網路檢索工具建置、索引典建置等；

7. 圖書資料的保存與維護：典藏與維護圖書資料、數位館藏建置等；

8. 多元化資訊資源的管理：檔案管理、紀錄管理、多媒體管理、電子圖書館與博物館管理、各類圖書館與資訊中心管理等。

五、圖書館與資訊服務的就業市場

1987 年摩爾(Nick Moore)主持一項圖書館員與資訊人員人力資源研究，提出「圖書館員與資訊人員新興市場」(Emerging Markets for Librarians and Information Workers)報告，指陳因資訊社會的來臨產生許多新資訊行業，進而形成了新興市場(Emerging Market)，並對圖書館與資訊科學系所畢業生帶來嚴重衝擊，(註 22)以下就傳統與新興圖書館與資訊服務市場分別析述比較其差異。

㈠ 傳統圖書館與資訊服務的就業市場

傳統圖書館與資訊服務的就業市場一般以國家圖書館、公共圖書館、專門圖書館、資料/資訊中心、學校圖書館、大專院校圖書館為主，主要培養圖書館員與資訊專家，或是圖書館與資訊科學系所教師以及研究人員。然而由於資訊科技的大量應用，使得圖書館與資訊科學教育與訓練除了傳統圖書館知識與技能外，還需要電腦、通訊、網路、與媒體知識與技能的培育，因此也擴大了圖書館與資訊服務的就業市場，朝向多元化市場發展。

㈡圖書館與資訊服務的新興就業市場

金氏報告依據資訊功能，列舉各相關資訊從業人員，包括：⑴資訊創造與編撰：科學家、作家、畫家、建築師、詞曲家、設計師等；⑵資訊記錄與複製：出版社、印刷商、資料庫製作者等；⑶出版形式轉換：文字處理員、實驗室技師；⑷資訊儲存與檢索：圖書館員、管理員、檔案員、紀錄管理者、電腦專家；⑸資訊實體讀取：流通館員、管理員、資訊仲介者；⑹資訊傳播與利用：實習醫師、工程師、農人、律師、企業家、管理者；⑺評鑑與分析：參考館員、資訊專家、資訊仲介者、財務分析家；⑻資訊依邏輯取用：參考館員、資訊專家、資訊仲介者；⑼資訊的描述與綜合：編目館員、摘要專家、索引專家、評論家、統計專家；⑽資訊轉換：編輯、翻譯員、演講作家、程式師、記者、廣告商、繪圖專家、調查研究員、技術作家；⑾資訊的傳播：廣播人、教育家、新聞人員、文書、推銷商、解釋者、演員、訪談者等。(註 23)

金氏並具體將圖書館與資訊專業市場歸納成 12 類：學術圖書館、公共圖書館、學校圖書館、專門圖書館、資料庫製作者、資料庫發行/服務、資訊中心/交換中心、紀錄與資訊管理師、檔案/博物館/特種館藏、資訊分析中心、資訊服務公司、圖書館自動化供應廠商。(註 24)

1997 年 1 月間美國【紐約時報】一項報導指出由於圖書館與資訊科學的教育轉爲技術導向，所以畢業生的出路不再限於圖書館編目員，而擴及至資訊專家、網際網路管理者、資訊與知識瀏覽者、資訊仲介等非圖書館的資訊相關行業。每年美國約有 25% 以上的畢業生從事非圖書館的資訊行業。此一現象，擴大圖書館學研究所畢業生就業管道，不僅抒解了圖書館學研究所關門的壓力，也增加更多學生爲圖書館學研究所打開生機。(註 25)

摩爾1999年研究將現代資訊社會重要的資訊行業，分從資訊內容業、資訊傳遞業、資訊處理業等三方面分析，列舉出下列13類：⑴圖書館與資訊服務、⑵文字資料出版者與提供者、⑶視聽資料製作者與提供者、⑷教育提供者、⑸博物館/美術館與檔案館、⑹社區型資訊與諮詢服務、⑺政府資訊、⑻研究與管理諮詢、⑼通訊提供者、⑽ Internet 服務提供者、⑾硬體提供者、⑿軟體提供者、⒀電腦服務提供者等。摩爾並指出這些資訊業與圖書館與資訊服務相互關連，並且需進行統整與密切合作。(註26)

綜上所述，可知圖書館與資訊科學系所就業市場已不同於往昔，由於資訊科技大量運用，除了圖書館與資訊中心之外，也在電腦與通訊業、網路科技管理、資訊媒體內容業、資訊傳遞業、資訊處理業等相關行業開拓了圖書館與資訊服務的新興市場，擴大畢業生就業通路。但相對的，圖書館與資訊科學的教育與訓練也應依人力市場需求重新檢討與規劃學校的教學、課程與研究方向。此時，針對資訊社會以及圖書館與資訊服務新興市場的需要，圖書館與資訊專業人員應具備哪些能力則是重要亟需探討的課題。

肆、專業能力的意義與內涵

一、能力本位教學的概說(註27)

談到圖書館與資訊專業人員的能力，首須論及能力本位教學(competency-based education)，以及能力、知識、技能、態度的義涵。能力本位教學的發展背景，要溯自第二次世界大戰之後，由於社會要求工作效能、效率、和績效所致，再加上科技在教育上的運用而形成此一學理。其後又發展應用在師範教育、法學教育、大學部與學院教育、通識教育、以及技職教育上。

能力本位教學係使個人經過這種教育歷程的學習活動後，能夠發展出實行某種活動的技能或能力。所謂「能力」(competency)意指：能夠「勝任某一工作」，或是：「擁有從事某一工作必備之知識、技能和態度等」。因此能力一詞並非知識的同義詞，而是指能夠實行或從事。

能力本位教學是目標導向，始於能力的確認，做爲學習者之目標。學習目標的陳述必須採用行爲及可評估的用語，亦即必須是十分精確。而且如何確定目標是否達成的方法，亦必須指明。學習者及教師均了解目標及評鑑目標達成與否的標準。因此能力本位教學是目標導向且是根據目標進行學習績效考核。賀桑姆和休斯頓(Howsame & Houston)歸納能力本位教學的實施程序如下：⑴以行爲的術語列出學習的目標；⑵指出確定表現是否符合標準的方法；⑶提供適合目標的教學模式，由此引發學習活動；⑷將目標、標準、評估工具和各種活動公諸大衆；⑸根據能力的標準評估學習經驗；⑹確定學習符合標準的績效。

能力本位教學最具特色的是強調依據工作或職業領域所應用的技能類群的發展，這些類群的技能概念將引導工作人員在學校課程教育與在職訓練中調適。1980 年胡佛(Huff)研究發展能力本位教學評鑑與發展歷程(competency-based assessment and development process)，其主要概念如圖一。此歷程是教學導向，第一步驟是界定教育機構的任務，並界定目標；其次是配合任務與目標以確認工作或角色；第三是決定所要求的能力。(註 28)其後是建立教育與訓練的要求，設計與應用課程，並且設計與應用能力成就測量以檢測能力成就。這套能力本位教學評鑑與發展歷程，很適合在圖書資訊學教育以及圖書館與資訊機構實務工作環境中實施。

圖一、能力本位教學評鑑與發展歷程

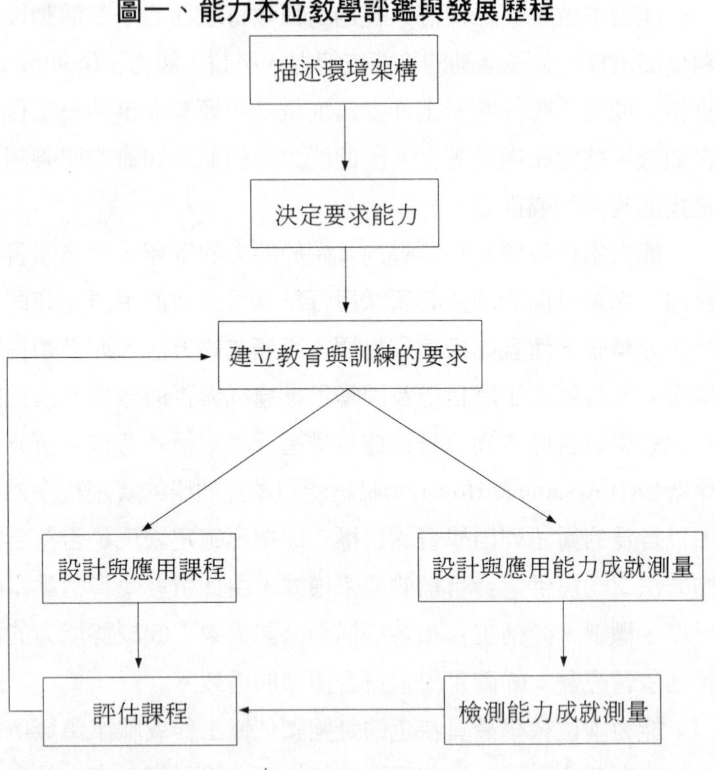

二、能力的定義(註 29)

金氏報告對能力(competency)分從知識(knowledge)、技能(skills)、與態度(attitude)提出定義。其認爲「能力」：係指一個人從事工作時，可以有效進行所需具備的知識、技能、與態度。能力又分兩類：專業能力(specific competencies)與一般能力(generic competencies)。專業能力係指各個學科領域的特別能力，如圖書館與資訊服務的編目、線上檢索與參考技能等。一般能力係指應用在各領域的能力，如管理與行政技能。

有關能力的界定，另有專門圖書館學會在 1998 年對「能力」、「專業能力」(professional competencies)、「個人能力」(personal competencies) 提出專門圖書館員的觀點。「能力」係促成組織成功、個人工作績效、與生涯發展的重要技能、知識與行爲。「專業能力」係專門圖書館員在資訊資源、資訊利用、資訊科技、管理與研究的有關知識，以及有能力運用這些知識來提供圖書館與資訊服務。「個人能力」係指圖書館員能有效執行工作的技能、態度與價值，以成爲好的溝通者、生涯的終生學習者、最具附加價值者，以及在新工作中力爭上游者。(註 30)

金氏報告進一步對知識(knowledge)、技能(skills)、與態度(attitude)詳細定義。「知識」係對於某事、某人、或如何作事，一種具有資訊、知道、瞭解、熟悉、與知曉、有經驗等狀態。知識又因執行各種資訊工作而包括不同的知識，圖書館與資訊服務工作需要的知識包括：⑴基本知識：如語言、溝通、計算等；⑵學科知識：如教育、醫學、化學、法律等；⑶圖書館與資訊科學知識：如資訊的定義、結構、與形式；⑷資訊工作環境知識：資訊社區的參與者以及其社會的、經濟的、技術相關連；⑸工作內容的知識：資訊服務與製作資訊產品的活動；⑹如何工作的知識：如何執行各種活動，應用技術、利用資料與技術等；⑺組織與服務社區的知識：使用者的任務、目標，以及使用者需求等。

「技能」是指有效利用個人知識的能力。有效執行圖書館與資訊工作需要具備下列技能：⑴基本技能：如認知、溝通、與分析等；⑵特定活動技能：參考服務協調、評估檢索成果；⑶其他技能：有效時間管理、預算與執行計畫案等。「態度」是一種面對某事與某人的心靈與感情表達的方式。態度又分 3 種：⑴專業態度：服務機構與使用者相關態度；⑵個人特質；⑶作業/工作/組織態度。

三、能力的界定、確認與評鑑(註 31)

能力本位教學的研究中，能力直接與工作績效以及實踐工作價值有關，因此能力的界定(competency identification)、能力確認(competency validation)、以及能力評鑑(competency assessment)形成三個重要的課題也是能力相關研究的三部曲。「能力界定」是首要之務，是找出該領域工作所需要的能力，可經由與工作領域的專家或工作者進行座談，找出他們具有的能力而列成該領域必要的能力清單，如美國技職教育學程爲例，其用「任務分析」(task analysis)方式，將工作分成若干單元，分別依主題、作業與技能三方面分析工作所需的能力。

一旦列出能力清單，即依據清單找出專業中重要的績效以確認工作能力並納入教育訓練的課程，是爲「能力確認」，亦即一種特定知識與技能的建立過程。確認能力的方法有多種，常被採用有 3 種，一爲利用問卷或調查蒐集從業人員或專家的意見，並請他們依重要性將能力排序；第二是利用觀察從業者行爲來確認重要能力；第三是進行邏輯分析，依適合能力的情境運用反映式思惟、諮詢顧問、證據權重、以及推論判斷等方法確認。

最後一項工作是能力評鑑，係對於能力成就進行評鑑，常採用之方式與策略如：針對實際工作績效作能力評鑑、或在控制環境中評鑑能力、或利用練習簿、口頭簡報、筆試等方式。

伍、圖書館與資訊專業人員能力的研究

歐美各國進行許多圖書館與資訊專業人員能力的研究，尤其自 1980 年代以來，鑑於資訊社會形成，資訊科技大量應用在圖書館與資訊服務上，對圖書館與資訊人員影響極大，要求具備的能力也不斷改變，使得專業人員的能力相關研究與調查更形豐富。

本文專對 1980 年代以後的重要研究探討。

1983 年美國伊利諾大學史密絲(Linda Smith)從事圖書館員專業知識技能研究，提出圖書館技術服務、讀者服務、公共圖書館員的專業知識技能，並依圖書館功能將圖書館與資訊人員的知識技能分類。(註 32)佛德瑞克(Adele E. Friedrich)在 1985 年用疊慧法列出資訊專家應具備的 34 種一般性工作技能。(註 33)

1986 年大英圖書館研究與發展部(British Library Research and Development Dept.)進行研究，確認並界定知識技能包括：人際關係；資訊需求分析；資訊檢索；資訊分析與轉換；資訊資源發展；人力、財務、資訊資源管理；以及對決策者的行銷推廣。(註 34)同年提史(Miriam Tees)對 452 位專門圖書館員進行館員能力調查，結果顯示溝通技能、參考技能、與服務態度最爲重要。(註 35) 1988 年蓋絲與雷登(Sarah Gash and Denis F. Reardon)從事資訊專家需要的知識技能研究，列舉資訊專家能力包括：溝通技能、工作能力，並認爲人際關係與溝通技能遠重要於專科能力。(註 36)

1996 年美國專門圖書館學會針對廿一世紀專門圖書館員所需要的能力進行研究，1998 年歐洲委員會(Council of Europe)鑑於資訊社會的來臨，研究文化機構資訊專家與知識工作者的新資訊形象，以及文化工作者需具備的能力。英國的圖書館與資訊委員會(Library and Information Commission)爲迎接新世紀，也提出資訊工作者應具備的知識管理技能報告。

從上述研究，足見 1980 年之後圖書館與資訊人員的能力已成爲圖書館與資訊服務界與教育界關心的焦點。以下就 5 項報告析述專業能力的界定與確認之研究，前 3 項屬於圖書館與資訊專業能力的探討，後 2 項屬於圖書館與資訊專業能力的確認報告。

㈠金氏圖書館與資訊科學教育新方向報告(註 37)

金氏報告在1980年代引起高度的重視，他們依據能力本位教學，對能力、知識、技能、與態度提出定義。該研究並對100餘個圖書館與資訊單位進行調查，分成學術圖書館、公共圖書館、學校圖書館、專門圖書館、資料庫製作者、資料庫發行/服務、資訊中心/交換中心、紀錄與資訊管理師、檔案/博物館/特種館藏、資訊分析中心、資訊服務公司、圖書館自動化供應廠商12類圖書館與資訊工作；就本文前節已引述的22種圖書館與資訊作業功能，從不同的圖書館員層級，再依專業能力與一般能力，共列舉出圖書館與資訊人員8,800項專業能力的文字描述，最後並對美國圖書館與資訊科學教育新方向提出檢討與建議。

㈡美國醫學圖書館學會教育政策宣言(註38)

鑑於生物醫學知識呈指數的成長，新資訊科技重新界定醫藥衛生醫療、教育與研究結構，以及專業人員與資訊服務領域也需重新檢討定位，美國醫學圖書館學會(Medical Library Association)成立專門小組研究，在1991年底將調查結果整理發表成報告書「改變的舞台：美國醫學圖書館學會教育政策宣言」(Platform for Change: the Educational Policy Statement of the Medical Library Association)。此文件旨在描述目前與未來的醫學圖書館員應具備的能力，以及未來行動綱領，並作爲該學會的教育政策，以及美國醫學圖書館員教育與訓練的指南。該文件主張醫藥衛生科學資訊能力應包括醫藥衛生科學的知識基礎、一般資訊原則在醫藥衛生科學的應用、一般醫藥衛生科學資訊系統、管理、以及人際關係技能。並就7個領域分別界定醫學圖書館員應具備的能力：

1. 醫藥衛生科學環境與資訊政策：包括法律、倫理、醫學、立法相關問題；醫藥衛生專業的系統與結構、名詞術語、教育與訓練、相關學會與學術團體；美國醫學圖書館學會與國家醫學圖書館的目標、計畫、與生活等知識與技能。

2. 醫藥衛生科學資源管理：係對於管理之知識、技能、瞭解，包括資訊資源中心之機構任務；機構性與功能性規劃程序；決策策略；人力資源管理與勞務關係；人力發展；專案與計畫管理與評鑑；組織結構與行為；數字素養與計算能力；財務與預算、成本分析、價格環境；募款與計畫書撰寫；公共關係與行銷；設備規劃與空間分配；口頭與書面溝通；以及人際關係等知識與技能。

3. 醫藥衛生科學資訊服務：係指圖書館員應懂得配合使用者需要提供資訊運用的原則與實務，包括醫療人員、研究員、教育者、學生、消費者的資訊需求；資訊尋求與使用者特徵；資訊需求的評估與確認；醫藥衛生科學與其他資訊資源，其與資訊需求的相關性；檢索策略與技巧；為特定需求的資訊分析、評鑑、綜合；資訊傳遞與利用方法；配合個人與團體發展服務；與資源分享等知識與技能。

4. 資訊服務的管理：係指醫學圖書館員應確認、蒐集、評鑑、與組織資源以及發展提供資料庫的理論與技能，包括資料與資源的確認與選擇；資料的徵集；書目計量方法；索引典建置；書目工具；編目與分類理論；編目相關的標準法規；索引、摘要與分類系統；庫存管理技術；期刊出版品；資源維護與保存；資訊檔案格式、製作、包裝與傳布趨勢；與智慧財產問題等知識與技能。

5. 資訊系統與技術：係指對資訊系統與圖書館自動化系統的認識，包括紀錄與檔案建立；電腦硬體與軟體；通訊與網路；資料庫管理軟體；系統分析；人工智慧與專家系統；人類行為與科技；資訊系統的設計、使用與評鑑；資訊科技的徵集、利用與評鑑；系統整合以及長期資訊管理需求的技術等知識與技能。

6. 教學支援系統：係指醫學圖書館員應懂得有效提供教學，包括學習理論與認知心理學；課程與教學發展；教學系統設計；教育評鑑與分析；學習型態鼓勵；教學方法論；學習成果評鑑等知識與技能。

7. 研究/分析/解釋：係指醫學圖書館員應懂得研究生物醫學資訊的儲存、組織、利用與應用在學習、病人照顧以及新知識產生的特質，包括醫藥衛生科學資訊、教育、醫療實務的理論基礎；資訊結構、轉換、與處理；研究成果的分析、評鑑、與應用；系統效能與效率的評鑑方法；統計理論；研究方法等知識與技能。

㈢美國專門圖書館學會專門圖書館員能力報告(註 39)

1990 年代專業能力研究中最受到矚目的當推美國專門圖書館學會的報告，該學會 1996 年綜合學者專家的意見，提出廿一世紀專門圖書館員應具備的能力報告，界定知識與技能，並主張專門圖書館員專業的工作知識與技能，包括各專門主題領域中具有深度的印刷與電子資訊資源知識以及配合服務單位個別或團體資訊需求的資訊服務規畫與管理的知識，此外，還認為專門圖書館員需要有彈性的知識與技能以發揮其圖書館工作

該學會報告列舉專門圖書館員應具備的 11 項專業能力(professional competencies)，以及 13 項個人能力(personal competencies)。專業能力涵蓋：⑴專門圖書館員需具備資訊資源的專家知識，包括評估與篩選資訊資源的能力；⑵具備服務母機構或客戶所需的特定學科主題知識；⑶配合服務母機構所需，而發展管理能力與提供便捷、與成本效益的資訊服務；⑷對圖書館與資訊服務使用者，提供資訊利用教育與支援；⑸評估資訊需求，以及提

供適合資訊需求具附加價值的資訊服務與產品；⑹利用適當資訊科技進行資訊徵集、組織與傳播；⑺使用適當的商業與管理方式將重要資訊服務向上級主管報告傳達；⑻為母機構內外個別使用者發展各種專門資訊產品，以供其利用；⑼評估資訊使用結果，並進行研究以解決資訊管理問題；⑽配合變動的需求而改善資訊服務；⑾成為公司主管單位的重要成員以及公司資訊問題的重要諮詢顧問。

個人能力方面則涵蓋：⑴提供優良服務；⑵追求圖書館內外的新挑戰與新機會；⑶目光前瞻，從大處著眼,即從使用者資訊尋求行為與資訊利用；從圖書館與資訊服務；從公司競爭；從商業與世界趨勢角度來看；⑷尋求合作與聯盟；⑸營造相互尊重與信任的環境；⑹具備有效溝通能力；⑺與他人合作良好；⑻表現領導能力；⑼規劃列出重要優先順序以及集中重點執行；⑽致力於終生學習以及個人生涯規劃；⑾具備個人商業技巧以及創造新機會；⑿懂得專業的網絡與核心之價值；⒀在不斷的變遷中保有彈性與積極的工作態度。

1998 年該學會協調美國圖書館與資訊科學教育學會(Association Library and Information Science Education)以及醫學圖書館學會 (Medical Library Association)合作進行調查研究。根據 1996 年該會研擬的專門圖書館員應具備的能力，對美國以及國際圖書館與資訊科學系所進行課程評估，並分從資訊資源、資訊管理、資訊利用、資訊系統與技術、研究、以及資訊政策等六方面調查學校提供的課程訓練的學生是否具備足夠的能力應付廿一世紀的挑戰，結果顯示有些學校未提供專門圖書館學相關課程，有關資訊系統與科技課程仍有待加強。並建議圖書館學會與圖書館界應多參與圖書館與資訊科學研究所課程設計，以及圖書館界與教育界

應加強合作與溝通。(註 40)

㈣巴特勒與孟特圖書館與資訊科學專業能力的研究(註 41)

在圖書館與資訊專業人員能力確認研究方面，1996 年巴特勒與孟特(Lois Buttlar and Rosemary Du Mont)進行相關研究，他們研擬圖書館與資訊專業人員的 55 種能力清單，其次對美國圖書館與資訊科學研究所畢業校友進行問卷調查，瞭解他們的看法以協助圖書館與資訊科學課程規畫，共有 736 位校友接受調查，校友多來自學術圖書館、專門圖書館、與公共圖書館。

該研究調查結果將 55 種能力依次排序，前 10 名依序爲：⑴各類重要參考問題資訊資源的知識；⑵館藏管理技能；⑶建置適當參考訪談；⑷有效撰寫報告、企畫書、工作手册、信函之溝通能力；⑸應用批判式思考技能於圖書館問題能力；⑹在團體中應用有效人際關係技能；⑺選擇與評估印刷與非印刷資料；⑻應用適當原則進行館藏淘汰與清點；⑼利用口頭溝通技能作簡報；⑽發展資訊政策。並對圖書館與資訊研究教育提出下列建議：應加強教學法、注意社會外在環境、掌握圖書館服務方向、依圖書館與資訊服務功能性整合課程、以及加強人際與溝通技能教育。

㈤馬來西亞圖書館與資訊專業人員能力的研究

1998 年羅門(Sajjad ur. Rehman)等對馬來西亞圖書館與資訊專業人員能力進行研究，首先邀請圖書館主管與館員確認圖書館與資訊人員應具備的能力，並強調變遷資訊機制、資訊科技應用、智理能力、與專業實務服務的相關知識技能。其次，對來自 30 個圖書館的 167 位館長與館員，就一般性、館藏發展、編目、流通、資訊服務、期刊等 6 領域，分別從公共圖書館、學術圖書館、專門圖書館列出其對新進圖書館員應具備的知識技能看法。(註 42)其調查的能力列舉如下：

1. 一般性能力：包括組織結構，資訊服務在組織的角色，館藏與相關資源組織，組織的任務與目標，組織的標準、政策與程序，自動化知識與科技對圖書館員影響，新資訊科技的應用，工作責任與工作情況，研究與發展，資訊的界定、結構、形式與機制，各部門的功能與關係，空間設備與人力資源，機構環境與因果變遷，規劃、決策、組織、行銷、預算評鑑，統計分析與解釋，資料的組織，使用電腦與資訊，團體工作、時間管理、監督、規劃與決策，管理資訊的運用，資訊運用與包裝，資料庫設計，政策與程序形成等知識與技能。

2. 館藏發展能力：包括館藏發展政策建立與實施，採訪方法與程序，採訪工具與書目資訊資源，使用者的需求與行爲，採訪管理資料以及應用，與使用者關係連繫，書商系統與服務，國際、全國與區域出版業，運用採訪管理資料以發展政策等知識與技能。

3. 編目能力：包括編目、規則、系統與工具，編目方法、技術與產品，資訊組織與檢索的原則、系統、與策略，合作編目系統與工具，編目規則應用，文件的資訊分析，書目供用中心的利用等知識與技能。

4. 流通能力：包括流通自動化系統，資訊查詢服務的範圍，資訊查詢服務的政策與程序，館藏維護，館際互借原理、方法與系統，圖書館資源與設備，資訊查詢服務的推廣利用等知識與技能。

5. 資訊服務能力：包括檢索策略、資訊系統與檢索工具，各學科資訊資源，使用者社區與資訊需求，專題選粹服務，資訊服務的原理、範圍、內容、策略、優先順序，教育訓練與資訊系統以及資源分享網路，檢索資訊工具的利用，文獻檢索，公共關係與溝通技能，資訊服務自動化系統的發展、管理、與維護；使用者利用教育，專科資源的建立與維護，資訊查詢指南編製，資訊服務推廣利用，資訊服務發展政策與程序等知識與技能。

6. 期刊管理能力：包括期刊管理作業以及政策工具的應用，監督經費分配與利用，檢視書目資源與使用者申請訂購處理等知識與技能。

陸、結論與建議

一、結　論

本文主要認識資訊時代與資訊社會的特徵；探討資訊新世紀，圖書館的新角色與任務，主要作業功能，以及圖書館與資訊服務工作市場；確認專業能力的定義與內涵；研究圖書館與資訊人員應具備的能力；並檢視圖書館與資訊服務人力資源需求與圖書資訊學教育供應二者的關係。

在資訊社會的特徵方面，可歸納如下：⑴資訊與知識是資訊社會的重要資產；⑵資訊科技與資訊基礎建設將形成資訊社會的主要骨幹成爲社會營運與發展的主要基礎；⑶專業與技術人員成爲資訊社會主導者；⑷資訊經濟與數位經濟已形成新經濟體系，主要由電腦業、電信業、和資訊內容業匯聚的產業所建立；⑸全球主義將成爲資訊社會的新時代精神，經由資訊網路建立全球資訊社會；⑹資訊網路革命性的發展將促成使用者消費者運用整合的網路平台直接使用資訊、娛樂、通訊溝通、電子商務等各種服務，中介者終將取消；⑺新科技、新生活、新工作、新觀念等迫使人類要終生學習才能跟上時代的腳步。

圖書館與資訊服務的新任務爲：⑴保存人類的所有言行紀錄、資訊與知識，不論載於任何媒體形式；⑵教育社會大衆；⑶

推廣資訊的利用與提升民衆資訊素養；⑷不受時間與空間限制提供直接立即的全球資訊服務；⑸傳播人類的資訊與知識；⑹推動休閒娛樂活動；⑺創造資訊、建置資訊系統與資料庫，以及益增附加價值。

圖書館與資訊服務扮演的新角色爲：⑴資訊的徵集者；⑵資訊的組織者；⑶資訊的傳播者；⑷資訊服務與利用提供者；⑸圖書資料與資訊知識的保存者；⑹知識工程師；⑺資訊與資料庫的產製者；⑻資訊素養的教育者；⑼資訊與知識的諮詢顧問；⑽資訊的領航者；⑾數位館藏與數位圖書館的建置者。

圖書館與資訊科學系所就業市場，由於大量運用資訊科技，除了圖書館與資訊中心之外，也在電腦與通訊業、網路科技管理、資訊媒體內容業、資訊傳遞業、資訊處理業等相關行業開拓了圖書館與資訊服務的新興市場，擴大畢業生就業通路。但相對的，圖書館與資訊人員的能力也成爲實務界與教育界共同關心的課題。能力：「係指一個人從事工作時，可以有效進行所需具備的知識、技能、與態度」。能力又分兩類：專業能力與一般能力。在能力本位教學的研究中，能力直接與工作績效以及實踐工作價值有關，能力的界定、能力確認、以及能力評鑑是極重要的課題也是能力相關研究的三部曲。

1980 年以後能力的界定與確認研究相當豐富，其中以金氏圖書館與資訊科學教育新方向報告、美國醫學圖書館學會教育政策宣言、美國專門圖書館學會專門圖書館員能力報告影響最大。金氏報告對能力界定與確認研究提供完整豐實的架構，而美國醫學圖書館學會教育政策宣言、美國專門圖書館學會專門圖書館員能力報告具體明確反映實務工作的需要，相當具有參考價值。

二、建　議

歐美先進國家注重圖書資訊人員的能力培養問題，產生了許多豐富的研究也有各家不同的看法，並對圖書館與資訊服務界以及教育界發生影響。反觀我國於這方面尚缺乏研究，在迎接廿一世紀時對圖書館與資訊專業人員應具備的知識與技能的探討研究確實有意義且為必要。

綜合本文所述，對於我國圖書館與資訊人員教育訓練的課程設計建議考慮下列方向：⑴認識圖書館與資訊服務的角色、功能、與價值；⑵掌握社會與資訊環境、資訊需求、使用者需求、與資訊政策法規；⑶了解資訊的徵集、製作、組織、傳播、與利用的功能周期；⑷學習資訊服務，懂得配合使用者需要提供資訊檢索運用的原則與實務；⑸熟諳資訊服務的管理，確認、蒐集、評鑑、與組織資源以及發展提供資料庫的理論與技能；⑹發展分析與管理技能，以應用資訊的徵集、組織與運用以提升圖書館與資訊服務；⑺加強資訊科技與資訊系統的管理與應用；⑻培養學科的背景；⑼訓練溝通與人際關係、語文、文書處理、撰寫報告；⑽培育教學支援與推廣行銷的方式、策略與技巧；⑾認識多媒體的管理與應用等。並且在教學與課程設計中加強學生終生學習的觀念，以及培養其在變動的工作環境中知道如何調適自處以及積極應變。

同時，本文對未來的研究與發展提出下列建議：

1. 配合資訊時代與資訊科技發展，以及我國國情需要，研究我國圖書館與資訊服務專業人員應具備的能力，並依圖書館與資訊機構類型、圖書館員層級以及圖書館作業需求分別研訂。

2. 調查我國各類型圖書館人員對圖書館與資訊服務人員能力的看法，並對各類型圖書館與資訊人員專業能力加以確認。

3. 我國圖書館與資訊服務專業人員的能力研究與教育規畫應

由圖書館界同道、中國圖書館學會、中華圖書資訊學教育學會、以及圖書資訊學教育界通力合作，共同從事。

4. 我國圖書館與資訊服務專業人員能力研究成果可作爲未來圖書資訊學教育以及繼續教育的設計與規劃的參考依據。

5. 我國圖書館與資訊服務專業人員能力研究成果可據此規劃我國圖書館與資訊服務人力資源以及檢視就業市場的發展以謀求人力資源供需平衡。

【附　註】

註 1　〈網際網路-世紀末最後的資訊革命，〉《中國時報》88 年 12 月 27 日，6 版。

註 2　〈人類文明進入第三波-知識經濟接棒，〉《中國時報》88 年 12 月 29 日，6 版。

註 3　Special Libraries Association, Association for Library and Information Science Education, Medical Library Association. *Competencies for Special Librarians of the 21st Century: Library and Information Studies Programs Survey Final Report*(Washington, D.C.: Special Libraries Association, 1998), 1.

註 4　丹尼爾．貝爾原著，高銛等鐸，《後工業社會的來臨：對社會預測的一項探索》(台北：桂冠，1989 年)，頁 15。

註 5　游琬娟譯，Yoneji Masuda 著，《資訊地球村》(台北：天下，1993 年)，頁 1-85。

註 6　Office of the President. Information Infrastructure Task Force. *The National Information Infrastructure: Agenda for Action.* (Washington, D. C. : Department of Commerce, 1993).

註 7　*Global Information Infrastructure--Global Information Society(GII-GIS)*

Policy Requirements(France:Organisation for Economic Co-operation and Development, 1997), 1-15。

註 8 唐・泰普史考特著，卓秀娟譯，《數位化經濟時代：全球網路生活新模式》(台北：麥格羅希爾，民國 86 年)，頁 36。

註 9 同上註，頁 458-459。

註 10 同上註，頁 84-117。

註 11 Frank Webster 著，馮建三譯，《資訊社會理論》(台北：遠流，民國 88 年)，頁 11-52。

註 12 Nick Moore, *The Emerging Markets for Librarians and Information Workers*(London:British Library Board, 1987), 16-18。

註 13 Nick Moore, "Partners in the Information Society," *Library Association Record* 101:12(Dec. 1999):702-703.

註 14 *Putting the Information Infrastructure to Work: Report of the Information Infrastructure Task Force Committee and Applications and Technology--Library Part.* 〈URL: gopher ://iitfcat. nist.gov:95/0/. catitem/library〉(Retrieved January 20, 2000)

註 15 同上註。

註 16 陳萬達，〈傳世寶數位化，搭溝通未來的橋樑〉，《中國時報》民國 89 年 1 月 19 日，10 版。

註 17 F. W. Lancaster, "From Custodian to Knowledge Engineer: the Evolution of Librarianship as a Profession,"《資訊傳播與圖書館學》1：4(1995 年 6 月)：頁 3-8。

註 18 Charles Oppenheim and Daniel Smithson, "What is the Hybrid Library?" *Journal of Information Science* 25:2(1999)：99.

註 19 Peter R. Young, "Librarianship: A Changing Profession, " Stephen R. Graubard ed. *Books, Brooks, Bytes: Libraries in the Twenty-first Century*

(New Brunswick: Transaction Publishing, 1998), 103-125.

註 20 Walt Crawford and Michael Gorman, *Future Libraries: Dreams, Madness, and Reality*(Chicago:American Library Association, 1995), 3-10。

註 21 Jose-Marie Griffiths and Donald W. King, *New Directions in Library and Information Science Education* (Greenwood Press, American Society for Information Science, 1986),42.

註 22 同註 12。

註 23 同上註，頁 13.

註 24 同上註，頁 41。

註 25 Kate Murphy, "Moving from the Card Catalogue to the Internet, " *New York Times*, Monday January 6, 1997.

註 26 同註 13。

註 27 黃政傑，《課程設計》(台北：台灣東華，民國 80 年)，頁 40-41。

註 28 同註 21。

註 29 同上註。

註 30 同註 3，頁 2-3。

註 31 同註 28，頁 281-287。

註 32 Linda C. Smith ed. , *Professional Competencies-Technology and the Librarian*(Urbana-Champaign, Univ. of Illinois at Urbana-Champaign, 1983), 58-68.

註 33 Adele E. Friedrich, "Competencies for Information Professionals in the Changing Decade: A Delphi Study"(Ph. D. dissertation, University of Pittsburgh, 1985)

註 34 *Report of the Transbinary Group on Librarianship and Information Studies*(London:British Library and Development Department, 1986).

註 35 Miriam Tees, "Graduate Education for Special Librarians: What Special

Librarians Are Looking for in Graduates," *Special Libraries* 77(Fall 1986): 190-97.

註 36 Sarah Gash and Denis F.Reardon, "Personal Transferable Skills for the Modern Information Professional: A Discussion Paper," *Journal of Information Science* 14(1988):285-92.

註 37 同註 21。

註 38 Medical Library Association, "Platform for Change: the Educational Policy Statement of the Medical Library Association," 〈*http://www.mlanet.org/ education/platform.html* 〉(Updated November 20, 1991) (Retrieved January 20, 2000)

註 39 Special Committee on Competencies for Special Librarians, "Competencies for Special Librarians of the 21st Century: Full Report. " 〈*http://www.sla.org/professional /competnecy.html*〉 (Updated May 1996), (Retrieved January 20, 2000)

註 40 同上註。

註 41 Lois Buttlar and Rosemary Du Mont, "Library and Information Science Competencies Revisited." *Journal of Education for Library and Information Science* 37:1(1996 Winter):44-62.

註 42 Sajjad ur. Rehman, "Competency Definition and Validation for Library and Information Professionals in Malaysia." *Journal of Education for Library and Information Science* 39:2(Spring 1998):100-117.

消費者健康資訊服務的重要性

蘇 諼

輔仁大學圖書資訊學系副教授

摘 要

消費者健康資訊的提供，能給與大眾選擇健康的生活形態，評估各種治療法的優缺點以及透過自助團體參與自我治療的機會，對於正在接受醫療的消費者，也會獲得正面的影響。相較於國外豐富的相關研究的發表，國內在消費者健康資訊服務的發展，就需要更多的努力，因此，本文將針對這項資訊服務的起源、定義、重要性與圖書館的角色等方面作文獻探討式的分析，期望在喚起圖書館界對消費者健康資訊服務的認知上有所助益。

關鍵詞：消費者健康資訊服務　消費者健康資訊　醫學資訊

壹、前 言

世界知名的心臟外科權威 Dr. Michael DeBakey 曾經在美國國家醫學圖書館發表的演說中，有一句足以闡明消費者健康資訊 (Consumer Health Information, CHI) 重要性的名言：「即使在醫療技術突飛猛進的今天，我仍然認爲好的資訊是最佳的良藥。(註

1)」人們一向很關注自身健康的課題，近幾年來，一般大衆對於醫療保健的問題投注更多的關切，對於醫療專業人員的信任度卻也是越來越低了。現代的消費者覺悟到，他們需要的是能作明智的醫療抉擇與評鑑醫療照護的眞相。(註 2) 消費者健康資訊的提供，在一般醫學消費者維護其保健工作上，的確十分重要，健康資訊能給與大衆選擇健康的生活形態；評估各種治療法的優缺點；以及透過自助團體參與自我治療的機會。對於正在接受醫療的消費者，也會獲得正面的影響；健康資訊的汲取幫助病患對自我病情的瞭解，將更能和醫師配合，壓力也有所減輕，當然，對於身體的復原就大有助益。(註 3)

圖書館接收到越來越多來自一般大衆與健康有關的諮詢；根據多倫多公共圖書館所作的調查，所有的參考問題中，與健康相關的問題約佔全部問題的 8%(註 4)，百分比仍然在不斷升高中，面對如此高比率的健康問題諮詢，公共圖書館館員表示，他們也希望能提供這方面的資訊給讀者，不過，卻有以下的障礙；如：因爲擔心侵犯到如此強大的專業領域，公共圖書館對於提供醫學與法律的專業相關資訊，一向採取非常謹愼的態度；另外，讀者的問題不完整或不清楚以及館藏中缺乏適當的資訊資源等都是主要的問題。(註 5)

網際網路已成爲新醫學資訊的重要製造與傳播工具，台灣地區方面，雖然提供健康資訊的網站從 1996 年開始蓬勃發展，在快速的成長之下，到目前爲止，已有數千個與醫藥相關的網站(註 6)，在圖書館方面，消費者健康資訊服務的發展亦遠遠落後於爲專業醫療人員所提供的服務。查詢圖書資訊學與公共衛生學等領域的文獻後發現，與消費者健康資訊服務有關的中文文獻非常的稀少，對於消費者的健康資訊需求研究，更是只有一篇關於消費者在醫療院所選擇方面的需求調查。(註7)相較於國外豐富的相關研究的發表，國內在這方面的發展，就需要更多的努力，因此，本文將針對消費者健康資訊服務的起源、定義、重要性與圖書館的角色等方面作文獻探討式的分析，期望在喚起圖書館界對消費者健康資訊服務的認知上有所助益。

貳、消費者健康資訊服務的定義與起源

(一) 定義

根據「現代消費者健康資訊運動之父」Rees的定義：消費者健康資訊是「與大衆相關且適合大衆的醫學主題資訊，不僅包含疾病的徵兆與症狀、診斷、治療、與預後，還包括健康照護服務的取得、品質評鑑與利用。(註8)」Elliott與Polkinhorn認爲消費者健康資訊是指「關於健康生活的資訊、醫學知識以及與直接提供給消費者的健康服務相關的資訊。(註9)」

根據 Moeller 的區分方式，一般健康資訊的消費者可分爲以下五大類(註10)：

1. 健康的憂慮者
2. 慢性病患者
3. 青少年
4. 孕婦
5. 病患家屬
6. 有健康認知的人

Ferguson 提倡將健康消費者分爲三種類別：被動的病患、關切的消費者、與主動負責的消費者，其特性與數量的分布，如下表所示(註11)：

表一 三種醫學消費者類型 - 特性

	對疾病的反應	醫師的看法	醫療結果
被動的病人	退縮	缺乏動機	最不好
關切的消費者	服從	合作但過度依賴	中等
主動負責的消費者	大量自我導引式的投入	有動機與要求	最好

表二 三種醫學消費者類型 - 數量

	1975	1987-88	2000
被動的病人	85-95%	55-65%	30-40%
關切的消費者	5-10%	30-35%	40-50%
主動負責的消費者	1-2%	5-8%	20-25%

消費者尋求的健康資訊可分爲以下五種類別(註 12)：

1. 疾病與藥物資訊：如疾病的病癥、症狀、診斷、治療、預後與藥物的資訊；

2. 適應資訊：如治療方法的細節，藥物的使用，疼痛控制，居家照護；

3. 健康照護與醫學倫理資訊：如醫師的資歷，醫師與醫院的評鑑，療養院的選

擇，健康照護的支付問題；醫學倫理資訊則是指用來解決醫療糾紛與法律相

關問題，如立遺囑、安樂死等；

4. 保健與預防資訊：通常以公共圖書館爲主要提供場所；

5. 身體功能資訊：包括一般的解剖學、生理學與懷孕、性教育、老化資訊等。

(二) 起源

肇始於1960年代的北美消費者運動(Consumer Movement)，由製造業、服務業到政府政策，一直對社會的各部分產生宏大的影響，在專業服務方面的消費者運動有其特別的問題存在，主要的原因即是消費者不易獲取作決策與判斷醫療服務的品質與適當性的資訊。在醫學領域的消費者權益運動，是由70-80年代的婦女運動爲其先驅，最近幾年消費者健康權益運動更經由許多社會團體與機構組織的活動而漸行擴大，建立一個有知識、有責任感的消費者團體的好處，包括更爲有效地對醫療服務加以利用；更高品質的醫療照護；甚至更良好的醫療結果。(註13)

加拿大消費者協會也在1974年提出「健康照護的消費者權利案」(Consumer Rights in Health Care)試圖對病患權利(patient rights)作出詮釋，在與健康有關的各層面來說，病人皆應有「知的權利」，因此，病人應該有權與醫療專業人員共同參與與其健康相關的醫療決策過程。(註14)既然民衆皆有知的權利，作爲資訊提供者的圖書館，尤其是公共圖書館，更應敏銳地察覺社區民衆的健康資訊需求，以建立符合需求的消費者健康資訊館藏與服務。

參、消費者健康資訊的重要性

現今的醫學消費者會因爲各種各樣的理由而去尋求資訊；其中包括：找尋身體那裏出了問題、嚴重性爲何、某項診斷是否正確、醫師建議的治療是否合宜、發掘其他的治療法、瞭解治療對生活的影響、確認某種無法治癒的醫學問題、尋找醫療顧問或醫療專家、查詢資格的問題等等，而在這個過程中，醫師已不再是唯一的醫學資訊傳遞者。(註15)根據國外近期的研究報告發現，消費者對於醫療品質、價格與可及性方面的資訊需求有升高的趨勢，人們特別想知道有關於醫療提供者的資格問題；各醫院的死亡率比較；與其他的醫療品質指標；另外，不同保險制度下的醫療服務價格的比較，也是受關心的議題。(註 16)

美國是全世界醫療事業最發達的國家之一，健康照護方面的支出是全國國防預算的兩倍，每年約進行三千六百萬次的手術；上億次的醫事檢驗；每一年美國所消耗的藥品，超過全世界所生產的藥品量的半數(註 17)，整體來說，醫療照護系統的利用仍在不斷成長中，所有醫療專科的種類與數量也年年增加。在專科越分越細的情形下，消費者的選擇性增多，往往亦需要在不同的醫療階段去看不同的醫師，同時也有全新的醫學術語需要去了解，因此面對這些醫療上的改變，醫學消費者急切地需要在善用這個系統上付與更多的能力與知識，健康照護相關的資訊的取得也就變得更爲殷切。然而有關健康照護系統以及全球醫學概況的資訊卻很難取得，欲滿足個人的健康照護需求，取得與醫學症狀、治療與服務有關的正確可靠資訊，也是同樣的困難。(註 18)

根據 Tarby 與 Hogan 的研究，病患可以利用資訊的取得，進而更爲積極地參與醫療的過程；藉由對本身狀況有關資訊的搜集，病患與醫療提供者進行更爲有效的互動，並且有助於以病患爲中心的醫療計畫的發展。毋庸置疑地，在病患與一般大衆眼裏，消費者健康資訊服務是一項極重要而又有價值的服務項目。(註 19) 根據國外的研究，消費者健康資料很多，且能從不同類型的資源中獲得，但是，有 38%的民衆，雖然需要健康資訊卻無法找到(註 20)，因此，很明顯地圖書館員應重新檢視本身的角色，並且試圖去了解使用者族群，進而尋求創新的方式來服務消費者大衆。

肆、消費者的健康資訊需求

根據 1993 年美國的一項消費者滿意度調查研究顯示，逾半數 (58%) 的民眾使用圖書館尋求健康資訊是基於個人健康的原因、其次是爲親戚朋友的問題 (45%)、撰寫研究報告 (21%) 及一般性的保健問題 (19%)。另外，有 54%的受試者也表示，在消費者健康資訊圖書館中找到的資訊，能降低其焦慮感；30%的消費者說免除了不斷打電話給醫生的需要；20%受試者認爲減少了有害的習慣；21%的人表示醫療費用有所節省；18%的消費者則認爲複診的次數有所減少。至於消費者健康資訊對消費者的正面助益也很多，將近八成的受試者認爲對診療過程有更多的了解；其次是對於醫療決定的改變；對治療過程更爲有信心；飲食、運動等健康習性的改變；照顧病人或小孩的技巧增進；對醫師的指示更能配合；以及整個病情恢復過程的促進。(註 21)

在英格蘭進行的一項研究結果也顯示出，病患需要較詳盡的診療與外科手術過程的資訊，如此也會對病患產生心理上與臨床上的助益，如：減低沮喪與焦慮的程度；較快的復原與較短的住院期。(註 22)

在消費者的健康資訊尋求方面，根據 Horne 所觀察到的現象，在此可歸納出以下 6 個陳述句(註 23)：

⑴ 一般來說，女性較男性常用圖書館爲自己或他人而找尋資料；

⑵ 消費者對醫院並無全然的信任，因此他們會關心醫院及醫師的品質；

⑶ 通常消費者尋求醫學資訊主要是爲了增進對治療過程的了解，並且減低其恐懼與焦慮感；

⑷ 另類的治療法很受消費者的歡迎，因爲提供了人們在不受到醫院介入之下對自身治療方式的掌控；

⑸ 一般民衆覺得在與健康照護系統溝通時，爲自身的權益仗義執言是很重要的事；

⑹ 人類身心方面的疾病種類之多，往往是超出一般人的想像，雖然有很多疾病名稱是衆所皆知的，還有太多的疾病卻是我們所不知道的；例如：美國罕見疾病組織 (National Rare Disorders Organization) 中，有超過 1,100 種的罕見病名存在其資料庫中，而全國癌症協會 (National Cancer Institute) 的 PDQ 資料庫中，陳列了 120 種之多的癌症病名。

一般來說，消費者需要的是沒有偏見且容易懂的資訊，另外，新穎性也是非常重要的因素。在病人與醫療人員的互動中，病人常有的抱怨是醫療人員並未提供足夠的資訊，這也促使病人尋求其他的資訊來源，因此，消費者會找尋其他有用的補充性資源的原因有(註 24)：

- 病患對病情的抗拒
- 與醫師諮詢過程中的羞怯與不安
- 病患試圖自我診斷或自我評估預後的情形
- 對另類治療法的需求
- 尋求對問題的不同看法
- 普通的興趣
- 收集醫療糾紛的法律證據資訊

資訊資源的尋求管道

在資訊資源方面，1990 年 Mshall 對加拿大消費者協會的志工網路會員進行一項問卷調查，研究消費者健康資訊的利用情形，當問到獲取健康資訊的資訊來源時，絕大多數的填答者是選擇「家庭醫師」(94%)或「專科醫師」(92%)，其他的醫療專業人員則包括護理師、藥劑師、物理治療師、營養師、脊骨整療師、牙醫師等，但是百分比均不高；超過半數的填答者是用「大眾傳播媒體」；其次則是「志願性的健康機構」(如：關節炎學會或癌症學會)；也有超過三分之一的人會使用「公共圖書館」作爲健康資訊的來源；另外有12%選擇「社區資訊中心」爲消費者健康資訊的來源。(註 25)

根據 Stevens 等人在 1996 年的研究顯示，醫學消費者所使用的健康資訊資源中，亦是以「執業的醫師診所」爲主，其次則是「傳播媒體」；如：報紙、雜誌、電視、廣播等，其原因是醫療院所常會提供疾病防治與健康推廣的册子，而傳播工具之一的電話，設有求助線 (telephone helplines) 以提供相關的資訊；如：愛滋病求助線與全國毒品求助線。(註 26)

爲美國 Nebraska 州州民而設立的消費者健康資訊資源服務 (Consumer Health Information Resource Services, CHIRS) 創始於 1985 年，主要提供兩方面的基本服務：⑴ 給予非健康科學圖書館支援性的服務，以促進第一線的健康資訊服務的傳遞；⑵ 建立一個爲一般大衆所寫的健康科學資源館藏，提供借閱與館際互借。圖書館在每次寄給讀者的查詢資料內，也附上一份評鑑問卷，根據問卷答案的分析，89%的消費者認爲獲得資料的量是適當的，80%對資料的程度感到滿意，整體來說，52%的人對服務完全滿意，而 44%只有部分滿意。

高達 92%的填答者主要尋求有關疾病、診斷、治療、藥物等方面的資訊，另外，有 63%的使用者會在與醫療人員討論過病情後，才來圖書館尋找相關資料。更有 59%的填答者說，他們是經由公共圖書館而得知此項服務的，如此證明轉介服務的成功與使

用者的整體滿意程度。(註 27)

健康資訊的利用

根據 Marshall 的研究，大多數的消費者利用獲得的健康資訊在解決個人健康問題上，其他較常見的利用方式包括：吸收健康知識、增進健康生活型態、了解藥物的影響、照顧他人的健康、某一疾病的應付與調適、找尋與醫師的話題、對治療決定的幫助等。

在健康資訊的使用頻率方面，超過三分之一的消費者說，他們至少一個月尋求健康資訊一次，另外三分之一是每隔 4-6 個月一次。有關健康資訊的實用性方面，73%覺得還是與醫師討論最爲有用，不過接下來的三種有用的資源則是可在圖書館中取得的書籍、雜誌與小册子；其次是與病友的討論與看相關主題的電視節目。(註 28)

伍、圖書館的角色

公共圖書館一向就是以反映一般大衆的需求爲主要傳統，雖然如兒童發展、飲食與自助心理學等主題，長久以來即是熱門的館藏主題，由公共圖書館來提供健康資訊仍是相當新的觀念。29 公共圖書館是植基於每個社區之中的，而社區圖書館是當地民衆尋求各類型資訊的最佳場所，因此圖書館員也一致認爲公共圖書館負有傳遞健康資訊的主要責任，並且各圖書館間，甚至與其他相關機構之間，應充分合作以分擔責任。(註 30)

在 1980 年初的美國，醫學圖書館界的觀念仍停留在醫學圖書館員應以服務醫療專業人員爲主，而一般大衆的資訊需求，則應該由公共圖書館去負責，然而，根據 Moeller 在 1997 年的分析，全美提供消費者健康資訊服務的醫學圖書館，已經由 1979 年的 7

所增長到數百所之多。(註 31)

另外，由於一般醫學單位的病患教育(patient education)活動，偏重在醫療程序、檢驗項目與復健問題，然而病患最常問到的是疾病的過程與心理的問題，因此為求致力於這些資訊需求的滿足，醫學圖書館方面，一方面加強適合一般大衆的醫學文獻的搜集，另外，也同時與公共資訊中心 (如：關節炎基金會、美國癌症協會與公共圖書館等) 連線形成網路，以加強消費者健康資訊的服務。(註 32)

近年來，醫院方面也越發重視到病患的資訊需求，而大力支援病患教育活動與提供病患的教育資源。在全美各地，多種的資訊服務、病患資訊中心及相關的政策皆相繼成立，館藏的類型包括書、期刊、簡訊、小册子、視聽資料及錄影帶等，參與的工作人員則包括：專業的醫學圖書館員到護理人員及志工等。(註 33)

在歐美國家，對醫院的病人提供資訊服務逐漸成為一種風潮，造成醫院有興趣提供病人資訊服務的影響因素有二：⑴ 病人教育可視為預防醫學的一種形式，如 Iroka 所說，現今的美國，大多數醫院已經認知到病人教育是健康照護傳遞中的一個重要部分 34；⑵ 隨者越來越多使用「顧客」、「消費者」等字眼來描述公民在健康服務上的權利的出現，象徵者一種對病人的新態度：消費者的觀念闡揚的是，比過去傳統的專業人員與病人關係更為平等的新關係，消費者尋求資訊，並且利用資訊為其健康照護問題作抉擇。(註 35)

在現今的資訊社會中，電子化的消費者健康資訊傳遞變得越來越為熱門，網際網路對消費者的資訊尋求造成很大的影響，醫學領域的影響尤甚，健康資訊已是網路上最常查詢的資訊類別之一，根據最近的一項調查得知，全美國使用網路的人口中，有一億七千五百萬的成人利用網際網路來搜尋健康資訊，而健康資訊的網站也已高達 15,000 個。(註 36) 自從 1997 年 6 月美國國家醫學圖書館將 MEDLINE 放在網路上提供免費查詢以後，一般大衆立即成爲重要的使用群，現今由 NLM 網站進行 MEDLINE 資料庫檢索的使用者中，有 30%爲學生與一般大衆。

美國國家醫學圖書館更設計網路版的 MEDLINEplus 系統(註 37)，提供醫學消費者立即地取得具權威性的健康資訊，並且在 1998 年 10 月正式推出，這個系統的推出，代表了美國國家醫學圖書館在利用網路技術，提供消費者層級的資訊方面，跨出很重要的一步。(註 38)

根據 Miller 等人的報告，面對網際網路上衆多在類型、深度與品質方面差異性極大的健康網站，NLM 開發 MEDLINEplus 的主要目的，即是在於協助消費者在網路上搜尋資訊，以回答其健康方面的問題。MEDLINEplus 是一個有良好結構、具選擇性的網路資源，指引消費者連結到 NLM、NIH 及其他相關政府機構所提供的全文式健康資源，同時，消費者語言與簡易查詢界面的設計，使得這個網站非常適合於一般大衆使用。(註 39)

MEDLINEplus 網站內容包括以下八個部分：

1. 健康主題 (Health Topics) ：首先由分析一群消費者的查詢用語紀錄開始，再與 UMLS 中的觀念詞彙作比對，並且依據出現頻度排出順序，最常出現的辭彙包括糖尿病(diabetes)、帶狀匍行疹(shingles)、攝護腺(prostate)、高血壓(hypertension)、氣喘(asthma)、紅斑性狼瘡(lupus)、纖維瘤(fibromyalgia)、多重硬化症(multiple sclerosis)、癌症(cancer)等。每一項主題皆有其網頁，並且連結至其他可靠的健康資訊網站。

2. 醫學辭典 (Dictionaries) ：線上的醫學相關字辭典，協助民衆查詢醫學詞彙的拼法與定義。

3. 資料庫 (Databases)：包括 NLM 與其他機構出版對大衆有益的健康資料庫；這個部分亦提供連結至某些相關網站的網頁，如：NetWellness, Healthfinder, Mayo Clinic Health Oasis.

4. 機構 (Organizations)：包括聯邦政府機構，如：食品藥物管制局(FDA)、疾病管制預防中心(CDC)，及國立的相關學會機構，如：美國小兒科學會、美國癌症協會等有提供消費者資訊給大衆的機構。大多數與特定疾病相關的機構並不包括在此，而是放置在「健康主題」部份中。

5. 交換所 (Clearinghouse)：由政府贊助的交換所，亦提供健康資訊給一般大衆，雖然傳統上交換所是以提供郵寄的小册子、錄影帶與其他資訊爲主，如今也轉變爲提供資料庫與全文資訊給網路使用者直接存取。

6. 出版 (Publications/News)：包括由政府出版爲大衆而編寫的通訊或雜誌，並且連結到醫學圖譜、百科全書及著名的健康新聞網站如：CNN, MSNBC 等。

7. 圖書館 (Libraries)：包括有設立網站，且提供服務給一般大衆的圖書館，如：消費者健康資訊圖書館與部分公共圖書館，另外，尙包括其他的圖書館服務，如：醫學圖書館國家網路(NN/LM)及美國州立圖書館等。

8. 名錄 (Directories)：包括醫療專業人員與健康照護機構的名錄。

消費者健康資訊服務是越來越受到重視的一種資訊服務，圖書館員在選擇正確而新穎性高的資訊能力上也受到高度肯定，因此館員是扮演著最適於將網路醫學資訊與資料庫宣導給消費者與醫療專業人員的角色，誠如美國國家醫學圖書館館長所說，網際網路給予一般大衆一個最符合經濟效益的機會，來取得即時又緊要的健康資訊，而公共圖書館的首要任務即是如何結合網際網路的威力，來增進大衆對健康資訊的認知與取得。(註 40)

陸、結　語

近年來，醫療專業人員與病人的關係，逐漸趨向互相討論治療方法的合作模式，所有醫療消費者對於取得易理解的健康資訊的需求只會增加不會減少，越來越多的研究顯示，消費者報告的發表不僅有助於消費者作醫療的決策，並且亦能促進醫院的服務品質的改進。(註 41) 而值此健康資訊在網際網路上爆炸性增長的時代，圖書館界尤其應聯合其他相關機構組織，建立消費者健康資訊網站，提供正確、及時、相關、無偏見的高品質健康資訊。(註 42)

【附　註】

註 1　Daniel C. Horne, "A Medical Library for the Public: Starting and Running a Consumer Health Library, " *North Carolina Libraries* (Fall 1999): 110.

註 2　Ellen Fecher, "Consumer Health Information: A Prognosis," *Wilson Library Bulletin* (February 1985): 389.

註 3　Caroline A. Stevens, Anne Morris and Janet Rolinson, "Consumer Health Information Provision in the Trent Region," *The Electronic Library* 14 (4) (August 1996): 347.

註 4　Joanne G. Marshall "A Development and Evaluation Model for a Consumer Health Information Service," *Canadian Journal of Information Science* 17 (4) (December 1992): 7.

註 5　同上註，頁 3。

註 6　楊雅惠，〈網路上就醫選擇資訊之內容分析與使用者調查〉(國立台灣大學衛生政策與管理學研究所，碩士論文，民國 89 年)，頁 2。

註 7　謝慧欣，《民眾對健康資訊需要之初探》(國立台灣大學衛生政策與管理學研究所，碩士論文，民國 88 年)。

註 8　Daniel C. Horne, "A Medical Library for the Public: Starting and Running a Consumer Health Library, " *North Carolina Libraries* (Fall 1999): 110.

註 9　B.J. Elliott and J.S. Polkinhorn, "Provision of Consumer Health Information in General Practice." *British Medical Journal* 308 (1994): 509-510.

註 10　同註 8，頁 37。

註 11　Tom Ferguson, "The Health-Activated, Health-Responsible Consumer, " in *Managing Consumer Health Information Services*, ed. Alan M. Rees (Phoenix, AZ: Oryx Press, 1991), 17.

註 12　同註 8，頁 37。

註 13　同註 4，頁 2。

註 14　D.Elizabeth Christie, "A Role for the Medical Library in Consumer Health Information," *Canadian Library Journal* (April 1986): 105.

註 15　Alan M. Rees, "Medical Consumerism: Library Roles and Initiatives," in Managing *Consumer Health Information Services*, ed. Alan M. Rees (Phoenix, AZ: Oryx, 1991) 24.

註 16　同上註，頁 27-28。

註 17　Charles B. Inlander, "Trends in Medical Consumerism," in *Managing Consumer Health Information Services*, ed. Alan M. Rees (Phoenix, AZ: Oryx Press, 1991), 3.

註 18　同上註，頁 6。

註 19 同註 9。

註 20 同註 2。

註 21 同上註。

註 22 J. Morris, M. Goddard and D. Roger, *The Benefits of Providing Information to Patients* (York, England: University of York, Centre for Health Economics, 1989).

註 23 同註 17，頁 111-112。

註 24 Anne L. Barker and Robert G. Polson, "Best of Health: Evaluation of a High-street Consumer Health Information Shop in a Rural Area," *Journal of Information* Science 25 (1) (1999): 16.

註 25 同註 6，頁 6。

註 26 Caroline A. Stevens, Anne Morris and Janet Rolinson, "Consumer Health Information Provision in the Trent Region," *Electronic Library* 14 (4) (August 1996): 347.

註 27 Marie A. Reidelbach , Carolyn G. Weaver, and Brenda K. Epperson, " CHIRS: Consumer Health Information Resource Services for Nebraska Residents, " in *Managing Consumer Health Information Services*, ed. Alan M. Rees (Phoenix, AZ: Oryx Press, 1991), 59-72.

註 28 同註 6，頁 6-7。

註 29 Dottie Eakin, "Consumer Health Information: Libraries as Partners," *Bulletin of Medical Library Association* 68 (April 1980): 220-229.

註 30 M. T. Larson ed., "*Patient/Health Education: The Librarian's Role*", in Proceedings of an Invitational Institute, February 5-9, 1979. (Detroit: Division of Library Science, College of Education, Wayne State University, 1979).

註 31 Kathleen A. Moeller, "Consumer Health Libraries: A New Diagnosis,"

Library Journal (July 1997): 36.

註 32 Wendy Tarby and Kristine Hogan, "Hospital-based Patient Information Services: A Model for Collaboration." *Bulletin of Medical Library Association* 85 (2) (April 1997): 158-159.

註 33 同上註，頁 159。

註 34 L. A. Iroka, "Hospital Library in Patient Education," *International Library Review* 20 (1988): 111.

註 35 Pauline Cameron, et al. "Information Needs of Hospital Patients: A Survey of Satisfaction Levels in a Large City Hospital Library," *Journal of Documentation* 50 (1) (March 1994): 1.

註 36 Naomi Miller, Eve-Marie Lacroix and Joyce E. B. Backus, "MEDLINEplus: Building and Maintaining the National Library of Medicine's Consumer Health Web Service," *Bulletin of Medical Library Association* 88 (1) (January 2000): 11.

註 37 National Library of Medicine. MEDLINEplus. [Web document]. Bethesda, MD: National Library of Medicine, 1998. [rev 22 Jan 1999; cited 15 Feb 2001]
〈http:// www.nlm.nih.gov/medlineplus/index.html〉

註 38 同註 36，頁 12。

註 39 同上註。

註 40 Melanie Modlin, "Medical Questions? Medline Has Answers." *American Libraries* (November 1998):42.

註 41 Susan Voge, "NOAH-New York Online Access to Health: Library Collaboration for Bilingual Consumer Health Information on the Internet," *Bulletin of Medical Library Association* 86 (3) (July 1998): 333.

註 42 同上註，頁 326。

Library Journal (July 1997): [illegible]

註 12 Wendy [illegible] and Kristine Hogan, "Hospital-based Patient Information Services: A Model for Collaboration," Bulletin of Medical Library Association 86:2 (April 1998): [illegible]

註 13 [illegible]

註 14 L. A. [illegible], "Hospital Library as Patient Education," [illegible] Library Association [illegible]

註 15 Pauline [illegible], et al. "Information Needs of Hospital Patients: A Survey of Satisfaction Levels in a Large City Hospital Library," Journal of Documentation 54:1? (March 1998): [illegible]

註 16 [illegible] Yunfei, [illegible] and [illegible] R. [illegible], "[illegible] Building and Maintaining a National Library of Medicine Consumer Health Web Service," Bulletin of Medical Library Association 88 (January 2000): [illegible]

註 17 National Library of Medicine, MEDLINEplus [illegible] (Bethesda, MD: National Library of Medicine, [illegible]) [illegible] Feb. 2001

http://www.nlm.nih.gov/medlineplus/[illegible]

註 18 [illegible]

註 19 [illegible]

註 20 Melanie [illegible], "[illegible] Questions? Ask the Librarians," American Libraries (November 1998): 42.

註 21 Susan [illegible], "What's New: Keys to the Access and Quality Library [illegible] Information for Bilingual Consumer Health Information," Bulletin of Medical Library Association [illegible] (July [illegible]): [illegible]

註 22 [illegible]

渾沌理論在圖書館的應用

林 呈 潢

國立政治大學圖書館館長

渾沌理論不是要我們去創造一個和圖書館相關的理論，本文強調的是：起始條件對整個系統的發展有絕對的影響力，透澈研究渾沌系統，可以預測、消除或控制渾沌現象。

壹、渾沌理論的概念

一般對「渾沌」(Chaos)的概念是一種亂無章法的現象，日常生活中，人們習慣將所有不合乎常理的事情籠統地稱爲「渾沌」或「混亂」。比如：交通堵塞、人群擁擠，社會動盪……等。科學界引用「渾沌」這一名詞與日常生活中的渾沌則有所區別。渾沌、不規律、不可預測性是否只是雜訊? 還是有屬於自己的定律? 人的心跳與思維、雲朵、暴風雨、星系的結構、彎曲的海岸以至生命本身的起源與演化……在這些神奇事物的背後是否隱藏著任何渾沌的定律? 這些是科學家極思瞭解的問題。(註 2)

「渾沌」尚無公認的精確定義。事實上，在許多「渾沌」的經典作品中，也很難發現「渾沌」的定義，我們只能從渾沌的相關概念中「自我組織」一個屬於個人的「渾沌概念」，或者從「渾沌」一詞的起源去找出端倪。

「渾沌」英文稱爲 Chaos，中文或譯爲「渾沌」、「混沌」或「紊亂」。Chaos 這個字出自希臘文，意指混亂不可究詰的無底洞穴(abyss)。科學名詞的 chaos 最早出現在李天佑和約克(J.A. Yorke)一篇名爲 " Period Three Implies Chaos" 的文章。(註 3)我國《莊子・應帝王》曰：「南海之帝爲儵，北海之帝爲忽，中央之帝爲渾沌。……儵與忽謀報渾沌之德。曰：人皆有七竅，以視聽食息。此獨無有，嘗試鑿之。日鑿一竅，七日而渾沌死。」中國神話中的渾沌原指沒有七竅官感，在神與人怪之間的所謂「中央之帝」，到了漢朝才引申爲宇宙未有條理、分際、秩序之前的原始狀態。(註 4)現代科學上以古代詞語「渾沌」來命名此一新興的科學，可以推想其隱含的意義。

渾沌理論之研究是從物理的範疇中凸顯出來的，一般相信，在物理世界中有三種不同類型的系統存在：(註 5)

1.穩定狀態或周期循環的系統，如牛頓的天體力學。

2.許多分子完全雜亂的集合。

3.處於秩序與渾沌之間，有結構但難以預期，流動著無窮的變化。

第三種類型的系統，比如生態系、經濟、政治甚至心理，都呈現出此類系統的特色，此類系統也就是所謂的複雜系統，是一種處於渾沌邊緣的系統，是一種能使秩序與混亂達到某種特別平衡的系統。

1963 年麻省理工學院氣象學家羅倫茲(E. N. Lorenz) 研究大氣對流問題時，他發現即使一個極度簡化的系統，大氣「起始值」的細微變化，也足以使非周期性的氣象變化軌道全然改觀，這是所謂的蝴蝶效應，換言之，人們對氣象變化只能做短期、局部性預報，而無法做長期的、全球性預報。(註 6)也就是說，渾沌現象的根本原因是系統內部的非線性因素。而非線性又是自然現象和人類社會固有的屬性。渾沌現象也就成爲常見的自然社會現象。渾沌現象特徵可簡單歸納如下：(註 7)

1. 對初始與邊界條件的極端敏感性

理論上而言，一隻在北京翩翩起舞的小蝴蝶，在臨界或極限條件下，將會影響一週後的歐洲天氣變化，應用到社會科學領域，就會給人類一種啓示，即作爲社會中的任何一個成員，他的行爲在臨界情況下，將會影響整個社會的變化。個人行爲與臨界條件的微妙關係成了社會學專家研究與探討的課題。

2. 新空間維度的建立(註 8)

描述渾沌現象的數學空間已不再是整數，而是分數。這種新空間維度(分數空間)的建立，不僅爲人類提供新的思維方式，也爲描述一些複雜現象提供新的數學方法。曼德布洛特(Benoit Mandelbrot)以著名的英國海岸線長度的度量說明由定量法測長度，轉移爲一種根據尺度的新型定性量度-碎形維度(fractal dimension)，也就是用「有效碎形維度」的定性量度來取代日常熟悉的物理量。

3. 具有自相似性

對一個渾沌現象進行局部的不同倍數放大，就不難會發現，其局部形狀與整體形狀是極其相似，此種性質稱爲自相似性。這種相似性隱含的意義是「渾沌現象的變化雖然是無窮無盡，毫無規則，但萬變不離其宗，只要人們能從錯綜複雜的渾沌現象中尋找構成渾沌的基本要素，只要能正確描述這些基本要素，人類就可以對整體進行概括性地描述」。

4. 可用簡單的數學模型描述

渾沌現象雖然是雜亂無章、毫無規律，但其背後所屬的系統往往是難以置信的簡單。這就爲科學家們用簡單的數學模型去描述複雜現象提供理論依據。當然，至於需要那種簡單的數學模型去描述某個特定的複雜過程，仍需專家們的繼續努力。

從「渾沌」的經典作品，大致也可以歸納出「渾沌理論」的一些基本概念，本文僅就部份渾沌的相關理論和現象，簡單說明。

1. 熵(entropy)

「熵」是由希臘字發展而來，意義是「轉移的量」或者「發生變化的能力」，這個量，在耗散的的情況下不停的增長，當所有進一步做功的潛力耗盡，就達到極大値。

所謂熵(entropy)是「用以表示系統內部。各微觀個體因子的隨機變化所引起的無序性與混亂程度的量度。」(註9)。《國語日報辭典》定義爲：「熵是熱力學的函數，物質發生能力的作用減低，熱熵就加大。因爲物質可供利用的能量有日趨散失的趨向，因此宇宙間的總熱熵不斷逐漸增大。……資訊學用熵來描述資訊系統的信實率；具有較高的不可預知率的資訊系統，它的熵數較高。」(註10)換言之，具有「轉移的量」或者「發生變化的能力」的意義，這個量，在耗散的情況下不停增長，當所有進一步做功的潛力耗盡，就達到了極大値。

1865 年德國物理學家克勞修斯(Rudolf Clausius)首先提出熵(entropy)概念。克勞修斯原只是利用它描述熱流動過程的不可逆性；今天，隨著科學理論的深入和普及，熵(entropy)的理論應用範圍愈來愈廣，它不但可以描述自然現象，也可以用來解釋社會現象。克勞修斯(Rudolf Clausius)證實雖然熱和功在意義上是等量，但是耗散使得它們之間產生十分重要的不對稱性。原則上，任何形式的功都可以轉換成爲熱，但是耗散意味著相反的說法不能成立，在熱轉換為功時，總有一部份熱浪費，而熱量損失是不可逆的，一旦熱量損失，這個廢能絕不可能再次變為功，這個發現，發展成為熱力學的第二定律。(註 11)亦即「所有的能量轉化都是不可逆的」、「不可能把熱量從較冷的地方轉移到較熱的地方來產生功」，「熱能只能由較熱的地方流向較冷的地方」。(註 12)

依克勞修斯第二定律的說法，在一個可逆的過程中，「熵」的改變是零，而在不可逆的過程中，「熵」總是增加的，「熵」的增加正好與時間的前進一致，換句話說，物質發生作用力隨時間遞減，「熵」即不斷增加。資訊學上，我們用「熵」來描述資訊系統的信實率，我們說資訊可以「減少不確定性」，所以資訊是一種「負熵」，這是「熵」在資訊學上應用的一個基本概念。(註 13)

2. 新典範的產生-非線性理論(註 14)

在自然科學的領域中，「渾沌」的概念已存在多時，科學家也發現傳統物理法則其實並非法則，只是反應人類如何分割及分析系統的簡化原則，比如，寫一個電腦程式，我們會先作系統分析，系統分析的主要目的在把一個複雜的系統先行簡化，所以我們會把一個大程式分成許多小程式，把每一個小程式互相疊套，使小程式能互相呼叫使用，而成為一個大程式。

我們也往往會忽略些身邊常見的現象，有些是視而不見，有些是只知其然，不知其所以然。小者，如牛奶加入熱紅茶，會因茶的溫度不同出現各種不穩定的漩渦和複雜的圖案、裊裊上升的炊煙、滾熱中的開水，大者，如空中的星雲和水中的漩渦，都有渾沌的現象。人體亦然，每個單細胞的生死恰巧與人的生老病死平行，脈博和心臟的跳動經常變化不定，人類的思維和腦細胞的組成，其中的變化都隱含「渾沌」。這些現象各有其系統，只是這些非線性系統仍呈現一團謎，它們確實存在，而我們無法加以說明。

渾沌研究具有跨越學科界線，普適性、標度性、自相似性、碎形幾何性、符號動力學、重整化群等等概念和方法的特性，正超越數理學科的狹窄背景，是一個新的科學典範。

3. 蝴蝶效應

1963 年，美國麻省理工學院氣象學家羅倫茲(E. N. Lorenz)研究大氣對流問題時，以電腦模擬氣流，利用非線性變數公式歸納氣象因素，有一次以相同條件計算，因輸入的數值四捨五入，而造成千分之一的誤差(註 14)，結果竟導至整個氣象模型有極大的差距。起始條件的些微差異造成結果的大不相同，正是所謂「差之毫釐，失之千理」。這種「對初始條件的敏感依賴」，也就是一般所謂的「蝴蝶效應」。(註 15)

4. 自我組織

1977 年諾貝爾獎得主比利時的化學家普里戈金(Ilya Prigorgine)主張：有序和組織可以透過一個「自我組織」(self-organization)的過程從無序和渾沌中「自發地」(spontaneously)產生出來，自我組織的特性對宇宙論以及社會哲學都引發新的思考方向。自我組織的概念和平衡(equilibrium)、接近平衡(Near equilibrium)的系統以及和「遠離平衡」(far equilibrium)的系統有密切的關係。(註 16)

彼得杜拉克(Peter F. Drucker)認為西方國家，每隔幾百年就會一次大變革，在他的《新現實》(The New Realities)一書中他把這種現象稱為「時代的分水嶺」。短短幾十年內，社會自行重組其世界觀、價值觀、社會與政治架構、技術和重要部門等等，五十年後，又重現一個新世界，此時出生的新世代已經無法想像過去父祖輩成長時代的樣貌。(註 17)這也是一種自我組織對現實社會的類比現象。自我組織的應用範圍很廣，文學上，西方的神話宇宙學也將天地之初的矇昧狀態名爲「渾沌」，「當宇宙尚未完全混芒不明之時，渾沌先萬物庶類而存有。直到世界出現另一股力量「愛欲」(Eros)，天與地乃相擁，降雨，從此濕與乾、冷與熱截然分明，一分爲二。」《創世紀》所述的天地初始故事也十分相似，所謂渾沌先於天地，神造萬物由之以成。中國的盤古開天，敘述初始的天也是一片渾沌；由這些神話，可知渾沌乃是原初，沒有別的狀態，但是渾沌卻「自我組織」的成井然有序的宇宙。(註 18)

5. 碎形與吸引子

1983 年曼德布洛出版一本《自然的碎形幾何》(The Fractal Geometry of Nature)推出碎形的觀念，碎形幾何主要研究大結構由完整結構的小單位鑲嵌而成，因此固定的模式會不斷的反覆出現，這種結構的特徵是「自我反射」(self-reflexivity)。前面提及，傳統上對數學的維度，我們都是以整數看待，但是從 1919 以來，數學中已引進了「分數維數」(簡稱分維)的概念，它的維數介於兩個整數之間……。這種具有分維的幾何形體也就是我們所稱的「碎形」。(註 19)

和碎形研究有密切關係的是吸引子(attractor)，所謂吸引子從數學的角度來說，是「給定不同的起始條件,軌跡最後會演化成的狀態的總集合, 若是不可分割成更簡單的獨立個體,則這個最終的結構便是一個吸引子」(註 20)。再以不同的角度來看，吸引子是「指運動軌跡經過長時間之後所採取的終極形態：它可能是穩定的平衡點，也可能是周期性的軌道，但也能繼續不斷的變化，沒有明顯的規則或次序的許多迴轉曲線，這時就稱爲"奇異吸引子"(strange attractor) (註 21)。這種奇異吸引子是俗稱的「蝴蝶效應」。這些混亂的軌跡互相摺疊(folding)、扭曲，而且毫無規則的在不同的區域輪番出現，以至於即時作了很久的觀察，我們也無法預測下一個觀察時間軌跡將何去何從，這個特性，稱爲不可預測性(unpredictable)，這也是渾沌狀態的特性之一，或者反過來說，有這種性質的吸引子就叫做渾沌狀態。而一個奇異吸子也就是一條碎形曲線，碎形曲線在小之又小的尺度上不斷的展現自我的相似性。(註 22)

今天的物理學家、經濟學家、天文學家、電子工程師及解剖學家都開始嘗試如何利用碎形維度解釋形形色色的物體，碎形維度讓我們看出來，樹的每一次分叉、海岸線的每一次轉折，都是一個決策點(decision point)，這些決策點可以再在更小的尺度上檢視，在每個尺度上，我們又會找到更多的決策點。將碎形的觀念應用在管理學上，我們可以得到更多的啓示。

我們以體內的血流爲例，人類血管有動脈和靜脈，動脈和靜脈在體內不斷分支，看似混亂，但可以發現在愈來愈小的微血管的過程中，同樣的複雜分叉形式不斷的出現，一再的重複，碎形的自我相似性在有機體內隨處可見，心跳就是一個例子，心跳遵循一種碎形的韻律，每一次心跳，基本上都是和上一次一樣，但又不完全相同，心跳時間正常的碎形尺度若受到干擾，可能會造成心臟的病變，如此一來，心跳的「正常時間」遂在渾沌和秩序的邊緣地帶游走。(註 23)「渾沌魔鏡」一書以鏡子的架構，說明秩序和渾沌的關係：有面鏡子，鏡子前面是秩序，後面就變成渾沌，渾沌之後又變成秩序，秩序與渾沌是交替的，而當中的鏡子相當於我們所謂的「碎形」。(註 24)這個比喻就如中國古老傳說中的鏡子世界與人的世界的故事(註 25)，秩序和渾沌以一種動態又神秘的方式糾纏在一起。

上面的渾沌、秩序與碎形，可表示如下：

秩序 →碎形 →渾沌→碎形→秩序

每一個碎形都具有整體性、相似性、自組織性、和關聯性，而人類社會也是存續在這種渾沌和秩序的碎形邊緣，秩序經過「疊代反饋，週期倍增」到渾沌，渾沌又經過「鎖相耦合，同調共振」回歸到秩序，有如水汽化爲水蒸汽，水蒸汽又化爲水一般。(註 26)

貳、渾沌理論在圖書館的應用

渾沌理論是一門新興的學科，正處發展過程，它不僅可以用來研究錯綜複雜的自然科學，也可以用來解釋形形色色的社會科學現象；那麼圖書館有那些現象可以應用渾沌的理論？渾沌理論是否可以應用到圖書館學的範疇?這是本節所探討的重點。

一、從「圖書館是一門學科?」談起

「圖書館學是不是一門學科 」?「如果是一門學科，那麼學科的理論基礎何在?」 圖書館學是否是一門學科，事實上取決於什麼是科學的回答。對圖書館學是不是一門科學的懷疑常常是由於對「科學」下了一個限制性的定義所引起，其中最常見的限制是：研究對象(早期，對科學的的定義都侷限在物理世界及其現象的研究，隨著時間的推移，又把科學的範圍擴展到對生物世界及其現象的研究)與研究方法(早期把科學侷限在能夠進行實驗研究的知識領域)；事實上，我們應該從科學的方法上了解圖書館學，探討圖書館學的課程能否培養學生具有清晰的分析和解決問題的能力，能否培養學生獨立思考的能力，能否要求學生不僅要瞭解

前人的工作，也要面對新變化爲本學科作出貢獻。(註 27)

印度圖書館學者阮加納桑(S. R. Ranganathan)在 1931 年發表的著名的圖書館學五律，用演繹的方法，從圖書館經營的五項原則出發，論述圖書館的工作、實際經驗以及圖書館未來的發展變化。阮加納桑的圖書館學五律是：

1.圖書是爲利用而存在。(Books are for use)

2.每位讀者有其書(Every Reader his book)

3. 每本書有其讀者(Every Book its reader)

4.節省讀者時間(Save the time of the reader)

5.圖書館是一個成長的有機體(A library is a growing organism)

讀者至上的觀點在上述五律中顯而可見，五律中也透露出阮加納桑認爲圖書館是一個有機整體的概念。他認爲由於收藏書刊的連續性和讀者使用書刊的公共性，使得圖書館工作具有高度的系統性和嚴密的科學性。圖書館各個部門、各個工作程序之間互相銜接，緊密相聯，往往會牽一髮而動全局，所以圖書館必須樹立整體化觀念，要把圖書館當作一個整體的系統。阮加納桑當年就鑑於圖書館員往往僅限於個人所從事的具體工作，缺乏圖書館工作整體化認識，因而工作往往缺乏全局觀點，如此就難以達成圖書館的任務，爲了達成「節省讀者的時間」，需要各個部門、各個環節緊密配合，互相協調，才能達到預期的目的。比如，不僅需要讀者服務部們改變借閱制度，提高借書速度，還需要參考部門編制各種書目、索引，方便讀者查檢其所需要的文獻。此外，還需要參考諮詢人員做好個別的輔導工作。這種整體化的思想是阮加納桑圖書館學五律的主要精神所在。阮加納桑用了科學的方法分析圖書館學的基礎，當然我們可以同意，阮加納桑的圖書館學五律是圖書館學的理論基礎。(註 28)圖書館學界也有人倡

導圖書館新五律：(註 29)

1.圖書館爲服務人群而存在(Libraries serve humanity)

2. 尊重所有形式的知識傳播(Respect all forms by which knowledge is communicated)

3.善於利用科技提升服務(Use technology intelligently to enhance service)

4.保障知識的無障礙空間(protect free access to knowledge)

5. 尊重過去創造未來(Honor the past and create the future)

所有這些，我們都可以發現，圖書館的本質在於「保存及傳遞人類知識」和「服務讀者」。圖書館的服務所涉及的脫離不了館員、讀者和資訊(資料)，這三者從渾沌的系統來說，都是獨立的系統，不但各自的系統經常變化也互相影響，如何預測這些變化? 是否能把這些變化化成圖書館進步的動力?

近來，圖書館學應用了許多資訊科技以及管理理論，那麼究竟這些理論是不是可以做爲圖書館的理論基礎? 就如有人懷疑「資訊科學理論是一獨立的體系? 還是來自其他學科的理論基礎?」(註 30)

二、渾沌現象在圖書館的應用

傳統上我們把圖書館的服務分爲技術服務以及讀者服務，正如生物醫學的研究慣於把複雜有機體逐漸細分成各小部份來觀察，而忽略了有機體內部各系統之間，乃至組成分子之間交互作用的整體反應一般，我們把圖書館的服務分爲技術服務和讀者服務，又把讀者服務細分爲圖書出納、參考諮詢服務等；把技術服務分爲採訪、編目、館藏發展以至期刊管理……；今天我們都瞭解，這些業務息息相關，都呈現著渾沌現象，亦即前一個事件會影響後一事件發生的結果，比如，圖書採訪的速度、館藏內容的合宜性會影響讀者的需求是否能滿足，文獻有序性的建立會影響讀者檢索資訊的品質；同樣地，參考服務人員的素養，影響讀者所能獲得資訊的正確性。以渾沌理論的術語而言，好的參考人員可以使資訊系統的不確定性及混亂程度得到抑止或降低。同時，好的讀者服務工作可以得到更多讀者的回饋資訊，也就是我們強調的管理學上的正反饋的效應。當然，資訊科技的進步以及資訊科學理論的發展，也帶來了更多的便利和利益，影響圖書館的技術服務，這是一種典型的複雜適應系統。本節就圖書館的生態系統以、讀者服務、技術服務和資訊檢索分別敘述：

㈠圖書館的生態系統

圖書館每一項傳統業務、圖書館館員、圖書館館藏、以至圖書館讀者，都是渾沌現象中的獨立組織；每一組織都是一個複雜系統，每個系統也都是一種動態系統。當系統產生變革，勢必影響整個圖書館的組織。一個事實：當圖書館的服務愈好，讀者反應的問題愈多，讀者的問題愈多圖書館也就愈進步，讀者的關心是圖書館進步的原動力之一。換句話說，圖書館能否預測讀者需求的變化?如何不斷改進自己的服務品質?是進步必須有的過程。

資訊科學的發展歷史上，我們把從布希(Bush)到英國皇家學會會議，這一時期的發展視為「資訊科學發展的孕育期」，此一時期，人們在日常生活中對資訊的需求發生了變化，在傳統的圖書館服務之外，人們渴望有新的資訊服務、新的資訊技術和新的資訊理論，同時，開始將資訊活動和過程作為不同於傳統圖書館工作的社會現象來對待和研究。(註 31)

謝清俊教授認為社會生態改變會產生新的需求，新的社會需求會導致資訊科技的研發與建設，資訊技術的研發則會產生新的資訊服務，有了新的資訊服務型態，使用者做事及生活方法將會有所改變，而做事及生活方式的改變會產生新的價值觀及新觀念，新的價值觀及新觀念的形成又會影響管理者的決策或產生新的政策，新的政策又勢必改變社會的生態，如此生生不息，這種變化完全符合資訊科技促進社會生態改變的因果(圖 1)(註 32)，從系統生態學的觀點來看，新系統的加入會使有機體以一種不同的方式回應新的刺激，從渾沌理論來說，正是一個複雜系統中活躍的混沌邊緣，如果整個社會資訊系統趨於平衡，不再有任何新的需求產生，那麼就不會有新的資訊服務，往好處想，這是一個要啥有啥的世界，也就是所謂的大同世界的眞諦；往壞的方面想，這個社會已經不再是一個「有機體」。

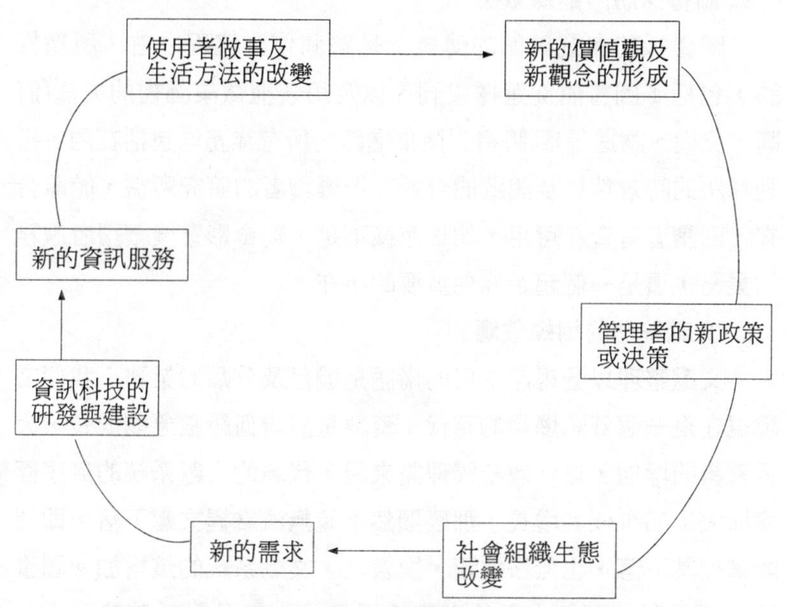

圖 1：資訊科促進社會生態改變的因果

資料來源：謝清俊，「資訊科技對社會的衝擊」(未刊稿)(1996 年 10 月 24 日在資策會演講稿)，頁 5。

將圖書館引入上述的因果關係中，圖書館的各個獨立系統(孤立系統)都受外在因素的影響以及圖書館組織內其他孤立系統的影響；圖書館如果不再接受新的科技，圖書館如果不再提供新的資訊服務，圖書館如果不改變作業方式，讀者的"系統"如果不再有新的需求，圖書館將會往一個穩定的平衡狀態發展；換言之，圖書館將失去存在的價值。阮加納桑的五律視圖書館爲一個整體的有機體，從一個生態平衡的立場來看圖書館的渾沌現象，正驗正了圖書館是一個複雜適應系統的說法，也讓我們瞭解以渾沌理論解釋圖書館各種作業現象的必要性。

㈡ 技術服務

1. 圖書採訪的蝴蝶效應

圖書採訪在圖書館的傳統上是整個作業流程之首，所謂採訪，包括了圖書館從選擇書刊、以及用各種徵集圖書的方法(訂購、交換、贈送等)到將書刊徵集進館的所有業務均包括在內，書刊採訪的時效性以及館藏的合適性影響讀者的研究所需，館藏合宜，則讀者有資料可用，如果館藏不足，則會影響後續讀者服務的業務，這是一個起始條件重要的所在。

2. 文獻整理的蝴蝶效應

文獻整理以圖書館常用的術語是編目及分類的業務；我們常說現在是一個資訊爆發的時代，資料量成幾何級數急劇成長，大量資料的增加，以耗散結構理論來說，代表的文獻系統的無序程度增大，如果任其增長，那麼顯然不僅無法掌握文獻下落，即便能掌握其下落，也無法遍讀，換言之，文獻系統的熵增加。圖書館整理文獻，可使文獻的有序性增加，也就是對系統輸入「負熵」，使文獻成有序，便於利用。(註 33) 這種資訊負熵的輸入是圖書館編目的重要功能。當然，文獻的整理，除了傳統書目的分類編目外，還包括了索引、摘要的整理，圖書館對文獻整理的程度及時效，也直接影響後續讀者的使用，同樣是典型的蝴蝶效應。

3. 館藏發展的蝴蝶效應

圖書館一向以 80/20 定律來敘述館藏和讀者需求的關係，也就是說，圖書館 20%的館藏即能滿足 80% 讀者的需求，當需求量達到巔峰之際，圖書館館藏的投資報酬律即往下降；從渾沌的理論看來，館藏本身是一種動態系統，館藏的不足或者無法滿足讀者，甚至圖書館蒐集館藏的困難、經費的不足或資源的缺乏、讀者對館藏需求的變化，都是一種碎形，將將使圖書館系統產生渾沌現象；當然，此種渾沌現象的產生，也代表圖書館一個革新的契機，圖書館因勢利導，將可改善服務品質，使圖書館整體系統趨向另一個平衡狀態。

4.館藏淘汰與熵的理論

熱力學的耗散結構理論證實，系統的熵產生是隨著時間增加，如果不能有效抑制熵的產生，會導至一個有活力的系統遭受破壞。(註 34)

文獻系統則是一個自發的「熵產生」的過程，傳統上，當館藏激增以至書庫無法存放時，最好的方法，就是「新館舍」但是新館舍的增加不敷時效，當文獻增長到書庫滿架時，也就是熵的產生的時候，合理的汰舊和文獻的整理一樣具有降低熵產生的功效。

㈢ 讀者服務

1. 讀者系統的蝴蝶效應

讀者隨著個性化與價值觀的多樣化發展，對圖書館所提供的「產品」要求，不僅只是功能上的滿足，也會要求有新的使用方式，講求色彩、流行，期望具有意義資訊的產品和服務，類似此類由顧客傳遞出來的市場訊息是企業所無法控制的資訊，圖書館也一樣無法掌握讀者的此種複雜的變化，但是在此種複雜變化的背後，似乎又隱藏著一定的變化模式，使讀者系統在整個圖書館有機系統中呈現出活潑的現象，當然，也影響整個圖書館系統的發展，所以在應用上，我們會針對圖書館服務對象的不同，擬定不同的館藏及讀者服務政策。讀者研究成爲圖書館學甚至圖書館實務中一項重要的研究對象。

2.參考諮詢服務與熵的理論

參考諮詢服務目的在解答讀者的問題，提供所需的資訊(料)，參考諮詢人員的資訊素養以及對館藏的瞭解程度，直接影響服務的成果。以資訊檢索服務的不同深度看來，資訊素養高的參考館員可以爲讀者提供更快速、更確切的資訊，這些資訊可以「減少讀者的不確定性」，從熵的理論，資訊系統的不確定性及混亂的程度，會由於參考諮詢人員的學術造詣及經驗的加深而得到抑止或削弱，用熱力學的術語說，一個學經驗豐富的參考諮詢館員，能更有效的爲系統作「功」。

三、渾沌理論在相似原則

圖書館對收到的資訊(料)，加以整理、分類、編輯、加工，使之成爲有用的書目、文摘，再用之指導讀者使用資訊系統，這是一項典型的有序加工過程，也是圖書館的核心工作之一；以熵的理論分析，這是對資訊系統作功，引入「負熵」，從而使資訊系統的不確定性與混亂程度得到抑制。這種熵理論的應用，正是渾沌理論在資訊科學最基本也是最重要的應用。本節僅就與圖書館資訊檢索極爲有關的相似原則做一簡單整理說明，並以王崇德先生對相似原則論述爲基礎架構。(註 35)

渾沌現象中每一個孤立系統都有自我組織的能力，系統經過渾沌和秩序的碎形邊緣，秩序經過「疊代反饋，週期倍增」到渾沌，渾沌又經過「鎖相耦合，同調共振」回歸到秩序，渾沌系統呈現的是一種自相似性，以資訊科學的理論來說，也就是所謂的相似原則。

人類的資訊行爲與活動對資訊的發出者與接收者之間單純資訊傳遞而言，各種資訊實體或過程不管其社會特徵多麼錯綜複雜，總會在其內部或背後中找出共同具有規律的因素，這就是所謂的相似原則，也可謂資訊科學的基本原理。

自然界與人類社會存在著大量的相似現象，從無際的星系、人類社會的現象、人体的結構、到原子構造，都顯示或隱含著相似性；自然界綠色植物世界裏的葉綠素和動物世界中的血紅素也存在著相似之處；再看看人類的科技發展史：世界大多數民族都不約而同的經歷了石器時代、陶器時代、銅器時代、鐵器時代；人類社會的演進都經歷了原始部落社會、農業社會、工業社會、後工業社會……這些相似性是偶然?

資訊的傳播也存在著相似性，比如，文獻間的資訊轉換與交流傳遞，可以示意如下：

資訊源——→來源文獻——→(轉換規則)——→產品文獻——→接受者
S　　　M(S)　　　　　　　M(R)　　U

文獻間的變換與傳遞過程是在衆多資訊源(S)中，把有用的文獻輸出(或挑選)爲來源文獻 M(S) ，依據通用的或標準的轉換規則，例如索引典、編目規則、機讀格式，把來源文獻M(S)先行主題分析，爲之進行概念標引(Concept Indexing) ，再施符號標引——給出一個或幾個標識(敘詞)，成爲資訊產品M(R)。重新形成的產品——條目，已有別於來源文獻 M(S) ，它是 M(S)的替代品。

在標引過程中也可能出現失誤使文獻傳遞的資訊失眞。但最後終將傳遞給資訊使用者。與人工處理文獻資訊相似，人們設計並運用了機器變換與傳遞資訊。示意如下：(註 36)

資訊源⟶編碼器⟶通道⟶譯碼器⟶接受器

S　　M(S)　　信號　　M(R)　　R

這種機器轉換與傳遞資訊完全是模仿人工文獻資訊轉換與傳遞，相似地建立起機器資訊轉換與傳遞模式。

資訊源(S)的資訊被編碼成爲 M(S)，然後作爲物理信號通過某種載體被傳輸。用於譯碼而接收的信息 M(R)可能不同於 M(S)，因爲信號可能受到某種干擾而失眞，最後送達到接受器(R)。

上述文獻資訊轉換與傳遞多由手工處理; 機器間的轉換與傳遞則由機械加工，兩者有其相似之處，後者是模仿前者使資訊轉換與傳遞由手工處理階段推進到機械加工時代；換句話說，人類利用了相似的原則使資訊的傳播機械化，以至於今天我們所謂的數位化，都是依相似原則而發展。

圖書館資訊服務中，運用最廣的便是資訊檢索，資訊檢索主要即以相關(或稱相似)爲核心，如果沒有相似性匹配，資訊檢索便無從談起。以資訊檢索的相似功能爲中心，匯集了許多相似關係的概念，並加以具體化，便形成了現代資訊科學主體。從渾沌理論的角度來看，則渾沌現象中的自相似性和資訊科學的相似原則有密切關係。

參、結　論

胡錦標先生在《一位科學工作者對社會的關懷》中有段敘述：(註 38)

任何一個社會系統的運作乃是透過三個互動的次系統來達

成的：一個是意識形態次系統，也就是價值系統；一個是制度的次系統，也就是整個社會資源控制規範的系統；第三個是物質次系統，也就是包括物質、技術與經濟層面的系統。整個社會的運作，事實上就是這三個系統彼此交互作用而產生逐步的演化。當其中一個次系統的內容變化，一定會影響到另外二個次系統。

換言之，這些次系統的渾沌現象，會引起整個社會系統產生無序的紊亂，但是經驗也告訴我們，這種無序的狀態在一定的系統內自我發展後終究會達到一個短暫的平衡期，也就是系統自我組織的功能會使組織的各次系統產生平衡，這是隱藏在渾沌後面的一種秩序，這是渾沌理論的基本概念和在社會現象上的呈現。

以科技發展對人類社會長期的效益來看，科技發展對人類社會的演化、其整合效應應是正面的，但其過程卻是曲折迂迴、驚濤駭浪。究其原因，科技具有「雙面刀刃」的特色，一方面可以替人類創造許多生機，同時也製造許多新問題，舉個例，交通科技帶給人類便捷與流通的動力，同時卻也給人類製造新的空氣及噪音污染；電腦及通信科技改變人類資訊傳播的面貌，同時也給人類隱私帶來新的侵犯工具，此種例子，俯拾皆是，不勝枚舉。(註 39)也就是說，當科技製造出新問題，會使社會系統裏的次系統失序而造成紊亂，當然，一個有活力的社會會針對問題解決問題，在系統失序一段時間後終會取得新的秩序，這是一個系統自我組織的基本能力，比如，當前面我們所提的交通科技帶給人類新的空氣汙染和噪音，無鉛汽油就在另一個科技的推動下產生，無鉛汽油也許可以解決部份的空氣污染，使因交通科技帶來的衝擊減到最低，甚至平衡，但是人類新的需求會繼續產生，人類的價值系統會希望一個更好的生活環境，使人類社會的系統呈現不斷的渾沌與活力。再舉個例子，最近新聞報導提到器官捐贈的問題，中國人因信仰及習慣問題，對捐贈器官並不熱衷，記者訪問神經外科醫生(因爲他們是判斷腦死的主角，也是宣布"死刑"的判官)時，醫生們都有共同的痛苦，因爲他們救不回一條生命，卻又希望家屬捐出器官，所以要求病人家屬捐出病人器官對外科醫生而言，是在面對一個殘酷的事實；而另一方面器官移植小組成員，在接到一個捐贈的器官時，常是歡欣異常，只因它的難得以及又可使一個垂危的生命重生，天下事有得必有失，科學的發明，對人類而言，代表的是一種新的工具、一種新的方法、一種新的機會的產生，科學的應用卻隱含建設與破壞，我們回到渾沌的系統中來看科學與人文，這兩系統間表面的渾沌與失序雖然帶著危機，但是審度歷史，科學帶給人類的還是利多於弊，人類縱然不夠聰明，但是只要對有信心，我們應可瞭解發現隱藏在渾沌背後仍有秩序存在。

胡錦標先生在《夸克與捷豹》中的哲學家和船夫是個很好的故事(註40)，這個故事說明史諾(Snow)在《兩種文化》中嚴勵批判「科學與人文在學術文化中彼此形成壁壘森嚴的世界，互相隔閡，還互相對立」。反應在目前我們的熱門問題──圖書館和電算中心角色的扮演上甚爲恰當，兩種不同文化的人，往往易於直覺地留意彼此的差異，這種傾向容易凸顯自己的優越性，而無法虛心彼此溝通，因爲溝通必須在一個彼此平等的基礎和平等的心胸，才能找到彼此的相似；從組織的框框往外走，以標竿學習的方法在對組織持續改善，以追求卓越，是每一個圖書館從業人員應有的體認。

【附　註】

註 1　彼得・柯文尼(Peter Coveney)、羅傑・海菲爾德(Roger Highfield)合著；江濤、向守平合譯，《時間之箭》(The Arrow of Time) (台北市：藝文印書館，民 82 年 9 月)，頁 155-156。

註 2　John Briggs, F. David Peat 合著；王彥文譯，《渾沌魔鏡》(Turbulent Mirror)(台北市：牛頓，民 83 年)，頁 19。

註 3　T. Y. Li & J. A. Jorke, " Period Three Implies Chaos, " American Mathematical Monthly, vol. 82 (1975), 988-992.

本文據：湯家豪，「渾沌與偶然之間」，《二十一世紀雙月刊》20 (1993 年 12 月)，頁 91。

註 4　湯家豪，「渾沌與偶然之間」，《二十一世紀雙月刊》20(1993 年 12 月)，頁 91。文中引《淮南子・詮言》曰「洞同天地，渾沌爲樸，未造而成物，謂之太一」；曹植《七啓》：「夫太極之初，渾沌未分」。

註 5　沃德羅普(M. Mitchell Waldrop)著；齊若蘭譯。《複雜：走在秩序與混沌邊緣》(Complexity-The Emerging Science at the Edge of Order and Chaos)。第二版 (台北市：天下文化，1996 年)，頁 III-IV。

註 6　姜濤(德)，〈混沌理論及其發展簡介〉《歐華學報》第三期 (1993)，頁 146-147。

註 7　同註 6。

註 8　John Briggs, F. David Peat 合著；王彥文譯，《渾沌魔鏡》(Turbulent Mirror)(台北市：牛頓，民 83 年)，頁 145-158。

註 9　王德義，〈信息系統與信息熵〉《情報理論與實踐》84 期(1993 年)，頁 5。

註 10　《國語日報辭典》39 版(民 77 年)，頁 506。

註 11　同註 1。

註 12　同註 1，頁 160。

註 13 同註 1。

註 14 邱錦榮，〈混沌理論與文學研究〉，《中外文學》21 卷 12 期(民 83 年)，頁 51-52。

註 15 葛雷易克(Gleick James)著；林和譯，《混沌：不測風雲的背後》(Chaos) (台北市：天下文化，1991 年 7 月)，頁 23-30。

註 16 同註 14，頁 54。

註 17 彼得・杜拉克(Peter Drucker)；江濤傅振焜譯，《後資本主義社會》(Post-Capitalist Society) (台北市：時報文化，1994 年)，頁 8。

註 18 同註 14，頁 58。

註 19 郝柏林，「世界是必然還是偶然的?——混沌現象的啓示」二十一世紀 3 期(民 80 年 2 月)，頁 93。

註 20 陳義裕演講，劉曉倩記錄，〈淺談混沌〉，《數學傳播》18 (4)(民 83 年 12 月)，頁 40。

註 21 同註 19，頁 88。

註 22 John Briggs, F. David Peat 合著；王彥文譯，《渾沌魔鏡》(Turbulent Mirror)(台北市：牛頓，民 83 年)，頁 19。

註 23 同註 22，頁 140-180。

註 24 馬志欽，〈廿一世紀的熱門科學-混沌理論〉《美國資訊科學學會台北學生分會會訊》9 期(1996)，頁 4。

註 25 同註 22，頁 15。

註 26 同註 24，頁 4-7。

註 27 (印)阮加納桑著；夏云，王先林等譯，《圖書館學五定律》(北京：書目文獻出版社，1988 年)，頁 338-380。

註 28 同上註，頁 338-339。

註 29 Walt Crawford 、Michael Gorman，*Future Libraries: Dreams, Madness, & Reality* (Chicago: American Library Association, 1995), 7.

註 30　A. J. Meadows, " Theory in Information Science, " *Journal of Information Science* 16 (1990), 63.

註 31　張新華，《資訊科學概論》(台北市：台灣商務，1991 年)，頁 28-29。

註 32 謝清俊，〈資訊科技對社會的衝擊〉(未刊稿)(1996 年 10 月 24 日在資策會演講稿)，頁 5。

註 33　王崇德，《情報科學原理》(台北市：農業科學資料中心，1991)，頁 82。

註 34　同上註，頁 88。

註 35　同上註，頁 28-65。

註 36. 同上註，頁 30。

註 37. 同上註。

註 38. 胡錦標，《夸克與捷豹》(台北市：稻田出版社，1996 年)，頁 viii。

註 39. 同上註，頁 viii-ix。

註 40. 同上註，頁 x。

資訊網路時代資訊服務人員的養成教育

施碧霞

國立體育學院共同科副教授
兼圖書館資訊系統組組長

摘要

圖書館正處於一個科技會環境快速變遷的時代，也正面臨空前的挑戰。為了與科技發展及時代脈動相結合，近年來圖書館學系紛紛更名，以更名為「圖書資訊學系」佔多數，但也有「資訊與圖書館學系」，走出以圖書館為主體的學術藩籬，在課程設計上亦與傳統圖書館學有顯著差異，資訊電腦相關課程的比重提高許多。本文將從資訊使用者為出發點，了解使用者在資訊網路時代需要什麼樣的服務，進而探討目前圖書資訊學系的資訊服務人員養成教育，是否能達成目標。

壹、前 言

資訊網路時代，虛擬圖書館、數位圖書館已成爲圖書館發展的趨勢。在知識經濟的號召下，讓圖書館界正視知識，謀求邁入知識管理之道。這些現象在在都說明圖書館正處於一個科技及社會環境快速變遷的時代，也正面臨空前的挑戰。爲了與科技發展及時代脈動相結合，近年來圖書館學系紛紛更名，以更名爲「圖書資訊學系」佔多數，但也有「資訊與圖書館學系」，走出以圖書館爲主體的學術藩籬，在課程設計上亦與傳統圖書館學有顯著差異，提高了資訊電腦相關課程的比重。本文將從使用者爲出發點，了解使用者在資訊網路時代需要什麼樣的服務，進而探討目前圖書資訊學系的資訊服務人員養成教育，是否能達成目標。所謂養成教育將以大學部的圖書資訊學系爲對象，不涉及研究所部分，課程亦以其所開設資訊服務及資訊素養的相關課程爲探討對象。

貳、資訊網路時代的使用者服務

資訊網路時代使用者服務的內涵與趨勢已有很多的討論，這裡將以幾個實例來說明圖書館因應趨勢的具體做法。實例雖以大學圖書館爲主，其他類型圖書館亦有可借鏡之處。

一、 實例一

台灣大學圖書館從民國八十年起針對圖書館所訂購資料庫提供使用者教育訓練課程外，有鑑於網路時代網路資源對於使用者的重要性，於八十五年起正式將網路功能納入使用者教育訓練課程中，安排下列課程(註1)：

1. 「Internet 入門」：網路基本概念介紹、歷史、Internet 功能/資源的基本介紹；

2. 「PINE 介紹」：介紹電子郵件管理軟體 PINE 之操作；

3. 「ELM 介紹」：介紹電子郵件管理軟體 ELM 之操作；

4. 「EUDORA 介紹」：介紹電子郵件管理軟體 EDDORA 之操作；

5. 「FTP 介紹」：介紹 character-based 的 FTP 及 ARCHIE ser-

ver，適用於 Windows 的 FTP client (WS_FTP) 及 ARCHIE client (WSARCHIE)；

6.「WWW 資源介紹」：網路資源搜尋工具的介紹、WWW 資源簡介。

除了課程之外，對於想自我學習的使用者，圖書館亦編寫利用手册放置於圖書館網站及台大BBS圖書館板，供隨時下載，讓使用者可以透過多元管道取得教育訓練課程內容。

二、實例二

威斯康辛大學麥迪遜校區的大學圖書館為館員及使用者設計了一套電腦訓練課程，以提昇其電腦素養(computer literacy)。課程分為四部分(註 2)：

核心能力 1：作業系統

內容：了解所使用電腦平台的作業環境，格式化磁片，檔案管理，如何連上網路。

核心能力 2：硬體及問題處理

內容：硬體基本認識，基本硬體參數設定，印表機、磁碟機、網路纜線故障時的處理。館員訓練原則上特別著重當機時的問題處理，及參考室內不同硬體平台的問題處理。

核心能力 3：軟體及問題處理

內容：了解平時需使用到的軟體、資料剪貼複製、軟體基本設定，檢索結果顯示格式的變更，選擇資料輸出方式(列印、存檔或 e-mail)，精通 Internet 瀏覽器(browser)功能，認識各種常用的檔案格式(pdf、html、txt、jpeg) ，下載適用的應用軟體，必要時能設定瀏覽器以啓動相關應用軟體。

核心能力 4：檢索觀念及技巧

內容：每一常用到的系統均會檢索、顯示檢索結果、輸出檢索結果，了解檢索語意、布林邏輯運算子的使用，資料記錄結構，資料庫主題範圍及涵蓋時間。

三、實例三

加州州立大學洛杉磯分校(CSLA)圖書館提供老師們每學期六個研習營，教導線上資料庫的使用，並協助老師們將資訊素養與課程相結合。研習營之後圖書館希望老師們能配合(註 3)：

1. 鼓勵學生申請圖書館資料庫使用帳號；

2. 在課程大綱上列出與這門課相關的幾個最重要的資料庫；

3. 在課程大綱上列出與這門課相關的網站；

4. 提供學生一份作業的檢索樣本；

5. 設計一個多重步驟(multi-step)的作業。

四、實例四

IFLA User Education Round Table 論題集中在資訊素養、學習方式、電腦使用、網路資源、媒體應用、遠距教育、使用者教育館員的訓練(註四)，亦與圖書館的措施相呼應。使用者教育圓桌會議 1998-2001 之目標爲下列幾項：

1. 於每年年會中辦理研習會，以彰顯使用者教育的重要性；

2. 加強使用者教育的發展與研究，例如，web-based 指導計劃的評估標準；

3. 鼓勵透過圓桌會議的討論群組、通訊(newsletter) 等園地及贊助舉辦研討會，以傳播教學方法及資訊；

4. 經由研討會、研習等方式促進館員在使用者教育方面的教育及訓練。

5. 鼓勵加入圓桌會議以提昇效率。

參、資訊服務人員的專業知能

由以上實例可知提昇使用者的電腦素養(computer literacy)及資訊素養(information literacy)爲使用者教育的主軸，但要達成目標，先要有符合資格與具備相當技能的館員才得以竟其功。網際網路興起後，使資訊的取得不再局限於實體的館藏，網路資源已成爲使用者重要的資訊來源之一了。在面對以電子資訊爲中心的專業發展，資訊服務人員應更專注於下列事項：

1. 良好品質網路資源的分類編目；
2. 答覆使用者問題時重視線上資源的取得；
3. 在機構內重視網路的策略性發展；
4. 教育使用者使具備電腦素養及有效率的使用網路資源(註5)。

因此，除了電腦素養外，具資訊專業的服務人員還應具有下列知識：

1. 了解網路資源的散佈情形；
2. 了解使用網路資源的可能結果、限制與陷阱；
3. 提供相關的網站與服務給使用者；
4. 熟悉不同蒐尋引擎與檢索工具的優缺點；
5. 建構成功的檢索策略(註 6)。

綜合以上論述，資訊網路時代使用者資訊服務的主要內容可歸納爲下列幾項：

1. 參考諮詢服務：解答使用者疑問仍爲資訊服務的重點工作，因此熟悉參考資源，並瞭解使用者的資訊搜尋行為與熟悉檢索策略，是有效率提供資訊服務的必備知能。

2. 使用者教育訓練：對館內使用者與遠端使用者都有提供教

育訓練課程的必要性，服務人員須有教學與教材規劃的能力，以提昇教學效果。

3. 網路資源的組織與利用：資訊服務人員常需評鑑網路資源並編製網路資源主題目錄作爲參考工具，編製常問問題(FAQ)，因此網頁製作亦成爲資訊服務人員必備能力之一。

4. 網路問題處理：使用網路相關聯的硬軟體，常成爲使用者諮詢的問題，因此與網路連線相關的安裝、設定，瀏覽器及相關應用軟體的安裝、設定，已成爲服務人員必備技能及使用者教育訓練的重要內容。

肆、資訊服務人員的養成教育

國內圖書館專業人才的養成教育主要在大學部，在圖書館學系紛紛更名爲圖書資訊學系之際，國內有許多課程革新的探討，台大陳雪華等曾做了圖書資訊相關學系核心課程之規劃研究，文中建議了一核心課程，並提供各圖書資訊相關學系必修課程一覽表(註 7)。爲一窺各校必修與選修課程之相貌，以獲得更完整的背景資料，作爲分析的基礎資訊，因此本文增加新設立的玄奘人文社會學院，計彙整台灣大學圖書資訊學系、台灣師範大學社教系圖書館組、輔仁大學圖書資訊學系、淡江大學資訊與圖書館學系、世新大學圖書資訊學系、玄奘人文社會學院圖書資訊學系等所開設的必修與選修課程(註 8)，並記錄各課程的開課學分數，內容詳見附表一及附表二，因限於篇幅選修課程僅列出讀者服務相關課程及電腦與資訊檢索相關課程。彙整時根據下列幾項原則處理：

1. 課程分類架構採用台大圖書資訊系的課程分類方式，將課程分爲基礎課程、讀者服務相關課程、技術服務相關課程、電腦與資訊檢索相關課程、組織與管理相關課程、其他課程等六類，但有些課程歸類會有見仁見智之議，也造成統計上的誤差。

2. 課程相近者歸納於同一課程之下，不同之課程名稱列於括弧中。然因未能見到各課程之授課大綱，所以課程名稱相近或相同也許並不代表課程內容相近或相同。

3. 同一課程有必修及選修者，同時列於必修及選修清單中，藉以明瞭各校該課程之開課狀況。

由附表一「各校必修課程及學分數」中可知在傳統的圖書館學課程中，各校所開設課程的差異性不大，衹是有些學校在課程名稱上稍有變更，例如：以「參考資源」取代「中西文參考資料」、以「資訊組織」取代「分類編目」……。

在讀者服務相關課程方面，不論在課程開設數或必修總學分數都有很大落差，資料詳見表一「各校讀者服務相關課程開課學分數與課程數一覽表」。必修總學分數最高者為台大 17 學分，最低者為世新 4 學分；必修總課程數最高者亦為台大 6 門課，最低者為世新 1 門課，但若以必修選修合計，則以玄奘開設 18 門課為最多。「參考資料」與「參考服務」是各校皆開設的課程，選修課程則著重在各學科參考資料。

表一　各校讀者服務相關課程開課學分數與課程數一覽表

	台大	師大	輔仁	淡江	世新	玄奘
必修總學分數	17	16	14	14	4	12
必修總課程數	6	5	5	3	1	5
選修總學分數	31	16	24	6	7	26
選修總課程數	11	8	6	3	3	13
總學分數	48	32	38	20	11	38
總課程數	17	13	11	6	4	18

在電腦與資訊檢索相關課程方面，課程開設數或必修總學分數資料詳見表二「各校電腦與資訊檢索相關課程開課學分數與課程數一覽表」。必修總學分數最高者爲輔仁28學分，最低者爲師大7學分；必修總課程數最高者亦爲輔仁9門課，最低者爲師大3門課，但若以必修選修合計，則以玄奘開設18門課爲最多。

表二　各校電腦與資訊檢索相關課程開課學分數與課程數一覽表

	台大	師大	輔仁	淡江	世新	玄奘
必修總學分數	11	7	28	19	24	10
必修總課程數	4	3	9	5	7	4
選修總學分數	21	18	20	22	15	27
選修總課程數	8	9	6	11	7	14
總學分數	32	25	48	41	39	37
總課程數	12	12	15	16	14	18

就資訊服務人員之工作內涵而言，參考諮詢服務方面，各校皆必修「參考服務」(世新爲選修)、「參考資源」、「資訊檢索」等相關課程。然在瞭解使用者搜尋行爲上輔仁及玄奘開設選修的「資訊尋求行爲」，台大、師大、淡江、玄奘則開設選修的「資訊心理學」，皆有助於服務人員對使用者使用資訊的行爲有深一層的認識，減少與使用者之間溝通的障礙。參考諮詢服務除熟悉參考資源及諮詢技巧之外，服務人員的學科背景亦相當重要，有了學科背景才較易與使用者作專業觀念的溝通，提高服務的滿意度，得到使用者的認同。輔仁必修人文、社會、自然學科概論，台大、玄奘則以選修爲主；台大有系定副主修20學分的規定應是加強學科背景理想的途徑，其他各校亦應鼓勵學生修讀輔系。

使用者教育訓練的內容以資料庫檢索及網路使用能力爲主，各校皆開設「資訊檢索」及網路通訊等相關課程，比較欠缺的是教學方法與教材編寫的訓練，只有師大有「教學設計理論」一門課，玄奘有「教學媒體」、「教學科技」等課程，各校另有「多媒體製作」、「視聽資料製作」等課程，皆應有助於教材的編製，若能加強教學理論與教學法的內容，將使學生未來在教育訓練課程的規劃及教學上更具信心。

在網路資源的組織與利用方面，網路資源已成爲大衆資料蒐集的重要來源之一，然網路資源有多變的特性，品質參差不齊，因此服務人員在提供網路資源時，應有評鑑的能力，篩選適當的資源提供給使用者。除世新外，其餘各校皆開設有「網路資源」課程，期盼此課程能著力於網路資源的蒐集、評鑑、維護、管理與其加值服務。再者，資訊服務人員經常需將蒐集的資料以網頁方式呈現，因此基本的網頁製作能力是必須的。然而只有輔仁有「網頁製作」，其他學校沒有獨立的課程，可能是將網頁製作放在網路或「多媒體技術與應用」的相關課程中。各校應重視學生網頁製作能力的培養，因網頁已是圖書館與使用者溝通的重要橋樑。

網路問題處理牽涉到軟硬體相關知識，各校皆開設有「電子計算機概論」、「網路與通訊」、「資料庫管理系統」等課程，應有足夠能力解決圖書館內及遠端使用者的網路連線問題。

伍、結　論

圖書館一向被認爲是資料蒐集、組織與利用的重鎮，在圖書館自動化方面我們已邁開了第一步，館藏書目資料已電腦化，Whitlatch認爲提供圖書的目次或綱要是第二階段可做的事，第三階段則可加上評論性資料，書評或作者的專長、寫作動機等資料，以幫助使用者選擇適當的資料，尤其對遠端使用者助益更多

(註九)。圖書館以對期刊提供目次摘要服務，亦應加強圖書的訊息服務，超越書目而提供更進一步的分析資訊。近來資訊分析與服務機構已由圖書館、資訊中心、資訊分析中心發展到智囊團(Think Tank)，資訊服務內容則由書目、詞典、百科全書、索引、摘要、資訊庫、術語庫、述評(Review)、技術評鑑發展到科技預測(註十)，且隨著知識經濟時代的到來，圖書館的專業發展及服務，更應由資訊分析提昇至知識管理的層次，提昇資訊服務的內涵。綜觀國內各圖書資訊學系的課程，就使用者服務而言，相關的使用者服務、資訊檢索及資訊網路課程已大體符合專業實務上的需求，然其資訊分析的技術與應用能力，及對使用者資訊利用行爲的瞭解與溝通能力，則是有待加強的園地。而在資訊網路時代，資訊的組織與服務已跨越了圖書館這個實體，而以資訊爲主體，因此在圖書資訊學系裡資訊電腦相關課程的開設亦應以資訊蒐集、組織、分析、利用及管理爲中心理念，以有別資訊之於資訊管理學系及資訊工程學系。學校教育祇是踏入專業領域的第一步，在職訓練與繼續教育才是讓專業得以與時俱進的不二法門，所以各圖書館與資訊服務單位應重視在職人才的培育與訓練，才得以讓資訊服務人員成爲永遠的資訊尖兵。

【附　註】

註 1　邱婉容，“網路大學圖書館利用教育：以臺大圖書館爲例”資訊網路時代圖書資訊利用教育研討會論文集，http://www.nccu.edu.tw/paper/2-1.htm

註 2　Alan Krissoff, and Lee Konrad. "Computer training for staff and patrons: a comprehensive academic mode." Computers in libraries 18:1 (January 1988): 31-32.

註 3 Lia D. Kamhi-Stein, and Alan Paul Stein. "Teaching information competency as a third language." Reference & User Services Quarterly 38:2 (1998): 177.

註 4 IFLA. Round Table on User Education. http://www.ifla.org/VII/rt12/rtued.htm

註 5 Robert Newton, and David Dixon. "New roles for information professionals: user education as a core professional competency within the new information environment." Journal of education for library and information science 40:3 (Summer 1999): 154-155.

註 6 同註五，頁 157。

註 7 陳雪華等，圖書資訊相關學系核心課程之規劃研究，中國圖書館學會會報 60 (1998): 85-94。

註 8 各校課程來源：台大 http://www.lis.ntu.edu.tw/chinese/program/undergraduate/affter86_2.htm (86 學年度以後入學學生適用)、師大 http://www.ntnu.edu.tw/ace/help3.htm、http://www.ntnu.edu.tw/ace/help3-3.htm、http://www.ntnu.edu.tw/ace/help3-6.htm (90、91 級新生適用)、輔仁 http://www.lis.fju.edu.tw/dep/lis89.htm (89 學年度新生適用)、淡江 http://www.emls.tku.edu.tw/Course/89 大學部開課表.htm、世新 http://lis.shu.edu.tw/more/cos_university_89All.htm (88 學年度日間部新生適用)、玄奘 http://imserv.hcu.edu.tw/lis/Course_page/88Course.htm (88 級新生適用)

註 9 Jo Bell Whitlatch. "Enhancing the quality of reference service the 21st century." Reference & user services quarterly 38:1 (1998): 16

註 10 賴鼎銘、吳萬鈞。"圖書資訊學教育有待突破的二個方向。" http://lac.ncl.eedu.tw/會報/lac58/art_3.htm

附　錄

附表一　各校必修課程及學分數

課　　程	台大	師大	輔仁	淡江	世新	玄奘	備　　註
基礎課程							
圖書館學導論	2		2			2	
資訊科學導論	2		2			2	
圖書資訊學導論(圖書資訊學概論、圖書館學與資訊科學導論)		4		4	6		
電子計算機概論(電子計算機應用)	3	2	8		*2	2	＊另校定必修子計算機概論2學分
資訊概論				4			
目錄學(中國目錄學)	3	選3	4	選3		2	
讀者服務相關課程							
傳播學概論	2					選2	
科技傳播概論(資訊與傳播原理)		選2		2			
參考服務(讀者服務、圖書館讀者服務)	2	選2	4		選2	2	
參考資源(中西文參考資料)	4		4		4	4	
參考資源與服務(參考資料與服務)		6		6			
教學設計理論		2					
圖書資訊利用(圖書館利用教育)	選3	2				2	
各類文獻（擇一）(社會科學文獻、人文科學文獻、科技文獻、法學資料、企業資訊服務)	3					*2	＊人文學文獻、社會科學文獻擇一

課　　程	台大	師大	輔仁	淡江	世新	玄奘	備　　註
人文及社會科學文獻				4			
科技文獻				4			
人文學科概論			2			*2	＊人文學、社會科學概論擇一
社會學科概論			2				
自然學科概論	選 2		2			選 2	
社會學	3	4					
普通心理學(心理學)	3	2					
技術服務相關課程							
館藏發展(館藏規劃)	4		4		2	4	
圖書資訊徵集(圖書館資料採訪、圖書選擇與採訪、出版與資料採訪)		3		4	4	3	
分類編目學(資訊組織、中西文分類編目、圖書分類編目、分類編目)	8	6	4	8	6	4	
主題分析			4		2		
非書資料(非書資料管理)	3	2		4	2		
檔案管理	選 2	選 2		選 2	選 2	2	
電腦與資訊檢索相關課程							
圖書館自動化	4	3		4	4	2	
資訊檢索(資料庫檢索、線上資訊檢索、資訊儲存與檢索、線上檢索)	3	2	2	選 2	3	選 2	
網路資源(網路資源檢索與運用、網路資源與	2	選 2	2	4		2	

課　　程	台大	師大	輔仁	淡江	世新	玄奘	備　　註
應用、網路資源徵集與利用)							
線上資訊規劃與管理						3	
索引與摘要 (索引及摘要)	選 2	選 2		2	3	選 2	
電腦網路與通訊(電腦網路概論、網路與通訊、網路概論)	2	2	4	選 2	3	選 2	
作業系統導論 (作業系統)	選 3		4				
物件導向語言(程式語言、電子計算機程式寫作)	選 3	選 2	2	4		選 2	
資料結構	選 3		2			選 2	
資料庫管理系統(資料庫系統、資料庫管理、資料庫系統與程式設計)	選 3	選 2	4		6	3	
系統分析(系統分析與系統管理)	選 2	選 2	4			選 2	
媒體概論(多媒體概論)			4		3		
多媒體技術與應用(多媒體資料製作、多媒體編導技術、電腦輔助多媒體、多媒體製作)		選 2	選 4	4	選 3	選 2	
電腦文書處理 (文書處理)	選 2				2	選 2	
中英文電腦輸入法				1			
組織與管理相關課程							
圖書館管理 (圖書館經營管理)	2	2	4	4		2	

課　程	台大	師大	輔仁	淡江	世新	玄奘	備　註
各類型圖書館（擇一）(公共、兒童、專門、醫學、學校圖書館)	3					*3	*公共、大學圖書館管理擇一
學校圖書館(中小學圖書館)	選 3	3		選 2			
統計學(圖書館統計、應用統計學)	必選 3		4	選 2	選 2	選 2	
圖書館資訊法規(圖書資訊法規)	選 2					2	
智慧財產權概論(智慧財產權專題)				選 2	2		
圖書館行銷(公關行銷學、公關與行銷專題)	選 3	選 4		選 2	選 2	2	
人力資源管理						3	
其他							
研究方法與論文寫作(研究方法與寫作格式、圖書館學研究法)	2	選 2		選 2		2	
圖書館學文獻選讀(英文圖書館學文獻選讀)	選 3	選 2				3	
圖書資訊學專題(圖書館學、資訊科學專題研究)	2					4	
圖書館實習(圖書館實務)	2	2	2	4	1	4	
第二外國語	6						
中外圖書館比較研究						2	
圖書資訊學英文					2		
社會教育		3					
社會統計學		2					

課　　程	台大	師大	輔仁	淡江	世新	玄奘	備　　註
社會教育行政		2					
必修學分數	70	54	80	67	57	70	

附表二　各校選修課程及學分數

課程	台大	師大	輔仁	淡江	世新	玄奘
讀者服務相關課程						
傳播學概論	必 2					2
口語傳播學						2
科技傳播概論(資訊與傳播原理)		2		必 2		
參考服務(讀者服務、圖書館讀者服務)	必 2	2	必 4		2	必 2
特殊讀者服務						2
參考諮詢技巧				2		
資訊心理學	3	2		2		2
認知心理學			4			
教育心理學						2
學習心理學		2				
圖書資訊利用(圖書館利用教育)	3	必 2				必 2
人際關係與讀者服務	2					
政府出版品(政府資訊與出版)	2			2	2	2
企業資訊服務(工商資訊服務)	3		4			2
社會科學文獻(社會科學資源)	3	2	4			
人文科學文獻(人文學資源)	3	2	4			
科技文獻(自然科學文獻、自然科學與科技文獻)	3	2				2
醫學資訊服務			4			
宗教學文獻						2

課程	台大	師大	輔仁	淡江	世新	玄奘
法學資料	3					
自然科學概論	2		必 2			2
宗教學概論						2
媒體資源服務			4			
視聽教育(教學媒體)		2			3	2
教學科技						2
視聽資料製作	4					
電腦與資訊檢索相關課程						
索引與摘要(索引及摘要)	2	2		必 2	必 3	2
自動分類與索引	3					
資訊檢索(資料庫檢索、線上資訊檢索、資訊儲存與檢索、線上檢索)	必 3	必 2	必 2	2	必 3	2
資訊尋求行爲			4			2
文獻計量學						2
圖書館自動化專題研究				2		
資訊管理系統						2
圖書館資訊系統(圖書資訊系統)			4			1
個人資訊管理		2				
科技資訊系統					2	
商情資訊系統					2	
人文社會資訊系統					2	
醫學資訊系統					2	
法律資訊系統					2	
管理資訊系統				2		
資訊系統專題(管理資訊系統專題)				2	2	
資料庫概論				2		

課程	台大	師大	輔仁	淡江	世新	玄奘
資料庫製作						2
書目資料庫製作			2			
資料庫管理系統(資料庫系統、資料庫管理、資料庫系統與程式設計)	3	2	必 4		必 6	必 3
作業系統導論(作業系統)	3		必 4			
物件導向語言(程式語言、電子計算機程式寫作)	3	2	必 2	必 4		2
資料結構	3		必 2			2
系統分析(系統分析與系統管理)	2	2	必 4			2
離散數學				2		
演算法			4			
電腦網路與通訊(電腦網路概論、網路與通訊、網路概論)	必 2	必 2	必 4	2	必 3	2
網路專題				2		
網路資源(網路資源檢索與運用、網路資源與應用、網路資源徵集與利用)	必 2	2	必 2	必 4		必 2
網頁製作			2			
電腦在圖書館的運用(個人電腦與圖書館)		2		2		
多媒體技術與應用(多媒體資料製作、多媒體編導技術、電腦輔助多媒體、多媒體製作)		2	4	必 4	3	2
數位影像與處理				2		
電腦繪圖與動畫				2		
資訊科技與圖書館		2				
電腦文書處理(文書處理)	2				必 2	2
圖書館專業文書						2

網頁資料著錄的省思：資料著錄的必要性與作者著錄

吳政叡

輔仁大學圖書資訊系專任副教授兼主任

摘要

自 1990 年 Web 誕生後，網頁成為重要的資訊記載和來源之一，由於網頁數量的龐大，催生了作者著錄的新概念，也打破了資料著錄由圖書館編目人員壟斷的局面。針對此一新趨勢，本文從資料著錄基本目的與功能的角度出發，探討在網頁資料處理上的相關基本課題：電腦時代資料著錄的必要性（或者是需求發生時直接處理原始資料的可行性）、自動化著錄的可能性、和人機系統的先天困境。針對上述問題的分析與歸納結論，是確立了（在可預見的將來內）資料著錄的必要性，接著作者分析目前盛行的兩種處理模式：搜尋引擎與專業資料著錄人員之利弊得失，並由此導出作者著錄興起之必然趨勢。

關鍵詞：作者著錄　資料著錄　元資料　Dublin Core　Metadata

一、前　言

自古以來人們即不斷尋找好的材料來儲存知識，以便流傳後世，從泥土、動物骨頭、龜殼、紙張，到今日的電子儲存媒體（如光碟片和磁碟片）。但是無論是使用何種材料來記載知識，隨著儲存材料的不斷累積，當超出直接逐一翻閱儲存媒體的負荷程度後，基於方便、節省時間、和效率的考量，如何快速來找到所需要的資料，成爲必須解決的一個課題。本文後面的分析顯示，這個古老的宿命（或課題），雖然今日電腦科技突飛猛進和運算速度驚人，仍是一個重要的問題亟待解決。

在電腦發明以前，人類對於此古老課題的主要解決方案，是透過目錄來提綱契領的整理資料，和對資料加以適當的描述，以協助資料的檢索。因此製作目錄的主要目的之一，是希望透過對資料的著錄和描述，來減少不必要的調閱和取得原件的次數，以提高資料檢索的效率，和快速的找尋到所需要的資料。

有關圖書著錄一詞的解釋，根據黃淵泉在《中文圖書分類編目學》一書中的定義爲——「是將書籍的內容和形式特徵，按既定的編目規則記錄起來，以方便讀者來利用或是圖書館員來管理。」（註 1）現在另外一個常使用的同義詞是資訊組織。（註 2）

目前紙張媒體的資料著錄方式，由於書籍可以說是紙張媒體資料的主要代表物之一，因此下面以書籍爲例來說明。書籍的資料著錄主要由圖書館（或類似性質機構）的專業人員來負責，這些專業人員大多數畢業於圖書館相關系所，接受過一定程度的正式專業訓練。在資料著錄時使用的主要工具有編目規則手册、機讀編目格式、權威記錄、分類表、和標題表等。

紙張媒體資料著錄的專業性（或者資料著錄的複雜程度），可以由編目規則手册和機讀編目格式的複雜性來窺見。以臺灣地區圖書館所普遍使用的《中國編目規則》（註3）和《中國機讀編目格式》（註4）爲例，《中國編目規則》有235頁，分甲（著錄）和乙（標目）兩大篇，其下共計26章。而每章中的條款數目多寡雖有不同，但若以甲（著錄）篇中最重要的第一章總則來分析，實際有文字意義的條款140條左右（尚不包括條款中的分款，如1.7.1計有23條分款）（註5）。由以上簡單的統計數字可以推知，《中國編目規則》的複雜程度，不是非圖書館專業人員在短時間內可以熟悉和運用的。

至於資料著錄的另外一個主要工具——機讀編目格式，起源於圖書館嘗試引進電腦做爲處理書目資料的工具，美國國會圖書館首先於1966年創造機讀編目格式（MARC）來處理編目資料（註6），從此以後電腦逐漸取代卡片目錄成爲主要的處理工具。

機讀編目格式的複雜程度，以《中國機讀編目格式》最新的第四版爲例，該書有391頁，由《都柏林核心集與圖書著錄》一書中對其的統計分析可知（註7），中國機讀編目格式分爲8段，使用的欄號共計有121個，平均每段有15.125個欄號，而每個欄號下平均有7.62個分欄。由於中國機讀編目格式的最基本資料單位爲分欄，因此可以說共計有922個資料單位（未扣除資料重複的分欄）。（註8），由多達數百個資料單位可以推知中國機讀編目格式的複雜程度，更非一般人在短時間內可以理解和運用的。

在了解網頁興起前資料著錄主要的處理模式後，在本文的第二節中，首先簡述網頁的興起背景，接著比較網頁與書籍的特色差異。第三節則是主要探討電腦時代資料著錄的一些基本課題，如需求發生時直接處理原始資料的可行性、自動化著錄的可能性、與人機系統的先天困境等議題。本文的第四節比較分析網頁處理模式與作者著錄的需求，最後是結語。

二、網頁與書籍的特色比較

1990年代在人類資訊傳播與處理上最重要的里程碑是World-Wide Web（全球資訊網，簡稱 WWW）的出現，WWW是起源於CERN中的一個增進高能物理學者間互動的實驗計畫（註9），但WWW藉著網際網路的無遠弗屆，親善的使用介面和易寫作的超文件標示語言（HyperText Markup Language，簡稱 HTML）格式，在短時間內形成一股風潮席捲全球，也無形中改變人們搜尋資料的習慣和期望。

WWW的興起也對資訊傳播的方式產生了重大的衝擊，因為從全球性跨國公司到個人，莫不爭相建立自己的首頁，來善用這二十四小時不停的訊息傳播工具。因此網際網路和WWW的相互結合，大幅降低了資訊傳播的障礙，造成資訊量的激增、網頁數量的快速膨脹、和愈來愈多的資訊儲存在網頁上，使得網頁成為重要的資訊記載和來源之一。

總結來說，在1990年代興起前，人們找尋資料的主要途徑有二：一是圖書館製作的書目資料（即書籍的著錄資料）；一是資料庫廠商發行的各種商業資料庫，如LISA等。1990年以後，網頁已成為第三個人們找尋資料的主要途徑，而且其重要性也正與日俱增中。

以下作者就主要資料記載形式、資料涵蓋面、和數量等角度，來探討書籍與網頁基本特性的異同。

	書籍	網頁
主要資料記載形式	文字	文字
資料涵蓋面	廣	窄
數量	相對少	相對多

雖然網頁可以是多媒體的呈現方式，以影像和聲音來傳達訊息，不過文字仍是最精確和便利的資料記載工具，因此目前網路資源的最大宗仍然是網頁，而一般網頁的主體仍爲文字。所以盡管書籍與網頁就外形上看起來是截然不同的，但從兩者資訊記載工具的角度來看，其間的差異並不大。

就資料涵蓋面而言，作者曾有「書籍好比散彈槍與網頁好比手槍」的比喻。（註 10）因爲一本書往往有數百頁，因此書籍的資料涵蓋面通常較大。換言之，書籍有如散彈槍，一打擊出去，往往在資料涵蓋面的靶上，形成一片的彈孔。相反的，一個網頁約略有如書中的一頁，因此網頁的資料涵蓋面通常甚窄。換言之，網頁有如手槍，射擊出去，往往衹在資料涵蓋面的靶上，形成一個彈孔。

由於書籍與網頁在資料涵蓋面上有極大的差異，因此兩者在資料檢索的困難度上也差異甚大。網頁由於資料涵蓋面甚窄，相對來說困難度很高，這也是以網頁爲主要處理對象的搜尋引擎有很高「垃圾」比率的主要原因之一。可是對以處理書籍爲主的圖書館自動化系統而言，就甚少聽聞有類似於搜尋引擎的高「垃圾」比率現象，因爲書籍資料涵蓋面廣，讀者在書中某一章節發現所需資料的機率較大。

三、電腦時代資料著錄的必要性分析

電腦運算快速的程度，是電腦給人印象最深刻的地方，例如現在個人電腦（PC）所使用的中央處理器（CPU）運算速度也已突破 1GHz（每秒 10 億次），即每秒可做 10 億次動作。（註 11）由於電腦運算速度是如此的快速，一個很自然的問題便產生——「需求發生時直接處理原始資料的可行性」，即不必先行對原始資料加工（或描述）來產生像目錄（或元資料）的產品，而以直接處理原始資料的方式，便可達到所要求檢索效能程度的可行性。

如同在本文前言中提及的，爲了快速的找尋到所需要的資料，在電腦發明以前，人類是透過目錄來提綱契領的整理資料，和對資料加以適當的描述，以協助資料的檢索。如今這個古老的宿命（或課題），是否已經可以藉由電腦科技來徹底打破或解決？

很不幸的，目前的證據顯示，這個古老的宿命仍然如魔咒般揮之不去。雖然已有一些技術是利用電腦運算快速能力來直接處理原始資料的例子，如全文檢索即是一個很好的應用範例，如今也被廣泛應用在某些場合。不過，整體來說，由於諸多限制，在需求發生時直接處理原始資料在效率上是不可行的，廣泛應用在 WWW 資料檢索上的搜尋引擎（Search Engine）系統便是最好的舉證，因爲搜尋引擎的運作方式，並非一般人假設的「需求發生時直接處理原始資料」方式，一般人在使用搜尋引擎時，往往誤以爲在打入關鍵字後，電腦是當場以逐字比對的方式來找出那些網頁中含有符合關鍵字的字詞，實際上搜尋引擎的運作方式並非如此。

搜尋引擎的運作方式，正可以證明「在需求發生時直接處理原始資料」方式，往往是非常沒有效率的，尤其針對大量資料的場合，更是不切實際的。搜尋引擎系統主要分兩部份，一個是自動上網收集網頁的系統，一個是將所收集的網頁，利用全文檢索的技術來自動斷字詞（註 12），然後把所取得的字詞建立成類似索引資料庫的系統，做為檢索的基礎。因此當使用者輸入關鍵字後，搜尋引擎是直接查尋其平日已建好的索引資料庫，而非當場直接上網來依序取得網頁，再來比對字詞。也非將所有收集到的網頁全部儲存在系統中，再依序來逐一直接比對所有網頁的全文。

因此從搜尋引擎工作的方式，我們已可清楚了解到一個事實：即便是功能強大和運算快速的電腦，每次都直接針對網頁的內容來搜尋，也是不切實際和無效率的。因此先行對資料做某種程度的加工，即便在數位時代仍然有其必要性。

如果在需求發生時直接處理原始資料的方式行不通，必須要先行對資料做某種程度的加工，那麼完成依賴電腦來加工是否可行？換言之，即自動化著錄的可能性，答案要看我們對加工後產品的品質要求而定。

現在雖然有很多種電腦技術應用在資訊處理上，不過應用的最廣泛也最為人熟知的，莫過於應用於搜尋引擎上來自動斷字詞的全文檢索技術。很不幸的，雖然利用電腦一天二十四小時不間斷的處理，其運作效率是非常驚人的，不過由於加工後產品的品質太低，導至目前在使用 WWW 上的搜尋引擎來收集資料時，大家經常會面臨到的問題之一，是所得到的資料回覆量太多，經常可有上萬條款目，實無法一一來加以過濾，更糟的是，排在前面的款目，又往往不是你所眞正需要的，頗使人進退維谷，祇有瞎猜亂挑。很明顯的，我們需要更高品質的加工產品，而這正是元資料（Metadata）日漸受到重視的原因。

此種電腦技術所面臨的困境是不難預知的，因為此種電腦技術屬於機器智慧的一種應用（註13），因此要明瞭此種應用的可能效能上限，我們必須先行了解目前在機器智慧相關各領域的進展，因為它們是這些應用技術的源頭。以作者對目前人工智慧、類神經元網路、模糊邏輯等相關學科的了解，知道創造一個具有現今一般圖書館員智慧的自動化系統，在現階段仍是一個遙不可及的夢想，因為至今我們連模仿一個三歲小孩說和聽故事的智力都有困難，更別說是模仿一個成年的圖書館資料著錄專業人士。

以利用電腦技術來自動搜尋網頁作者的例子，便可清楚展現和證明上述的闡釋。對一般使用者而言，要正確辨識網頁作者似乎是輕而易舉的。然而，相信現在還沒有人敢自誇已發明某種電腦資料處理技術，幾乎可以做得跟人一樣好。而作者衹是衆多資料著錄項目中，相當基本且簡單的一個項目。由此看來，電腦自動化著錄，在可預見的將來仍然是達不到的夢想。

如果電腦自動化著錄目前不可行，那麼結合聰明的資料著錄專業人員和運算快速的電腦，是否即可以有一個既聰明且快速的人機系統？很不幸的，答案往往是否定的。一般而言，人類對比於電腦，人類的特性是有智慧但動作緩慢，而電腦則是動作奇快無比的白痴。當人類和電腦搭配在一起工作時，往往得到的不是相輔相成效果，反而是互相牽制，成為既笨且慢的系統，這是人機系統的先天困境，也是目前尚無任何人機系統可以有效解決網頁資料搜尋困境的原因。

四、作者著錄與網頁處理模式的比較分析

由前節中所做的分析得知，在需求發生時直接處理原始資料是不可行的，必須先對原始資料進行加工，或是加以描述。然而利用電腦來自動化著錄，在目前及可預見的將來內亦行不通，退而求其次，結合資料著錄專家和電腦，又受限於人機系統先天的困境而無法達到目的。總而言之，在機器智慧相關各領域有所重大突破之前，並沒有快速且可以產生高品質著錄資料（或元資料）的方案。

在沒有最佳解決方案之際，次佳的解決方案又是什麼呢？要回答此問題，須先審查現有的做法爲何？目前在網頁資料處理上最主要的工具是搜尋引擎，而搜尋引擎的運作方式，正如前面介紹的，是採用全文檢索的技術來自動斷字詞，然後建立類似索引資料庫的做爲檢索的基礎，由於整個過程並無人工介入，全部透過電腦來執行，因此可以來處理大量的資料，可惜搜尋引擎產量高但加工後的品質太差。

因爲網頁也逐漸成爲重要的資料來源之一，所以也有圖書館開始介入網頁的處理與整理。當然透過圖書館專業館員來著錄，其所生產的元資料品質很高，然而衆所周知的，圖書館界爲了解決書籍編目人手不足的問題，早就大力推行類似合作編目等方式來解決書籍編目速度過慢的問題。這個現象反映了專業館員生產力低與書籍編目人手不足的問題，同時也宣告了數量與年增加量比書籍更形龐大無比的網頁，即便使用在書籍編目上勉強可行的合作編目方式都是不可行的。因此目前以專業資料著錄人員來整理網頁的方式，祇有應用在小型特定主題網頁資源的整理上，這是由於專業館員品質高但產量少的先天限制緣故。

歸納來說，電腦自動處理是產量高但品質太差無法使用，專業資料著錄人員品質高但產量太少緩不濟急，因此唯一的出路衹有在這二者間尋求折衷點，這便是作者著錄興起的主要因素。

作者著錄方式是以讓網頁作者在製作網頁時，也順手對其所創作網頁加以簡單的著錄（或描述）爲主要的訴求，而所產生的（著錄產品）元資料，其產量和品質都介於電腦和專業資料著錄人員中間。

以作者著錄方式的品質而言，雖然一般網頁作者的資料著錄素養低於專業資料著錄人員，但至少遠超過白癡的電腦甚多。一般網頁作者至少可以很正確的提供如篇名（或題名）、作者姓名、發表（出版）時間等基本資料來支援欄位搜尋，而欄位搜尋本身對檢索效率的影響便非常大，作者曾經進行過一個簡單的實驗來證實此觀點。（註 14）再者，作者著錄在給主題或關鍵詞時雖然無法完全達到控制詞彙的專業水準，但也避免控制詞彙的缺失而更具有新穎性與貼切性。作者著錄方式的最大優勢反映在摘要或對網頁內容的描述上，有誰比網頁作者對其本身的著作更了解呢？不過，一般而言，由於惰性的緣故，網頁作者可能會偷懶略過摘要，甚至一些基本的著錄資料，導致其元資料的品質參差不齊和差異甚大。

以作者著錄方式的產量而言，雖然無法跟電腦的生產力相比，但若是能夠形成共識而徹底實施的話，問題基本上也得到解決了。當然問題解決的程度，有賴於其品質的管制，與專業資料著錄人員須要介入來達到某種資料檢索的要求的程度。

作者著錄正如上面的分析，可以說是目前網頁處理的次佳解決方案與唯一可行方案，然而要實施此種透過網頁作者來著錄的方式，必須要有一些配套的工具與作法，不能直接沿襲和使用目前書籍著錄的工具與作法，這是基於專業訓練、著錄時間、和著錄成本等因素的考量。

就專業訓練而言，衆多行業和各式各樣的網頁作者，其平均的著錄專業訓練和程度，勢必遠低於專業著錄人員，我們也不可能將所有潛在的網頁作者都徵調來受訓，因此對網頁作者專業著錄程度的設定必須盡量調低，在此一前提下，適用於作者著錄方式的工具，必須具有簡單、易懂、易學、和易用的特性。檢視目前應用於書籍著錄的主要工具——編目規則手册和機讀編目格式就並不適用，如在本文之前言一節中的分析，《中國編目規則》有 235 頁和 26 章，而一章中的條款可多達 140 條。《中國機讀編目格式》第四版更厚達 391 頁，有多達 900 個資料單位，根本非一般人在短時間內可以理解和運用的，自然也不適用於做爲作者著錄所使用的工具。

就著錄時間和著錄成本而言，網頁著錄對一般的網頁作者可說是額外的負擔，因此他們願意投注在網頁著錄上的時間是相當有限的。如果網頁作者預期在著錄上所花費的時間會超過其所願意付出的時間，則不是捨棄著錄，就是草率應付，因此作者著錄的著錄時間應該盡可能的短，其著錄成本也須盡可能的少。在此種著錄時間和著錄成本的限制下，所適用的資料格式要簡單，不能像機讀編目格式那樣的欄位衆多和龐雜；著錄指引也要簡易，不能厚達數百頁。

五、結　語

雖然電腦科技的進步和表現另人驚嘆，但是在本文前面的分析中卻明白顯示一個事實，在此場電腦速度與資料累積量的競賽中，速度仍然遠居下風，其結果是我們一如前人般爲龐大的資料量所苦，同時也表示在需求發生時直接處理原始資料是不實際也不可行的作法，因此需要來對資料加以描述（或著錄）的古老宿命依然無法避免。

更進一步的分析顯示，不但無法避免要著錄資料的古老宿命，由於機器智慧的限制，自動化著錄在可預見的將來內亦不可行。退而求其次，結合電腦與資料著錄專家的方案，亦因人機系統的先天困境而無法成功。

另一方面，在檢視目前盛行的兩種網頁處理模式：搜尋引擎與專業資料著錄人員後，發現搜尋引擎的電腦自動處理是產量高但品質太差無法使用，而專業資料著錄人員則品質高但產量太少緩不濟急，因此歸納出唯有產量和品質都介於電腦和專業資料著錄人員中間的作者著錄方式是目前唯一的可行之道。

在了解作者著錄方式興起的時代背景後，就不難理解爲何近年來都柏林核心集會在衆多元資料格式中脫穎而出，成爲最受矚目的元資料格式之一。因爲都柏林核心集最初的設計方向，一是緊扣一般網頁爲主要的資料處理對象（註 15），一是欄位的設計原則緊扣著作者著錄方式。（註 16）

【附　註】

註 1　黃淵泉，《中文圖書分類編目學》（台北市：學生書局，民 85 年 4 月），頁 55。

註 2　陳昭珍，〈電子資訊的組織模式〉，《圖書館學刊》12 期（民 86 年 12 月），頁 163-164。

註 3　中國圖書館學會分類編目委員會，《中國編目規則》，（台北市：圖書館學會，民國 84 年）。

註 4　中國機讀編目格式修訂小組，《中國機讀編目格式》，（台北市：

國家圖書館，民國 86 年）。

註 5 條款數目的計算方式，是扣除純粹標示性的條款如 1.0（通則）和 1.2（版本項）後，計算其餘有數字標示的條款數目，如 1.1.1.10。

註 6 L. M. Chan, *Cataloging and Classification: An Introduction* (New York, NY: McGraw-Hill, 1994), p. 403.

註 7 參見該書第三章中第三節的分析。吳政叡，《都柏林核心集與圖書著錄》，（台北市：學生，民 89 年 12 月）。

註 8 該數字並未扣除資料重複的分欄，由於中國機讀編目格式有不少資料重複的情形，因此該數字有高估的情況。參見註 7。

註 9 T. Berners-Lee, L. Masinter, and M. McCahill, "Uniform Resource Locators (URL)," 1994, 〈ftp://ds.internic.net/rfc/rfc1738.txt〉, p. 1.

註 10 吳政叡，《都柏林核心集與圖書著錄》，（台北市：學生，民89 年 12 月），頁 154。

註 11 這裏的說法有些簡略，並未對所謂的「動作」給與較詳盡的定義，不過讀者仍可由此例了解到電腦運算速度是如何的快速。

註 12 利用電腦來將全文斷字取關鍵字做索引的方式，在圖書館界早已行之有年，並非始自搜尋引擎，讀者請參閱何光國《圖書資訊組織原理》一書之第十五章第七節「索引法」的介紹。何光國，《圖書資訊組織原理》（台北市：三民書局，民 79 年 6 月）。

註 13 這裏作者並未使用人工智慧一詞，主要是探討使電腦更有智慧的研究領域包含甚廣，除了人工智慧外，其他主要的領域有類神經元網路、模糊邏輯、和基因演算法等。

註 14 吳政叡，WWW 資訊檢索的新趨勢-欄位檢索，《中國圖書館學會會訊》110 期（民 87 年 9 月），頁 27-28。

註 15 在衆多種類的元資料中，都柏林核心集是較爲特殊的，主要它是設計來處理所謂的類文件物件（DLO），簡言之，是可用類似描述傳統印刷文字媒體方式，加以描述的電子檔案。而目前Web上大多數的網頁，是符合類文件物件所定義的範疇，因此非常適合利用都柏林核心集來處理。參見：吳政叡，三個元資料格式的比較分析，《中國圖書館學會會報》57期（民85年12月），頁39。以及都柏林核心集第一次研討會報告：Stuart Weibel, Jean Godby, Eric Miller, and Ron Daniel, "OCLC/NCSA Metadata Workshop Report," 1995, 〈http://www.oclc.org:5047/oclc/research/publications/weibel/metadata/dublin_core_report.html〉.

註16 吳政叡，中國機讀權威記錄格式到都柏林核心集的轉換對照表，《圖書與資訊學刊》30期（民88年8月）頁45-67。

讀者如何使用圖書館目錄所提供的書目資訊

—文獻資料分析

藍 文 欽

美國北卡羅來那大學 圖書資訊研究所博士候選人

In designing a theory of bibliographic description, a crucial decision concerns the data elements that should be included in the description of a bibliographic item....It is a question for empirical research.

— Svenonius, 1981, p.99

一、前 言

圖書館目錄是爲使用而設，它是查詢館藏資料所不可或缺的工具。圖書館目錄應具的功能爲何？歷來專家學者的看法並不完全一致（例如：Cutter, 1904; Lubetzky, 1960; Wilson, 1983; Ayres, 1990; Svenonius, 2000）。不過，基本上多數人都同意，圖書館目錄至少要能提供查詢（find）與辨識選擇（identify/select）館藏資料的功用。換言之，圖書館目錄不僅要能協助讀者查知館藏中是否有合乎他需求的資料，也要提供必要且適當的書目資訊，以利讀者迅速有效地鑑別資料是否合用。當讀者所需或合用的資料出現時，目錄還要能指引讀者至架上找到資料。借用 Shera 的話，

圖書館目錄的基本功能，就是「盡可能地在人類與有紀錄的知識間搭建起有結果的關係」（1970, 頁 30）。(註 1)

圖書館目錄既是爲了人們查詢館藏資料而設，不容否認地，在設計圖書館目錄時，應該將現有及潛在使用者的需求和能力列入考慮。約在一世紀以前，Cutter（1904）就已強調，在設計目錄時，「大衆的便利永遠優於編目員的方便」（頁 6）。Randall 在 1930 年召開的美國圖書館學會（ALA）年會中，更進一步鼓吹研究圖書館目錄使用者的必要性。根據他的說法：

> 問題是如何讓目錄配合我們所服務的讀者，…解決這個問題的惟一方法，就是好好的去研究讀者，了解他們的心智狀態、個人背景及需求。如果我們不希望目錄成爲對圖書館員之外的人們無甚意義的一組卡片，我們一定要做這樣的研究。（Randall, 1931, 頁 31-32）

稍後，即有 Akers（1931）利用問卷調查方式，試圖了解文學院學生如何使用目錄中所提供的著錄項目，首開目錄使用研究的先聲。至此，目錄使用研究的重要性，漸爲學者及從業人員所接受，而相關的研究也日益增多。經過這麼多年，數百篇有關目錄使用研究的報告及論述陸續發表，其中有不少已收錄在附錄所列的評論文章中，請參閱。

然而，多數的目錄使用研究，均偏重在探討「現有目錄的使用情形，利用目錄查獲所需資料的成功率，以及讀者所遭遇的主要問題及限制」（Baker & Lancaser, 1991, 頁 181）。相對而言，專門探討讀者如何使用圖書館目錄所提供的書目資訊的研究，數量就相當有限。我們如希望目錄能配合我們所服務的讀者的需求，我們就得了解讀者們所需的書目資訊，以及他們如何使用目錄所提供的著錄項目。單單知道有幾成的讀者使用著者目錄、書名目錄、分類目錄或標題目錄，是不夠的。祇是統計讀者利用各種目錄查獲資料的成功率，亦無助於提昇目錄的效用。正如Svenonius（1981）所言，要知道目錄中應包括那些著錄項目，須藉助實證性的研究。祇有透過目錄使用研究，實際探索讀者使用目錄上著錄項目的情形，了解讀者對書目資訊的需求，我們才能提供適切的圖書館目錄，幫助讀者與館藏資料之間建立起「有結果的關係」。

筆者見聞有限，加上去國多年，對國內圖書館學研究的情形相當陌生；但印象所及，似乎有關讀者如何使用目錄所提供的書目資訊的研究，亦相當罕見。本文的目的，在就知見所及的相關英文論述，加以排比介紹。野人獻曝，旨在拋磚引玉，希望能引起國內的同道重視這個問題。

二、文獻資料分析

Susan G. Akers 的研究（1931）

西元 1931 年，Akers 首先提出讀者使用目錄著錄項目的研究報告。這項研究的主要目的有二：⑴了解卡片目錄上的著錄項目有那些眞正被文學院學生所用，⑵探討那些項目是卡片上未著錄但對讀者可能有用。Akers 設計了一份包含 15 項問題的問卷，然後郵寄給十所參與這項研究的文學院圖書館員；而每位參與的館員，則負責找 30 位較常使用目錄的學生填答問卷。回收的有效問卷，來自九所學校（一位參與的館員未能及時將問卷寄回），總數爲 257 份。結果顯示，目錄上所提供的著錄項目，有些確實較常被用到，像出版日期（91.4%）、著者的姓及名字縮寫（83.3%）、內容分析註（83.3%）、索書號（82.9%）、 册數（73.9%）、版 次（69.6%）、書 名（66.9%）、及 出 版 者

（63.8%）等。而有些著錄項目，相對的就較罕用，如：編者（29.2%）、繪挿圖者（23.7%）、高廣尺寸（20.6%）、叢書註（12.5%）等。另外，部份學生表示希望卡片目錄中能提供下列資訊：著者的國籍資料，著者所屬的學派，及更多有關圖書內容的說明。Akers的研究設計，以今日的眼光看，或不夠嚴謹周延；樣本的選取，也不符隨機樣本的要求。但 Akers 首開目錄使用研究先河，以實例說明讀者使用目錄上著錄項目的情形，是可以用適當的研究方法加以蒐集和分析的。更重要的是，我們了解到目錄上的著錄項目確實有常用和罕用之別，即使我們對何者常用，何者罕用仍有不同的意見。

Robert A. Miller 的研究（1942）

Miller（1942）的研究，主要也在探討讀者實際使用卡片目錄上書目資訊的情形。三位受過訓練的訪談員，于 1937 年十至十二月間，分別前往科羅拉多（Colorado）、內布拉斯加（Nebraska）、及威斯康辛（Wisconsin）大學圖書館，隨機訪談使用圖書館公用目錄的讀者。總計訪談了 870 位目錄使用者，包括大學部學生、研究生及教授。Miller 的報告指出，書名、著者、譯者、內容註、和出版日期，是五項最常用的著錄項目。相對的，著者的生卒年、編者、繪挿圖者、出版地、出版者、高廣尺寸、及叢書等項目，被使用的比率則未超過百分之十。MIller 同時也發現，大學部學生使用卡片中著錄資料的模式，與研究生及教授有些不同。一般而言，研究生與教授們相對的會比大學部學生用到較多的敘述性項目（descriptive elements）。

Willis Kerr 的研究（1943）

Kerr（1943）的問卷調查，以探討教授及學校高階主管如何使用卡片目錄爲主。他共寄出 82 份問卷，對象是在 9 所南加州的文教機構任職的教授、院長及校長。回收的問卷有47份，回收率爲57.3%。47份問卷中，有46人承認他們使用目錄的主要目的，在確認圖書館是否收藏某一本書；如果館中確有該書，則進一步查知排架的位置。Kerr發現他們多數偏好簡單的目錄，而他們較常用的著錄項目，也只不過是著者、書名、出版地、日期及出版者。由於樣本數太小，Kerr 並不認爲他的結論可以加以概括化（generalization）。但他覺得讀者查考的著錄項目，確有集中在少數幾樣的傾向；亦即少數的著錄項目，佔了目錄上被用到的書目資訊的大部分。

Emily K. Brown 的研究（1949）

Brown在1949年二至四月間，於威斯康辛大學圖書館訪談了213位目錄使用者，其中含107位大學部學生，88位研究生，10位教授，及8位其他人士。她的研究指出，所有接受訪談的對象中，祇有百分之十不到的人曾使用過下列著錄項目：出版者、版次、追尋項、書目註、著者的生卒年、編者、叢書項、譯者、繪插圖者及高廣尺寸。她甚至懷疑，即使省略目錄中的某些著錄項目，可能也不會影響到目錄對多數使用者的用途。(註2)

Fernando Penalosa 的研究（1949）

Penalosa（1949）爲探究大學生如何使用圖書館卡片目錄，以隨機抽樣的方法，在丹佛（Denver）大學圖書館及丹佛公共圖書館各訪談了一百位大學生（含研究生）。這項研究發現，書名、著者、出版日期、及標題追尋項，是讀者最常用到的著錄項目。其他項目被使用的比率，均不及百分之十。某些著錄項目，像叢刊改名、叢刊編者、館藏記錄、傳記主、及繪插圖者等，甚至從未被這些訪談對象提及。另外，Penalosa 指出約有百分之十四的學生，希望目錄中能提供更多有關內容的說明，這與 Akers

的發現吻合。而進一步分析這些學生查檢一張目錄卡會使用多少個著錄項目時，Penalosa 發現大學部學生平均每張卡片使用 1.47 個著錄項目，研究生則是 1.81 個項目。Miller 的研究曾指出研究生一般比大學部學生使用較多目錄上的敘述性項目，Penalosa 的發現再一次印證了這個現象。值得一提的是，根據這份研究，目錄中完備的書目記錄，讀者會用到的著錄項目，平均起來每張目錄卡不到兩個。(註 3)

Elizabeth C. Lee 的研究（1952）

雖然訪談對象衹包括 40 位女性大學生，Lee（1952）的研究一樣發現，目錄上的著錄項目有不少是鮮被用到的。她提到某些項目，像出版者、叢書註、出版地、插圖、繪插圖者、譯者、叢刊編輯、及叢刊改名等，使用率均在百分之十一以下。(註 4)

Margaret S. Riddle 的研究（1952）

Riddle（1952）的研究，目的不在全面性地探討讀者如何使用目錄中的著錄項目，衹有著者、書名、版次、譯者、稽核項、內容註、及插圖等項目，被列爲研究分析的對象。Riddle 訪談了 1,265 位大學部學生，41 位研究生，及 14 位教授。研究顯示，接受訪談的這些讀者，對目錄中提供的書目資訊都不感興趣。針對上列的著錄項目，只有略多於百分之四的受訪者表示，他們曾用到著者、書名、及內容註等項目。(註 5)

Geraldine O. Amos 的研究（1955）

Amos（1955）的調查，主要是想查明那些著錄項目是較常用的，而那些又是較爲罕用的。Amows 的訪談對象，以 Dillard 大學的大學部學生爲限。先是用問卷調查學生的意向，共計回收問卷 441 份；然後再由其中隨機抽選 140 位，進行面對面的訪談。結果指出著者、書名、索書號及標題，依序是四個最常被用到的著錄項目。相反的，出版日期、出版地、出版者、版次、內容分析註、揷圖及頁數，則是較爲罕用的項目，被用到的時機竟低於百分之四。相對而言，Akers、Miller、Penalosa、及 Riddle 均指出內容分析註或有關內容的說明，是讀者較常用或較希望有的項目；但 Amos 的研究中，它卻是罕用的項目。(註 6)

Sindey L. Jackson 的報告（1958）

1958 年，美國圖書館學會的資源與技術服務組（Resources & Technical Services Division）主導了一項大規模的目錄使用研究，這份報告通常被稱爲 Jackson 研究。它的主要目的，在了解目錄使用者對目錄的需求，同時評估現有的目錄是否能充份地滿足這些需求。在 12 週內，由 137 位訪談員分別前往 39 所不同類型的圖書館，共晤談了 5,494 位目錄使用者。研究報告中，有部份是根據從專門圖書館所得的訪談資料所做的深入分析。它著重在探討讀者面對相同主題標目時，會運用那些目錄上提供的書目資訊作爲選擇的參考。結果顯示，書名是最常用的項目（37%），出版日期居次，而語言（英文）則居第三。至於其他項目，被用到的機會均低於百分之十。不少讀者認爲書名具有說明內容的指標作用，但不是所有的書名均能明確的表明主題內容。值得注意的是，讀者用到出版日期的機會比著者多出四倍；換句話說，當主題標目相同時，讀者或許會希望目錄是依年代先後排列，而非著者的字母順序。總括而言，這份報告認爲只有很少數的讀者使用卡片目錄中所提供的書目資訊。不過，研究者也認爲不宜遽下斷語，希望能有更多的相關研究。

Laraine Kenney 的研究（1966）

爲探討目錄使用者的需求，及了解他們如何使用圖書館目錄，國際勞工組織（International Labour Organization）的圖書館曾於 1966 年進行一項讀者調查研究。根據 Kenney（1966）的報告，這項研究分爲兩步驟進行。首先，研究者蒐集總館及十所分館在某段期間內收到的讀者索書單；然後，統計分析索書單中讀者用來描述所需資料的書目資訊。由於讀者可從不同的角度描述所需資料的特徵，索書單中讀者眞正用到的項目，就被假定爲是讀者用來辨識所需資料的書目資訊。結果顯示，讀者最常用來描述資料特徵的項目，依序爲書名、團體著者、主題、及個人著者。除此之外，研究者又採用問卷，調查讀者使用目錄的偏好和習慣。回收可用的問卷，共計 70 份。結果顯示，讀者認爲最重要的項目，依序有四：主題、個人著者、書名、及團體著者。雖然分析索書單及問卷調查所得的結果順序不同，但基本上，讀者最常用的四個項目卻是一致的。（註 7）

芝加哥大學圖書館學研究院的未來目錄需求研究（1960 年代後期—1970 年代初期）

芝加哥大學圖書館學研究院於 1960—70 年間，進行過一系列有關未來目錄的需求的研究。Swanson（1972）針對這些研究，寫過一篇介紹性文章，可參閱。這些研究的重心，在所謂的「可記憶性實驗」（memorability experiment），主要在探討讀者見過一本書後，有那些圖書特徵是較容易記住的，而且可幫讀者日後由圖書館藏中找到該書。在這些研究中，有一項是由 Cooper（1970）負責，旨在探究著者、書名及標題之外的一些圖書特徵，在檢索上可能發揮的效用。Cooper 的研究，包含 24 項圖書特徵，如出版日期、資料類型、頁數、裝訂、顏色、適用對象層次、高度、引文、索引、書名、圖表等。Cooper 發現單使用這 24 項圖書特徵中的一種，對辨識選擇圖書並無多大用處。但是，如能同時用到二個或二個以上的圖書特徵時，就能幫助讀者更容易地區分出所要或非所需的圖書。尤其是配合著者、書名、或標題使用時，即使讀者所知有關著者、書名或標題的資訊並不完整或不正確，這些圖書特徵確能有效地幫助讀者縮小檢索範圍。

Intrex 計畫（1969-1972）

Intrex（Information Transfer Experiments）計畫，是麻省理工學院（Massachusetts Institute of Technology）由 1965 年開始進行的一項以電腦處理資訊儲存與檢索的實驗。它的主要目標之一，是針對未來需求建立一個新型的目錄。它的兩個主要研究問題是：目錄中的那些著錄款目對大學內不同社群讀者是必需且有用的？甚麼是將那些著錄款目加以編碼及呈現的最佳方式？針對這些需求及問題，研究者設計了一個所謂的擴增型目錄（augmented catalog），包含了大約 115 個著錄項目。接著在 1969 至 1972 年間，研究者主導了三次實驗，用以測試這個擴增型目錄的實用性與效益。在第三次實驗時，測試對象是 19 位眞正需要查詢目錄以解決自已資訊需求的讀者。根據這項實驗，書名、著者、館藏地點及主題合起來大約佔了讀者需求項目的 24%，而摘要則佔了約 20%。Marcus、Kugel、和 Benenfeld 進一步分析這項實驗 的結果，他們說：

> 在所有讀者需求的項目中，祇有七個欄位出現的次數超過百分之一。這些欄位可大致歸類爲指示主要內容的欄位（如：書名、摘要、主題索引、內容摘錄、及著者），和指示書目資訊與館藏位置的欄位（如：書名、基本書目資訊、館藏地點、及著者）。（1978，頁 18）

由書名是讀者最常用到的項目，這項發現，他們進一步推論讀者最需要的，可能是有關主題內容的簡要介紹。

Marcus、Kugel、和 Benenfeld 主導的另一個研究，是探討目錄上各種不同項目對讀者的用處。他們找來20個讀者，請讀者依據他們對目錄上各種項目的實用性加以排序。排序的方式有二，一是依據該項目在評估資料時是否有幫助（研究者稱之為usability），一是依據讀者在評估資料時是否眞正用到該項目（研究者稱之為 utility）。結果顯示，兩組排序的結果並不一致，顯見讀者的實際作為與他們的說法間，確有差異存在。不過，大致而言，具有指示內容作用的欄位，像摘要、書名、索引辭彙、目次表、內容摘錄等，讀者都認為相當有用。整體而論，摘要、書名、及索引辭彙，大概是三個最有用的欄位。至於讀者平均使用的欄位數目，研究者發現中位數只有4個而已（Murcus, Kugel, & Benenfeld，1978，頁19）。

Ben-Ami Lipetz 的研究（1970）

耶魯大學圖書館於1969—70年間進行的讀者調查，是歷來相當受重視的目錄使用研究之一。根據 Lipetz（1970）的報告，這項研究的主要目的，在評估如何讓現有的目錄系統更能配合讀者的需求，以及了解讀者使用目錄的情形，作為設計一套較佳的電腦化目錄系統的參考。首先，研究者花了六十二週的時間，觀察讀者使用圖書館目錄的情形；然後根據所觀察到的運用模式，審愼地設計了一份訪談時間表；最後花了整整一年時光，總共訪談了2,134位目錄使用者。據研究者估計，這個樣本大抵代表了全年目錄使用者人數的百分之一。

研究結果指出，目錄使用者一般最常用的檢索點，就是像書名或著者之類的線索。雖然出版日期很少被用為查檢目錄的主要檢索點，但它是第三個讀者最常用到的項目。一般讀者在從事標題檢索時，通常會用到下列項目以決定所找到的資料是否有用：範圍註或內容分析、書名或副書名、其他主題標目、著者、出版日期、語言、及索書號。如果同一主題下的資料太多，不易確定其相關性時，讀者多半會以稽核項的資料作爲選擇的參考；其中頁數一項，尤其被視爲一種「判斷是否能以最少的心力（least effort）就得以瀏覽和掌握一本書內容的工具」（Lipetz,1970,頁65）。整體而言，這項研究發現「著者、書名、及標題之外的資料項目，在協助解決檢索點不夠明確或不很正確的檢索問題時，肯定有其正面的價值」（Lipetz,1970,頁 71）。而針對標題檢索言，「目錄中與主題無關的著錄項目，確可以幫助讀者選擇出最可能有用的資料，和剔除最不可能用得上的資料。實質上，目錄上的每一個著錄項目都有裨於讀者選擇圖書，但每一個著錄項目的相對用處，則因人及不同的檢索而異」（Lipetz,1970,頁 5）。

A. Maltby 和 A. Duxbury 的研究（1971）

爲了解目錄上各種著錄項目對讀者的用處，Maltby 和 Dubury 於 1971 年十一月至十二月間，選擇英國的四所學術圖書館及四所公共圖書館，共訪談了 1,150 位目錄使用者。在這項研究中，不包含著者、書名、及標題三個項目；他們的重點，在了解讀者對這三個項目之外的其他著錄項目的使用情形及看法。Maltby 和 Dubury 發現，讀者認爲最有用的著錄項目，依序爲出版日期、版次、出版者、及出版者所在的國家。挿圖、頁數、及圖書價格，則是次常用到的項目。他們也提到，讀者希望目錄能針對某些書提供簡短的評論、註解或內容說明，這點與 Akers 的發現相符。此外，有關著者的資格（qualification），亦是部份讀者希望增列在目錄中的項目。

Richard P. Palmer 的研究（1972）

密西根大學圖書館所做的目錄使用調查，亦是重要的目錄使用研究之一。根據 Palmer（1972）的報告，這項調查的目的，在探討那些人使用圖書館目錄、了解他們的目的、他們的查檢方式、他們是否成功地找到所需要的資料、以及他們如何使用圖書館目錄。但它還有項更主要的目的，就是測試讀者是否能由一個只包括五個著錄項目具實驗性質的簡單型的電腦化目錄中，成功地找到他們所要查索的資料；如果不能，那除了已包括在簡單型目錄中的著錄項目外，尚須增列那些款目？經過 8 個星期，研究者共訪談了 5,067 位目錄使用者，其中以大學部學生（40.34%）及研究生（46.85%）佔大多數。

研究結果顯示，五個最常被用到的目錄款目，依序爲書名、著者、索書號、標題、及出版日期。內容註及版本項的使用情形，則居次。大約有 13%的讀者會用到册數，而 10%的讀者用到出版地、合著者、及出版者等項目。值得一提的是，除了著者及合著者之外，這項研究並未探討讀者如何使用其他與著者有關的項目（如：編者、譯者、繪插圖者等）。研究結果同時發現，目錄使用者的教育程度愈高，所用到的著錄款目就愈多，這點與 Miller 及 Penalosa 的研究相吻合。依據 Palmer 的報告，平均而言，大學部學生每查檢一筆目錄會用到 4.34 個著錄項目，研究生用到 4.36 個項目，而教授則用到 4.91 個項目。這項研究最有趣的發現，是這個只包括著者、書名、索書號、標題、及出版日期五個項目的簡單型目錄，竟可以滿足大約 84%的讀者的查檢需求。如果增加內容註作爲第六個著錄項目，則讀者的滿意率可提昇至 90%。

英國第一次全國性目錄使用研究（1973）

英國第一次全國性的目錄使用研究，是在 1971 年由英國圖書館學會的編目及索引組（Cataloguing and Indexing Group）主持，委付全英的 15 所圖書館學校，分就所在區域選擇若干圖書館，進行讀者訪談。根據 Maltby（1973）的報告，總計有 3,252 位讀者填答問卷，其中有 1,914 位爲目錄使用者。結果顯示，目錄上的著錄項目被使用的比率不高。依據 Maltby 的分析，

> 傳統上提供的目錄項目，很少被讀者用到。在某些例子裡，内容分析註和簡短的内容説明，反而受多數的讀者歡迎。這樣的事實清楚的指出，有關圖書的内容或範圍的説明，通常比目錄中慣常提供的敘述性著錄項目來得有用。（1973，頁 22）

這項研究發現，除了著者及書名之外，出版日期、出版者、版本、及圖書價格等項目，是讀者最常使用的著錄項目。其次，則是揷圖及頁數。值得注意的是，本研究中的讀者群，對上述項目之外的書目資訊，可說是「幾乎或毫不在意」（Maltby，1973，頁 15）。

Valentina DeBruin 的研究（1977）

多倫多大學圖書館于 1976 年，決定關閉它的卡片目錄，改採電腦輸出的縮影目錄（Computer Output Microfiche, COM）。爲了測試新置的COM目錄系統的運作情形，特於 1977 年初展開一項評估性研究。該校的 COM 目錄包括四個子系統，有依分類號排列的完整書目記錄、加上著者、書名、及標題三種索引。三個索引系統提供的著錄項目較簡略，祗包括：著者、書名、簡略版本敘述、出版日期、索書號、館藏位置、及記錄序號。評估的項目之一，即在了解三個索引子系統提供的簡略書目，是否能滿足讀者的查檢需求。根據 DeBruin（1977）的報告，研究者共訪談了 554 位目錄使用者（240 位大學部學生，105 位研究生，20 位教授，167 位館員，及 22 位其他人士）。

訪談的結果顯示，三個索引系統提供的簡略書目，似乎在

「大部分時候均能滿足多數目錄使用者（含館員）的需求」（DeBruin，1977，頁 261）。大約有 89.2%的受訪者認爲，簡略書目提供的著錄項目已經足夠，他們多半不需要再去查檢依分類號排序的完整書目記錄。最常使用完整書目記錄的，是負責圖書採訪的館員，因爲他們需要較完整及詳細的書目資訊作爲選書的參考。除了訪談讀者外，研究者另採用觀察法，實地觀察讀者使用 COM 目錄的情形。觀察的結果亦與訪談的發現相符，亦即多數讀者的目錄需求，大部分時候只要用到三個索引的簡略書目即可解決。美中不足的是，這項研究並未進一步分析讀者使用目錄上著錄項目的情形。不過，這項研究是在眞正的圖書館環境中測試簡略書目的實用性，它的結果仍是值得注意的。

英國目錄研究中心的一系列研究（1977 – 1981）

在 1977 至 1981 年間，英國的目錄研究中心（Centre for Catalogue Research，原名 Bath University Programme of Catalogue Research）在大英圖書館的經費贊助下，曾先後進行過一系列有關目錄使用的實驗。這些研究的主要目的，在評估讀者對目錄著錄項目的需求，以及比較著錄詳略層次不同的目錄的實用性。

1979 年在 Birmingham Polytechnic 圖書館進行的研究，即是目錄研究中心主導的實驗之一。這項研究的特色，是一套實驗性質的簡單型目錄，暫時取代了圖書館原先使用的 COM 目錄，而成爲讀者查詢館藏的主要工具。COM 目錄原有提供的若干著錄項目，像著者的名字（forename）、出版地、出版者、叢書項、附註、及 ISBN 等，均不包括在這套簡單型的目錄裡。因爲這項研究的目的，即在測試「如果目錄中不提供某些著錄項目，對目錄的使用效率的影響會有多大」（Hall & Seal，1980，頁 5）。在一個月的期間內，讀者都被要求以這套實驗性質的目錄查詢館藏；如果讀者覺得有必要知道更詳細的書目資料，讀者仍可使用圖書館原來的 COM 目錄。研究者由 1,335 位實驗目錄的使用者中，選擇了 153 位進行訪談，以了解他們對這套簡單型目錄的看法，以及他們的目錄查詢是否成功。另外，研究者又用問卷蒐集那些仍須使用 COM 目錄的讀者的意見，以進一步探討爲何他們仍須用到COM目錄。最後回收的可用問卷，計 62 份。根據訪談及問卷資料顯示，多數讀者認爲圖書館目錄的主要功能，就是作爲查詢館藏的工具。研究結果發現，讀者使用這套簡單型目錄以致無法順利查到所要的資料的失敗率，大約是 8%。依 Seal（1983）的解釋，所謂的失敗率，是指「讀者用一般目錄可查到的館藏資料，透過這套簡單型目錄卻無法查得；或者是因簡單型的目錄提供的資訊不足，以致無法分辨相似的作品，或由其中挑出所要的特定作品」（頁 148）。換言之，與原用的 COM 目錄相較，這套簡單型的目錄，仍可滿足大約 92%讀者的查詢需求。另外，結果還指出，大約有 45%的讀者分辨不出這套實驗目錄與原先的 COM 目錄有何差異；而 24%的讀者甚至認爲簡單型的目錄較易於使用。

為了比較一般目錄與這個實驗性的簡單型目錄的效用，目錄研究中心另外進行了三項研究，分別在二所大學圖書館及一所公共圖書館，進行目錄使用者的問卷調查。該問卷主要用來蒐集讀者在接受調查時，已知有關所要查詢資料的相關資訊。問卷回收的份數，分別是 673，1,002,及 758 份。研究者根據由讀者處蒐集來的書目資訊，利用簡單型的目錄重新查詢一次，以比較兩者的成功率是否有顯著差異。研究結果再次顯示，簡單型的目錄仍能滿足大多數讀者的查詢需求。這三項研究的失敗率，大抵在 1%至 3%之間（Seal, Bryant, & Hall, 1982）。除此之外，目錄研究中心，亦曾就查檢速度及正確率做過比較性研究，結果指出，簡單型目錄相對而言，正確率較高，查檢速度也較快（Seal, Bryant, & Hall, 1982）。

由目錄研究中心所主導的這一系列研究中，似乎可以發現，如果讀者能夠選擇的話，「多數讀者較偏好使用簡單型的目錄，覺得它的查檢速度較快，也較易使用」（Seal，1983，頁145）。整體而言，他們的研究結果指出，「目錄中通常會提供的許多書目資訊，事實上被讀者用到的機會並不大；甚至由於提供這些資訊，讀者有時反而不容易找到他們所要的一些作品」（Seal，1983，頁144）。

Steven S. Chwe 的研究（1979）

南加州大學圖書館學院曾進行過一項先導試驗，主要在探討那些著錄項目應包括在新的COM目錄中。根據Chwe（1979）的報告，研究所用的問卷，是由三位教編目方面課程的教授設計，其中包含13個著錄項目。調查對象是以選修某三門圖書館學課程的學生爲限，每一個學生針對問卷中所列的著錄項目的必要性加以評分。結果顯示，著者及書名兩項，是目錄的著錄項目裡讀者認爲最必需的。出版日期及版本項，在這群受訪者眼中也是相當有用的。此外，在他們的答案中，稽核項、叢書項、及ISBN都是很少用到的項目。至於出版項、追尋項及附註等，則介於常用與罕用之間。受訪的學生也被問到，在13個調查的著錄項目外，是否須增加其他項目。雖然有若干項目曾被提及，但索書號似乎是多數人最在意的。根據研究的結果，Chwe 認爲「許多目錄上的著錄項目，不過因爲有也不錯而被包括在內，而且只是可能會用到而已」（1979，頁96）。

Josefa B. Abrera 的研究（1982）

Abrera（1982）的研究，主要也在探討讀者如何使用目錄中提供的著錄項目；但他的方法與一般慣用的問卷或訪談法不同，而與Kenney（1966）所採的方法較爲近似。他的基本假設是，當讀者在提出參考諮詢的問題時，他們所提供的相關書目資訊，或許可解釋爲讀者較常用到的著錄項目。在1968至1969年間，Abrera 花了七個月的時間，由一所公共圖書館的參考部門，共蒐集到2,656份讀者提出的參考諮詢需求記錄。其中有2,270個參考問題，與查檢圖書的書目資訊或標題有關。分析的結果顯示，2,270份需求記錄中有57.7%只提供了一個著錄項目；有29.9%提供了二個著錄項目。這些項目中，較常見的有書名、著者、標題、資料類型、及作品型式。整體而言，書名、著者、及標題三項，大約佔了所有出現在這些需求記錄中的著錄項目的67%。如果加上出版項及資料類型，則所佔的比率可提高至90%。Abrera認爲，參考諮詢需求記錄中，「有相當高比率只用到目錄結構中的一個或二個著錄項目，顯示讀者的問題…只需用到簡單的檔案結構」（1982，頁35）。

Peter Simmons 和 Jocelyn Foster 的研究（1982）

University of British Columbia 的圖書館，爲了解讀者使用該館縮影目錄的情形，曾進行過一項目錄使用研究。它的目的之一，就是評估目錄中不同著錄項目的用途。根據Simmons和Foster的報告（1982），資料蒐集工作，是由一班圖書館學院的學生負責，利用9個星期的時間，在校園內最大的兩所圖書館內訪談讀者。在訪談過程中，每個受訪者都會收到兩張目錄卡片；訪談者會要求他們將目錄卡片中沒用到的著錄項目刪除。最後回收可用的完整問卷，計200份。其中有98位受訪者，至少刪除卡片中一個或一個以上的著錄項目。這98位中，有62個人不認爲ISBN

具必要性，也有60個人認爲稽核項可刪除。大約有介於40至50人左右，認爲下列項目或可以省略：序論的著者、叢書註、出版地、及出版者。另外，有28個人認爲標題追尋項不必要。問卷的結果同時顯示，有83位受訪者希望目錄中能提供更多標題或內容說明。而Simmons和Foster的結論更指出，「讀者對到底看了多少個著錄項目或看過那些著錄項目，沒有很強烈的感覺」（1982，頁54）。似乎讀者對目錄中的著錄項目並不在意，對它們的用途亦不很明白。

Stephen A. Osiobe的研究（1987）

Osiobe（1987）的卡片目錄使用研究，是在奈及利亞的 Port Harcourt 大學圖書館進行 的。 Osiobe 所欲了解的問題之一，是「卡片目錄中的那些著錄項目，在大學部學生從事目錄檢索時最爲有用」（頁262）。研究採問卷法，由大學部學生中隨機取樣，最後回收499份可用的問卷。結果顯示，大約有略高於百分之五十的受訪者，認爲版本、附註、叢書及出版地等項目，對他們的目錄檢索是有幫助的。祗有大約43.7%的受訪者表示，稽核項是有用的項目。Osiobe認爲多數受訪者使用圖書館目錄的目的，在查檢已知著者或書名的圖書(known item)，所以對稽核項的需求就不是那麼高。有趣的是，即使只有少數的幾個著錄項目，在過半數的受訪者眼中是較有用的；但卻有相當比率的受訪者表示，目錄中提供的著錄項目都是有用的。

Jon R. Hufford的研究（1991）

Hufford（1991）的研究，主要在探討參考館員如何使用目錄中的著錄項目。在1984至'85年間，由Rutgers大學、紐約大學、及紐約州立大學 Stony Brook 分校的圖書館，先後共訪談了74位參考館員。研究發現，這些參考館員在查檢目錄時，最常用到的著錄項目依序爲：書名、著者、館藏資訊、索書號、連續性出版品的年月記錄、出版年、連續性出版品的卷期、出版地、出版者、及追尋項。其他的項目，則很少用或從未被用到。這十個較常用的項目，佔了英美編目規則第二版中規定的63個著錄項目的15.9%；但在所有被用到的著錄項目中，他們卻佔了95.1%。Hufford的發現，再次印證了目錄中的著錄項目，有大部份很少被讀者用到。即使是參考館員，他們平常用到的著錄項目也是少數幾個而已。

Annie T. Luk 的研究（1996）

Luk（1996）的論文，是多倫多大學圖書館學院所進行的一系列有關書目資料選擇與顯示方式的研究之一。她藉著與線上目錄的使用者進行焦點團體（focus group）討論，蒐集他們對目錄著錄項目及顯示方式的看法和意見。參與這項討論的目錄使用者，依他們所用的母語可分爲兩組：以英語爲母語的有13位，以廣東話爲母語的有16位。兩組讀者再依年齡，各區分爲三組。針對這六組使用不同母語及不同年齡層的目錄使用者，Luk 先後進行過六場焦點團體討論。除此之外，每個參與討論的讀者，還要評估五種不同的目錄顯示方式，並針對37個目錄著錄項目的重要性加以排比。結果顯示，以廣東話爲母語的這組參與者，認爲最重要的十個著錄項目，依序爲書名、著者、索書號、出版者、摘要、標題、資料類型、出版年、ISBN、及適合閱讀程度。以英語爲母語的參與者，則認爲下列十個項目最重要：書名、著者、摘要、索書號、出版年、標題、資料類型、適合閱讀程度、出版者、及其他著者。兩組所選的項目中，有九項是一致的，雖然兩組所列的優先次序不同。不過，在以廣果話爲母語的這組，ISBN列爲最重要的十個著錄項目中的第九，倒是很有趣的現象；研究者提出的解釋，是這組讀者中有若干人曾以 ISBN 查檢過資料，故給予較高的分數。有些項目，像是國會卡片號或ISSN，兩組參與者都認為不是很重要，甚至也不明白他們代表的是什麼。研究結果同時顯示，參與討論的讀者，一般都希望能獲得更多有關圖書內容的訊息，像內容註或摘要等。當他們被問到是否認為某些著錄項目應由目錄中刪除時，他們卻顯得猶豫不決，不願提出刪除的建議。他們認為，「一定有某種理由讓目錄中要呈現那些書目資訊」，而「他們雖不了解所有著錄項目的作用，但無論是誰，祇要是需要用到那些項目的人，應該都會明瞭的」（頁112）。

Jimmie Lundgren 和 Betsy Simpson 的研究（1997；1999）

Lundgren 和 Simpson（1997）針對佛羅里達大學的全部專任教授進行一次問卷調查，以了解他們對目錄中著錄項目的用處有何看法。寄發的問卷總數為 1,956 份，但回收的可用問卷僅 392 份，回收率約為 20%。研究者設計了一份包含 17 個著錄項目的表格，受訪者依他們對這些項目的用處的看法，分別給予 1～5 分（由極不贊成至十分贊成）。根據研究者的分析，受訪者對這 17 個著錄項目的用處持同意看法的比率，依序為：書名（99%）、主要著者（97%）、出版年（95%）、標題（92%）、其他著者（88%）、叢書（84%）、摘要（76%）、內容註（74%）、標準號碼（70%）、出版者（65%）、頁數（65%）、相關書名（65%）、有關參考書目的註記（57%）、出版地（51%）、有關索引的註記（45%）、插圖（32%）、及高廣尺寸（22%）。這樣的結果再次印證，目錄中著錄項目的重要性及用處不是齊一的，在讀者眼中，某些項目確是較為有用的。部分受訪者同時表示，他們使用目錄的主要目的，在確定館藏中是否有他們要找的書；如果有，再查明館藏位置。除非他們因為準備參考書目而需要更多的書目資訊，他們通常只用到少數目錄中提供的著錄項目。此外，研究者指出，在這次調查中，沒有一個受訪者認為目錄中應增加新的著錄項目。

稍後，Lundgren 和 Simpson 又由佛羅里達大學的研究生中，隨機抽樣選擇了 1,500 人進行另一次問卷調查。此次調查的目的，在探討圖書館目錄中針對 Internet 資源所提供的書目資料是否恰當和有用。最後回收的問卷只有 453 份，回收率未達 30%。結果顯示，大多數受訪的讀者，贊同圖書館目錄中應包括 Internet 資源的書目記錄，同時要提供超連結（hyperlink），讓讀者可以直接透過圖書館目錄檢索到所需的網路資源。此次研究評估的著錄項目，計有二十項，仍是請受訪者就這些項目的功用加以評分。研究結果顯示，受訪者認為書名、主要著者、網址（URL）、及內容註或摘要，是最有用的著錄項目。至於適用對象（level）、館藏中的相關作品、創作日期、更新日期、使用限制、其他著者、及使用時所需配備的軟體等項目的用處，則略次於前述的項目。相對而言，僅有少數的受訪者，認為標準號碼、出版者、及出版地等項目是有用的。不過，此次調查中所評估的所有著錄項目，在受訪者眼中至少都獲得有用處的正面肯定。由於圖書館目錄中針對 Internet 資源所提供的書目記錄，基本上仍是以圖書為導向的設計，研究者原先顧慮會有不適用的問題；但本研究中的受訪者，並無人就此提出意見，亦無人建議目錄中應增列新的著錄項目。

三、分析與討論

由上述的文獻分析，吾人不難發現，讀者使用目錄中著錄項目的情形，是有相當的差異性存在，除了因人而異外，也會因查檢的圖書資料不同而有所改變。根據某些圖書館員的觀察，讀者似乎會用到大部份目錄中提供的著錄項目。例如，Mudge（1934）以她三十多年的圖書館員經驗，申稱她從未見過目錄卡片中提供的任何一個著錄項目，是讀者未曾好好加以運用的。Winchell（1955）的觀察，亦與 Mudge 的經驗近似，她提到

> 雖然我要坦白承認，目錄卡片中的書目資訊，並不是每天都會有讀者加以應用；但我有時會想，如果編目員有機會看到各種書目資料被用到的數量之大和頻率之繁，他們一定會很驚訝的。（頁 202）

他們的經驗，在若干前述的目錄使用研究中，亦有相似的發現。例如：Lipetz（1970）提到，當讀者所知的檢索點不是很清楚或不是很正確時，許多著錄項目都有助於解決目錄查檢上的疑難。而許多與標題無涉的著錄項目，也能幫助讀者縮小檢索的範圍。而 Osiobe（1987）也指出，多數受訪的讀者認爲，目錄中所提供的著錄項目大部分都有用處。在 Lundgren 和 Simpson（1999）的研究中，讀者對所有列入評估的著錄項目的用處，同樣也給予正面的評價。

然而，少數的著錄項目，在讀者的眼中確實是較爲重要或較有用處。上述的研究中，有大半發現，目錄中提供的著錄項目，只有少數是讀者常用的，許多項目則是偶而用到或罕用。雖然這些讀者常用的著錄項目，在不同的研究中或會有不同的發現；但是他們共同的模式，就是少數的著錄項目可以滿足多數讀者在目錄檢索上的需求。Palmer（1972）、Debruin（1977），及英國目錄研究中心所主導的一系列研究，均以實驗證實，簡略型的目錄仍能滿足大多數讀者的需求。Hufford（1991）的研究，也明白的

指出，AACR2 規定的 63 個著錄項目中，只有 10 個最常被參考館員用到，約佔了所有被用到的著錄項目的95%。顯而易見，讀者使用目錄中著錄項目的模式，正是典型的 Bradford 分佈曲線，亦即少數的著錄項目，佔了所有被用到的書目資訊中的大部分。所以，Krikelas（1972）認爲「可獲的證據已明白指出，相對而言，只有少數的書目資料是讀者較常用到的」（頁 201）。Svenonius（1981）也提到，「已經有相當多的證據顯示，多數公共圖書館及學術圖書館的讀者，只對最多不超過五個的著錄項目感興趣」，所以她進一步強調，「或許不需要更多相關的研究來證實它了」（頁 99）。 Line（1988）也認爲簡略目錄可發揮精確辨識所需館藏的功用，這點已由「實驗及實際作業中得到證實」（頁 11）。

若干研究同時指出，讀者查檢目錄時，每一筆記錄平均用到的著錄項目的數目，也是很有限的。Penalosa（1949）發現，讀者平均只用到每張卡片上的 1.57 個項目。Palmer（1972）所報告的數字較高，讀者平均用到每張卡片上的 4.6 個著錄項目。Marcus、Kugel 和 Benenfeld（1978）也提到，讀者平均要求的著錄欄位，其中位數是 4 個。與目錄中提供的書目資訊相較，這樣的數字可說是相對地偏低。Riddle（1952）、Jackson（1958）、Malthy（1973）、Simmons 和 Foster(1982)、及 Lundgren 和 Simpson（1997）都提到，讀者對目錄中的書目資訊是不太感興趣的。

要將上述目錄研究的結果做一番比較，並不是件容易的事，因爲每個研究所涉及的著錄項目及所用的研究方法，並不盡相同。不過，大致而言，多數的研究均指出，書名、著者、標題及出版日期，是讀者較常用到的項目；雖然它們排列的先後順序，因不同的研究而略有差異。而若干研究，像 Kerr（1943）、Osiobe（1981）、Seal（1983）、Lundgren 和 Simpson（1997）等，提到多數讀者主要將目錄作爲查檢館藏（finding list）的工具，所以他們習慣上會先用到與書名或著者有關的書目資訊。因此，書名與著者作爲目錄上的著錄項目，相對的就成爲多數讀者最常用的項目。這點亦可由 Wildemuth 與 O'Neill（1995）所做的讀者研究，得到進一步的證實。根據他們的研究，讀者在查檢書名或著者已知的圖書時，通常他們所已掌握的資訊，包括書名、著者、出版日期、出版者、及標題；而書名（91%）與著者（77%）又是其中最爲讀者所確知的。

值得一提的是，Baker 及 Lancaster（1991）認爲多數讀者會利用作品的語文，先行篩選圖書。作品所用的語文，誠然是影響讀者選書的一大因素，但上述的研究中，多半未曾探討語文對讀者使用目錄有何影響。或許他們的基本假設，就是以英文作品爲主。這些研究中，只有美國圖書館學會的調查（Jackson, 1958）及 Lipetz（1970）的研究中，曾明確地指出語文是讀者用來篩選圖書的重要因素。

此外，部分目錄使用研究，像 Amos（1955）、Lipetz（1970）、Palmer（1972）、 Marcus、Kugel、和 Benenfeld（1978）、及 Luk（1996）等，亦曾提到索書號是讀者常用的著錄項目之一。不過，與書名、著者、出版年及標題等項目相比，索書號在協助讀者找到所需或合用的圖書方面，似乎功能不彰。許多讀者並不了解索書號所代表的類別爲何，索書號多半是他們查詢目錄後所要記下的結果；但在選擇的過程中，索書號對一般讀者或許無法發揮辨識圖書內容的功能。所以索書號的基本功用，仍是以指示館藏位置爲主。

除了常用的著錄項目外，部分研究亦提出次常用及罕用的項目。不過，何者屬於次常用，何者屬於罕用，結果常因不同的研究而有變化。某個著錄項目在甲研究中，或可歸於次常用一類；但在乙研究中，卻可能被歸入罕用。然而，綜括而言，有部分著錄項目確是較常被歸入罕用一類的，像編者、繪揷圖者、叢書註、標準號碼、著者的生卒年、及叢刊註等均屬之。

而那些項目又是現有目錄所無，卻爲讀者所希望增列的呢？不少研究發現，讀者最希望目錄中增加的項目，就是有關圖書內容的說明。Akers（1931）、Panalosa（1949）、Maltby 及 Duxbury（1972）、Palmer（1972）、Maltby（1973）、Simmons 及 Foster（1982）、和 Luk（1996）一致指出，讀者希望目錄能提供更多的內容分析註、解題或摘要，以幫助他們辨識和選擇圖書。而Marcus、Kugel、和Benenfeld（1978）的報告亦可證實，書名、摘要、及索引辭匯等具指示內容作用的欄位，是讀者認爲最有用的項目。另外，在 Akers（1931）和 Maltby 及 Duxbury（1972）的研究中，亦有部分讀者希望增加與著者的資格或著者所屬學派有關的資訊。

由上述的目錄使用研究中，似可歸結出讀者較偏好簡單或簡略型的目錄，因爲它們較容易使用，查檢的速度亦較快。目錄上讀者認爲不需要或用不到的著錄項目，有時反而影響或干擾到讀者選書。Kerr（1943）和 Abrera（1982）的研究均明白指出讀者喜歡簡略目錄。Brown（1949）曾懷疑，即使目錄中刪除若干著錄項目，也不影響到目錄的用途。而Seal（1983）亦指出，大約有 45%的讀者分辨不出實驗性的簡略目錄與原先的 COM 目錄有何差異，而 Intrex 計畫及 Palmer（1972）、DeBruin（1977）、Seal（1978；1983）等研究，則以實驗證實簡略目錄足可滿足多數讀者查檢目錄的需求。然而，有趣的是，當讀者被問到他們是否覺得某些著錄項目應從目錄中刪除時，他們的反應卻是持保留的態度。他們認爲這些項目被包括在目錄中，一定有其道理，所以保留著也無妨；即使他們現在用不到這些項目，或許別人有這樣的需求，或許日後他們自己會用到也說不定。正如 Chwe（1979）所言，不少受訪者表示他們雖用不到這些項目，但目錄中能提供也很好。

總而言之，由上述目錄使用研究的結果可知，不論目錄的型式爲何（卡片目錄、COM 目錄或線上目錄），著錄項目的使用模式呈 Bradford 分佈曲線，即少數常用的項目，可滿足多數讀者的需求，雖然說結果因研究而異，著錄項目確可歸類爲常用、次常用、及罕用（包括從未用過）三類。若干實證性的研究，用實例證明簡略目錄已足可滿足多數讀者的需求；如果讀者可以選擇的話，他們較偏好簡略目錄，因爲較易使用，查檢速度也較快。這些觀點對圖書館的編目作業，至少可以有兩點啓示。第一，圖書館界目前仍在探討簡略編目的問題，或可由上述研究中借鏡，了解讀者對目錄的需求及使用目錄中著錄項目的情形。當然，我們必須先界定圖書館目錄的功能爲何？不少研究指出，讀者使用目錄主要是爲了查檢館藏。如果目錄主要是作爲查詢館藏的工具，則簡略目錄似可滿足多數讀者的需求。第二，即使完整編目仍有其必要性，並不表示目錄中需要顯示所有登錄的項目。現代目錄以線上目錄爲主，目錄顯示格式是可以調整，也可以有多樣化。讀者既然偏好簡略目錄，認爲好用且易檢，或許目錄的顯示格式就該配合這種需要。或者可以提供繁簡層次不同的顯示格式，或可由讀者自訂顯示項目。換言之，儘量讓目錄中只顯示讀者需用的著錄項目，以減少不必要的困擾，進而增加讀者辨識與選擇圖書的效率。

【附　註】

註 1　Shera 這段話，原是用來闡述圖書館目的：因他正好可適切地表達出目錄是館藏與使用者間的橋樑，故此處借用來形容圖書館目錄的基本功能。

註 2　在 1949 至 1955 年間，有若干碩士論文均以目錄使用研究爲主題。今日要查閱這些論文並不容易，筆者無法檢讀原文，此段所述係根據 Palmer(1972,頁 23)的評述而來。稍後仍有類似的情形，筆者會一一加註說明。

註 3　根據 Palmer(1972,頁 24-25)的評述。

註 4　根據 Palmer(1972,頁 26-27)的評述。

註 5　根據 Palmer(1972,頁 27)的評述。

註 6　根據 Palmer(1972,頁 28-29)的評述。

註 7　Lancaster(1977)認爲這個例子正好顯示「實際觀察到的行爲，與人們口頭上所說的作爲或偏好，不一定總能相吻合」，所以他強調「觀察實際行爲要比詢問人們如何作爲來得有用」（頁 61-62）。

〔謝啓：本文承內子黃齡寬謄打及校改，謹此致謝。〕

後　記

認識盧師荷生，緣於二十多年前就讀輔大時，修習盧師所授中國圖書分類編目課程。時盧師仍在北一女任教，並兼圖書館主任，故平時見面請益機會不多。輔大卒業後，反而較有機緣在一些會議中與盧師碰面，每回均承垂詢近況，且多有教益。後承乏輔大，乃有機會親炙盧師，於爲人、處事及治學方面多蒙啓牖，獲益良多。其後個人自忖實務經驗不足，遂有另覓圖書館工作之念；盧師雖未必贊同，卻仍詳爲剖析得失，一本開放與樂觀其成之心予以成全。事過經年，如今思之，於老師關懷、教導與提攜之情，仍不能忘懷。

個人粗知圖書分類編目之學，實得自盧師之啓蒙；一向對分類編目有所偏好，或亦肇因於盧師當年所撒佈之種子。任教輔大時，承盧師推介，得以參加中國圖書館學會之分類編目委員會，使個人見識得以提昇，兼又習得許多第一手經驗。惜秉性疏懶，多年來一事無成，有負老師教誨之情。此次選擇以讀者如何使用目錄資訊爲題，雖係野人獻曝之作，實寓有飲水思源之心。

最後，謹撰嵌字聯兩付。一以賀盧師七秩大壽，恭祝老師，如崗如陵，樂享期頤；一則略表爲人弟子者，感念盧師關愛教誨之深意。

荷盞稱觴介眉壽，
生申懸弧歌九如。

册府延薪傳，荷澤立論人受教；
杏壇弘化育，生公說 法石點頭。

附錄：評述目錄使用研究的文獻舉隅（依出版日期排列）

Montague, E. A. (1967). Card catalog use studies, 1949-1965. Unpublished maser's thesis, University of Chicago.

Aubry, J. (1972). A timing study of the manual searching of catalogs. Library Quarterly, 42(4), 399-415.

Krikelas, J. (1972). Catalog use studies and their implications. In M. J. Voigt (Ed.), Advances in Librarianship (Vol. 3, pp. 195-220). New York: Seminar Press.

Palmer, R. P. (1972). Computerizing the card catalog in the university library: A survey of user requirements. Littleton, Colo.: Libraries Unlimited.

Lancaster, F. W. (1977). The measurement and evaluation of library services. Washington: Information Resources Press.

Hafter, R. (1979). The performance of card catalogs: A review of research. Library Research, 1(3), 199-222.

Weintraub, D. K. (1979). The essentials or desiderata of the bibliographic record as discovered by research. Library Resources and Technical Services, 23(4), 391-405.

Atherton, P. (1980). Catalog users' access from the researcher's viewpoint: Past and present research which could affect library catalog design. In D. K. Gapen, & B. Juergens (Eds.), Closing the catalog: Proceedings of the 1978 & 1979 Library and Information Technology Association Institutes (pp. 105-122). Phoenix: Oryx Press.

Markey, M. (1980). Research report on: Analytical review of catalog use studies. (OCLC/OPR/RR-80/2). Columbus, OH: OCLC.

Cochrane, P. A., & Markey, K. (1983). Catalog use studies - since the introduction of online interactive catalogs: Impact on design for subject access. Library and Information Science Research, 5(4), 337-363.

Seal, A., Bryant, P., & Hall, C. (1982). Full and short entry catalogues:

Library needs and uses. Aldershot, UK: Gower Publishing Co.

Hildreth, C. R. (1985). Online public access catalogs. In M. E. Williams (Ed.), Annual review of information science and technology (Vol. 20, pp. 233-285). White Plains, NY: Knowledge Industry Pub.

Kinsella, J., & Bryant, P. (1987). Online public access catalog research in the United Kingdom: An overview. Library Trends, 35(4), 619-629.

Lewis, D. W. (1987). Research on the use of online catalogs and its implications for library practice. Journal of Academic Librarianship, 13(3), 152-156.

Baker, S. L. & Lancaster, F. W. (1991). The measurement and evaluation of library services (2nd ed.). Arlington, VA.: Information Resources Press.

Drabenstott, K. M. (1991). Online catalog use needs and behavior. In N. V. Pulis (Ed.), Think tank on the present and future of the online catalog: Proceedings (pp. 59-83). Chicago: ALA.

Peters, T. A. (1991). The online catalog: A critical examination of public use. Jefferson, NC: McFarland.

Norgard, B. A., Berger, M. G., Buckland, M., & Plaunt, C. (1993). The online catalog: From technical services to access service. In I. P. Godden (Ed.), Advances in librarianship (Vol. 17, pp. 111-148). San Diego: Academic Press.

Drabenstott, K. M., & Vizine-Goetz, D. (1994). Using subject headings for online retrieval: Theory, practice, and potential. San Diego: Academic Press.

O’Brien, A. (1994). Online catalogs: Enhancements and developments. In M. E. Williams (Ed.), Annual review of information science and technology (Vol. 29, pp. 219-242). Medford, NJ: Learned Information.

【引用書目】

Abrera, J. B. (1982). Bibliographic structure possibility set: A quantitative approach for identifying user's bibliographic information needs. Library Resources and Technical Services, 26(1), 21-36.

Akers, S. G. (1931). To what extent do the students of liberal-arts colleges use the bibliographic items given on the catalogue card? Library Quarterly, 1(4), 394-408

Amos, G. O. (1955). The extent to which the students of Dillard University use the card catalog. Unpublished master's thesis, School of Library Service, Atlanta University.

Ayres, F. H. (1990). Duplicates and other manifestations: A new approach to the presentation of bibliographic information. Journal of Librarianship, 22(4), 236-251.

Baker, S. L. & Lancaster, F. W. (1991). The measurement and evaluation of library services (2nd ed.). Arlington, VA.: Information Resources Press.

Benenfeld, A. R. (1969). Generation and encoding of the project Intrex augmented catalog data base. In D. E. Carroll (Ed.), Proceedings of the 1968 Clinic on Library Applications of Data Processing (pp. 155-175). Urbana, IL: University of Illinois. Graduate School of Library Science.

Brown, E. K. (1949). The use of the catalogue in a university library. Unpublished master's thesis, Graduate Library School, University of Chicago.

Bryant, P. (1987). The Centre for Catalogue Research. International Cataloguing, 16(2), 27-31.

Chwe, S. S. (1979). A study of data elements for the COM catalog. Journal of Library Automation, 12(1), 94-97.

Cooper, W. S. (1970). The potential usefulness of catalog access points other than author, title, and subject. Journal of the American Society for Information Science, 21(2), 112-127.

Cutter, C. A. (1904). Rules for a dictionary catalog (4th ed.). Washington, DC: Government Printing Office. The first edition was issued as part 2 of the Special Report on Public Libraries and was published by the Government Printing Office in 1876.

DeBruin, V. (1977). "Sometimes dirty things are seen on the screen" : A mini-evaluation of the COM microcatalogue at the University of Toronto Library. Journal of Academic Librarianship, 3(5), 256-266.

Hall, C., & Seal, A. (1980). A short-entry catalogue put to the test. Catalogue and Index, No. 56, 5-8.

Hufford, J. R. (1991). The pragmatic basis of catalog codes: Has the user been ignored? Cataloging and Classification Quarterly, 14(1), 27-38.

Jackson, S. L. (1958). Catalog use study: Director's report. Chicago:

American Library Association.

Kenney, L. (1966). The implications of the needs of users for the design of a catalogue: A survey at the International Labour Office. Journal of Documentation, 22(3), 195-202.

Kerr, W. (1943). The professor looks at the card catalog. College and Research Libraries, 4(2), 134-141.

Krikelas, J. (1972). Catalog use studies and their implications. In M. J. Voigt (Ed.), Advances in Librarianship (Vol. 3, pp. 195-220). New York: Seminar Press.

Lee, E. C. (1952). Use of the card catalog by Spelman students in the Spelman and Trevor Arnett Libraries. Unpublished master's thesis, Atlanta University.

Line, M. B. (1988). Satisfying bibliographic needs in the future – from publisher to user. Catalogue & Index, No. 90/91, 10-14.

Lipetz, B.-A. (1970). User requirements in identifying desired works in a large library: Final report. New Haven, CT.: Yale University Library.

Lubetzky, S. (1960). Code of cataloging rules: author and title entry. [n. p.]: American Library Association.

Luk, A. T. (1996). Evaluating bibliographic displays from the users' point of view: A focus group study. Unpublished master's thesis, Faculty of Information Studies, University of Toronto. Available online: http://www.fis.utoronto.ca/research/programs/displays/luk.pdf.

Lundgren, J., & Simpson, B. (1997). Cataloging needs survey for faculty at the University of Florida. Cataloging and Classification Quarterly, 23(3/4), 47-63.

Lundgren, J., & Simpson, B. (1999). Looking through users' eyes: What do graduate students need to know about Internet resources via the library catalog? Journal of Internet Cataloging, 1(4), 31-44.

Marcus, R. S., Kugel, P., & Benenfeld, A. R. (1978). Catalog information and text as indicators of relevance. Journal of the American for Information Science, 29(1), 15-30.

Maltby, A. (1973). UK catalogue use survey: A report. London: Library Association.

Maltby, A, & Duxbury, A. (1972). Description and annotation in catalogues: Reader requirements. New Library World, 73 (862), 260-262, 273.

Maltby, A., & Sweeney, R. (1972). The UK catalogue use survey. Journal of Librarianship, 4(3), 188-204.

Miller, R. A. (1942). On the use of the card catalog. Library Quarterly, 12(3), 629-637.

Mudge, I. G. (1934). Present day economies in cataloging as seen by the reference librarian of a large university library. Bulletin of the American Library Association, 28(9), 579-587.

Osiobe, S. A. (1987). Use and relevance of information on the card catalogue to undergraduate students. Library Review, 36(4), 261-267.

Palmer, R. P. (1972). Computerizing the card catalog in the university library: A survey of user requirements. Littleton, Colo.: Libraries

Unlimited.

Penalosa, F. (1949). An investigation of the manner in which students of the University of Denver use the card catalog. Unpublished master's thesis, University of Denver.

Randall, W. M. (1931). The uses of library catalogs: A research project. Catalogers' and classifiers' yearbook, Number two, 1930. Chicago: American Library Association. pp. 24-32.

Requirements study for future catalogs. Progress report no. 2. (1968). Chicago: Graduate Library School, University of Chicago.

Riddle, M. S. (1952). The use of a card catalog in the library of a typical women ' s college. Unpublished master's thesis, Texas State College for Women.

Seal, A. (1983). Experiments with full and short entry catalogues: A study of library needs. Library Resources and Technical Services, 27 (2), 144-155.

Seal, A., Bryant, P., & Hall, C. (1982). Full and short entry catalogues: Library needs and uses. Aldershot, UK: Gower Publishing Co.

Shera, J. H. (1970). Sociological foundations of librarianship. New York: Asia Pub. House.

Simmons, P, & Foster, J. (1982). User survey of microfiche catalogue. Information Technology and Libraries, 1(1), 52-54.

Svenonius, E. (1981). Directions for research in indexing, classification, and cataloging. Library Resources and Technical Services, 25 (1), 88-103.

Svenonius, E. (1990). Bibliographic entities and their uses. In R. Bourne (Ed.), Seminar on bibliographic records: Proceedings of the Seminar held in Stockholm, 15-16 August 1990 (pp. 3-18). Munchen: Saur.

Svenonius, E. (2000). The Intellectual Foundation of Information Organization. Cambridge, Mass: MIT Press.

Swanson, D. R. (1972). Requirements study for future catalogs. Library Quarterly, 42(3), 302-314.

Wildemuth, B. M., & O'Neill, A. L. (1995). The "known" in known-item searches: Empirical support for user-centered design. College & Research Libraries, 56(3), 265-281.

Wilson, P. (1983). The catalog as access mechanism: Background and concepts. Library Resources and Technical Services, 27(1), 4-17.

Winchell, C. M. (1955). The catalog: Full, medium, or limited. Journal of Cataloging and Classification, 11(4), 199-206.

我國圖書館對一般民眾提供電子資源服務方向之研究

陳昭珍

國立臺灣師範大學社教系副教授

摘要

圖書館向來為社會中最主要的資訊供應機構，而負責供應社會大眾資訊需求者，又以公共圖書館為主。然而網際網路興起後，雖使得資訊的傳佈又快又遠，但也帶給圖書館很大的衝擊。今日我國政府致力於網路建設，但對於「資訊資源」的充實，則無具體的推動方案，甚至整個社會的資訊需求與資訊提供之間，是否有「供需失調」的問題，也尚未關心。

網際網路是一條既寬廣又便利的資訊高速公路，但是如果沒有好的資訊，並不能發揮功能。到底在台灣網路上之暨有資源，能滿足多少資訊需求，能解決多少問題？有那些資訊無人能提供？以及到底公共圖書館所能提供的資訊與其他資訊單位有何不同、有何不足之處，本研究希望藉由相關調查，瞭解網路資源之強弱，一般民眾使用網路資源之情形、使用圖書館現有資料庫之狀況，以及民眾期待圖書館應提供電子資源為何，最後，將依據上述調查結果，建議圖書館對一般民眾而言，應提供之電子資源服務方向。

關鍵詞：資訊需求　網路資源　電子資源　國家圖書館　公共圖書館

一、問題陳述

資訊就是力量，資訊要平等、自由、無遠弗屆的取得，有賴公共資訊供應系統的建立。有關公共資訊供應系統一詞，有人將之定位為提供「公共資訊」之系統，有人將之定位為公共圖書館之資訊系統，但吾人認為在網路時代，將公共資訊供應系統定位為在網路上免費(或平價)提供資訊的系統更為貼切，更符合平等、自由、無遠弗屆的精神。不過，雖為網路上的資訊，但公共資訊並非僅止於放在網頁上的資料，還包括公共圖書館、博物館、政府資訊、學校資訊、各機構之各類型資料庫等等。

圖書館向來為社會中最主要的資訊供應機構，而負責供應社會大眾資訊需求者又以公共圖書館為主。然而網際網路興起後，帶給圖書館很大的衝擊，在大學圖書館首先有圖書館和電算中心合併的議題，而公共圖書館的衝擊更為嚴重，在國外的文獻上，有質疑公共圖書館繼續存在的聲音，在國內政府單位更是致力於網路建設、遠距教學的實施，但對於真正的「資訊庫」等最基本的資訊提供，則無具體的推動方案，甚至整個社會的資訊需求與資訊提供之間，是否有「供需失調」的問題，也並未關心。

網際網路是一條既寬廣又便利的資訊高速公路，但是如果沒有好的資訊，並不能發揮功能。到底在台灣網路上的暨有資源，能滿足多少的資訊需求，能解決多少問題？有那些資訊無人能提供？以及到底公共圖書館所能提供的資訊與其他資訊單位有何不同、有何不足之處，本研究希望藉由相關調查，瞭解網路資源之強弱，一般民眾使用網路資源之情形、使用圖書館現有資料庫之狀況，以及民眾期待圖書館應提供的電子資源爲何等問題，最後將依據上述調查結果，建議圖書館對一般民眾應提供之電子資源。

二、研究方法、步驟與限制

(一) 研究方法與步驟

目前在國內網路上所提供的免費資訊種類繁多，由各公私立機構建立提供者也爲數不少，但是也有很多資料庫是需要購買或租用才能使用，這些資料庫都是經過整理加值，也是使用者不可或缺卻又無力自行購買的資料庫，因此，由圖書館來購買或租用，即爲一般民眾獲取這些加值性資料庫的重要管道。由於國家圖書館及公共圖書館的服務對象爲一般民眾，因此本計畫擬先上網調查國家圖書館及重要公共圖書館所提供的電子資源，並實際以蒐尋引擎查尋民眾曾經詢問過公共圖書館之問題，以了解國內免費的網路資源對民眾問題的回答率，此外，也將以問卷方式調查公共圖書館的使用者使用網路資源之習慣，以及民眾對圖書館提供電子資源之期望。簡言之，本研究所使用的方法主要如下：

1. 調查法：上網調查目前國家圖書館及公共圖書館在網站上所提供電子資源爲何？

2. 實證法：實際以國內兩大蒐尋引擎，查尋公共圖書館讀者曾問過的參考問題，以了解免費的網路資源之強弱。

3. 問卷法：設計問卷，探討國家圖書館及公共圖書館的使用者利用免費的網路資源、圖書館提供的電子資源之情況，以及民眾對圖書館提供電子資源的期望爲何？

(二) 研究限制

由於本研究主要在探討圖書館對於「一般民眾」提供電子資源之服務方向，所以本研究所指的圖書館主要以對一般社會大眾提供服務的國家圖書館及公共圖書館爲主，不包括大學圖書館、專門圖書館及學校圖書館。而縣市及鄉鎮層級的公共圖書館之資訊系統，尚處於更新自動化系統階段，若有提供電子資源，也以國立臺中圖書館及臺灣分館爲公共圖書館購買之共用資料庫爲主，故僅以臺北縣立圖書館爲代表。

三、國家及公共圖書館目前對一般民眾提供的電子資源

目前國家圖書館及公共圖書館所提供的電子資源相當豐富，尤以國家圖書館所提供者更爲完整，包含自己本身所建的資訊系統、訂購的中外文資料庫，以及爲讀者整理的網路資源，而公共圖書館的部份，則以國立台中圖書館及台灣分館爲全省的公共圖書館所購買的共用資料庫爲主，以下即以表格方式，說明國內圖書館提供給一般民眾之電子資源：

表一：國家及公共圖書館提供一般民眾之電子資源一覽表

圖書館名稱	線上公用目錄	本身自建的資料庫、電子書、遠距教學等	訂購之中文資料庫	訂購之西文資料庫	圖書館整理之網路資源目錄
國家圖書館(註1)	*館藏目錄查詢 *館藏國科會計劃微片目錄	*中華民國期刊論文索引影像系統 *國家圖書館期刊目次服務系統 *中華民國出版期刊指南系統 *國家圖書館期刊熱門資訊 *政府公報全文影像查詢系統 *中華民國政府統計調查目次影像系統 *中華民國政府出版品目錄系統 *行政院及所屬各機關出國報告書查詢系統 *當代文學史料影像全文系統 *當代藝術作家系統 *華文資源整合查詢 *中華民國法規整合查詢 * Z93.50 資	*大陸圖書聯合目錄 *善本圖書聯合目錄 *中文期刊聯合目錄 *大陸出版品書目 *全國期刊聯合目錄光碟資料庫 *報紙標題全文資料庫 *中文報紙論文索引資料庫 *中央社剪報資料查詢系統 *傳記文學光碟檢索系統 *財訊月刊光碟檢索系統 *中華民國企管文獻摘要資料庫 *中文博碩士論文索引 *中華博碩士論文檢索光碟 *中華民國政府公報索引 *中華民國政府資訊目錄光碟系統 *中華民國出	* ABI/INFORM Global edition * ERIC (OvidWeb) * ERIC (TTS 中文試用版) * Reader's Guide Abstract (OvidWeb) * PsycLit (Ovid-Web) * EBSCOHost * ACM Digital Li-brary * CIS US Govern-ment Periodicals Universe * ProQuest Telecom * ProQuest Digital Dissertations * Grolier Online * Encyclopedia Americana online * Grolier Multime-dia Encyclopedia * The New Book of Knowledge Online * SDOS * OCLC First-Search * IEEE Xplore * LISA(Web-SPIRS) * IDEAL (Interna-tional Digital Elec-tronic Access Li-	*博碩士論文資訊網網際網路研究資源 *資訊圖書館整理資訊門徑，資料豐富

		料庫整合查詢 *博碩士論文資訊網 *全國新書資訊網 * ISRC 查詢 *全國圖書書目資訊網 *編目園地 *漢學研究中心資訊網 *古籍文獻資訊網 *西文期刊館藏系統 *中國文化研究論文目錄 *圖書館名錄 *圖書館年鑑電子全文 *國家圖書館遠距學園	版圖書目錄彙編電子書光碟系統 *中文圖書資訊學文獻摘要資料庫 *國家考試題庫 *考選部國家考試題庫 *全球高科技產業研究資料庫 *中國期刊網 *證券專業資料庫 *中華徵信所資訊網路檢索系統 *台經院產經資料庫	brary) * Wilson Library Literature (OvidWeb) * LINK 資料庫系統 * LegalTrac (On Disc) * LegalTrac (On Web) * Sociological Abstracts(OvidWeb) * PAIS 試用(OvidWeb) * MLA International Bibliography (OvidWeb) * Global Book In Print * Bowkers Books in Print (OvidWeb) * Bowkers Publisher Authority Database (OvidWeb) * Ulrichs International Periodicals Directory (OvidWeb) * Social Sciences Citation Index * Arts & Humanities Citation Index * Wilson Art Abstracts 試用(OvidWeb) * Wilson Humanities Abstarcts 試用(OvidWeb) * Singapore Periodicals Index

				＊ U.S. Government Periodicals Index ＊ Index to United Nations Documents and Publications ＊ Thomas Register (Web 版) ＊ Bibliographie nationale francaise - Livres ＊ BNB on CD-ROM ＊ ISSN Compact ＊ United Nations Statictical Yearbook 42nd/issue ＊ Index to United Nations Documents and Publications ＊ The Complete Marquis Who'sWho Current Biographees (Current) ＊ WILEY Inter-Science ＊ GaleNet ＊ Computer Select	
國立台中圖書館(註2)	＊館藏目錄查詢	電子書 ＊社教資料雜誌 ＊書苑 ＊書評 ＊科學知識 ＊鄉土文化專輯 ＊臺灣教育發展史料彙編 ＊歷屆中華民國圖書館週海			＊整理部份資料單位名錄

		報 ＊社區資源資料庫			
臺灣分館(註3)	＊線上公用目錄	＊四庫全書電子書 ＊傳記文學合訂本光碟 ＊財訊月刊合訂本光碟	＊ 21 世紀大英百科中文版多媒體光碟 ＊ GATT 資料查詢系統 ＊人民日報合訂本光盤 ＊中國期刊網 ＊中文報紙論文索引光碟資料庫 ＊中文博碩士論文索引光碟資料庫 ＊中央日報 ＊中央社新聞光碟資料庫 ＊中華民國企管文獻摘要 ＊中華民國政府公報全文影像系統 ＊中華民國期刊論文索引 ＊中華民國期刊論文索引影像系統 ＊中華博碩士論文摘要 ＊北京大學月刊全文光盤 ＊行政院所屬各機關因公出國報告書目錄光碟系統 ＊每周評論全	＊ DAO (Dissertation Abstracts OnDisc) 美加歐博碩士論文摘要	

			文光盤 ＊即時報紙標題索引及全文影像資料庫 ＊卓越商情資料庫 ＊法源法學資料查詢系統 ＊故宮期刊圖文資料庫 ＊國立政治大學教職員著作目錄 ＊國立臺灣大學教職員著作目錄 ＊國家考試題庫 ＊國家圖書館遠距圖書服務系統 ＊國聞周報圖光盤文 ＊國學季刊圖文光盤 ＊博士論文全文影像光碟 ＊電腦輔助教學軟體--好學專輯 ＊新萬用管理表格全集 ＊新潮全文光盤文獻庫 ＊臺閩地區工廠名錄 ＊臺灣文獻叢刊光碟檢索資料庫		

			*臺灣文獻資料聯合目錄 *臺灣地區現藏大陸期刊聯合目錄 *臺灣資料剪報系統 *臺灣省政府公報光碟化建檔查詢系統 *台灣文獻期刊論文索引		
臺北市立圖書館(註4)	線上公用目錄	*臺北市終身學習網	*全國公共圖書館共用資料庫 *中華民國期刊論文索引系統 WWW 版 *報紙全文影像資料庫 *中文圖書資訊學文獻摘要資料庫 (CLISA) *中華民國企管文獻摘要資料庫 (MARS) *中文報紙論文索引資料庫 *中央通訊社剪報資料庫 *中文現期期刊目次資料庫 *國家考試題庫 *漢籍電子文獻 *政府網路資源站	* DAO (Dissertation Abstracts on Disc) * Electric Library * ERIC * Library Literature * LISA * Peterson's College * Peterson's Gradline * Reader's Guide Abstract *大美百科全書線上資料庫 *新知識百科全書線上資料庫 *學術百科全書線上資料庫	*整理國內外網路資源目錄

			＊ CNS 國家標準查詢系統		
台北縣圖書館 (註 5)	線上公用目錄		連線到 PLIS-Net 公共圖書館資訊服務網的共用資料庫 (註 6)		整理考古題台北縣市各圖書館的整理

四、以蒐尋引擎查尋讀者曾詢問過之參考問題結果分析

(一) 問題類別

爲了瞭解網路上免費的電子資源到底能解決多少問題，我們由台北市立圖書館及國立台中圖書館所編輯的參考問題選粹，蒐集了三百多題讀者曾問過的問題，分別利用蕃薯藤及 Openfind 兩個蒐尋引擎，看看是否能獲得滿意的答案。(註 7)

由於讀者的問題五花八門，所以本研究選擇問題時也分別就圖書分類法之十大類來挑選，以包含各種主題、各種層次的問題爲原則。而查詢時則盡量以該問題可能的關鍵字查詢。目前【蕃薯藤】及【OPENFIND】兩個搜尋引擎都有提供使用者以任一字串或字串組合爲條件，以檢索相關文件段落，並且在使用搜尋引擎查詢問題時，兩個搜尋引擎對於查詢結果，都會根據輸入之條件，自動判斷資料符合條件的程度，優先顯示系統認爲較滿足條件的資料，也就是說，愈是優先出現的資料，愈符合所輸入之查詢辭彙，且與題目的關聯性越高，愈具有參考價值。查詢結果發現以【蕃薯藤】及【OPENFIND】兩個搜尋引擎查詢網路資源，回收率不差，但精確率並不高，常常會查出不相關的文件，在 309 個問題中以蕃薯藤查詢，可以找到答案的比例是 60%，找不到答

案的比例高達 40%；而以 Openfind 查詢，找到答案的比例為72%，找不到的比例是 27%。以下即綜合我們從這兩個蒐尋引擎找到的答案數分析如下表：

表二：以蒐尋引擎查尋讀者曾詢問過之參考問題結果分析

主題類別	題目數量	由蕃薯藤可找到答案之題數/比例	無法由蕃薯藤可找到答案之題數/比例	由 Openfind 可找到答案之題數/比例	無法由 Openfind 找到答案之題數/比例
總類	19	7	12	13	7
哲學類	6	1	5	3	3
宗教類	10	4	6	6	4
自然科學類	43	24	19	33	10
應用科學類	39	27	12	31	8
社會科學類	67	48	19	54	13
中國史地	28	20	8	19	9
西洋史地	33	25	8	30	3
文學類	34	17	17	20	14
藝術類	17	12	5	15	2
合計	309	185(60%)	124(40%)	224(72%)	85(27%)

(二) 以蒐尋引擎查詢問題答案內容分析

透過上述實驗，除了可得知以蒐尋引擎查尋網路資源，可能滿足問題的比例外，分析找到「查符」之答案內容後，我們也發現這些網路資源的答案有下列特性：

1、含有檢索條件的網頁並不一定有問題解答

由於這兩個搜尋引擎判斷符合條件的方式是將使用者所輸入

之條件，和網路上所有能查詢到的網頁文字逐一比對，並將比對爲完全符合條件的網頁，依照符合程度順序列出。以【410 何謂「奇經八脈」？】這個題目爲例，若我們在【蕃薯藤】及【OPENFIND】兩個搜尋引擎中輸入【奇經八脈】作爲查詢條件，兩個搜尋引擎都會根據條件，將兩個搜尋引擎分別在網路上所有能查詢到的網頁作逐一比對，凡是有【奇經八脈】的網頁，都會被搜尋引擎檢索出來，但有【奇經八脈】四字的網頁，不見得會解釋何謂【奇經八脈】，而只是在網頁中有【奇經八脈】這四個字而已。

2. 問題的解答不一定明顯易見

在以【蕃薯藤】及【OPENFIND】兩個搜尋引擎查詢網路資源時，大多查詢到相關解答的網頁，問題的解答都非出現在網頁的標題、段落標題、或是明顯易見的內容中，而是出現在文章中的某一小段，所以使用者乍看之下，並不知道該網頁中是否有自己想要的答案。

3. 生活上的問題比非日常生活上的問題更容易找到解答

在分析查詢結果時，我們也發現，生活上的問題比非日常生活性問題更容易找到解答。以【910 貝多芬九大交響曲曲名？】及【800 「釚」的音義？】這兩個題目爲例，【貝多芬九大交響曲曲名】比【「釚」的音義】這個問題而言較生活化，因此較容易找到解答。

4. 熱門話題比非熱門話題更容易獲得解答

此外，我們也發現熱門話題比非熱門話題更容易找到解答，這或許跟熱門話題較易引人注意有關。熱門話題注意的人比較多，自然會去製作熱門話題網頁的人也比較多。以【以 010 要寫一篇關於"環境污染"的學期報告，請問要如何蒐集資料？】【590

如何申請登記戰士授田證補償金？】及【470 如何製作絹印？】爲例。前兩個問題較爲熱門，所以網路上的資源也比較多，而【如何製作絹印？】這個問題就不是這麼熱門，所以資料相對地也少很多。

5. 複合性問題不易獲得解答

在分析查詢結果時，我們發現複合性之問題，如有定義、解釋、出處、由來、用法、典故、如何區別・・・等限定詞(qualifier)之問題者，非常不容易找到解答。以 290 類號的問題爲例【"八卦"是由那些符號組成？】，利用 Openfind 及蕃薯藤查詢，皆未查得相關網頁，僅查得八卦山、八卦站、八卦網、八卦新聞等。可見網路上的資源，對於較冷僻或專門的詞彙，通常無資源可用。

以 800 類的問題爲例，【「作羹先試」典故語出何處？】、【「釚」的音義？】、【何謂「三從四德」？】、【佛教有云「大千世界」是何義？】、【「徐娘半老」出自何處？】、【何謂「三教」、「九流」？】、【請問「削足適履」的出處及用法？】、【樸學的定義？】、【托福(TOEFL)意爲何指？】、【「斷袖之癖」的典故？】、【何謂「鴛鴦蝴蝶派」？】、【「越」、「愈」用法如何區別？】、【何謂「扉頁」？】、【「司馬昭之心，路人皆知」爲何義？語出何處？】、【「不孝有三，無後爲大」語出何處？哪三事爲不孝？】、【機器人 Robot 的捷克原文爲何？】、【「三日不讀書，便覺面目可憎」語出何處？】・・・等，這類型問題所檢索到的網頁很少會給有關定義、解釋、說明出處、由來、用法、典故、以及如何區別・・・等有限定詞的解答，而只是在網頁中提到該名詞而已。

6. 與各國國情相關之資料在旅遊指南網中容易找到答案

與各國國情相關之資料如 670 的【請提供紅毛城的資料，及如何前往？】、710 的【祕魯使用何種語言？】、【請問富士山有多高？】、【請問美國的電壓？】、730 的【請提供尼泊爾的名勝資料】、760 的【蘇伊士運河的長度有多少？】、770 的【斐濟在何時獨立，原爲何國之殖民地？】・・・較易在旅遊指南網頁中找到答案。

7. **與法律常識相關之問題在網路上容易找到資料**

與法律常識相關之問題，如 550 的【勞工配偶之父親去世，可請喪假幾天？】、570 的【什麼情形可以改名？如何辦理？】、580 的【法人的定義爲何？】、【我國領海範圍是多少？】、【票據法何時廢除？】、【民法分爲哪幾編？】、【監護人之職務爲何？】、【夫妻聯合財產制的法律條文規定爲何？】・・・等這類法律性問題在網路上非常容易找到，答案也非常的明確。

8. **全球性相關問題及現象在網路上有豐富的資料**

與全球有關的現象，如 320 的【何謂聖嬰現象？英文名稱爲何？對全球氣候的影響？】、320【請問"日食'發生的原因及景象如何？】等與全球相關的問題，在網路上多有明確且詳實的資料。

五、民眾使用網路電子資源的習慣調查

(一) 問卷設計與調查

爲進一步了解一般民衆之資訊需求、使用圖書館之電子資源，以及對於公共圖書館提供電子資源的期望等，本研究再以問卷方式，由研究人員親自到四所較具規模的圖書館發放問卷，採隨意抽樣方式進行調查，調查地點分別在國家圖書館、台北市立圖書館、台北縣立圖書館、以及國立台中圖書館等，每一個圖書

館均發放100份問卷，問卷回收比率爲83.8%，共計國家圖書館回收91份問卷，台北市立圖書館回收82份問卷，台北縣立圖書館回收92份問卷，國立台中圖書館回收70份問卷，四館加起來共回收335份問卷，詳情請參閱下表三 各圖書館回收分析表。

表三：問卷回收分析表

		次數	百分比	累積百分比
有效的	國圖	91	0.91	0.23
	台市圖	82	0.82	0.43
	台縣圖	92	0.92	0.66
	省中圖	70	0.7	100.0
	總和	335	0.84	

本問卷所詢問的問題，包括受訪者資訊尋求方式、使用網路資源現況、常使用的網路資源、民衆使用圖書館電子資源情況，以及民衆希望圖書館優先數位化的資料類型等。詳細分析說明如下：

㈡ 受訪者資訊尋求方式

受訪者遇到問題或想獲取新知的主要方式以上圖書館查資料及上網找資料的比率最高，分別有256人及252人選用此方式，各佔76.9%及75.7%，其次爲上書店買書及看電視、聽廣播，分別有150人及133人選用此方式，其餘方式則較少人使用，皆低於100人次，顯示圖書館在滿足民衆資訊需求中已占有相當重要的角色。詳情請參閱下表四：受訪者資訊尋求方式統計表。

表四： 受訪者資訊尋求方式統計表

獲取新知的方式	勾選人次	有效百分比
上圖書館查資料	256	76.9
看電視、聽廣播	133	39.9
上書店買書	150	45.0
自己訂購期刊雜誌	59	17.7
與親朋好友討論	94	28.2
請教專家學者	43	12.9
上網找資料	252	75.7
參加研習會、研討會	45	13.5
聽演講	38	11.4
委託他人找尋	23	6.9
進修	33	9.9
其他	3	0.9

㈢ 受訪者使用網路資源現況分析

此外，在受訪的民衆中，曾利用過網路資源者高達 77.5%，顯示台灣的網路使用普及度相當高。

表五 受訪者是否使用過網際網路尋找資料統計表

<table>
<tr><th></th><th></th><th>次數</th><th>百分比</th></tr>
<tr><td rowspan="3">有效的</td><td>是</td><td>310</td><td>77.5</td></tr>
<tr><td>否</td><td>20</td><td>5.0</td></tr>
<tr><td>總和</td><td>330</td><td>82.5</td></tr>
<tr><td>遺漏值</td><td>系統界定的遺漏</td><td>70</td><td>17.5</td></tr>
<tr><td colspan="2">總和</td><td>400</td><td>100.0</td></tr>
</table>

至於沒有使用過網際網路尋找資料的受訪者是因爲「沒有相關設備」，「不會上網」的使用者也佔 28.6%，詳情請參閱下表六：不使用過網際網路尋找資料原因統計表。

表六：　不使用過網際網路尋找資料原因統計表

不使用網際網路尋找	勾選人次	有效百分比
不會上網	6	28.6
沒有時間	2	9.5
沒有相關設備	9	42.9
沒有必要	0	0.0
不會使用電腦	1	4.8
不會利用網路找資料	1	4.8
查詢網路速度慢	1	4.8
不習慣使用網路	4	19.0
網路內容無法滿足	1	4.8
其他	2	9.5

而有使用過網際網路尋找資料的受訪者使用網際網路尋找資料的頻率，大多數的受訪者「每週使用 2-3 次」，共有 139 人，佔 34.8%，其次爲「幾乎每天都使用」，共 107 個受訪者，佔 26.8%，而「一年 2-3 次」的受訪者最少，只有 13，佔 3.3%，詳情請參閱下表七：受訪者使用過網際網路尋找資料頻率統計表。

表七：受訪者使用過網際網路尋找資料頻率統計表

		次數	百分比
有效的	幾乎每天都使用	107	26.8
	每週使用 2-3 次	139	34.8
	每月使用 2-3 次	59	14.8
	一年 2-3 次	13	3.3
	總和	318	79.5
遺漏值	系統界定的遺漏	82	20.5
總和		400	100.0

(四) 受訪者常使用的網路資源分析

受訪者常使用的網路資源，根據分析結果「利用入口網站找資料」的受訪者最多，共有 180 個勾選人次，佔有效百分比的 56.6%，「利用 WWW 看電子報」及「無特定目的、隨意逛逛」的受訪者其次，都分別有 139 個勾選人次，佔有效百分比的 43.7%，詳情請參閱下表八：受訪者常用網際網路資料統計表。

表八：受訪者常用網際網路資料統計表

常用網路資源	勾選人次	有效百分比
上 BBS 站	85	26.7
上聊天室	43	13.5
上 FTP 站抓檔案	47	14.8
利用 WWW 看電子報	139	43.7
利用 WWW 看免費的電子期刊	81	25.5
找旅遊資料	68	21.4
訂車票	39	12.3
利用入口網站找資料	180	56.6
拜訪行政機關，辦理業務	28	8.8
查詢圖書館的目錄	92	28.9
拜訪博物館	14	4.4
購物、買書	31	9.7
無特定目的、隨意逛逛	139	43.7
其他	12	3.8

在開放式問題「您最常使用的三個網站」問題中，大部分的使用者都以各大搜尋網站及各大入口網站為最常使用的網站，如奇摩網、蕃薯藤搜尋引擎、新浪網、PCHome ．．．等，至於學生受訪者中也有多數的受訪者填答學校的網站或是圖書館網站，其他如政府機構、休閒資訊網站．．．等。至於影響受訪者喜歡上網找資料的原因，根據分析結果，「上網找資料很方便省時」是吸引受訪者上網的主要原因，共有 256 人勾選，佔 76.5%，其次為「網路資源非常豐富」，共有 24 人勾選，佔 76.5%，至於「網路資源非常新穎」及「網路介面很便利」兩項原因也有不少

受訪者勾選，分別有 116 人及 90 人，各佔 36.8%及 28.6%，至於「網路資源很權威正確」就極少有受訪者認同，只有 2 人勾選，佔 0.6%。詳情請參閱下表九：影響受訪者喜歡上網找資料的原因統計。

表九：影響受訪者喜歡上網找資料的原因統計

影響受訪者喜歡上網找資料的原因	勾選人次	有效百分比
網路資源非常豐富	241	76.5
網路資源非常新穎	116	36.8
上網找資料很方便省時	256	81.3
網路資源很權威正確	2	.6
網路介面很便利	90	28.6
其他	3	1.0

雖然有 77.5%的受訪者使用過網際網路找尋資料，但在問到受訪者認爲網路上的資源是否可以滿足資訊需求這個問題時，則只有 219 個受訪者認爲網路上的資源可以滿足資訊需求，佔 54.8%，102 個受訪者不認爲網路上的資源可以滿足資訊需求，佔 25.2%。這個數字和我們前面所做的，以蒐尋引擎查尋讀者曾問過的參考問題結果也很相近。

表十 受訪者認爲網路上的資源是否可以滿足資訊需求統計表

		次數	百分比
有效的	可以	219	54.8
	不可以	102	25.5
	總和	321	80.3
遺漏值	系統界定的遺漏	79	19.8
總和		400	100.0

㈤ 民眾使用圖書館電子資源情況分析

民衆對國家圖書館及公共圖書館所提供的電子資源的瞭解情況，是我們這份問卷的重點，所以本文特別將這個部份以一個單獨的段落說明之。首先，由下表十一可以看出 228 個受訪者曾使用過公共圖書館所提供的資料庫尋找資料，佔 57%，高出未使用公共圖書館所提供的資料庫尋找資料的受訪者兩倍之多。

表十一： 受訪者是否使用圖書館所提供的資料庫尋找資料統計表

		次數	百分比
有效的	是	228	57.0
	否	98	24.5
	總和	326	81.5
遺漏值	系統界定的遺漏	74	18.5
總和		400	100.0

而爲何沒有使用圖書館所提供的資料庫尋找資料，選取「不曉得有哪些資料庫」這個理由者，共 26 個人，佔 25.2%，選擇「都在大學圖書館或機關圖書館等地利用資料庫」及「不習慣使用資料庫」這兩個理由者，各有 19 個受訪者，佔 18.4%，接著是「不會利用資料庫找資料」，共有 18 個受訪者選取，佔 17.5%，而「查詢資料庫速度慢」這個原因則是最少受訪者勾選者，僅 3 個人次，佔 2.9%。

表十二：受訪者沒使用圖書館所提供的資料庫尋找資料的原因統計表

受訪者沒使用公共圖書館所提供的資料庫尋找資料的原因	勾選人次	有效百分比
都在大學圖書館或機關圖書館等地利用資料庫	19	18.4
沒有時間	15	14.6
沒有相關設備	8	7.8
沒有查資料庫的必要	13	12.6
不會使用電腦	5	4.9
不會利用資料庫找資料	18	17.5
查詢資料庫速度慢	3	2.9
不習慣使用資料庫	19	18.4
資料庫設計不良	4	3.9
資料庫內容無法滿足查詢之目的	4	3.9
不曉得有哪些資料庫	26	25.2
其他	10	9.7

而受訪者使用圖書館資料庫尋找資料的頻率，由表十二可

知，大部分的使用者「每月使用 2-3 次」，共 117 個使用者，佔 44.2%，至於「幾乎每天使用」的使用者，只 17 個人，佔 6.4%。

表十二 受訪者使用資料庫尋找資料的頻率統計表

<table>
<tr><th colspan="2"></th><th>次數</th><th>百分比</th></tr>
<tr><td rowspan="5">有效的</td><td>幾乎每天使用</td><td>17</td><td>4.3</td></tr>
<tr><td>每週使用 2-3 次</td><td>76</td><td>19.0</td></tr>
<tr><td>每月使用 2-3 次</td><td>117</td><td>29.3</td></tr>
<tr><td>一年 2-3 次</td><td>55</td><td>13.8</td></tr>
<tr><td>總和</td><td>265</td><td>66.3</td></tr>
<tr><td>遺漏值</td><td>系統界定的遺漏</td><td>135</td><td>33.8</td></tr>
<tr><td colspan="2">總和</td><td>400</td><td>100.0</td></tr>
</table>

而使用者使用過的資料庫分析，以「圖書館的館藏目錄」是最多，共 150 個人，佔 56.2%，其次為「電子期刊全文資料庫」，共 134 個，佔 50.2%，使用「西文索引摘要」的受訪者最少，僅 10 人，佔 3.7%。

表十三　使用者使用過的資料庫統計表

使用者使用過的資料庫	勾選人次	有效百分比
電子期刊全文資料庫	134	50.2
剪報資料庫	81	30.3
留學資料庫	29	10.9
博碩士論文	91	34.1
圖書館的館藏目錄	150	56.2
卓越商情資料庫	17	6.4
政府公報	31	11.6
文學家資料庫	22	8.2
西文電子期刊	18	6.7
西文索引摘要	10	3.7
西洋的百科全書	16	6.0
圖書館館藏目錄	26	9.7
全國新書目錄	37	13.9
均未使用過	17	6.4
其他	10	3.7

一般民眾是否知道圖書館所提供的電子資源大多數都是需要經費購買，填答知道者有 163 個，佔 40.8%，達不知道的有 154 個，佔 38.5%，兩者相去不遠。

表十四： 受訪者是否知道圖書館所提供的電子資源需經費購買

		次數	百分比
有效的	知道	163	40.8
	不知道	154	38.5
	總和	317	79.3
遺漏值	系統界定的遺漏	83	20.8
總和		400	100.0

最後，民眾期望圖書館應該優先數位化，以電子資源方式提供服務之資料類型則如表十五所示，在受訪者認爲應優先數位化的資料類型方面，144 個受訪者認爲應優先數位化的資料類型是「學術性期刊」，佔 46.0%，其次爲「學術性專書」，共 137 個受訪者勾選，佔 43.8%，接下來爲「百科全書」，共有 128 個受訪者勾選，佔40.9%，至於「公共圖書館完全不需要提供資料庫」則不獲得受訪者的認同，僅 4 個受訪者勾選，佔 1.3%。

表十五： 受訪者認爲應優先數位化的資料類型統計

優先數位化的資料類型	勾選次數	有效百分比
休閒性期刊	86	27.5
學術性期刊	144	46.0
休閒性書籍	85	27.2
學術性專書	137	43.8
商情資料庫	69	22.0
醫學資料庫	98	31.3
文學資料庫	90	28.8
藝術資料庫	80	25.6
報紙	87	27.8
博碩士論文	87	27.8
索引摘要	35	11.2
百科全書	128	40.9
字典	46	14.7
統計資料	49	15.7
錄音帶、錄影帶	55	17.6
教科書	24	7.7
地方文獻	47	15.0
公共圖書館完全不需要提供資料庫	4	1.3
其他	18	5.8

六：結論與建議

由上述之研究調查結果顯示，以國內兩大蒐尋引擎查尋讀者曾詢問過之參考問題，在 309 個問題中，以蕃薯藤查詢，可以找到答案的比例是 60%，找不到答案的比例高達 40%；而以 Openfind 查詢，找到答案的比例爲 72%，找不到的比例是 27%。而以問卷詢問讀者對於網路資源是否可滿足其資訊需求，則有 25.5% 的讀者答案是否定的。而讀者曾利用過圖書館所提供的資料庫者，在 400 個讀者中，曾使用的有 57%，未使用過的有 24.5%，未填答的有 18.5%，顯示圖書館對於電子資源的服務，已得到大多數使用者的注意，但仍有宣導加強的空間。而讀者最常使用圖書館提供的電子資源以「圖書館的館藏目錄」最多，其次為「電子期刊全文資料庫」，接著為博碩士論文，剪報資料，使用過「西文索引摘要」的受訪者最少。讀者期望圖書館優先數位化，以電子資源方式提供服務之資料類型，以「學術性期刊」最多，其次為「學術性專書」，接下來為「百科全書」，再者為醫學資料庫、文學資料庫、報紙、博碩士論文。

網際網路是目前也是未來重要的資訊傳輸工具，圖書館絕對不可輕忽此一管道。電子資源不若實體資源，需要每一個圖書館都存一份，只要有一個圖書館已建立或透過聯合採購取得使用權，所有的讀者都可以獲益。由上述調查顯示，一般民眾使用中文資料的比例遠高於西文資料，所以國家圖書館應負起中文電子資源建置的責任，加速中文期刊、博士論文的掃瞄工作，此外，電子書、百科全書、主題性的資料庫、報紙等也是民眾的期待，而這卻是目前圖書館的服務中較缺乏的部份。希望此研究，能供圖書館界做為提供電子資源服務的參考，也希望圖書館能永遠走在民眾及時代的需求之前。

【附　註】

註 1　國家圖書館全球資訊網。http:www.ncl.edu.tw。

註 2　國立台中圖書館網站。http:www.ptl.edu.tw

註 3　國立中央圖書館臺灣分館網站。http:www.ncltb.edu.tw

註 4 台北市立圖書館網站。http://www2.tpml.edu.tw/

註 5 台北縣圖書館網站。http://203.64.154.1/

註 6 由於公共圖書館資訊服務網(PLISNet) 所提供的資料庫乃是爲全國公共圖書館所訂購的共用資料庫，所以其他各公共圖書館所提供的電子資源皆以此爲主。

註 7 查詢的時間爲八十九年一月至三月。

圖書館專業倫理守則之構成內涵初探

嚴鼎忠

國家圖書館研究組

摘要

圖書館專業倫理關係圖書館員之工作態度、專業形象與社會地位等。本文針對美國、加拿大、日本、英國、澳大利亞、馬來西亞、菲律賓、新加坡、香港、韓國、義大利、以色列等十二個國家與地區的圖書館專業倫理守則，加以分析歸納，分別就圖書館專業倫理守則的制定與守則的內涵加以解說。最後提出捍衛閱讀自由、平等服務讀者、提供最高服務、滿足讀者需求、維護讀者隱私、尊重智慧財產、永保中立立場、維持專業知能、堅持專業信念、維護專業尊嚴、肩負社會責任、致力館際合作、熱忱禮貌服務、認真負責守分、堅守實踐承諾、釐清公私角色、迴避利益衝突、禁止圖謀私利等十八項圖書館專業倫理原則：

關鍵字：圖書館倫理　工作倫理　專業倫理　各國圖書館倫理
倫理守則　圖書館員

壹、前　言

我國的「圖書館法」已在今(九十)年元月，由總統明令頒布實行。從此我國的圖書館事業邁入新的紀元。中國圖書館事業的發展，圖書館員扮演著舉足輕重的角色，專業人員服務的素質與品質，關係著事業的成敗。關於這一點，盧荷生教授有一段透徹的解析：

> 「在當今社會裡，圖書館員已成爲一種專門的行業，必須接受專門的訓練，學習專門的技術，培養專門的理念，才能有機會完成圖書館的任務。……想要圓滿達成現代圖書館任務，還需要若干理念上的策動，才能使這些更新有所成就，……所謂理念，也就是由於對圖書館工作的體認，所形成的正確的工作態度，……這些理念的建立，就要靠圖書館員們能把工作的內涵，和工作的對象之間的關聯，認知得十分清楚透澈，充分把握住這一層關係，以工作過程爲手段，以圖書館的任務爲目的。」(註 1)

建立專業倫理的目在深入理解，專業目的、角色定位、客戶關係、社會影響等四個主要方面。(註 2)經由專業倫理守則的制定，對於專業人員將可提供指引、宣示、象徵、契約、形象、預防、保護、裁決等八項的功能，以爲其執行專業活動時的指南。(註 3)本文擬從現行的各國圖書館專業倫理守則中，選擇十二個國家與地區的圖書館專業倫理守則，初步的就其內容加以歸納分析，藉由這項工作，希望瞭解圖書館專業倫理的內涵及其意義。

這十二個國家與地區的圖書館專業倫理守則名稱如下：

1.美國圖書館協會倫理守則 Code of Ethics of the American Library Association

2.加拿大圖書館倫理聲明 Code of Ethics Position Statement

3.日本圖書館館員倫理綱要 Japan Library Association Code of Ethics for Librarians

4.英國圖書館學會專業行爲倫理守則 The Library Association's Code of Professional Conduct

5.澳大利亞圖書館與資訊學會之專業倫理宣言 ALIA Statement on professional ethics

6.馬來西亞圖書館協會倫理守則 MLA Code of Ethics

7.菲律賓圖書館專業倫理守則 Code of Ethics for Registered Librarians

8.新加坡圖書館專業倫理規範 Code of Ethics

9.香港圖書館學會之倫理守則 Hong Kong Library Association Code of Ethics

10.韓國圖書館館員倫理守則 Code of Ethics for Librarians

11.義大利圖書館館員的行爲守則：基本原則 The Librarian's Code of Conduct: Fundamental

12.以色列圖書館館員倫理守則 Code of Ethics of the Librarians in Israel

貳、圖書館倫理守則的制訂

各國的圖書館倫理守則大多由該國的圖書館學術團體來制定，一般而論，多屬柔性守則，需要圖書館員或專業團體學會的會員們，以自律的方式，來達到圖書館倫理守則的制定目的。以下擬從制定的理念、守則的種類、適用的對象、運用的原則以及制定的目的，分項說明如下：

一、制訂的理念

1.自發實現專業企圖：由於專業團體在社會上的定位，端賴團體每一位成員的共同努力，因此，為了提昇專業團體的整體形象，專業倫理的訂定，將可建立起大衆對於該專業的認知與重視。在日本的圖書館員倫理綱領中強調自發性的動機，並且認為如果不是出自館員這種自覺力，那麼所訂出來的倫理綱領就沒有約束力。

2.揭示專業倫理理想：專業團體的會員衆多，來自各個不同的機構與單位，為使全體會員都有共通的奮鬥目標，於是將各方對於本專業的認知與共識，制訂成為大家共同遵守的守則，通常這類守則的要求都較高。在美國資訊科學學會資訊專家倫理守則中，認為面對學術與專業的要求，期待將個人的能力、判斷力、行為的正直與道德標準發揮到最高境界。

3.引導處理倫理問題：圖書館員在辦理各項專業活動，當面臨倫理衝突時，如何思考並選擇較佳的處理途徑，化解個人的疑慮，有其實際性與必要性，這也是專業人員會去主動閱讀思索的主要原因之一。在美國資訊科學學會資訊專家倫理守則中，指出這是一項協助，幫助專業人員在處理專業倫理問題上，一項行動的指導與思想的引領。

4.制裁違反專業倫理：大部分的專業倫理守則多屬柔性，不具法律上的約束力。不過英國圖書館協會的倫理守則，則屬於剛性，對於會員違反了專業倫理，訂出了一套組織制度與處理程序，例如：明示紀律委員會(Disciplinary Committee)所關注的事務，包括：違反學會的目標、宗旨與福祉，或違背圖書館學專業的事務。這類的倫理守則在強烈的維持專業紀律。

二、守則的種類

1.單一式的倫理守則：許多國家僅訂定一種圖書館員的倫理

守則，將圖書館員所應遵守的規範都納入其中。有一些國家則除了圖書館學會所訂的圖書館員守則外，其所屬的分會或團體也訂出一些館員的倫理守則，如：公共圖書館員倫理守則、醫學圖書館員倫理守則等。

2.多元式的倫理守則：美國除了有圖書館員的專業倫理宣言外，還包括了「圖書館權利宣言(Library Bill of Rights)」及「自由閱讀宣言(Freedom to Read Statement)」等。澳大利亞圖書館與資訊學會在強調多元文化社會結構下的資訊服務，另外制定了「圖書館與多元文化宣言(Statement on libraries and multiculturalism)、「圖書館與資訊服務及原著民、托烈斯海峽島民之宣言(Statement on libraries and information services and Aboriginal and Torres Strait Islander peoples)等政策。(註 4)，用以支持此項倫理精神的實際作法。

三、適用的對象

大多數的圖書館倫理守則，都規範全部在圖書館工作的人，部分較強調專業的如英國，則只規範取得會員資格的專業館員，其他的圖書館職場內的成員，不在其規範當中。日本的圖書館員倫理綱領中，適用對象頗為廣泛，約有：

1.圖書館館員(不管任何類型、擔任任何職務)；

2.圖書館的行政管理階層；

3.圖書館的職員；

4.圖書館工作的義工；

5 類似圖書館機構的工作人員。

國內目前圖書館事業面臨人力不足的現象，許多圖書館專業人員多從事技術服務工作，第一線的讀者服務人員，多由臨時人員、工讀生或志工等擔任。使得圖書館專業中極重要的專業形象，一直由非圖書館專業人員來扮演。因此，國內圖書館專業倫理守則所要適用的對象，應該包括了全體圖書館的實際工作人員。

四、運用的原則

1.絕對遵守：對於倫理守則中規範不可違反的原則，必須絕對遵守。

2.決策指引：某些倫理守則採取廣泛的陳述，來作爲倫理決策的指引，守則的內容只是一個基礎架構，面對特殊情況需要彈性運用。

3.認知推廣：爲求專業倫理守則能廣泛的爲館員所遵循，應該廣泛的宣導，並且圖書館員養成教育、在職教育，以及圖書館的館長都應該經常與適時的加以解說運用。

五、制定的目的

1.一個遵守的標準。如英國倫理守則所言，是訂立專業行爲的標準；義大利圖書館倫理守則所言，強調應該做的事與不應該做的事；日本圖書館員綱領所言，爲了實現自己的責任，而訂出圖書館員自律的規範。

2.一個專業的要求。如英國倫理守則所言，這些行爲的標準是本會對於會員專業的要求；美國倫理守則中闡述的，專業制度化、認識專業精神與認識一般公衆的倫理原則具有同等的重要性。亦即倫理守則與專業技能同等重要。

3.一盞指引的明燈。如美國資訊科學學會所言，是會員從事專業倫理使社會倫理決策平衡上，所給予的指導；香港倫理守則所言，意圖作爲一項指導方針，冀望能對香港的圖書館與資訊專家，能有合乎道德規範的行爲表現；美國倫理守則所言，面對價值發生衝突時，圖書館專業的處理原則與方式。

4.一個努力的目標。如日本的圖書館員綱領所言，要求館員有此一自覺力，作爲圖書館員共同努力的目的；韓國倫理守則所言，圖書館員具有對國家民族與社會的發展有所責任，希望喚起圖書館員能在其專業活動中，自發性的盡到應盡的義務與責任。

5.明定服務的契約。如韓國的圖書館專業倫理守則所言，強調是一種「對自我的誓言與對民衆的允諾」；日本圖書館員綱領所言，圖書館員執行職務乃基於社會的期待和讀者的需求，館員綱領，可作爲專業團體判斷及行動的準則，同時也是與社會的契約。

6.傳達專業的責任。如日本圖書館員綱領所言，專業性會獲得讀者的支持，同時圖書館的專業制度也會獲得認同並被充實。此專業性的增進有助於圖書館服務的提升，並可回饋給全社會；義大利倫理守則所言，圖書館館員的行爲守則體現出專業獨立的基礎。

7.接受評鑑的指標。如日本圖書館員綱領所言。同時也是與社會的契約。其結果，可滿足對圖書館有很大期望的人，然後社會大衆可據此，向圖書館提出嚴厲的批判。

參、圖書館倫理守則的內涵

各國的圖書館專業倫理守則內涵，雖然大多數是以美國圖書館學會的專業倫理守則爲藍本，然而，基於國情與各國圖書館事業發展的階段各有所不同，漸漸有了多元的面貌呈現。囿於個人的能力與時間關係，本節不擬對各個國家所制定的圖書館專業倫理守則，進行整體性的敘述評論，也不針對倫理守則制定的良窳進行判別，僅欲簡略的將各國的圖書館倫理守則，加以歸納分析，就館員的個人修爲、館員與閱讀自由、館員與衝突抉擇、館員的館藏責任、館員的讀者服務、維護讀者的隱私權、尊重著者的智財權、館員的社會責任、館員與同人館務、圖書館館際合作、館員的角色扮演、館員的專業認知、館員的進修責任、館員與專業團體等十四項，說明如下：

一、館員的個人修爲

㈠應為的修為

1.努力盡責。如日本館員綱領所言，努力去滿足讀者的需求；以色列倫理守則所言，圖書館館員給予最高的專業水準服務，有責任感的負責地完成讀者的要求。

2.維護尊嚴。如菲律賓倫理守則所言，圖書館員應該維持他的名譽，並提昇公衆對於專業表現上的敬意。

3.公正無私。如菲律賓倫理守則所言，圖書館員應該憑藉榮譽的最高標準，以正直、公平無私的行動，引領所有與他們有關係者。

㈡禁止的修為

1.危害他人。如美國倫理守則所言，我們不能犧牲圖書館的讀者、同事或任職機構的權益；菲律賓倫理守則所言，館員應該避免做出，與法律、道德、風俗和公衆的興趣相反的行爲；馬來西亞倫理守則所言，必需避免爲滿足個人興趣或取得財務利益，而致使圖書館使用者、同僚或任職機構的權益受到損害。

2.圖利自己。如英國倫理守則所言，本會會員的行爲與決策應該根據其專業的判斷來決定。不得利用職務，獲取非正常報酬或薪資(專業服務)以外的利益；義大利倫理守則所言，圖書館館員不應該把自己放在利益衝突的一個位置上，也不藉助於他的職位，將可獲得的資訊和資源，用於作爲個人的利益上；菲律賓倫理守則也說，圖書館員應該避免，經由服務的對象、同事或服務的單位等工作活動中，獲得財物上或服務上的利益；日本館員綱領所言，圖書館員不能爲了私人的報酬和利益，從事資料的蒐集與提供，也不得從事專門收集與提供個人所關心和喜好的資料。

3.公認過失。如英國倫理守則所言，學會成員的行爲舉止在圖書館學領域之中(包括提供資訊服務)，必需不被其專業同事認爲其行爲犯有嚴重的專業過失或一般性的專業過失。

4.偏見立場。如以色列倫理守則所言，圖書館館員在面對圖書館或者機構的主張與自我的主張間，需要清楚地區分，圖書館員在說明或和執行有關爭論性的問題上，不將自己的意見，強加在圖書館的策略上。英國的倫理守則也說，本會會員不應明知故意散播，具有鼓勵種族、膚色、宗教、性別等差別待遇訴求的資料。

二、館員與閱讀自由

1 維護知識自由。如美國倫理守則所言，館員有特別責任維持圖書館權利宣言的原則；確保今日以至後代子孫，資訊與思想自由的流通；又如韓國倫理守則所言，圖書館館員負責保護國家文化遺產和社會的記錄；義大利倫理守則所言，圖書館館員保證讀者可以獲得或使用公開的資訊；英國倫理守則所言，凡在大衆有權使用的資料範圍下，本會會員有責任促進資訊與思想的流通。

2.抗拒檢查行動。如澳大利亞倫理守則所言，不應對館藏實行檢察制度；日本圖書館員綱領所言，不能因受到壓力與檢查，違反資料蒐集與提供的自由；義大利倫理守則所言，圖書館館員將拒絕和反對任何形式的文獻檢查制度；香港倫理守則也說，本會堅信人們對於大量未經檢查制度的出版物與資訊，享有詢問、思想、表達以及免費獲取的自由權；以色列倫理守則也說，圖書館館員不應檢查文獻資料，只要這些文獻資料符合圖書館的目標。

3.提供各種資料。如日本館員綱領所言，圖書館員應根據專業知識與正確判斷，從事資料的蒐集、整理、保存和積極的提供；也如澳大利亞倫理守則所言，不應以道德觀、政治立場、性別、性傾向、種族或宗教背景等因素，而拒絕資料的使用及取得，資料的選擇應與圖書館的目標有關，並符合適當的圖書館標準。資料不該因其內容具有爭議性或可能觸怒部分圖書館社群人士而被拒絕；也如韓國倫理守則所言，圖書館館員應該在選擇知識資源時沒有任何種類的偏見、干擾或者誘惑；美國倫理守則所言，館員在資訊的選擇、組織、保存與傳播上，擁有重大的影響與控制力。

三、館員與衝突抉擇

1.堅定專業信念。如韓國倫理守則所言，圖書館館員若是遇到與母機構或上級機構，提出違反專業特性的原則時，應該以自己的專業信念爲重，須對專業負責。

2.維護大衆福祉。如英國倫理守則所言，但是當大衆的福祉或專業的聲譽與雇主狹隘的利益發生衝突時，假若兩者間的差異無法獲得協調，則大衆的福祉與維護專業的標準必需列爲優先考量。

四、館員的館藏責任

1.保護館藏。如新加坡倫理守則所言，館員應保護圖書館的資產，並灌輸讀者對圖書館資產應有尊敬感；義大利倫理守則所言，館員要著手進行增進文獻和資訊的保存。

2.整理館藏。如香港倫理守則所言，圖書館與資訊專家必需，公正、精確的提供最佳組織後的館藏資料，並應盡己專業信念所能的提供各項服務；韓國倫理守則所言，圖書館館員要爲資源組織奮鬥；美國倫理守則所言，提供適切有用且組織完整的資源。

五、館員的讀者服務

1.服務所有讀者。如英國倫理守則所言，會員擔任圖書館館員之基本責任是對顧客負責，換言之，大衆或團體所需要的資源與服務，是本會會員應該努力提供；新加坡倫理守則所言，館員的責任是去尋求資源，並且服務潛在的讀者，公正的提供服務給所有讀者，館員不應該改變圖書館的資源給個人使用，而有損對於其他讀者的服務。日本館員綱領更提到，並且對那些沒有使用圖書館的國民，也要努力使他門前來利用圖書館。

2.公平對待讀者。如美國倫理守則所言，平等的服務政策、平等的查詢、準確無偏見；韓國倫理守則所言，圖書館館員不以自我的意識型態歧視所服務的讀者，無論是他們的年齡、性別或者社會地位。菲律賓倫理守則也提到，圖書館館員不應對任何讀者有差別待遇，應該經常利用公共資源與圖書館的服務，傳布知識讓民衆知道；香港倫理守則所言，圖書館與資訊專家必需，保護並促使每個客戶能夠自由、平等的利用各項資訊、資源的權利，不得有任何差別待遇。日本館員綱領所言，圖書館員對讀者不能有差別待遇，不能因讀者的國籍、信仰、性別和年齡等不同而有差別待遇；圖書館也不能因受到各種壓力與干涉，而對讀者有差別待遇；英國倫理守則所言，應該保護每位國民自由與平等利用資訊資源的權利，不得有差別待遇，但須受法律的限制；義大利倫理守則所言，圖書館館員對所有讀者提供服務，將不接受關於性別、種族、國籍、社會地位、宗教信仰或政治主張的影響。

3.滿足讀者所需。如美國倫理守則所言，提供最高層次的服務；澳大利亞倫理守則所言，並以熟練、準確、無偏見的回應，協助所有「合法」的要求；也如義大利倫理守則所言，圖書館館員經由公正、專業的做法，確保文獻與知識進行合理的傳布；韓國倫理守則所言，圖書館館員對以專業的服務來面對讀者的種種需求；英國倫理守則所言，在所有專業服務考量之中，顧客的福祉只要合於規定與法律要求，應列爲最優先；香港倫理守則所言，圖書館與資訊專家最基本的責任，就是協助客戶查找到滿足其所需的資料。

4.熱忱有禮服務。如美國倫理守則所言，有禮貌的方式回答讀者的問題；菲律賓倫理守則所言，圖書館員應該透過有禮貌的、迅速的、適當的、熟練的、正確的和沒有偏見的回應，協助者的所有請求，提供最高水準的服務；韓國倫理守則所言，圖書館館員用有禮貌的姿態來招待人們，以喚起圖書館眞實價值的社會意識。

5.提供正確資訊。如以色列倫理守則所言，圖書館館員制定出對每一個要求的一個完全的、精確和公正答案，以做爲提供同等服務的一個策略；如英國倫理守則所言，除非因保密因素，限制資訊的流通，否則有責任促進資訊與思想的流通。

六、維護讀者的隱私權

1.維護隱私精神。如美國倫理守則所言，館員必須保護讀者與圖書館間存在的重要秘密關係。韓國倫理守則所言，圖書館館員保護讀者的個人資訊和保護不揭露這個資訊；新加坡倫理守則所言，館員有義務或應被信任的對待任何私人獲得資訊的機密。香港倫理守則所言，圖書館與資訊專家必需，尊重客戶的隱私權，並且對館員與客戶間的關係，加以保密。

2.維護隱私範圍。如義大利倫理守則所言，圖書館館員執行其專業義務，保護讀者的祕密，包括：讀者的資訊需求、收到或使用的資訊來源;美國倫理守則所言，對其尋找或獲取的資訊，對其諮商、購買、徵集及傳輸的資源均予保密。馬來西亞倫理守則所言，應保護每位讀者在尋找獲得，諮商資源的隱私權，必需保護及尊重每一位使用者的權益，包括尋求或接收資訊、參考諮詢、借閱記錄等隱私權。

3.維護隱私做法。如英國倫理守則所言，本會會員不得洩漏或受允許提供任何委託的保密資料、資訊或行爲檔案(包括紙本或電子型式)給第三者；同時也不可超越客戶最初使用授權範圍，將資訊運用於其他目的的利用,資訊專家對客戶的責任，一直延續至館員與客戶之關係終止;以色列倫理守則所言，圖書館館員不揭露讀者需求或者讀者收到的資訊，也不對讀者提到這些報告資訊的來源，以及這些資訊的流通情形；圖書館館員並且要確保對於隱私權保密執行的做法，讓圖書館的所有讀者都能意識到館方在這方面的努力與作爲，進而有信心館員對其服務隱私，給予專業的保密；日本館員綱領也提到，也不能因爲不注意而洩漏讀者的姓名和資料,更不能侵犯到讀者隱私的行爲，這是從事圖書館活動的館員應該遵守的責任。

4.抗拒相關壓力。如日本館員綱領所言，圖書館員爲了保障國民閱讀的自由，不能因爲受到各種壓力和干涉，而公開讀者的姓名與所借閱資料和設備的內容。

七、尊重著者的智財權

1.尊重智財精神。如以色列倫理守則所言，圖書館館員必須尊重所有關版權的相關法律。

2.尊重智財做法。如澳大利亞倫理守則所言，必需認識與尊重智慧財產權，且在爲讀者匯編資料時，必需避免竄改之嫌，以免誤導。

八、館員的社會責任

1.參與文化創造。如日本館員綱領所言，圖書館員應協助居民與其他團體，共創社會的文化環境，圖書館員應積極瞭解居民自發性的讀書會與藝文活動。且虛心接受各種對圖書館建設和服務改善的要求與批評，並謀求改進之道；新加坡倫理守則所言，館員應公開參與和社區事務，表現出圖書館其教育的、社會的和文化的力量。

2.參與文化出版。如日本館員綱領所言，圖書館員要站在讀者的立場，參與出版文化的發展，出版自由不單是意味資料、情報傳送的自由而已，基本上也包括接受知的自由。此意謂著圖書館應站在讀者的立場，肩負起積極處理出版品生產、流通等事務的社會任務與責任。

3.促進民主發展。如韓國倫理守則所言，圖書館館員對確保人類的自由和尊嚴的民主社會的發展有好處；義大利倫理守則所言，提昇個人或全體的民主制度，作爲民主的一個手段工具，增進個別與集體獨立自主的利用圖書館的服務。

九、館員與同人館務

1.積極參與館務。如日本館員綱領所言，圖書館員應積極參與館方營運方針和服務計計畫的制定，如圖書館員無法採取積極服務的態度，圖書館就無法順利的營運。如新加坡倫理守則所言，圖書館主管管應該充分授權，率先鼓勵職員有責任感，提出專業發展方向和重視工作，也應該要告知圖書館的所肩負的責任和面臨的問題。

2.同人密切合作。如日本館員綱領所言，圖書館員應相互密切合作，以提高圖書館全體專業的能力，圖書館員即使在頻繁的人事異動與不當的調派下，也應努力不影響經驗的累積與專門知識的吸收；新加坡倫理守則所言，忠誠、誠實和尊敬其他同事，在各個部門間，有謙虛的合作精神，是必要的，對圖書館的服務將更有效率；菲律賓倫理守則中所言，圖書館員應該與他們的同事交換資訊學習心得，這對圖書館協會的工作和學校圖書館皆有貢獻，且在如此努力中合作，對於提昇圖書館的效能和資訊科學的專業皆有所助益。

3.爭取工作條件。如日本館員綱領所言，圖書館員應該提供圖書館服務所需的適當工作條件，應有適當職員的配額，防止工作傷害與職業病、女性館員的保護等，並且維護圖書館服務應有的工作條件與建立良好的工作環境。圖書館員為了提高圖書館的服務，應主動追求圖書館工作的自主性；澳大利亞倫理守則所言，主張能保障任職機構內所有員工權利及福祉的就業條件。

4.尊重個人隱私。如新加坡倫理守則所言，個人隱私權是所有圖書館職員都要尊重的，在參與資訊上同事應保持信任。

5.欣賞同事才能。如菲律賓倫理守則所言，圖書館員不應該直接或間接的，誹謗另一專業人員的專業名譽、勝任、能力、前景或技能。他們不應該使用任何不公平的方法，去獲得專業人員的升遷；澳大利亞倫理守則所言，必需以尊重、公平、誠懇的態度對待同事及其他同儕；馬來西亞倫理守則所言，以尊重、友善的態度來對待同事。

6.建立合理制度。如菲律賓倫理守則所言，圖書館員應該遵守適當的程序原則，和在同儕關係與個人的行動中，都有平等的機會；新加坡倫理守則所言，應該接受全體職員對於的圖書館政策、服務等提出建言，這是改善圖書館業務的方法。

7.人事公正公開。如美國倫理守則所言，館員處理人員任用、留用或升遷事宜，有義務保證機會平等及公正評定工作能力的原則；館員評鑑個人任用資格時，有義務按照一般公開私人資料的辦法，清晰、正直及公正的報導事實。

8.認眞負責守分。如新加坡倫理守則所言，接受圖書館中的一個職位，是一項義務，對於任何一份契約或協約，都應忠誠地、堅持，直到屆滿或承諾解除爲止；如要辭職時，應有足夠時間，爲這項工作整理出頭緒來，讓新接替的人方便接手；菲律賓倫理守則中所言，圖書館員應該奉行，在會談時要守時，執行業務時要負責，必須確實的完成與顧客、職員和雇主的合約約定；美國倫理守則所言，面對機構內的政策，館員應瞭解及忠實執行所屬機構的政策，並盡力改善與圖書館權利宣言精神不符的政策。英國倫理守則所言，本會會員必需盡其最大能力履行對雇主的契約。

9.嚴禁貪功奪勞。如新加坡倫理守則所言，這圖書館工作的成就，是圖書館館員共同分擔努力的責任；對於工作成果是不可侵占到其他人的榮耀與功勞。

10.不可自我行事。如菲律賓倫理守則所言，圖書館員不應該直接或間接的協助，在未經受權辦理的圖書館業務。他們應該報告圖書館中正進行的，任何違反現行法律、規章、倫理守則等或其他相關的法律規定的行爲。

十、圖書館館際合作

1.建立共識。如日本館員綱領所言，圖書館員應致力於圖書館之間的相互了解與合作，欲達成圖書館設立的目的，單靠一個圖書館的努力是不夠的，必須配合組織活動的運作。各圖書館由於種類、地區和設置者不相同，所以圖書館員應努力瞭解與協助各種圖書館。

2.宏觀遠見。如義大利倫理守則中所言，圖書館館員應該意識到，全球化的發展與建立整合全球網際網路的環境條件，著手進行資訊系統與資訊文獻傳遞等二項工作的整合，進而掃除有關機構組織與地理環境上的障礙。

3.視爲己任。如日本館員綱領所言，圖書館員對於他館事務不應歸諸於制度上的問題而漠視，應該視爲是自己職業的態度；新加坡倫理守則所言，相互的尊敬，嚴格的堅持去制訂原則，謙遜並心甘情願的去分享知識、經驗是必要的，爲了圖書館間的合作。

4.積極作爲。如日本館員綱領所言，不可忘記，圖書館之間的相互協助，應以本館的努力作爲前題；新加坡倫理守則所言，訪視圖書館應該是長期、殷勤的依照既定的制度來實施，訪視者探查有關該圖書館的建築、組織與業務等，是否盡可能的用各種方法達到最適合的狀況。

5.互通有無。如新加坡倫理守則所言，其他圖書館的資訊需求與參考諮詢，應誠實、機智、愼重的來處理，所提供的資訊，應是客觀和侷限於個人有充分根據來源的；以色列倫理守則所言，圖書館如果與團體讀者，訂立了相關的約定，此時，圖書館館員可以對該團體讀者的成員，給予優先選擇服務，對於部分限定使用的服務，也可以考量提供服務。

十一、館員的角色扮演

1.公私必須分明。如美國倫理守則所言，由於圖書館爲公衆服務機構的特性，館員個人觀點或活動極易被誤認爲代表所服務圖書館的觀點或活動。因此，館員必須特別注意劃分純私人立場的活動或團體授權代表的活動；馬來西亞倫理守則所言，應區分個人信念與專業責任之不同，不可因個人信念而干擾團體之目標與制度；如澳大利亞倫理守則所言，圖書館員在任職機構或專業形象中的行爲與聲明，必需清楚與個人主張和態度有所區別。

2.有權代表自己。如美國倫理守則所言，在法律範圍內，個人有權利參加公共辯論或參預政治、社會活動。

十二、館員的專業認知

1.維護專業尊嚴。如義大利倫理守則所言，圖書館館員要使專業增光，深刻地意識到它的社會有效性；美國資訊倫理守則所言，表現出專業服務的風範，以贏得並維持來自讀者、贊助者及社會的尊重，並且不斷提昇專業水準；

2.具備專業知能。如義大利倫理守則所言，圖書館館員將被要求具有能力提供高品質服務，以及廣泛與深度的專業知識，並且要明確的訂立相關查核的指數，以達到能夠理想的查檢到各種有用資源；以色列倫理守則所言，圖書館館員在圖書館內的所有活動中，要表現得專業，爲專業不斷奮鬥，發展館員的能力和技術，不斷更新內在知識，兼顧圖書館、館員自己和同事的專業發展工作。

3.投身專業活動。如韓國倫理守則所言，圖書館館員須理解專業組織的重要性，和積極活躍於參加這些組織當中。

4.不斷自我成長。如韓國倫理守則所言，圖書館館員盡全力，獲得工作中所應具備的專業知識和技術。

5.不可危害專業。如香港倫理守則所言，圖書館與資訊專家必需，堅持維持專業正直誠實的標準，決不能有損害專業的行爲表現，也不該過度強調自己專業的重要性，讓雇主、同事、讀者大衆受到損失。

十三、館員的進修責任

1.不斷努力進修。如日本館員綱領所言，圖書館員無論是個人或是團體，必需不斷的努力進修，此種進修的成果，將有助於圖書館全體專門知識的增長。換言之，進修是圖書館員的義務，也是一種權利；香港倫理守則所言，圖書館與資訊專家必需，爲專業良好形象而努力奮鬥，這包括不斷的進修，提昇自己的專業知識與技能；澳大利亞倫理守則所言，必需維持及增進專業知識與技能，以確保專業的傑出表現，並應鼓勵同事的專業發展及培育對此行業有志向的潛在成員。

2.建立進修制度。如日本館員綱領所言，圖書館員除了應努力主動進修外，也要努力改善進修的條件與確立進修的制度。

3.維持專業知能。如日本館員綱領所言，圖書館員應努力熟知常用的資料，對資料十分熟悉，是大衆對圖書館員極大的期望；新加坡倫理守則所言，館員在履行自己的專業責任上，應努力維持專業水準；如菲律賓倫理守則所言，圖書館員應該透過正式和非正式的方法，努力改善、加強並提昇自己的專業知識。

十四、館員與專業團體

1.必須嚴格遵守。如英國倫理守則所言，本會會員必需遵守學會會章、法規及本行爲守則的條款。

2.不得危害專業。如英國倫理守則所言，本本會會員不得作出嚴重損傷圖書館專業或學會地位與聲譽的行爲。

3.保持專業知能。如英國倫理守則所言，本會會員必需勝任其專業活動，有下列幾項要求：(1)會員須能與圖書館學的發展同步發展，具備參與各種專業實務的資格與經驗；(2)會員執行學會開設的教育訓練或負責指派任務給其他館員，都需要保證被訓練或負責執行任務的館員，已達到勝任的地步。

4.違規通報制度。如英國倫理守則所言，本會會員若觸犯任何有關不誠實的法律或有損專業聲譽的事件，必須向本會秘書處報告實情。

5.盡到會員義務。如英國倫理守則所言，本會會員有責任：(1)回覆紀律委員會請求對某位申訴者之評論或資訊。(2)凡會員受邀請，有責任出席委員會會議，其代表性依地方法規行使；(3)紀律委員會提名人有義務協助會員，接受未來行爲的輔導。

6.接受相當懲處。如英國倫理守則所言，(1)未能遵守守則中第二部分的要求，包括能力相關的要求時，得提請紀律委員會認定後，將被視爲嚴重的專業過失。如此，會員應接受開除會籍或停職(有條件或無條件)處分；或要求適當的賠償、放棄所有權及所獲得之利潤，或接受懲戒且(或)被要求支付訴訟費。(2)未能遵守守則中第二部分的要求，根據紀律委員會的意見，尙不足達到嚴重專業過失並已被證實，則會員應接受勸告或給予適當的指導，以作爲未來行爲的指引等。

肆、結　語

綜觀上述，雖然，各國的圖書館倫理守則詳簡不一、內容重點不一，但加以彙總整理分析，對於圖書館專業倫理守則的面貌，多少有所認知，在這些條文文字之下，約略可以整理出下列的原則性內涵：

1.捍衛閱讀自由；2.平等服務讀者；3.提供最高服務；4.滿足讀者需求；5.維護讀者隱私；6.尊重智慧財產；7.永保中立立場；8.維持專業知能；9.堅持專業信念；10.維護專業尊嚴；11.肩負社會責任；12.致力館際合作；13.熱忱禮貌服務；14.認眞負責守分；15.堅守實踐承諾；16.釐清公私角色；17.迴避利益衝突；18.禁止圖謀私利。

圖書館專業倫理守則僅是以書面方式呈現出專業的要求，然而，圖書館員面對這些條文式的守則，大多備而忘之。條文過於簡略，無法在面臨倫理情境衝突時，做出較好的思考(註5)；條文過於詳細時，館員可能無法全部掌握。因此，如何將圖書館專業倫理中的精神原則，加以釐清闡述，應該是發揚圖書館專業倫理可行的途徑之一。

後記：盧老師於民國八十年間，前往美國休假一年，其在夜間部的「中文參考資料」課程，需要有人代課。時甫從研究所畢業，就硬著頭皮，接受了這項磨練。由於曾經聽到老師談到某人代他的課程時，教材準備豐富，其深感欣慰。因此，不敢有所怠慢。努力的結果，獲得了鄭恆雄主任的肯定，與現任政治大學圖書館的林呈潢館長，三人合寫了一本空大的教科書《參考服務與參考資料》。去年某夜，張淳淳主任提到盧老師即將榮退，夜間部的課希望有人能夠承接。由於「專業倫理」應該屬於較年長的老師來擔任較為適合，自認年歲不夠，不過不知當時怎樣談，就這樣接了這門課。事後，曾經向 盧老師請益，猶記得老師告誡二事，一是，不要拘泥於倫理條文上，意義不大，而應該是從理念上著手；二是，發表一些文章，表示對這門課程的心得。今逢 老師七秩華誕，謹草成此文，以為賀嵩壽，並謝師恩。

【附錄】各國圖書館專業倫理守則資料來源

1. 美國圖書館協會倫理守則(Code of Ethics of the American Li-

brary Association)

1939、1995，美國圖書館協會(American Library Association)公佈。http://www.ala.org/alaorg/oif/ethics.html

2. 加拿大圖書館倫理聲明 Code of Ethics Position Statement

   1976.6，加拿大圖書館協會 Canadian Library Association

   http://www.cla.ca/about/ethics.htm

3. 日本圖書館館員倫理綱要 Japan Library Association Code of Ethics for Librarians

   1980.6.4 完成，1980.11.1 通過，日本圖書館協會

   http://wwwsoc.nacsis.ac.jp/jla/rinri.htm

   http://www.faife.dk/ethics/jlacode.htm

4. 英國圖書館學會專業行爲倫理守則 The Library Association's Code of Professional Conduct

   1980.10 初稿、1983 定稿，英國圖書館學會

   http://www.faife.dk/ethics/lacode.htm

5. 澳大利亞圖書館與資訊學會之專業倫理宣言 ALIA Statement on professional ethics

   1986 制定、1997.11 修訂，澳大利亞圖書館與資訊學會 Australian Library and Information Association

   http://www.faife.dk/ethics/aliacode.htm

6. 馬來西亞圖書館協會倫理守則 MLA Code of Ethics

   1989，馬來西亞圖書館協會草擬

   http://www.pnm.my/ppm/index-1.htm

7. 菲律賓圖書館專業倫理守則 Code of Ethics for Registered Librarians

   1992 年 8 月 14 日核准；專業人士規則委員會制定 Professional Regulation Commission of the Republic of the Philippines

http://www.faife.dk/ethics/filicode.htm

8. 新加坡圖書館專業倫理規範 Code of Ethics

   1992，新加坡圖書館協會制定

   http://www.las.org.sg/constit.htm#ethics

9. 香港圖書館學會之倫理守則 Hong Kong Library Association Code of Ethics

   1995，香港圖書館學會

   http://www.hklib.org.hk/about-us.html#ethics

10. 韓國圖書館館員倫理守則 Code of Ethics for Librarians

    1997.10.30，韓國圖書館協會 Korean Library Association 公告

    http://www.faife.dk/ethics/klacode.htm

11. 義大利圖書館館員的行爲守則：基本原則 The Librarian's Code of Conduct: Fundamental Principles

    1997.10.30，Italian Library Association / Associazione italiana biblioteche (AIB)義大利圖書館協會

    http://www.faife.dk/ethics/aibcode.htm

12. 以色列圖書館館員倫理守則 Code of Ethics of the Librarians in Israel

    The Israeli Center for Libraries

    http://www.faife.dk/ethics/iclcode.htm

13. 各國相關圖書館倫理參考網站

    Ethics Links to Librarian and Information Manager Associations WWW Pages http://www.ou.edu/cas/slis/ethics/EthicsBibOrg.htm

【附　註】

註 1　盧荷生，「論現代圖書館員的職業倫理」。載於：嚴文郁等著，《蔣慰堂先生九秩榮慶論文集》。臺北市：中國圖書館學會，民國 76 年 11 月。頁 543-544。

註 2　莊道明著，《圖書館專業倫理》。臺北市：文華圖書館管理，民國 85 年 1 月。頁 75。

註 3　同上註，頁 99-100。

註 4　張慧銖，「國家圖書館與資訊服務政策：馬來西亞與臺灣之比較研究」。《大學圖書館》1 卷 1 期(民 86 年 1 月)，頁 79。

註 5　輔仁大學詹德隆副校長，也是輔仁大學專業倫理課程委員會召集人，曾經在一次研討會中提到，學習專業倫理的目的，可能無法達到使每一個人都成為好人，而是希望當人們面臨倫理情境衝突時，選擇一個最好的方法來處理。

《四庫全書》與西學

計 文 德

弘光技術學院通識教育中心講師

摘 要

《四庫全書》所代表的知識範疇，是清初時期知識界對文化的總認定，而四庫館臣在不分疆域界限的原則下，編入了三十七種明清間西洋傳教士的中文西學著作。這次文化的接觸，對我國近代化的轉變，當有其特殊意義。

本文試從文化傳播與西學的東傳、明清間輸入之西學、《四庫全書》的修纂與西書的收錄、《四庫全書》總目與存目中的西書、《四庫全書》對西學輸入的反應等章節加以探討，以求剖析明清間學林對西學的態度，及西學對當時學界與社會的影響。

關鍵詞：四庫全書　西學　文化傳播

壹、前 言

文化傳播（Cultural diffusion），往往可說是另一地區新文化的來源。一個社會的許多文化，固然有其自己發明的，但其中大都採用其他社會已經發明且流行之文化與事物。

我國文化悠久，文物制度燦然可觀，自尊心理不免而生，以天下之大，萬民之衆，惟中國爲堂堂大國，惟中國爲文明之邦。自古以來雖不無中西交通的蹤跡，然於學術思想之輸入，可謂甚微。

明清之際，由於西洋傳教士相率東渡，並將其所學之天文、曆法、輿圖、哲理等學一并傳入中國，引起相當大的震撼。

乾隆年間所編纂的《四庫全書》，是我國亙古以來最博大的一部叢書，內容廣泛，幾乎網羅我國古代典籍於一堂。有趣的是，《四庫全書》在不分疆域界定的原則下，編入了不少西洋傳教士的中文著述。這其中的意義，相信是值得探索的。

貳、文化傳播與西學的東傳

文化傳播，必起於文化的接觸，接觸則必有媒介，其中最主要的媒介如貿易、戰爭、傳教、留學等。在一個保守而自負的社會裏，社會變遷是緩慢而漸進的，當此社會一旦與其他社會的文化互相接觸時，雙方文化就會因接觸而產生相互的「輸入」。這種「輸入」最初的影響，多半只是表面的、遲緩的，很少深及文化的內部。但既經傳播，自然就會加速的進行著，而且很快會有廣且深的影響。

在我國五千年悠久的文化裏，從漢武帝通西域起，就已和西方文化開始接觸。唐朝時阿拉伯人帶來阿拉伯文化、波斯文化——即所謂回教文化、猶太文化，以及希臘、羅馬文化和印度文化（佛教文化），都藉著商業上的來往，輸入中國，與中國文化發生了交流。（註1）但這些交流並非大規模的文化傳播，也非多層面的文化接觸。

到了十六世紀以後，東西文化開始大規模的接觸，西方學術文化的輸入我國，此時可分爲二個時期：其一是始於明萬曆中葉（約西元1573－1619），盛於清康熙年間（約1662－1721），至乾隆中葉（約1736－1795）而絕；其二是始於清咸豐（1851－1861）同治（1862－1874）年間之講求洋務，以迄今日。（註2）本文旨在探討近代西洋學術與思想的第一次輸入情形和影響，及其和《四庫全書》的相互關係。

參、明清間輸入之西學

十五世紀晚期以後的歐洲，因地理大發現、民族王國的興起以及西歐天主教一統局面的破裂，而呈現了新的景象和性質。百年後，十七世紀初正逢文藝復興與啓蒙運動的交替時代，歐洲學術研究風氣興起，新思想與觀念萌芽，自然科學如數學、天文、物理、醫學等，相繼奠定基礎；人文科學如哲學、政治學、經濟學等，亦相繼出現。

反觀十五世紀晚期的中國，正當明朝中葉以後，國勢轉趨衰弱，朝政敗壞，外患侵擾，流賊猖狂，科學與技術亦漸沒落。到了十七世紀初期，經數十年的爭鬥，在政治上發生了明清朝代交替的大變化，學術思想風氣亦有所轉變。

明清之際，由於中國的諸多變動，對東來的西洋人及其傳教事業而言，多少給予有利的輸入環境。如前所述，文化的傳播必起於文化的接觸，而此次西學東傳的媒介，是一批具有宗教熱忱的飽學傳教士，他們藉著西洋的科學技術爲手段，來吸引我國學者士大夫的注意，並且尊重中華文化亦華服華語，雖不汲汲於直接傳教，卻將所學出示國人，使朝野咸知西洋學術之思想及其文明。

謹就近代我國圖書分類法中較普遍被採行之「中國圖書分類法」的總類、哲學、宗教、自然科學、應用科學、社會科學、史地、語文、美術等十大類，予以整理類分當時所輸入之西學，藉以了解明清間兩百餘年十數個國家的四百餘位傳教士，及其近五百部中文著作的大略情形。（註3）

一、總類

「中國圖書分類法」的總類，下含特藏、目錄學、圖書館學、國學、類書與百科全書、普通雜誌、普通會社出版物、普通論叢、普通叢書、群經等十綱。在此類中僅普通叢書及群經二綱有西洋傳教士的撰譯作品，如李之藻彙刻《天學初函》、白晉《周易原指探》等二部。

二、哲學類

哲學類下分總論、思想、中國哲學、東方哲學、西洋哲學、論理學、形而上學（玄學）、心理學、美學、倫理學等十綱。西洋教士的中文著述佔有哲學總論、西洋哲學、論理學、形而上學、心理學、倫理學等六個綱目，作品如高一志《斐錄彙答》、利類思《物元實證》、傅汎際《名理探》、利瑪竇《西學修身》、龐迪我《七克》等二十二部。

三、宗教類

宗教類又分總論、比較宗教學、佛教、道教、基督教、回教、猶太教、群小宗教、神話、術數（迷信）等十綱。西洋教士的中文著述占有比較宗教學、基督教、術數等三個綱目，作品如利瑪竇《畸人十篇》、利安當《天儒印》、湯若望《主制群徵》、陽瑪諾《聖經直解》、羅若望《天主聖教啓蒙》等二一五部之多。

四、自然科學類

自然科學類又分總論、數學、天文、物理、化學、地質、生物（博物）、植物、動物、人類學等十綱。西洋教士的中文著述占有總論、數學、天文學、物理、地質、動物、人類學等七個綱目，作品如高一志《空際格志》、利瑪竇《同文算指》、艾儒略《幾何要法》、陽瑪諾《天問略》、熊三拔《表度說》、龍華民《地震解》等五十九部。

五、應用科學類

應用科學類又分總論、醫藥、家事、農業、工程、礦冶、應用化學（化學工藝）、製造、商業、商學（經營學）等十綱。西洋教士的中文著述佔有醫藥、工程、礦冶等三個綱目，作品如畢方際《睡畫二答》、熊三拔《藥露說》、鄧玉函《奇器圖說》、湯若望《西庠坤輿格志》等八部。

六、社會科學類

社會科學以研究社會現象，發現其中因果關係的各個學科爲主，如統計、教育、禮俗、社會、經濟、政治、法律、軍事等皆是。西洋教士的中文著述占有教育、政治、軍事等三個綱目，作品如艾儒略《西學凡》、高一志《童幼教育》、湯若望《火攻挈要》等七部。

七、中國史地類

今「中國圖書分類法」中國歷史下分通史、斷代史、文化史、外交史、史料等五個綱目，中國地理則置於中國歷史之後，下分總志、方志、類志等三個綱目。西洋教士的中文著述在此有利瑪竇《奏疏》、畢方濟《奏摺》、白晉《皇輿全覽圖》、蔣友任《乾隆內府銅版地圖》等五部。

八、世界史地類

明末清初來華的這些傳教士，多半隸屬於今意大利、葡萄牙、西班牙、法國、德國、波蘭等歐洲國家，不論其來華路線如何？皆得花費兩三年時光，經歷八九萬里路，所見國家不知凡幾？其作品如利瑪竇《萬國輿圖》、南懷任《坤輿全圖》、安文思《西方要紀》、艾儒略《職方外紀》等十六部。

九、語文類

語文類又分語言、文學、中國文學、總集、別集、特種文藝、東洋文學、西洋文學、西方諸小國文學、新聞學等十綱。西洋教士的中文著述佔有語言、總集、西洋文學等三個綱目，作品如利瑪竇《西字奇跡》、金尼閣《西儒耳目資》、曾德昭《字考》、恩理格《文字考》等十二部。

十、美術類

舉凡音樂、建築、雕塑、書畫、攝影、圖案裝飾、技藝、戲劇、休閒娛樂等皆在現代十進分類法中占有一個類號。而明末清初西方的音樂、建築與繪畫亦藉西洋傳教士傳入了中國，其作品如利瑪竇《西琴曲意》、徐日昇《律呂纂要》、錢德明《古今音樂篇》等六部。

十一、類別不詳者

除上述諸類外，另有許多類別不詳者，其作品如利類思《首人受造》、白多瑪《四絡略意》、賓紐拉《初會問答》等二十餘部。

由上可見，明清間輸入之西學著作種類繁多，其中宗教類比率最多，高達百分之五八，基督教更占宗教類中的百分之五十六，故我們可說利瑪竇等西洋傳教士於明清間，不單輸入西洋之學術，更在中國蒔下了一粒宗教的種籽，一粒基督教（Christianity）將要發芽滋長的種籽。

肆、《四庫全書》的修纂與西書的收錄

自唐虞三代以來，即設史官，以書契爲察民布政之所資，足證自古以來開國立業之帝王，雲掃天下之餘，無不垂意典籍，以爲文治之丕基。

清初，康雍乾三朝可謂盛世，乾隆皇帝更大肆開疆擴土，聲名文教遠披四夷，榮享十全武功之盛名。於是轉而注重文治，垂意典籍，于乾隆卅七年（西元 1772 年）詔開四庫全書館，編纂《四庫全書》。（註 4）

文獻的多寡，正足以研治一個民族文化的興衰。而我國歷代文獻之豐，典籍之富，眞可謂浩如瀚海，其中在歷代官修書中，能將前人遺著做一總結的，應屬這部《四庫全書》了。歷時十餘稔，收錄三千四百七十餘部、七萬九千多卷古籍；另有存目六千八百一十九部、九萬四千零三十四卷，裝訂爲三萬六千三百餘册的巨著，震鑠學林。（註 5）

《四庫全書》可謂我國亙古以來最大的一部叢書，其內容廣泛，幾乎網羅了我國古代重要典籍於一堂。然而以當時海禁之嚴，《四庫全書》中卻不分疆域界限的收錄若干外國人著作，如朝鮮（韓國）的鄭麟趾、徐敬德；日本的山井鼎、物觀、信陽太宰純；安南（越南）的黎崱；印度的瞿曇悉達；更有隸屬於歐洲而概稱「西洋」的利瑪竇、熊三拔、湯若望、南懷任、徐日昇等數十人之多。令人訝異的是，這些著作何以能入我國文獻之林？四庫館臣如何徵求海內遺書？如何整理甄選？何以又釐分爲著錄及存目？值得探究。

一、採訪天下遺書

清聖祖康熙爲鞏固帝業，乃羈縻中國之知識份子以減輕口誅，壓迫知識份子以消滅筆伐，從而實行懷柔與高壓的統治政策。但康熙帝本人卻精研漢籍，特別注意文事，想從此來駕馭漢民族，因此詔諭採集天下遺書，用充秘府，以便增廣見聞而資掌故。

高宗乾隆皇帝踐位，天下太平，文治修省，以爲著述日繁，遂仿康熙帝詔求天下遺書，命各省督撫學政採訪近世著作，隨時進呈，終至詔開《四庫全書》館，採擷天下遺書。

二、消弭夷夏觀念

滿清因是異族入主中國，所以畏懼漢人以「夷夏」之分大力反抗，所以有關滿漢畛域之分，多採防漸之術。雍正立朝，更是不餘遺力的履次降諭，解說中外、夷夏的意義，更著《大義覺迷錄》頒行天下，欲以遏止漢人的反清思想，進而淡薄種族觀念。

從清初嵌制知識份子思想的防微杜漸到夷夏之防漸鬆，中外一家，天下一人的觀念，將有助於後來四庫館臣對於西洋傳教士的中文著述加以收錄，而不致遭衛道者的苛斥。

三、留意外國之作

由於明清間一兩百年西洋教士不斷地來華，陸續地有中文著述出現，早期或以「歸化陪臣、慕義遠來」（註6）觀念視之，但滿清入主後，極力消弭夷夏觀念，因此對於中外、天下也較易接受，對四譯館所存外裔番字諸書，就頗爲留意。

乾隆十三年（1748），清高宗就已注意到海外諸夷並苗疆等處，有各成書體者，當一併訪錄，繕寫進呈，以昭同文盛治。此時四庫全書館尚未成立，但乾隆皇帝在諭旨中已明確指出「所有西天及西洋各書，於咸安宮就近查辦」（註7），可見此諭是《四庫全書》收錄西書的緣起。

在《四庫全書》開館後，館臣們便以爲皇帝既已留意外裔番字諸書，且下詔搜輯，繕寫進呈，於是得以放手，不分疆域界限，只要符合體例者，便加以收錄。

四、採進之西書

乾隆編修《四庫全書》事業既經議定，各省進呈者頗少，主要原因恐在康雍以來文字獄屢作，人們如驚弓之鳥，各督撫亦恐因此造成大獄，而多奉行具文。高宗因此不悅，繼而二次下詔通諭天下臣民知之，始漸獲得採進。

四庫全書館當時所據書籍來源有四，一為政府固有藏書，二為公私進到遺書，三為《永樂大典》中散見各書，四為臨時編纂加入之書。（註8）

㈠政府固有藏書

此又分內府刊本、內府藏本、敕撰本、武英殿兩次書目等四種，所採進之西書如徐日昇《律呂纂要》、德理格《律呂正義續編》、戴進賢《御定曆象考成後編》、南懷任《坤輿圖說》等十一部。

㈡公私進到遺書

凡各省督撫學政採取各地遺書，送館備用者為各省採進本（有係購用者、有係借抄者兩種），另外由藏書家送館備用者為私人進獻本（有奉旨敬獻者、自願進獻者兩種）。前者如高一志《空際格致》、利瑪竇《幾何原本》、金尼閣《西儒耳目資》等十五部四十二本。後者卻只有浙江汪啓淑家呈穆尼閣《天學會通》等三部七本、大學士英廉購進南懷任《別本坤輿外紀》一部、編修程晉芳家藏利類思《西方要紀》一部、編修陳昌齊家藏鄧玉函等《新法算書》一部等凡六部而已，比例之低，實在令人訝異！

㈢《永樂大典》中散見各書

《永樂大典》中散見各書，因均爲明成祖時從古代群籍中依韻匯聚成書者，故四庫館臣由大典採輯成帙之書，不可能有西洋教士的中文著述。

㈣臨時編纂加入之書

臨時編纂加入之書，亦爲敕撰本，其中並無西洋教士參與撰修事蹟。

綜上所述，乾隆開館以後，雖說徵書數量可觀、地域普及、成效卓著。但內府書仍有未盡發寫者，各省採進則四川、甘肅、貴州全無進呈者，私人藏書家、官紳進呈又多疑畏，以至於天下遺籍甚多未出，秘而不宣，其中西學書暨西洋教士的中文著述更是少有進呈，導至四庫館臣未遑採錄之書尚夥，而四庫採進書目中的西書，便寥寥無幾了。

伍、《四庫全書》著錄與存目中的西書

自乾隆下詔，修書議起，詔發內府所儲，復令各省進呈書籍，不論徵集、購訪，或私人藏書家、官紳的進獻，天下遺籍，絡繹進館，於是由第一階段的蒐集工作，進入了第二階段的審定工作，也就是朝廷與學術界對知識文化的總整理。

一、四庫全書館採集遺書標準

早在清初康熙皇帝詔求天下遺書時，就曾明白指出「今搜訪藏書善本，惟以經學史乘，實有關係修齊治平，助成德化者，方爲有用，其他異端詖說，概不准收錄。」（註9）其後乾隆帝亦以闡明性理，潛心正學者，爲搜羅之對象，並自稱「予蒐羅四庫之書，非徒博右文之名，蓋如張子所云：『爲天地立心、為生民立道、爲往聖繼絕學、爲萬世開太平』胥於是乎繫！」（註10）

另據乾隆三十七年正月四日上諭得知，凡有闡明性學治法，

關繫世道人心者，優先編錄；發揮傳注，考覈典章，旁及九流百家之言，有裨實用者，亦予甄擇；歷代名人與清初當時著有成編，而非勦說卮言者亦予收編；而坊肆所售舉業時文，及民間族譜、尺牘、屏帳、酬唱詩文等則舍棄弗顧。（註 11）因此，四庫館臣得以據此爲採輯的原則。

二、外國之作收錄的標準

清初一再有徵書令，欲詔訪天下遺籍，以廣石渠，用儲乙覽。而高宗在乾隆十三年（1748）因閱覽四譯館所存外裔番字諸書後，諭令將海內外諸夷及西天、西洋各國儲書，廣爲蒐輯，核正後進呈，但卻未明言如何處理。

當四庫開館後，館臣們在蒐羅異域著作時的原則，由《四庫全書總目》提要之編纂條例來看，「外國之作，前史罕載，然既歸王化，即屬外臣，不必分疆絕界。故木增、鄭麟趾、徐敬德之屬，亦隨時代編入焉。」（註 12）雖未說明收錄西書的標準，但也明示「既歸王化，即屬外臣，不必分疆絕界……隨時代編入」，暨館臣們對學術無國界的看法了。

《四庫全書總目》之凡例雖未明言外國之作收錄的標準，但從諸多提要中，仍可尋得當時四庫館臣收錄西書標準的一些蛛絲馬跡，茲簡述如下：

㈠節取西洋技能者

《四庫全書總目》可說是目錄派別中，最稱完善的一部解題目錄書，不單篇目、敘錄、小序三者俱備，甚且就小序所述，於義有未盡、例有未該時，附註案語，以明通變。在子部雜家類存目《寰有銓》提要之後的案語，有這麼一段話：

案：歐邏巴人天文推算之密，工匠製作之巧，實逾前古……國朝節取其技能……俱存深意。（註 13）

此段案語，雖列於《寰有銓》提要之後，但非只是其案語，而是四庫提要中之所以著錄西方傳教士的總案語，可見四庫館臣收錄西書的標準，首先是節取西洋的技能，是故凡此類介紹西學技能的著作，皆予以著錄或存目。例如利瑪竇的《乾坤體義》、熊三拔的《表度說》與《簡平儀說》、陽瑪諾的《天問略》等皆是。

㈡收錄裨益民生者

提要對介紹西洋器物方面的書，均頗為注意。除上述《表度說》與《簡平儀說》這些西洋曆算方面的儀器之外，凡有關民生、民用之具，祇要切於民用、裨益民生者，亦皆錄而存之。例如熊三拔的《泰西水法》與鄧玉函的《奇器圖說》等皆是。在鄧玉函的《奇器圖說》提要中，就有這麼一段話，可資證明：

> 其術能以小力運大……其製器之巧，實為甲於古今，寸有所長，自宜節取。其書中所載，皆裨於民生之具，其法至便，而其用至溥，錄而存之，固未嘗不可備一家之學也。（註 14）

㈢收錄存廣異聞者

從明末這些「自古不通中國」的歐邏巴人，浮海九萬里，費時三兩年，不遠千里而來到中國，將其所見所聞海外諸國道里山川、民風物產，筆撰成書，國人每有好奇，一直到了清初，兩百年來，這些地理知識仍存疑惑。因此，四庫館臣們在蒐輯天下遺籍，整理知識遺產時，便將這些西書著錄在《四庫全書》裏史部地理類的外紀之屬中，為的是存廣異聞。例如艾儒略的《職方外紀》，四庫提要便稱：

> 所紀皆絕域風土，為自古輿圖所不載，故曰《職方外紀》……前貫以萬國全圖，後附以四海總說。所述多奇異，不

可究詰，似不免多所夸飾，然天地之大，何所不有？錄而存之，亦足以廣異聞也！（註15）

㈣收錄遵循帝諭者

自清初以至乾隆時期，諸臣遵照皇帝敕旨所編纂之書，謂之敕撰本；內廷藏書，專供御覽者，謂之內府本。這兩種四庫書的來源，是乾隆帝徵詔天下遺書時內府固有藏書，故館臣們當然收錄。例如康熙五十二年（1713）御定的《律呂正義續編》，即由徐日昇及德理格所撰；《數理精蘊》亦有西洋教士張誠等譯書的功勞。同樣情形，乾隆帝敕撰的《曆象考成後編》、《儀象考成》，也有西洋教士戴進賢貢獻所學。至於內府藏本則只有《律呂纂要》、《坤輿圖說》爲西洋教士的著作。

㈤禁傳其學術

總目提要在《寰有詮》提要之後的案語中，說到要禁傳西洋的學術，指的是「宗教思想」而已，案語中說：

案：歐邏巴人天文推算之密，工匠製作之巧，實逾前古，其議論夸詐，亦爲異端之尤。而禁傳其學術，具存深意。（註16）

當時因朝廷禁教，四庫館臣多少受到約束，雖不至於蓄意詆毀，但因《四庫全書》之編修，實有欲藉詔求遺書，整理典籍爲名，而收禁焚之實。且四庫館臣又挾六朝以來的衛道觀念，凡不能「敦崇風教」的著作或文章，概予刪銷不收；或認爲「言非立訓，義或經緯」的書，則僅附存其目，而不抄入四庫。（註17）

因此，雜家類雜學之屬只附存十部西學著述，由這些西書的提要，可想見四庫館臣在當時審定進呈的天下遺籍時，的確是「嚴爲去取」，且「禁傳其學術」了。

綜上所述，四庫館臣對於這些「前史罕載」的外國之作，認爲只要作者是慕義遠來，且歸王化的遠臣，而其作品又都符合著錄與存目的標準時，便予收錄。

三、《四庫全書》著錄的西書

《四庫全書》著錄的西書，在經部之樂類、史部之地理類外紀之屬、子部之農家類、天文算法類推步之屬及算書之屬、譜錄類器物之屬等類屬，皆有著錄，請參閱表一。（註 18）

四、《四庫全書》存目中著錄的西書

《四庫全書》存目中著錄的西書，在經部之樂類、小學類韻書之屬、史部之地理類外紀之屬、子部之雜家類雜家及雜編之屬等類屬，皆有存目，請參閱表二。（註 19）

陸、《四庫全書》對西學輸入的反應

由於利瑪竇等耶穌會西洋傳教士，有意將天主教義融入中國人心，因而採用了特殊的傳教策略。但有些道明會、方濟各會、奧斯定會等教士，卻因對中國的認識不同，在傳教方法上，也有著極大的不同。因此，明末清初的社會，所給與的反應，也因人因事有著很大的不同。

一、節取其技能、而禁傳其學術

《四庫全書》所代表的知識範疇，即是清初時期知識界對文化的總認定，而其知識系統之四部分類法，又以尊經崇儒的衛道觀念為主流。由各書提要可見四庫館臣們，對這些「慕義遠來」的遠臣及其所著「前史罕載」的西學著作，反應是「選諸子百學之粹，博收而不悖聖賢」（註 20）這在國力達於鼎盛的清初而言，可說是一種必然的過程，亦反應出天主教的擴充。

誠如前面所述，文化的傳播，必起於文化的接觸，接觸則必有媒介，其中最主要的媒介如貿易、戰爭、傳教、留學等。在一個保守而自負的社會裏，宗教思想方面的接觸，難免會有一番磨

擦與衝突，即使像唐朝如此開放的朝代，都有韓愈諫迎佛骨一事，何況西洋教士的東來，是在八股取士已久的明末，以及夷夏之防仍嚴的清初啊！

在《天學初函》提要中，有這麼一段話說：「西學所長，在於策算，其短則在於崇奉天主以炫惑人心……之藻等傳其策算之術，原不失爲取節……今擇其器編十種可資策算者，別著於錄……其餘概從摒斥，以示放絕，併存之藻總編之目，以著左袒異端之罪焉。」（註 21）是以總結四庫館臣對這些西學著作的反應是「節取其技能、禁傳其學術」，如此的著錄，才不致於「左袒異端」，故天主教類著作僅入雜家類雜學之屬的存目，確實是「具存深意」的一種必然過程了。

二、無不法字跡、未列禁燬書目

自秦皇、隋煬以至清初，欲藉禁燬圖籍，做爲箝制百姓口舌之政策的記載，史不絕書。高宗在《四庫全書》蒐編期間，斷斷續續下了二十五道聖諭，《四庫全書》將之收錄在《四庫全書總目》的卷首，其中就有數道諭旨關係著禁燬書籍的內容，但卻爲見任何有關禁燬西學著述的規定。

清代禁毀書籍之總數，確實的統計數字不可得，約近四千種、一萬三千部之多。（註 22）在如此多的違礙書中，卻沒有一部由西洋教士的中文著作暨西學著述，倒是事實。

清朝雖曾數次發生教難，但從歷朝檔案來看，每多「未聞犯法生事」、「並無別項邪術」、「別無不法字跡」等認定。例如康熙皇帝在五十九年（1720）十一月曾面諭西洋教士白晉、巴多明等人說：「爾西洋人，自利瑪竇到中國，二百餘年並無貪淫邪紀，無非修道，平安無事，未犯中國法度。」（註 23）又如乾隆五十年（1785）二月江西巡撫李承鄴在拿獲西洋人等奏摺中提到

「搜出經卷、圖像、念珠、十字架、洋錢等物……別無不法字跡。」（註24）

由於清廷禁燬書籍的動機，主要是在消滅對己不利的言論，故凡議論偏謬，用語誕誕悖逆者，當在燬禁之列，至於西洋教士及其所撰中文著述，因無涉及合於禁燬的內容，就不被注意了。

結　論

或曰我國文化悠久，文物制度粲然可觀，自尊心理不免而生，以天下之大，萬民之衆，唯中國爲堂堂大國，唯中國爲文明之邦。但當明清間，西方學術文化開始輸入我國，東西文化開始大規模的接觸，中國的近代化似乎躍然而動。

此次文化的接觸，對明末空疏的理學，本是一次很好的轉變機會，西洋教士們惟恐人文科學不易動國人之視聽，乃致力於傳播自然科學知識，以西洋人之科技相遺來欣動、刺激國人，而後達到其傳教之目的。《四庫全書》所代表的知識範疇，即是清初時期知識界對文化的總認定，而四庫館臣在不分疆域界限的原則下，編入了三十七種明清間西洋教士的西學著作，有其特殊意義。

可惜國人於近代西洋文化之根本精神頗多忌諱，亦有所排斥，然而「西教與西學可說是兩位一體，亦可說是西學寄生於西教，西教被禁，西學隨之失去了他的寄生體。」（註25）禁教後的一個世紀，西方世界變化極大，如啓蒙運動、工業革命等，我國全無所知，毫無所感，近代化的遲誤，難怪令人感嘆良多了。

※附錄

表一、《四庫全書》著錄之西書一覽表

部	類	屬別	書　名	卷數	撰（譯）者	所據版本	備　註
經	樂		律呂正義續編	1	清聖祖御定 （葡）徐日昇 （意）德理格	內府刊本	爲御定律呂正義的第三部份，係取西洋律呂考證古法
			御製律呂正義後編	126	清高宗敕纂 （意）德理格 （德）魏繼晉 （捷）魯仲賢 參與修律		上述三人雖未列民館臣，但實際貢獻所學
史	地理	外紀	職方外紀	5	（意）艾儒略	兩江總督採進本	
			坤輿圖說	2	（比）南懷任	內府藏本	
子	農家		態西水法	6	（意）熊三拔	兩江總督採進本	
	天文算法	推步	乾坤體意	2	（意）利瑪竇	兩江總督採進本	
			表度說	1	（意）熊三拔	兩江總督採進本	
			簡平儀說	1	（意）熊三拔	兩江總督採進本	
			天問略	1	（葡）陽瑪諾	兩江總督採進本	
			新法算書	100	明徐光啓、李之藻、李天經與西洋教士（意）龍華民、（德）鄧玉函、（意）羅雅谷、（德）湯	編修陳昌齊家藏本	

					若望等人所修		
			測量法義 測量異同 句股義	各1卷	明徐光啓撰 首卷（意）利瑪竇譯	兩江總督採進本	
			渾蓋通憲圖說	2	明李之藻	兩江總督採進本	
			圜容較義	2	明李之藻撰 （意）利瑪竇授	兩江總督採進本	
			御定曆象考成後編	10	清高宗敕纂 （德）戴進賢 （英）徐懋德 參與修纂		
			御製儀象考成	30	清高宗敕纂 （德）戴進賢 （德）劉松齡 （德）鮑友管 參與修纂		
			天步眞原	1	（波）穆尼閣著 清薛鳳祚譯	浙江汪啓淑家藏本	
		算書	同文算指	前編2 通編8	明李之藻演 （意）利瑪竇譯	兩江總督採進本	
			幾何原本	6	西洋歐幾里得撰 （意）利瑪竇譯 明徐光啓筆受	兩江總督採進本	
			御定數理精蘊	53	清聖祖敕纂		
	譜錄	器物	奇器圖說	3	（德）鄧玉含授 明王徵譯	兩淮鹽政採進本	

表二、《四庫全書》存目中著錄之西書一覽表

部	類	屬別	書　名	卷數	撰（譯）者	所據版本	備　註
經	樂		律呂纂要	2	不著撰人名氏	內府刊本	今人考證爲（葡）徐日昇
	小學	韻書	西儒耳目資	無	（法）金尼閣	兩江總督採進本	
史	地理	外紀	別本坤輿外紀	1	（比）南懷任	大學士英廉購進本	
			西方要紀	1	（意）利類思 （葡）安文思 （比）南懷任	編修程晉芳家藏本	
子	雜家	雜學	辨學遺牘	1	（意）利瑪竇	兩江總督採進本	
			二十五言	1	（意）利瑪竇	浙江巡撫採進本	
			天主實義	2	（意）利瑪竇	兩江總督採進本	
			畸人十篇附西琴曲意	1	（意）利瑪竇	兩江總督採進本	
			交友論	1	（意）利瑪竇	兩江總督採進本	
			七克	7	（西）龐迪我	兩江總督採進本	
			西學凡附錄大秦寺碑一篇	1	（意）艾儒略	兩江總督採進本	
			靈言蠡勺	2	（意）畢方濟	兩江總督採進本	
			空際格致	2	（意）高一志	直隸總督採進本	
			寰有銓	6	（葡）傅汎際	浙江汪啓淑家藏本	
		雜編	天學初函	52	明李之藻編	兩江總督採進本	

【附 註】

註1 郭廷以，〈近代西洋文化之輸入及其認識〉，《大陸雜誌》3(2)，（民40，10），頁20。

註2 張陰麟，〈明清之際西學輸入中國考略〉，《中國近代史論叢》（台北市：正中，民61），第1輯第2冊，頁1。

註3 詳情請參閱計文德，〈從四庫全書探究明清間輸入之西學〉（台北市：漢美圖書，民80），頁404－456。

註4 王重民編，《辦理四庫全書檔案》（北平市：北平圖書館，民23），上冊，頁1。

註5 有關七閣四庫全書的部數、卷數、冊數略有不同；詳見郭伯恭，《四庫全書纂修考》（台北市：台灣商務，民 73），頁 104-－120；又見張岑，〈七閣四庫成書之次第及其異同〉，北平圖書館館刊7(5)，（民33，9－10），頁35－49。

註6 （明）李之藻，〈請譯西洋曆法等書疏〉，見（明）徐孚遠等編，《皇明經世文編》（台北市：國聯，民53），第29冊，頁653。

註7 （清）慶桂等奉敕纂，《大清高宗（乾隆）皇帝實錄》（台北市：華聯，民53），第7冊，頁4801。

註8 楊家駱，《四庫全書概述》（台北市：中國辭典館復館籌備處，民64），頁49－77；又見郭伯恭，前引書，頁77－82。

註9 （清）馬齊等奉敕撰，《大清聖祖仁（康熙）皇帝實錄》（台北市：華聯，民53），第3冊，頁1686上。

註10 （清）慶桂，前引書，第20冊，頁14207上。

註11 同註4。

註12 （清）紀昀等奉敕撰，《四庫全書總目》（台北市：藝文印書館，民63），第1冊，頁39上。

註 13　同前註引書，第 4 冊，頁 2506 上。

註 14　同前註引書，第 4 冊，頁 2291 上。

註 15　同前註引書，第 3 冊，頁 1495。

註 16　同註 13。

註 17　昌彼得，〈清代的目錄學〉，收錄在《版本目錄學論叢》（台北市：學海，民 68），第二輯，頁 111。

註 18　詳情請參閱計文德，前引書，頁 147 — 254。

註 19　同前註引書，頁 291 — 337。

註 20　（清）永瑢等奉敕撰呈〈四庫全書告成表文〉，收在《四庫全書總目》，前引書，第 1 冊，頁 24 上。

註 21　（清）紀昀，前引書，第 5 冊，頁 2632 上。

註 22　吳哲夫，《清代燬禁書目研究》（台北市：嘉新水泥公司文化基金會，民 58），頁 109 — 112。

註 23　陳垣輯，《康熙與羅馬使節關係文書》（台北市：文海，民 63），頁 33 — 34。

註 24　《文獻叢編》（台北市：台聯國風，民 53），上冊，《天主教流傳中國史料》，頁 449 上。

註 25　郭廷以，前引文，頁 22。

記述編目相關議題之發展與趨勢

邱子恆

臺灣大學圖書資訊研究所博士生

輔仁大學圖書資訊學系兼任講師

摘　要

本文選擇性地對1990年以後出版的記述編目相關主題之英文期刊論文做文獻分析，主題包括：一般性原則之探討、書目著錄項目與詳簡層次、英美編目規則、及機讀編目格式等四部份。最後綜合全文內容歸納出四點，做為本文之結論。

關鍵詞：記述編目　書目著錄　英美編目規則　機讀編目格式　文獻分析

一、前　言

Lambrecht（註 1）曾對 1990 年發表的記述編目相關文獻，分爲理論與一般實務、特殊資料類型之編目、自動化、權威控制、回溯轉檔、編目員的角色等六個議題做文獻分析。之後 Knutson（註 2）也對 1992 年發表的記述編目相關文獻，分爲八個議題來分析，分別是：簡化與改善編目之實務、人工智慧與專家系統、

AACR2、MARC和編目標準、權威控制與書目維護、回溯轉檔、羅馬化與檢索標準化、特殊資料類型之編目、編目專業與編目教育等。但隨著圖書館自動化系統的普遍安裝及使用，自動化、權威控制、回溯轉檔等議題近年來較少成為討論的焦點。因此筆者擬由一般性原則、書目著錄項目及詳簡層次、英美編目規則、機讀編目格式等四個面向，分析近十年來記述編目相關議題的研究，以描繪這段期間記述編目的實務狀況，並勾勒出未來的發展方向。

本文選擇性地分析1990年以後出版之記述編目相關主題的英文期刊論文，其中一般性原則、英美編目規則、及機讀編目格式等部份以1995年以後發表的文獻為主，而書目著錄項目及詳簡層次的部份，由於相關議題被討論的年代較早，因此所分析的資料回溯到1990年。另外，針對個別資料類型及媒體探討其記述編目原則及實務的文獻，不在本文收錄分析的範圍。

二、一般性原則之探討

目錄之目的及功能是探討記述編目原則的基礎，因此1961年國際編目原則會議（International Conference on Cataloguing Principles，簡稱ICCP）承繼了Anthony Panizzi、Charles Ammi Cutter、Seymour Lubetzky等人對目錄的看法，訂定著名的“巴黎原則”，其中強調目錄找尋圖書（finding of items）及聚集作品（collocation of works）的功能。（註3）

由IFLA主導的「書目記錄基本需要」（Functional Requirements of Bibliographic Records）研究，分析讀者使用目錄的行為，定義出目錄的用途如下：（註4）

- 找尋（find）合於某種已設定標準的資料；

- 在檢索到的資料中，辨識（identify）出特定的實體（entity）；
- 根據使用者的需求選擇（select）一個適當的實體；
- 去獲得（acquire or obtain）已檢索到的實體。

上述目錄的功能及用途，應該是編製編目規則時的依據，對於規則中著錄單位及書目關係的規範，也有深遠的影響。

著錄的基本單位是記述編目相關文獻中一個重要的議題。AACR2 對 Item 的定義是“a document or set of documents in any physical form, published, issued, or treated as an entity, and as such, forming the basis for a single bibliographic description”，因此其是以 item 爲著錄單位的編目規則。（註 5）許多作者批判 AACR2 在聚集作品的功能上有所不足，因而主張要以 work 爲書目著錄的單位。1994 年修訂的日本編目編則（Nippon Cataloging Rules，簡稱 NCR1987r），認爲 work 的辨識過於主觀，因此採用 bibliographic unit 的作法，其規定只要有單獨足以辨別的題名（distinctive title），就是一個書目著錄的單位，因此 collective level、monographic level、及 component part level 的書目記錄同時存在，成爲一個多層次的目錄。（註 6）另一方面，Mey（註 7）認爲要選擇 work 或是 item 做爲基本的著錄單位，需從 item 本身的性質、該圖書館的任務、及使用者的需求等三個角度來探討，他並引用 Cutter 的名言“The convenience of the public is always to be set before the ease of the cataloger”，認爲使用者的便利性應是最優先的考量，因此應視個別的情況來決定。

Tillett（註 8）在審視 UNIMARC 定義的書目關係（垂直、水平、時間先後）及 Goossens 和 Mazur-Rzesos 的階層式書目關係之後，提出了完整（totally exhaustive）而互斥（mutually exclusive）的七種書目關係：對等關係、衍生關係、描述關係、整體／部份關係、附屬關係、順序關係、分享共同特性的關係等。之後在後續發表的文章中（註 9）他進一步說明 24 種西方的編目規則分別對這七種書目關係所提供的連結機制（linking device），總括來說包括：內容註、館藏註、參照、附加款目、劃一題名、排序機制、分析款目、主要款目標目、dash 款目、版本敘述、集叢敘述、稽核項的附件、主題標目、多層次著錄等等。Tillett 指出使用何種連結機制深受當時目錄編製技術的影響，他並認爲了解各種書目關係，有助於設計更好的編目規則及線上目錄，更可利用電腦功能建立完善的書目關係網，以提升目錄聚集相關作品的功能。

在衆多的書目連結機制中，作者們最關心主要款目標目的相關議題。Lin（註 10）對不同時期的各個編目規則對同名不同人（undifferentiated names）之主要款目標目的處理做詳盡的研究，他認爲 AACR2 在這方面的條文不合邏輯、不切實際、且與規則中其他條文不一致，文末他提出兩種具體的條文修正建議。另外，以主要款目標目在線上環境的存廢問題最受爭議，Wesley Simonton 在 1964 年、M. Nabil Hamdy 在 1973 年、Doralyn J. Hickey 在 1976 年、Michael Gorman 在 1979 年、Patrick Wilson 在 1983 年時都曾提出廢除主要款目的概念（註 11），大多數的學者認爲主要款目是卡片時代的產物，在線上目錄中所有的書目記錄都由書目主檔產生，並沒有主要及附加款目的區別，而且主要款目的功能可以由成熟的電腦檢索技術來取代。（註 12）然而持相反意見的學者卻主張在線上環境中，主要款目聚集及辨識的功能反而更加重要，Madison（註 13）即認爲主要款目與作者（authorship）概念的關係密切，是線上目錄中重要的具權威控制功能的檢索點（controlled access point），更是辨識某一特定作品的重要組成部份（primary component of the identifying citation of an individual work）。因此 Madison 認為不應該廢除主要款目標目，而是要研究如何重新定義其內涵（如：不要太拘泥於是誰著作了某一作品，而要把焦點放在該人名是否有助於辨識某一作品），以使主要款目標目的概念適用於未來的書目控制世界。

E-R Model 似乎是上述問題的一個解決方案。Tillett 在 OCLC 的研討會上就表示這種概念模型（conceptual model）獨立於目錄的形式，是重新審視及修訂改善我們的編目規則及目錄結構的最好工具。（註 14）IFLA 的「書目記錄基本需要」研究計畫，即採用 E-R Model 的技巧，以物件（entity）、屬性（attribute）、及關係（relation）的架構來分析書目著錄的對象（分為 work、expression、manifestation、item 等），並以加權計分的方式辨識出它們個自所需的核心資料項目（data elements），更企圖進一步表現出物件之間的各種書目關係。（註 15）筆者也認為若能以這種物件導向的方式來重新架構我們的目錄，系統中 work 和 item 都是平等的物件，它們彼此之間的書目關係則以 relation 來連結，那書目著錄基本單位之爭議就自然而然的解決了，而使用者的各種資訊需求也可以更容易地透過目錄被滿足。

此外，Fattahi（註 16）認為由於網路及電腦技術的發達，使用者現在可以從同一個終端機檢索到圖書館的目錄及期刊論文索引資料庫，所以書目控制的對象應該擴展到全球的書目世界。因此雖然目錄與索摘的目的、資料結構、及檢索點之選取和形式不同，但他提議圖書館界應該研擬一套相通的著錄規則，讓目錄與索摘的著錄可以依循相同（或至少相容的標準），使全球的線上環境中能流通著一致性的書目資料。

三、書目著錄項目與詳簡層次

IFLA 在 1975 年制定的國際標準書目著錄通則 ISBD(G)，規範了書目著錄的基本項目及指定標點符號。（註 17）之後許多國家的編目規則之著錄部份都以此爲基礎，因此國際上在書目著錄項目方面的規定相差不大。而 AACR2 爲平衡標準化及經濟因素的考量，在規則中規定了三個詳簡不同的著錄層次，讓各圖書館依該館的編目政策來對著錄層次做選擇。

前文提及的 IFLA 研究計畫（註 18），以 E-R Model 的技術對物件的書目著錄項目以加權計分的方式來分析，最後提出了最簡書目著錄項目（minimum data requirements），茲以圖書資料爲例列舉如下：

Title and statement of responsibility area

- Title proper (including number/name of part)
- Statements(s) of responsibility identifying the individual(s) and / or group(s) with principal responsibility for the content

Edition area

- Edition statement
- Additional edition statement

Publication, distribution, etc. area

- Place of publication, distribution, etc.
- Name of publisher, distributor, etc.
- Data of publication, distribution, etc.

Physical description area

- Specific material designation

Series area

- Title proper of series

Notes area

- Note on distinguishing characteristic of the expression
- Note on use / access restrictions
- Standard number

該研究小組更進一步將這六大項與 AACR2 的第一著錄層次和 Dublin core 的 15 個項目做比較。結果發現其比 AACR2 的第一著錄層次多了出版地和集叢項，而比 Dublin core 少了一個 resource type，因此結論這三者之間的差異不大。（註 19）

此外，由於電腦儲存及處理資料的功能提升，1980 年代之後有些圖書館試著將標準書目著錄項目之外的與內容相關的資料（如：目次、書後索引、摘要、書評、序言等等）加入到書目記錄中，以提供更多的檢索點，幫助使用者選擇及辨識所需的資料，這樣的書目記錄稱爲 enhanced records。Van Orden（註 20）簡介 1990 年以前相關的研究計畫，並總結增加內容資料的書目記錄，提高了使用者辨識其所需資訊的可能性，但仍需要更多的實證研究來評估其檢索效果。之後 OCLC 執行了一個研究計畫，評估在書目記錄中加入目次和摘要是否對檢索結果有正面的影響，該計畫發現一般來說檢索的成效有提升，其主要是源於回收率（recall）的提高，但精確率（precision）反而因此下降了。（註 21）卡內基大學圖書館也以其新書爲實驗對象，加入目次到書目記錄中，並開放該欄位的全文檢索，但該館認爲不是所有的新書目次都值得花時間及電腦記憶空間去做這樣的處理，因此訂下了成爲 enhanced records 的標準，結果發現大約只有 7.85 %的新書合於條件，且每筆目次所佔的空間平均 12.75 行，初步評估認爲這樣的處理提高了百分之 20 到 30 的檢索率，但其成本效益仍需要更長時間的觀察。（註 22）加州州立大學 Chico 分校加入了OCLC 的先導計畫，將圖書目次的全部或部份內容輸入 MARC tag505 內容註之中，負責的館員首先審視待編的圖書，如果合於做 enhanced records 的條件，就將目次影印下來，若不是要全部輸入則在複印紙上圈選出需輸入的關鍵字，再統一交由專人去做資料輸入，這樣的流程每筆資料平均需花費 9 分鐘的時間。（註 23）PAL/MONO-TOC 爲 PALNET 公司在 1997 年推出的新產品，該公司將圖書的目次透過掃瞄，再以 OCR 來辨識轉檔，之後再將所有的資料 tagging 並儲存成類似 MACR 欄位及分欄的機讀格式。圖書館或書目機構可將這個產品整合到其書目資料庫中，使圖書目錄在某種程度上提升到像期刊論文索引那種分篇檢索的境界，如此也可以節省各圖書館個自處理目次的重複工作。（註 24）

相對於 enhanced records 提供更多內容資料給使用者的作法，最簡編目記錄（Minimal-Level Cataloging，簡稱 MLC）爲圖書館降低編目成本及加速編目的手段。1980 年出版的國家級書目記錄（National Level Bibliographic Record - Books，簡稱 NLBR）提出 MLC 的標準，其目的不是要取代原來的最詳編目記錄（Full-Level Cataloging，簡稱 FLC），而是針對圖書館中一些不重要、卻仍需某種程度書目控制的資料而訂定，其哲學是提供一點點書目資料總比沒有好。事實上，MLC 並沒有硬性規定標準的著錄項目，因此其詳簡程度因館而異，而其最受人批評之處在於不需要提供分類號。（註 25）

爲解決 MLC 和 FLC 兩個極端的著錄層次所造成的書目品質不良及原始編目太慢的問題，美國合作編目委員會（Cooperative Cataloging Council，簡稱 CCC）組成了一個研究小組，經過問卷之後，在 1994 年正式公佈了核心編目記錄（Core Records）的標準，Cromwell（註 26）、Thomas（註 27）、Toy-Smith（註 28）、Schuitema（註 29）等人都對該標準的形成背景及制定過程有詳細的介紹。以下為核心編目記錄所規定的著錄項目：（註 30-33）

Fixed field values (Code fully)

020, $a ISBN (if present on item)

040 Cataloging source

042 Authentication code

050, 082, 086, etc. : (Assign at least one classification number from an established classification system recognized by USMARC)

1xx Main entry (if applicable)

240 Uniform title (If known or readily inferred from material being cataloged)

245-300 Title page transcription through physical description (Describe fully, using all data elements appropriate to the item described)

4xx Series area (Transcribe series if present)

5xx Note fields (Minimally including the following if appropriate:)

500 : note for source of title if not from t.p.

505: content note (for multi-part items with separate titles)

533: reproduction note

6xx Subject Headings (if appropriate, assign from an established theasaurus or subject heading system recognized by USMARC at least one or two subject headings at the appropriate level of specificity)

7xx Added entries (using judgement and assessing each item on case by case basis, assign: 1.a complement of added entries that covers at least the primary relationships associated with a work, eg. joint authors; 2. Added entries to bring out title access information judged to be important.)

8xx Established form of series if different from that in 490 field (if series is traced, use as appropriate)

核心編目記錄與MLC最大的不同在於USMARC中的定長欄要全部著錄，在書目著錄方面所規定的著錄項目更爲詳細，在附加款目及主題標目的選擇上更有彈性，且規定要有分類號。而其與 FLC 之最大的不同在於需要著錄的項目較少，且刪除了 FLC 中重複著錄的欄位，給編目員更大的彈性針對該館的需要來著錄，並賦予編目員做專業判斷的空間。（註 34）

根據文獻的報導，康乃爾大學的編目員實驗使用核心編目記錄標準來著錄，結果比使用 FLC 標準時節省了 25%的時間（註 35）。UCLA 於 1994 年 12 月到 1995 年 4 月間在 OCLC 的贊助下，實驗使用核心編目記錄標準的效果，結果是編目速度顯著的加快，以該標準編目的書目記錄在 OCLC 中仍被他館下載用來抄編，且其中只有 20%被稍加修改，表示用此標準編出來的書目記錄仍達到一定品質，但由於檢索點比FLC爲少，在檢索方面的影響仍不清楚。（註 36）此外，Lange（註 37）也描述了其所服務的科羅拉多州立圖書館，雖然不是美國合作編目計畫（Program in Cooperative Cataloging，簡稱 PCC，前文中提及的 CCC 爲其前身）的成員，但也應用核心編目記錄標準來編目其聯邦政府出版品之館藏，結果對其加速編目的功能十分滿意。美國國會圖書館在 1996 年 5 月到 10 月之間，動員 30 位編目員實驗以核心編目記錄標準來著錄是否合於成本效益，結果在2488小時內完成了1550筆書目記錄，因此認爲其生產力遠勝於FLC標準。由於各個實驗都證明核心編目記錄標準可以在較短時間內生產出具一定品質的書目記錄，因此目前PCC已制定了七種不同資料類型的核心編目記錄標準，並將其與FLC一起訂爲其成員在合作編目時的著錄標準，由成員自由選擇之。（註38）

四、英美編目規則

Michael Gorman在1997年舉行的「AACR規則及未來發展」會議中提到，英美編目規則的特點在於根基於 ISBD、適用於所有資料類型、以bibliographic item爲著錄的依據、以work的角度來給檢索點。該規則的普遍使用讓世界各地的英文書目資料有了統一的內容。（註39）目前 AACR2 已有 14 種語言的譯本，世界上許多國家也參考AACR來制訂適用於本國資料的編目規則，因此其雖不能稱得上是國際標準，但卻是國際間最具影響力的編目規則。（註40）Takawashi 和 Iwashita（註41）在其文章中提到日本編目規則（NCR1987r）的著錄部份即是以 AACR2 Part I 爲藍本；Diao和Liu（註42）在其文章中也說明了AACR2 對中國大陸的“西文資料記述編目規則”（Descriptive Cataloging Rules for Western Language Materials，簡稱 DCRWLM）之影響；Stern（註43）更詳述了 AACR2 在英美之外的非英文系國家被修改使用或翻譯的情況，包括新加坡、馬來西亞、中國大陸、肯亞、北歐各國、加拿大的法語區等地。

Fattahi（註44）以文獻分析的方法探討 AACR 和線上環境的關係，文中描述1970年代後期，圖書館界預期AACR2的出版，因此許多學者及編目專家對從卡片目錄轉換成線上目錄、以及如何將以人工編目爲基礎的AACR應用到新的線上環境中之相關議題十分感興趣，當時舉行很多的研討會專門探討AACR未來發展的方向，並出版了不少的會議論文集。Gorman 就主張把現有的作法直接自動化是致命的錯誤，在線上環境中應該重新思考記述編目的基礎。然而當1978年AACR2出版之後，許多編目專家就批評AACR2是象牙塔中的產物，1980年代初期的作者，如 Malinconico 、Ayres、Hagler、Musavi 等人大多表達 AACR2 不能反應線上環境的負面意見，但他們對如何使 AACR2 更能和線上環境相容也提不出具體的對策。AACR2 1988r 出版之後，一般的評論是它仍以處理卡片目錄爲主要考量，沒有善加利用 OPAC 的可能性，其將所有形式的目錄以一樣的條文來處理，但線上目錄不論在結構、特性及能力方面都與卡片大不相同。Hagler 更批評 AACR2 1988r 只關心資料的輸入，因此提出應該要有規則來規範線上目錄的呈現及形式。

關於AACR2的未來發展方向，Fattahi（註45）認爲學者們多主張要修訂新版的編目規則，以反應科技及目錄媒體的發展。Boll 主張新的規則應包括兩部份，其一爲編目的規範，其二爲電腦設備的最低需要及操作標準。而Gorman在1992年時認爲在未來的電子環境中，我們需要一套全新的規則，該規則應把MARC和編目規則整合成一個標準，用以規範線上目錄的內容及編碼，因此提出了 HyperMARC 的構想。Tillett 主張新的規則中應有一個部份介紹建立圖書館目錄的基本原則及概念，並且強調建立書目關係網的重要性。Brunt 主張新的規則應以線上目錄的特性和能力爲基礎，並強調其查詢及檢索的功能。但部份學者認爲 AACR2 將所有形式的目錄以一樣的條文來處理也很不錯，因爲世界上仍有許多尚未自動化的圖書館需要這樣的編目規則。有趣的是，雖然 Gorman 在 1992 年時認為 AACR2 不適用於未來的電子環境，但六年之後他卻發表了另一篇文章（註 46）討論編目及編目員的未來，當中提到我們現有的編目規則只需稍做修改，即可用來描述電子文件，他認為記述編目的理論是一種通則，因此 AARC2 沒有理由不能用來編目電子資源。由此可以知道，雖然 AARC2 遭受到很多的批評，但對於如何修訂、或是需要一套全新的規則，在圖書資訊界中尚未有多數的共識，甚至同一位學者（Gorman）的立場也無法明確的定位。1997 年 JSC for Revision of AACR 舉辦了一場「AACR 規則及未來發展」會議，邀請來自世界各國 64 位編目專家齊聚在加拿大多倫多開會，期望透過論文發表、座談會、及小組討論的方式，為AACR的未來發展找尋出一個方向，LC 的與會代表 Tillett（註 47）對這個會議的內容及之後的決議及行動方案做了詳細的報導。

日本圖書情報大學的Taniguchi從另一個角度來研究編目規則的修訂，他發展了一個自動分析編目規則條文的系統原型（prototype），以電腦來分析條文的內部結構和其與其他條文之間的關係，期望能因此降低條文的模糊性及複雜度，以提升依該編目規則所編製出來的書目之品質。（註 48）

五、機讀編目格式

1960 年代初期，美加的一些學術圖書館對將書目資料轉成機讀格式這個議題很有興趣，其中 University of Illinois Chicago Library、Florida Atlantic University、Ontario New Universities Library Project 等研究，對 1965 年開始由 LC 主導的“機讀編目格式先導計畫”（MARC Pilot Project）有深遠的影響。MARC I 為該計畫的成果，但從來沒有真正的被使用，而 1968 年公布的MA-

CRII 也稱爲 LCMARC 或 USMARC，其在 1970 年時通過 ANSI 的認可成爲國家標準。在同一時期，英國國家書目中心（British National Bibliography，簡稱 BNB）參與 MARCI 與 MARCII 的制定之餘，在英國也開始了 UK/MARC 的先導計畫。（註 49）

一個 1993-1994 年間進行的問卷，調查世界各國的國家圖書館所採用的 MARC 格式，由 70 多份回覆中發現 UNIMARC 和 USMARC 的使用率最高，作者認爲以 USMARC 格式編目的書目資料普遍可及和"歐洲國家圖書館計畫"以 UNIMARC 格式將歐洲的書目資料燒在光碟上傳佈，是促進這兩種 MARC 受各國國家圖書館普遍採用的原因之一。（註 50）

Kokabi（註 51-54）的研究與上述的調查相當吻合，他分析 17 種 MARC 格式之歷史、根源、修訂原因、及技術特性，以期了解 MARC 國際化的情況。Kokabi 將世界各地的 MARC 分爲以 USMARC（如：加拿大的 CANMARC、法國的 INTERMARC、西班牙的 IBERMARC、印尼的 INDOMARC 等）、UKMARC（如：澳洲的 AUSMARC、泰國的 THAIMARC、義大利的 ANNAMARC、新加坡的 SINGMARC 等）、UNIMARC（如：南非的 SAMARC、臺灣的 Chinese MARC、日本的 JAPAN/MARC、克羅埃西亞的 YU-MARC 等）爲基礎的三大類，另外也介紹德國及前蘇聯的另一體系之機讀編目格式（分別是 MAB 和 MEKOF）。後來原本是 UKMARC-based 的新加坡、泰國及澳洲的 MARC 因爲該國國家書目中心改用美國廠商的圖書館系統，因此分別在 1986、1992、及 1998 年將其 MARC 修改成 USMARC-based；而原是 UKMARC-based 的 ANNAMARC 和原是 USMARC-based 的 INTERMARC 爲了方便其書目資料的國際交換，也相繼改成 UNIMARC-based。

之所以會有這麼多種MARC格式，主要是因爲各國的語言文字、文化習慣、使用的編目規則、及編目實務不同所造成。然而隨著國際間書目交換活動越來越頻繁，使用不同MARC格式的圖書館需要投注大量的經費和人力去開發及維護多個轉換程式，因此興起了遵循同一國際標準來交換書目資料的念頭，所以產生了UNIMARC。UNIMARC具有由多國代表一起討論、以ISBD爲依據、獨立於特定的編目規則、可處理多種語言、通用於各種資料類型、穩定性高且變動不大、可與索摘的交換格式連結、可做爲圖書館內部使用的書目格式等優點，因此成爲國際間普遍接受用來做書目資料交換的 MARC 格式。（註 55，56）IFLA 的 UBCIM 在 1998 年做了調查，發現世界上有 51 個國家圖書館（或具國圖地位的大型學術圖書館），以及 17 個書目中心有使用 UNIMARC，另外有 10 個國家圖書館雖然目前尚未使用 UNIMARC，但宣稱計畫在三年之內採用。（註 57）此外，因深刻感受到不同 MARC 在資料交換轉檔上的麻煩，美國、加拿大及英國從 1994 年 12 月開始，就積極推動 MARC Harmonization，這三個英語資料的主要出版國希望處理英文資料的MARC能夠相容，最終並能夠相同。（註 58，59）目前CANMARC和USMARC已完全整合，並改名爲 MARC21，以迎向二十一世紀。

值得注意的是，雖然MARC在各國的國家圖書館及學術圖書館中已被普遍使用，但即使是在MARC有三十多年歷史的美國，仍有許多學校圖書館到 1990 年代才開始自動化，才以 MARC 格式來編目。關於這點，從 Durand（註 60）特別爲學校圖書館員／媒體專家所寫的MARC概說及Know-how性質的文章即可得知。

一般對 MARC 的批評是，雖然其是促進圖書館自動化的功臣，也是國際間圖書館交換書目資料的格式，但它是建立在卡片目錄電腦化的基礎之上，其結構老舊、欄位重複，無法和現今的資料庫技術做很好的結合，且不能完善地表現出書目記錄之間的關係。（註 61，62）因此認爲其與今日的線上環境有衝突及不相容的地方，已不適用。Gorman 甚至主張放棄現有的 MARC 和編目規則，而將資料的著錄及編碼整合成一個全新的標準。（註 63）但 Kokabi（註 64）和 Hopkinson（註 65）卻認爲 MARC 離功成身退的日子還很遠，其仍有一段長路要走。Kokabi 認爲 MARC 有廣大的使用群、有專責的維護機構（如：MARBI for USMARC、UBCIM for UNIMARC）、有專門的電子論壇（如：USMARC@sun7.loc.gov 和 AUTOCAT@UBVM.cc.buffalo.edu）、在專業期刊中有專欄（如：International Cataloguing and Bibliographic Control、National Bibliographic Service Newsletter、LITA Newsletter 等）、在專業文獻中大量出現，在在都顯示其仍舊蓬勃發展。Hopkinson 更提出早在 1985 年就有人認爲 MARC 太老舊、即將被取代，但之後使用 MARC 的圖書館反而越來越多，這是因爲 MARC 是被需要的，所以它被普遍使用。此外，Hopkinson 認爲 MARC 雖然不適於在網際網路 WWW 上傳輸，但它的角色和處理對象與 Dublin Core 不同，因此 MARC 和 SGML、Dublin Core 等新興的 metadata 之間不是相互衝突、而是互補的，可以共同爲組織整理書目世界的資源而服務。

六、結　語

Lambrecht（註 66）分析 1990 年相關文獻之後，認爲當時的作者多著重在記述編目“如何”被實行，而少有人探討“爲什麼”編目員要這麼做。Knutson（註 67）在分析完 1992 年的相關文獻之後，更認爲“許多基本的問題仍然沒有得到答案”的結論。筆者審視了十年來的相關文獻，也發現相似的現象：大多數的文獻是報導現況，少數的研究計畫也多以實務目的爲導向，理論性的基礎研究則寥寥可數。

最後筆者綜合全文內容，歸納出以下四點做爲本次文獻分析之結論：

1.目錄的目的是探討記述編目原則的基礎，也是編製編目規則的依據，其牽涉到著錄單位的選擇及書目關係的連結機制。E-R Model 是一種獨立於特定編目規則的概念模型，是重新審視現有編目規則及目錄架構的最佳工具。但若眞的採用這種物件導向的作法，圖書館現有書目資料庫之結構可能需要全面的重組。

2. ISBD影響了編目規則中書目著錄的項目及詳簡層次。IFLA之研究結果雖然和 AACR2 的第一著錄層次及 Dublin Core 的 15 個欄位相差不大，但其可以做爲修訂 ISBD 的參考。Enhanced records 的議題在 1991 年之後少有文獻再提及，但 PALNET 公司在 1997 年將這個概念化爲具體的產品上市。各個實驗結果證明，核心編目記錄可以讓圖書館在較短的時間內完成水準以上的原編書目，加快待編資料入檔及上架的時效。

3.英美編目規則雖稱不上是國際標準，但其對英美之外非英語系國家之編目規則及編目實務有很大的影響力。雖然許多人表示對 AACR2 的不滿意，也提出修訂條文或編製新規則的建議，而且 JSC for Revision of AACR 也在 1997 年召開了國際會議討論其未來發展方向，但至今仍沒有達成多數的共識。

4.由於各國的語言文字、文化習慣、使用的編目規則、及編目實務不同，因此產生了各種MARC格式，但爲了方便書目資料的交換，UNIMARC 儼然成爲國際標準；另一方面，英、美、加的 MARC Harmonisation 活動也爲統一英文書目資料的機讀格式而努力。早在1985年，就有人認爲MARC太老舊、即將被取代，但種種跡象證明其至今仍蓬勃發展，而且和其他新興的 metadata 互補，可以共同組織整理書目世界的資源。

【附　註】

註 1　Lambrecht, J. H. "Ours should be to reason why : descriptive cataloging research in 1990." *Library Resources & Technical Services* 35:3 (1991) : 257-264.

註 2　Knutson, G. "The year's work in descriptive cataloging, 1992." *Library Resources & Technical Services* 37:3 (1993) : 261-275.

註 3　Fattahi, R. "Library cataloguing and abstracting and indexing services : reconciliation of principles in the online environment?" *Library Review* 47:4 (1998) : 211-216.

註 4　Madison, O. M. A. "Standards in light of new technologies functional requirements for bibliographic records." *International Cataloguing and Bibliographic Control* 28:1 (1999) :7-10.

註 5　Mey, E. S. A. "The item, the work and the object of cataloging." *Cataloging & Classification Quarterly* 26:1 (1998) : 45-62.

註 6　Takawashi, T. and Iwashita, Y. "The concept of a bibliographic unit introduced into the newly revised edition of Nippon Cataloging Rules, 1987 edition and the resultant cataloguing object." *Cataloging & Classification Quarterly* 23:2 (1996) : 17-39.

註 7　同註 5。

註 8　Tillett, B. B. "A taxonomy of bibliographic relationships." *Library Resources & Technical Services* 35:2 (1991) : 150-158.

註 9　Tillett, B. B. "A summary of the treatment of bibliographic relationships in cataloging rules." *Library Resources & Technical Services* 35:4 (1991) : 393-405.

註 10 Lin, J. C. "Undifferentiated names : a cataloging rule overlooked by catalogers, reference librarians, and library users." *Cataloging & Classification Quarterly* 19:2 (1994) : 23-48.

註 11 Madison, O. M. A. "The role of the name main-entry heading in the online environment." *Serials Librarian* 22:3/4 (1992) : 371-391.

註 12 Fattahi, R. "Anglo-American Cataloguing Rules in the Online Environment : a literature review." *Cataloguing & Classification Quarterly* 20:2 (1995) : 25-49.

註 13 同註 11。

註 14 Crook, M. "Barbara Tillett discuss cataloging rules and conceptual models." *OCLC Newsletter* 220 (1996) : 20-22.

註 15 同註 4。

註 16 同註 3。

註 17 Holley, R. P. "IFLA and international standards in the area of bibliographic control." *Cataloging & Classification Quarterly* 21:3/4 (1996) : 17-36.

註 18 同註 4。

註 19 同註 4。

註 20 Van Orden, R. "Content-enriched access to electronic information : summaries of selected research." *Library Hi Tech* 31:3 (1990) : 27-32.

註 21 Dillon, M. and Wenzel, P. "Retrieval effectiveness of enhanced bibliographic records." *Library Hi Tech* 31:3 (1990) : 43-46.

註 22 Michalak, T. J. "An experiment in enhancing catalog records at Carnegie Mellon University." *Library Hi Tech* 31:3 (1990) : 33-41.

註 23 Dwyer, J. "Bibliographic records enhancement: from the drawing board to the catalog screen." *Cataloging & Classification Quarterly* 13:3/4 (1991) : 29-51.

註 24 Rush, J. E. "Monograph tables of contents in support of acquisitions and online catalog access." *Information Services & Use* 17 (1997) : 241-246.

註 25 Cromwell, W. "The core record: a new bibliographic standard." Library *Resources & Technical Services* 38:4 (1994) : 415-424.

註 26 同前註。

註 27 Thomas, S. E. "The core bibliographic record and the program for cooperative cataloging." *Cataloging & Classification Quarterly* 21:3/4 (1996) : 91-108.

註 28 Toy-Smith, V. "Core records : is this the answer to cooperative cataloging?" *Journal of Educational Media & Library Sciences* 36:2 (1998) : 143-161.

註 29 Schuitema, J. E. "Demystifying core records in today's changing catalogs." *Cataloging & Classification Quarterly* 26:3 (1998) : 57-71.

註 30 同註 25。

註 31 同註 27。

註 32 Lange, H. R. "Creating core records for federal documents : does it make a difference?" *Cataloging & Classification Quarterly* 26:3 (1998) : 87-94.

註 33 Kelley, S. L. and Schottlaender, B. E. C. "UCLA/OCLC core record pilot project : preliminary report." *Library Resources & Technical Services* 40:3 (1996) : 251-260.

註 34 同註 25。

註 35 同註 25。

註 36 同註 33。

註 37 同註 32。

註 38 同註 28。

註 39 Tillett, B. B. "Report on the international conference on the principles and future development of AACR, held October 23-25, 1997 in Toronto, Canada." *Cataloging & Classification Quarterly* 26:2 (1998) : 31-55.

註 40 Stern, B. "Internationalizing the rules in AACR2 : adopting and translating AACR2 for use in non-Anglo-American and non-English-speaking cataloging environment." *Cataloging & Classification Quarterly* 21:3/4 (1996) : 37-60.

註 41 同註 6。

註 42 Diao, W. and Liu, J. "The impact of AACR2 on cataloging in Chinese libraries." *Cataloging & Classification Quarterly* 23:2 (1996) : 57-65.

註 43 同註 40。

註 44 同註 12。

註 45 同註 12。

註 46 Gorman, M. "The future of cataloguing and cataloguers." *International Cataloguing and Bibliographic Control* 27:4 (1998) : 68-71.

註 47 同註 39。

註 48 Taniguchi, S. "A system of analyzing cataloging rules : a feasibility study." *Journal of the American Society for Information Science* 47:5 (1996) : 338-356.

註 49 Spicher, K. M. "The development of the MARC format." *Cataloging & Classification Quarterly* 21:3/4 (1996) : 75-90.

註 50 McKercher, B. and Chang, P. X."A survey of the use of MARC formats in national libraries." *International Cataloguing and Bibliographic Control* 24:4 (1995) : 57-58.

註 51 Kokabi, M. "The internationalization of MARC, Part I : the emergence and divergence of MARC." *Library Review* 44:4 (1995) : 21-35.

註 52 Kokabi, M. "The internationalization of MARC, Part II: some MARC formats based on USMARC." *Library Review* 44:6 (1995) : 38-45.

註 53 Kokabi, M. "The internationalization of MARC, Part III : some MARC formats based on UKMARC." *Library Review* 44:6 (1995) : 46-51.

註 54 Kokabi, M. "The internationalization of MARC, Part IV : UNIMARC, some formats based on it and some other MARC formats." *Library Review* 44:7 (1995) : 8-33.

55 同前註。

註 56 Hopkinson, A. "Traditional communication formats : MARC is far from dead." *International Cataloguing and Bibliographic Control* 28:1(1999) : 17-21.

註 57 Plassard, M-F. and Ratthei, S. "The international list of UNIMARC users and experts." *International Cataloguing and Bibliographic Control* 28:2 (1999) : 41-43.

註 58 Ede, S. "LANDMARC decision." *Select Newsletter* 20 (1997) : 3.

註 59 同註 56。

註 60 Durand, J. J. "Making your MARC." *Journal of Youth Services in Libraries* 10:3 (1997) : 276-282.

註 61 同註 12。

註 62 Kokabi, M. "Is the future of MARC assured?" *Library Review* 45:2 (1996) : 68-72.

註 63 同註 12。

註 64 同註 62。

註 65 同註 56。

註 66 同註 1。

註 67 同註 2。

由文化研究觀點看民眾對圖書館的使用

葉 乃 靜

世新大學圖書資訊學系講師

國立台灣大學圖書資訊學研究所博士生

摘　要

文化研究自六〇年代興起後，已逐漸受到社會各界的重視。不僅開啓新的研究視野和方向外，也成了後現代學術發展的主潮。圖書館是社會的文化機構，蘊藏豐富的文化資本，對使用者的了解更是圖書資訊從業人員的重責。因此，筆者嚐試由文化研究的視角，了解對民眾使用圖書館的情況。應用的理論包括符號學、大眾文化及 Pierre Bourdieu 日常生活慣習理論。

關鍵詞： 文化研究　符號學　大衆文化　日常生活慣習理論　圖書館使用

壹、前　言

對圖書館而言，使用者研究不僅是必需，且應視爲例行業務之一，因爲「使用者」是圖書館存在的根本。圖書館使用者研究歷經數十年發展後，經過不同研究典範的變遷，由使用量的統計，發展至運用量化方法分析使用者的特質及使用情形。近年來，著重使用者資訊利用之情境分析的質性研究亦漸受重視。但是，由文化社會學角度來分析圖書館使用者，則較爲少見。因此，本文嚐試由文化研究的觀點，分析民衆對圖書館的使用行爲。

本文所指的文化研究傳統是以英國伯明翰大學當代文化研究中心（Center of Contemporary British Cultural Studies，簡稱CCCS）的學者研究爲主。1963 年 Richord Hoggart 創立了CCCS，該中心的宗旨是研究「文化形式、文化實踐和文化機構及其與社會和社會變遷的關係。」（註1）圖書館是社會的文化機構，可說是一種文化資本，其發展也與社會變遷息息相關。我們由美國公共圖書館的興起，及我國民初成立的公共圖書館（當時稱爲通俗圖書館）的背景，就可以了解。可見，試圖了解民衆對圖書館的認知及使用情形，也可由文化研究的角度來探討。

本文首先說明何謂文化研究，並應用符號學、大衆文化及Pierre Bourdieu 日常生活慣習理論，分析民衆使用圖書館行爲。希望透過發掘使用者利用圖書館的「意義」的反省，及影響「意義」的社會文化脈絡的分析，能對圖書館使用者有更深層的認識。

貳、何謂文化研究

文化研究（cultural studies）發源於 1960 至 1970 年代，以英國爲背景脈絡的學術思潮，不僅被納入學院的建制，且擴及到其他西方國家。（註2）S. Hall認爲文化研究沒有一個絕對的開端，但一般咸認爲以下幾部在五、六〇年代出現的作品，是文化研究

的奠基作：（註3）

Richord Hoggart 的 The Uses of Literacy（中文譯爲「文化的用途」）

Raymond Williams 的 Culture and Society: 1780-1950（中文譯爲「文化與社會」）

Raymond Williams 的 The Long Revolution（1961）（中文譯爲「漫長革命」）

E.P. Thompson 的 The Making of the Working Class（1963）（中文譯爲「工人階級」）

由這些作品的內容，我們可以窺出文化研究興起的端倪。例如「文化的用途」描述英國工人階級的文化生活，及五十年代美國式的大衆文化對傳統工人階級的影響。（註4）「文化與社會」一書則對傳統文化侷限於菁英文化範圍的定義提出批判。「漫長的革命」則深入思考歐洲在十七、十八世紀歷經的工業革命和文化變革，重新定義文化，並闡明文化的社會定義，認爲文化是一種整體的生活方式，而奠定文化研究的理論基礎。（註5）可見，文化研究是五、六〇年代基於對傳統文化定義的反思，重新思考文化的意義，衍生出來的一種新的研究方向。

因此，文化研究並非一門學科，而且它本身沒有一個界定明確的方法論，也沒有一個界線清晰的研究領域。文化研究的主要方法和理論，基本上都是從後現代主義和後殖民主義理論借鑒而來。（註6）文化研究的理論來源可以直接上溯到後結構主義和當代馬克思主義。後結構主義包括福柯的知識考古學、知識系譜學；德里達的解構主義；後佛洛依德精神分析學，如拉康等。而當代馬克思主義包括：法蘭克福學派、葛蘭西的文化霸權理論、威廉姆斯代表的英國文化唯物論。（註7）

英國文化研究的理論創始人是 F.R. Leavis，其意在重新分布 Pierre Bourdieu 所謂的文化資本。他認為，所謂的文化是高雅文學藝術作品，閱讀這些作品才能培養道德意識。但是，後來文化研究的發展，已超越並走出 F.R. Leavis 的狹隘領域。尤其，文化研究傳入美國學術界後，更將文化研究置於較廣泛的語境下考察，使其遠離了菁英文學和文化，專注於跨學科區域研究及大眾文化和傳媒研究，豐富了文化研究的對象。也因為文化研究的跨學科性、反菁英意識和反文學等級意識，對傳統文學研究構成了挑戰，原本的學科界限更為模糊。（註 8）

蔡源煌則從形式的演進，說明文化研究歷經幾個階段：第一個階段是文學評論；第二個階段是文化評論；第三個階段是意識形態的批判；第四個階段是後現代社會及文化現象的研究。所謂的文學評論是試圖找出文學作品中的文化意義，由讀者去發掘閱讀的價值；文化評論則改變傳統對菁英文化的訴求，轉而注重大眾文化；意識形態批判強調文化與意識形態的關係，描述人們在不同階段如何建構意義、價值觀等社會過程。（註 9）

發展至今，文化研究已成為大學的一門顯學，它不再局限於傳統人類學或歷史學，而是廣泛地包括文學、藝術批評、大眾文化、媒體研究、跨文化交流、女性主義、殖民主義、晚期資本主義、全球化研究……等。（註 10）

有人將文化研究視為後現代主義之後學術發展的主潮，我們由文化研究與傳統文學研究的對比中，也可以看出文化研究的方向：（註 11）

1. 傳統文學研究注重歷史經典，文化研究注重研究當代文化；

2. 傳統文學研究注重菁英文化，文化研究注重大眾文化，尤其以影視爲媒介的大衆文化；

3. 傳統文學研究注重主流文化，文化研究重視邊緣文化和亞文化，如資本主義社會中的工人階級，女性文化以及被壓迫民族的文化經驗和文化身份；

4. 傳統文學研究將自身封閉在象牙塔中，文化研究注重與社會保持密切聯繫，關注文化中蘊含的權力關係及運作機制，如文化政策的制訂；

5. 文化研究提倡跨學科、超學科甚至反學科的態度與研究方法。

參、由文化研究觀點來看民眾對圖書館的使用

誠如上節所論，文化研究涉及範圍非常廣泛，本文擬應用符號學、大衆文化及 Pierre Bourdieu 日常生活慣習理論，探討民衆對圖書館的使用情形及意義。

符號學在大衆傳播研究（圖書館也是社會傳播機構之一）可分爲二方面，其一是應用在傳播文本分析，如英國文化研究領導者 Stuart Hall 發展出來的「譯碼／解碼」模式（encoding/decoding），強調符號學應用於意識形態分析，包括分析電視、新聞文本和廣告等。另一方面則是進行閱聽人分析。（註 12）

Roland Barthes 是法國學者，將符號學應用於大衆文化分析。他認爲，由符號學的觀點，日常生活的各層面，均可看作是一種獨特文化的各種符號。不只是停留在語言材料和文字典籍上，是更有生命的文化材料。（註 13）

符號學強調的隱藏於符號外顯表徵外的意義，每一個符號的意義因接收符號者理解的角度不同而有異。應用符號學觀點於閱讀研究中，我們就可以理解，閱讀對使用者產生的意義，是每本

書每個人都不同的，這也是讀者反應批評理論著重讀者閱讀後產生之意義的原因。

大衆文化的探討興起於五〇年代的美國，強調的是大衆普遍喜好的事物、價值觀等。如果說文化是人們生活經驗的統稱，對於不知不覺中影響或改變了人們的大衆文化，自然不能被忽略。尤其文化研究的使命之一，是要了解民衆每日生活的建構情形，達到改善生活的終極目標。（註 14）那麼，對大衆文化的深入探討就顯得十分必要。以閱讀研究而言，強調圖書館通俗讀物的重要性，例如分析羅曼史小說、漫畫對讀者的意義，就是由大衆文化觀點著眼。

Bourdieu 認為要解釋行動者的日常生活，要了解在既定的社會場域（fields）中，行動者（actors）如何運用其慣習（habitus）和各種形式的資本，爭取對自己較有利的位置。其日常生活言行理論為【（習性）（資本）】＋【場域】。（註 15）日常生活習慣是一種自然和必然，Bourdieu 強調行動者的慣習來了解社會和主體間的關係，同時利用各種資本，最明顯的是經濟資本和文化資本，在社會場域中爭取對自己較有利的位置。（註 16）民衆使用圖書館情形也是一種慣習的表現，這種慣習是否受到場域的影響，及是否運用 Bourdieu 所謂的經濟或文化資本，頗值得進一步分析。

以下我們由上述的觀點，分析民衆使用圖書館實證調查資料，將有助於我們對民衆使用圖書館的行為，有另一層的認識。

一、大學生使用圖書館的情況

Bourdieu、Jean-Claude Passeron 及 Monique de Saint Martin 認為，要了解大學圖書館眞正的功能為何，沒有比由大學生賦予她的客觀意義來看還眞實的。因此，他們在 Lille University Library

針對 880 位使用者進行的問卷調查，結果顯示 38%的學生在圖書館完成作業，但沒有使用任何圖書館資源，24.5%表示使用參考工具書，25.5%則是借書回家或在圖書館內看書。研究者認爲，學生並沒有在圖書館中完成一些較在家裏能做的更好的事，也就是說，圖書館並不被視爲具有學術氣氛。研究同時進行了 pilot study，觀察到大學生在圖書館中 33 種不同的活動，其中 22 位受訪者表示，來圖書館是爲了休閒或是放鬆。有些學生甚至常看錶，好像隨時準備離開，其他則是聊天或是看同伴做些什麼，而不是自己努力做自己的事。（註 17）

研究人員認爲，圖書館雖有鼓勵大學生唸書的氣氛，或是學生可以在此做一些在家裏無法完成的事，但是，很多人也認爲，可以在圖書館碰到朋友，上圖書館只是希望這種碰面而已。可見，大學生認爲圖書館是一個約會的地方（meeting-place），遠甚於研究的場合。

這樣的研究結果，Bourdieu 等學者認爲是一種文化阻礙。由符號學的角度來看，圖書館對大學生而言，代表著一種「約會場合」的符號。這與圖書館成立時的理想並不符合。只是，對圖書資訊服務人員而言要思考的是，如何讓圖書館對民眾的「意義」改變，圖書館才有可能得到民眾的支持。

二、公共圖書館通俗讀物的受歡迎

文學研究發展過程中有一階段著重文學評論，文學評論強調應設法找出文學作品中的文化意義，Richard Hoggart 稱之爲「價值閱讀」，也就是說讀者可以精確地描述他在作品中發現的價值，這些價值是具有文化意義的。「價值閱讀」相對於「品質閱讀」，品質閱讀強調作品的內在肌理，如作品中的各種語言要素、意像等。（註 18）Richard Hoggart 反對的品質閱讀，其實也就是 Stanley Fish 提出的讀者反應批評理論。也就是說，在閱讀過程中，文本的意義全由讀者個人意願所賦予。

由此來看，圖書館館藏的選擇，就完全有了不同的方向。早期圖書館掌握了選書的權利，甚至扮演檢查者的角色，加上對圖書館「提升」民眾之責的信仰，只有經典作品才能入館藏。但是，隨著使用者研究結果發現，經典作品並未得到民眾青睞，例如英國閱讀社會學家 Peter Mann 曾做一項研究顯示，約有三分之二的借書者是爲了快樂或放鬆。很明顯地，公共圖書館的主要功能是小說的流通。英國的書目治療專家 Joseph Gold 指出，小說不只是改變人們的生活，也改變他們的思想和感覺，人們甚至將閱讀視爲克服壓力的方法（註 19）。1983 年美國「圖書出版工業研究小組」（The Book Industry Study Group）的研究顯示，人們閱讀的圖書中有五分之一是來自公共圖書館，其中，小說就佔了流通率的 60-70%（註 20）。所謂的通俗讀物，才受到圖書館的重視。連帶的，晚近的閱讀研究，通俗文化(popular culture)和娛悅閱讀(pleasure-reading)的研究，也才漸漸受到重視。

可見，大眾文化的出現，不僅解構了傳統圖書館員對權威作品的信仰，漫畫之進駐大學圖書館，更是其影響力的證明（註 21）。既然，大眾文化有其重要性，更是一般社會大眾的需求，圖書館在館藏發展上，或是規劃圖書館服務時，是否應該回歸到使用者身上，思考給他們想要的(give 'em what they want)的可能性，才是訂定館藏發展政策時應有的考量。

三、低社會階層民眾使用圖書館的情況

了解社會大眾使用資訊的情形，是圖書資訊服務的前提。近年來，隨著使用者研究受到重視，從事各行業人員的資訊尋求行爲相關研究，也紛紛出現，例如科學家、律師、護士等。但對於

低社會階層民衆的資訊需求和使用資訊情況，我們卻忽略了。

Elfreda A. Chatman 在了解大學中清潔工的資訊需求及圖書館扮演的角色時發現，雖然他們希望有資訊交換的機會，但同事間缺乏資訊的交換和分享，彼此疏離且很少使用資訊管道。即使他們有健康和安全、福利、改善同事間關係、與學校關係更密切的方法等方面的資訊需求，然而，除了同事間很少資訊交流外，他們也很少利用圖書館。對於這些資訊貧者而言，資訊使用存有很多障礙，圖書館提供的服務也無法回應其資訊需求。（註 22）事實上，公共圖書館在爲低社會階層人們，提供實用資訊方面仍應扮演重要角色，例如指導寫履歷表、協助尋找工作者、提供發展技能的資訊，如電腦、協助低收入者工作，並提供職業發展和進階教育準備。（註 23）

如果說，文化是日常生活一切的總稱，就文化研究角度來看，我們不能忽略任何一階層人們的生活世界，這些弱勢團體更值得我們關心。爲什麼他們處於資訊貧者（information poor）的狀況，是接觸媒體的習慣使然（相關研究指出，低社會階層民衆最常利用的大衆傳播媒體是電視），或是他們對社會、人際的疏離，或是自身對階級的認定，阻礙對圖書館資訊的使用，這些都值得我們進一步的探討。

肆、結　論

文化研究可說是提供了我們了解社會現象、問題的另一個視角。圖書館是社會公共機構之一，公共圖書館又是以全民爲服務對象，對於任何一群民衆的資訊使用行爲的了解，實在是圖書資訊從業人員應有的責任。

本文嘗試由符號學、大衆文化及 Pierre Bourdieu 日常生活慣習理論，探討民衆對圖書館的使用情形及意義。然而，文化研究的領域相當廣泛，值得我們深入了解。若能輔以實證研究資料，或許我們能建構與民衆資訊行爲相關理論，發展圖書資訊服務的新方向。

【附　註】

註 1　羅鋼、劉象愚主編，《文化研究讀本》（北京市：中國社會科學出版社，2000），頁 10。

註 2　David Morley 著；馮建三譯，《電視，觀衆與文化研究》（台北市：遠流，民 83），頁 7。

註 3　同註 1，頁 2。

註 4　同註 1，頁 4。

註 5　同註 1，頁 7。

註 6　王宁，〈文化研究的歷史與現狀：西方與中國〉，在《文化研究》第一輯，陶東風、金元浦、高丙中主編，（天津市：天津社會科學院出版社，2000），頁 64、67。

註 7　陳曉明，〈文化研究：後一後結構主義時代的來臨〉，在《文化研究》第一輯，陶東風、金元浦、高丙中主編，（天津市：天津社會科學院出版社，2000），頁 3。

註 8　同註 6，頁 68-71。

註 9　蔡源煌，《當代文化理論與實踐》（台北市：雅典，民 80），頁 3-10。

註 10　同註 7，頁 1。

註 11　同註 1，頁 1。

註 12　John Fiske 著；張錦華等譯，《傳播符號學理論》（台北市：遠流，民 84），頁 246。

註 13　Roland Barthes 著；孫乃修譯，《符號帝國・中譯本序》（北京市：商務印書館，1994），頁 4、7。

註 14　同註 6，頁 77。

註 15　張錦華，〈從 Bourdieu 的文化社會學看閱聽人質性研究的發展〉，在《傳播質性研究方法之發展與省思學術研討會會議論文》（世新大學傳播研究所主辦，八十九年十二月一日至二日），頁 IV17-45。

註 16　同上註，頁 IV28。

註 17　Pierre Bourdieu, Jean-Claude Passeron and Monique de Saint Martin, *Academic Discourse: Linguistic Misunderstanding and Professorial Power*（Cambridge : Polity Press, 1994）, 122-133.（本書第一版是 1965 年於法國出版。）

註 18　同註 9，頁 4。

註 19　Catherine Sheldrick Ross, "'If They Read Nancy Drew, So What?': Series Book Readers Talk Back," *Library and Information Science Research* 17（1995）, 507.

註 20　同上註，頁 509。

註 21　賴鼎銘，《資訊科學的思考》（台北市：文華，民 88），頁 146。

註 22　Elfreda A. Chatman, "The Information World of Low-Skilled Workers," *Library and Information Science Research* 9（1987）, 265-383.

註 23　Elfreda A. Chatman, "Low Income and Leisure: Implication for Public Library Use," *Public Libraries* 24（1985）, 36.

註 13 Roland Barthes 著，[illegible]

[illegible] 1994 年），頁 [illegible]。

註 14 同註 8，頁 7。

註 15 [illegible] Bourdieu [illegible]

[illegible]

[illegible]

註 16 同上註，頁 128。

註 17 Pierre Bourdieu, Jean-Claude Passeron and Monique de Saint Martin, *Academic Discourse: Linguistic Misunderstanding and Professorial Power* (Cambridge: Polity Press, 1994), 122。[illegible]

1965 年以法文出版。

註 18 同註 [illegible]，頁 4。

註 19 Catherine Sheldrick Ross, "If They Read Nancy Drew, So What?: Series Book Readers Talk Back," *Library and Information Science Research* 17 (1995): 207.

註 20 同上註，頁 210。

註 21 [illegible]

註 22 Elfreda A. Chatman, "The Information World of Low-Skilled Workers," *Library and Information Science Research* 9 (1987): 265-283.

註 23 Elfreda A. Chatman, "Low Income and Leisure: Implication for Public Library Use," *Public Libraries* 24 (1985): 34.

立法院議案審議及其關係文書之查詢

陳忠誠

立法院國會圖書館專員

提要

立法院議案之審議有一定之程序，本文前一部分即引用相關之規定並依立法院院會進行之程序介紹議事日程、議事錄、立法院公報、立法專刊、法律案專輯、議案審議概況表等印刷文件內容及其編輯體例。後一部分則以立法院國會圖書館網站為主，介紹檢索相關議案之線上資源及其方法過程；對於議案關係文書之查詢有線上電子資源之輔助，並對刊載議案關係文書之印刷文獻有深刻的認識，查詢立法院法律案或其他議案之文書方能得心應手。

關鍵詞：議案檢索　議案審議　立法程序　立法過程　關係文書

名詞解釋

一、立法過程、立法程序＝Legal Process、Legislative Process

(一)立法程序：指立法機關對議案處理之程序。

1.廣義：立法機關行使制定法律、預算審查、質詢及同意權等所有職權之程序。

2.狹義：專指法案制定程序。（註1）

㈡「立法過程」必包括法律的「提案」、「審議」及「成立」三個階段。（註2）

二、議案、法案

㈠議案：泛指立法院院會審議及委員會審查之所有案件，包括政府或委員提出之法律案、書面質詢、臨時提案、預算決算案、人民請願案及其他之議案。

㈡法案：專指政府或委員提出之法律案。

三、審議、審查

審議與審查對象相同惟其意義仍有區別

㈠意義：「審議」係就一定事體做充分詳細評議。

「審查」就一定事體調查其內容以求得出結論。

㈡日本國會法之規定：對於處理議案及其他案件的一連串議事程序。

1.在院會（又稱本會議或大會）稱審議。

2.在委員會則稱爲審查。

㈢實際運作

1.在院會：就議案或其他案件，委員長（召集委員）作報告必要時

聽取議案的主旨說明、質疑、討論、表決等一切行爲的程序稱爲「審議」

2.在委員會：就議案及其他案件聽取主旨說明、質疑、討論、表決等整個程序稱爲「審查」（註3）

壹、前 言

一、緣起

中華民國憲法規定立法院為國家最高立法機關，舉凡與人民權利義務有關之法律案，政府機關之組織、預算案、戒嚴案、大赦案、宣戰案、媾和案、條約案及國家其他重要事項立法院均有議決之權利（註4）。除前述幾項職權外，依憲法增修條文之規定立法院尚有：副總統缺位時之補選、總統、副總統罷免案之提議（以上為增修條文第二條之規定）；向行政院及各部會首長質詢之權、對行政院長提出不信任案（以上為增修條文第三條之規定）；聽取總統國情報告、領土變更案之議決、總統發布緊急命令之追認、對於總統副總統之彈劾案（以上為增修條文第四條之規定）；自國民大會部分職權移轉立法院之後，立法院在我國民主政治的演進過程中，儼然已成為政治舞台之重心。

二、意 義

近年來，更因民智漸開，人民對於自身之權利義務、政府之組織職掌，國家未來之發展……等，由原先漠不關注的態度轉為積極關心與參與的期望。

對於立法院各項議案之審議概況及程序，由於一般民眾均較陌生，以至於往往不知如何查詢。在立法院審議相關法案時，與該法案有切身利害關係之團體或機構，也常因為不瞭解議事程序，對於議會機構相關人員的詢問與答覆也常常無法理解。

不僅民眾感到困惑，對於議事人員在答覆民眾詢問的過程中，也常因認知層次不同，而需要花費更多的時間與精神逐一加以解說，民眾方能略知立法過程，才能進一步再確認其所關心的法案爲何；最後必須要知道該法案在審議過程中的哪一階段，據以查詢相關文書以確認該法案之審議或條文修訂的情況。

從立法院爲民服務的角度來看，如何讓每一位選民了解其所關心的議案審議情形是身爲國家最高立法機關責無旁貸的事，也是每一位委員做好其選民服務的基礎。在答覆民衆的詢問時，如何確認民衆所想要了解的問題？如何在短時間內用最簡易的方法讓民衆了解立法程序？以及如何在最短時間內找到所需的相關文件？，這三樣工作看似簡單，但是要做得好並不容易。

從立法院法案審議的過程中來看，法律案從提出至審議通過的過程每一階段均有其特質，所需要參考的資訊均有所不同：

在「上游」法律案提出階段，要做好周延的法案起草準備，除要有法學素養之外，對於所制定的法律與相關的法案牽連關係是否相協調？來自於民間贊成及反對該法案的意見，以及法案一旦通過後對國家社會的正反面影響……等均需要有相關的參考資訊。

在「中游」法案審議階段，對於不同立場不同法律條文制訂的意見，以及審議法案相關的議事規則議事案例，亦需要有足夠且能立即呈現的法律資訊系統提供相關的資訊。

在「下游」法律完成之後，更應在最短時間內將「三讀條文」、「立法要旨」以及與該法案所有相關的文件，提供給全體委員及一般民衆做好法制宣導紮根民主政治的工作。

在網路科技以高度發展的資訊社會裡，以往立法資訊的傳佈僅止於理想的提出，現在可以藉著科技的成果由網站直接將相關的立法資訊輕而易舉的提供給廣大的民衆。國會資訊化的推動，不僅在先進的歐美國家受到重視，在一些尚待開發國家中的國會也漸重視國會資訊化的推動，並將這一項工作視爲現代化的一項指標。

三、範　圍

由於限於時間以及立法院各相關的職權的行使方式及程序均不一致，爲使本文之論述較爲簡明，因此本文之論述範圍僅限於一般之議案，至於法律案及其他均不包括在內。

查詢議案相關文件可由人工作業方式直接查詢刊載在立法院刊印之相關文件或出版品中，但這需要熟悉該法案在哪一種審議過程，並需要對立法院之出版品及相關文件相當熟悉，始能輕而易舉的查詢到所需之法案。通常查詢立法院審議法案之相關文件有程序委員會編印之「議事日程」，公報處刊印之「立法院公報」，如僅爲查詢院會重要之決定或決議事項則有「議事錄」可供查詢，如極需要查詢某一法案審議之概況，則有程序委員會依法案審議之進度編印之「立法院議案審議概況表」等可供查詢。

此外立法院網站及國會圖書館之網站均有提供各委員會及院會審議法案之概況，是極爲便捷之檢索途徑，僅將各種文件介紹如下。

貳、立法院刊登法案及其相關資料的文件：（印刷文件部分）

一、議事日程

㈠議事日程之編製

1.編制之主體

議事日程爲每次立法院院會開會之前，由各委員會選舉出來的程序委員組成的程序委員會，來決定每次院會應該進行那些議案之審議，以及決定各議案審議之先後順序，因此院會集會之前都會先召開程序委員會，由程序委員會來議決議事日程。

在程序委員會開會決定議事日程之前，依立法院議事規則第十六條之規定：「議事日程由祕書長編擬，經程序委員會審定後付印」，通常均由幕僚單位「議事處」依慣例編制議程草案呈秘書長核定，再送程序委員會討論議決之。

2.程序委員會開會時間

依立法院議事規則第二十條第一項之規定：院會之會議「於每星期二、星期五開會」，除非有經院會之議決或朝野協商之決議增減或合併會次（同條第一、二項之規定）及每會期開議第一次會需另外選擇開會之時間外，依慣例通常程序委員會均在每星期二、五中午院會休息時間開會；通常星期二中午的程序委員會決定星期五院會的議程，相同的星期五程序委員會開會則決定下一個星期二的院會議程。

3.編制議事日程之依據

依照立法院議事規則第十三條之規定，立法院在每次召開會議時，議事日程應按每會期開會次數，依次分別編製。因此每次院會開會應該都編印議事日程（各委員會之議事日程，則僅有參與各該委員會之委員參閱，因此公報並不予刊登）。

㈡議事日程記載的內容要項

立法院議事規則第十四條規定：「議事日程應記載開會年、月、日、時，分列報告事項、質詢事項、討論事項或選舉等其他事項，並附具各議案之提案全文、審查報告暨關係文書。」

依前述之規定每次刊印之議事日程都會將開會之屆次、會期、會次（例如：立法院第四屆第四會期第二十八次會議議事日程）、開會之時間（例如：中華民國九十年一月二日【星期二】、五日【星期五】上午九時至下午六時）及地點（本院議場）列出；其次依序列出報告事項、質詢事項、討論事項或其他事項等。

1.報告事項

報告事項依程序通常將宣讀上次會議議事錄列於第一案，其次爲委員及政府所提之法律案。依照議事規則第十四條第二項之規定：「由政府提出之議案及委員所提法律案，於付審查前，應先列入報告事項。」並規定法律案不得以臨時提案提出（議事規則第九條第三項），因此所有之法律案，都需先交由程序委員會（交議事處列入議事日程草案）列入議程報告事項中。

法案之提出有政府提案與委員提案，依立法院議事規則第十五條　之規定：「本院會議審議政府提案與委員提案，性質相同者，得合併討論（第一項）。前項議案之排列，由程序委員會定之（第二項）。

以往通常先將政府所提法律案列在前，自第四屆第二會期第八次會議（八十八年十一月十六日）及其後之議事日程，因委員之建議，均先列委員所提之法律案，再列政府所提之法律案。

此外，依照立法院職權行使法第七十五條之規定：「符合立法院組織法第三十三條規定之黨團，除憲法另有規定外，得以黨團名義提案，不受本法有關連署或附議人數之限制。」因此黨團所提之法律案，均並列於委員所提法律案中。

法律案之後通常將查照案列於其後，查照案有分政府所送之行政計劃或命令……等「行政命令備查案」、行政院將本院委員所提建議案（通常爲委員依立法院議事規則第九條之規定，以臨時提案提出，院會決議：建請行政院研處之提案），經行政單位研處後將研處情形提報本院院會之「查照案」，以及本院各委員會審查之結果有需提報院會之事項，例如立法院職權行使法第十章行政命令之審查，第六十二條第一項之規定：「行政命令經審查後，發現有違反、變更或牴觸法律者，或應以法律規定事項而以命令定之者，應提報院會，經議決後，通知原訂頒之機關更正或廢止之。」或依第六十一條第一項之規定，有關各委員會審查行政命令未能於院會交付審查後三個月內未完成審查者，視為已經審查，並按六十二條第二項之規定需提報院會存查。（註5）。

此外依據立法院職權行使法第十一章請願文書之審查，經各委員會審查結果不成為議案者，依同法第六十七條第二項之規定仍應報請院會存查。（註6）另依據立法院議事規則第十四條第三項規定：「經委員會審查報請院會不予審議之議案，應列入報告事項。」

2.質詢事項

立法委員提出質詢係依據立法院職權行使法第三章聽取報告與質詢專章及相關之規定行之，對於質詢之種類依據職權行使法第十八條規定：「立法委員對於行政院院長及各部會首長之施政方針、施政報告及其他事項，得提出口頭或書面質詢」。因此立法委員對行政院及各部會之「施政方針或報告及其他事項」均得以「口頭或書面」方式提出質詢。

有關質詢事項，依據立法院職權行使法第二十三條之規定「立法委員行使憲法增修條文第三條第二項第一款之質詢權，除依第十六條至第二十一條規定處理外，應列入議事日程質詢事項，並由立法院送交行政院。（第一項）行政院應於收到前項質詢後二十日內，將書面答復送由立法院轉知質詢委員，並列入議事日程質詢事項。但如質詢內容牽涉過廣者，答復時間得延長五日。（第二項）」

依據上述之規定，議事日程除應將立法委員之質詢列入外並應送交行政院，俟行政院於規定期限內將委員質詢事項答復立法院之後並應將行政院答復內容列入院會報告事項。據此，委員提出之質詢在議事日程刊登後，除非有特殊情況，通常在二十五日之後的幾次議事日程就可找到同一案行政院之答復。

質詢事項依慣例通常先列：甲、行政院答復（本院委員所提書面質詢）部分，再列乙、本院委員質詢部分。

3.（行政院長施政報告）或質詢事項

例如依據憲法增修條文第三條第二項第一款行政院向立法院提出施政方針及施政報告，或立法院職權行使法第三章聽取報告與質詢之規定對行政院之施政方針、施政報告、重要事項或施政方針變更時向行政院及各部會提出質詢或對預算編制經過之質詢、或對審計長所提總決算審核報告之諮詢。

質詢事項在議事日程通常僅列該次會議所排定之質詢對象、項目名稱及質詢之順序等。通常由黨團協商推派代表者，由黨團提出名單並依協商分配之時間排定（依情況而定），對行政院提出施政方針及施政報告之質詢通常依委員登記之順序（通常會因委員互換質詢順序而有所變動），而質詢之會議次數則依立法院職權行使法第十六條第二項之規定「由程序委員會定之」。

4.討論事項

討論事項所列之議案有下列幾項情形：

⑴委員會已完成審查之法案：法案經院會一讀，交付委員會審查完成之後，委員會需將每一法案做成審查報告，送程序委員會討論決議之後，依所定之順序排列，除非有通過變更議程，否則均按議事日程所排定各議案之先後順序依序討論。

⑵上次會議未完成審議之議案：依立法院議事規則第十八條之規定：「議事日程所定議案未能開議，或議而未能完結者，由

程序委員會編入下次議事日程。」

⑶委員會不予審議之議案經委員之連署附議交程序委員會改列討論事項。

經委員會審查報請院會不予審議之議案，原列於報告事項，如依立法院議事規則第十四條第三項規定：「……有出席委員提議，三十人以上連署或附議，經表決通過，應交付程序委員會改列討論事項。」

⑷請願文書應成爲議案者：請願文書依立法院職權行使法第六十七條第一項之規定：「請願文書經審查結果成爲議案者，由程序委員會列入討論事項，經大體討論後，議決交付審查或逕付二讀或不予審議」。

上述議案如爲法律案，依慣例常將已經完成法案協商者列於最前，其次列已經分案協商尚未完成協商者，最後列尚未分案協商之法案。

㈢議事日程編排之體例

議事日程爲檢索之方便，通常先將各議案之提案者及案名列於議事日程的前一部分，列出目錄。原有之有提案文件（即所謂的關係文書）則均列於目次之後，並於目次中標註其所在的頁次。其頁次之標示方式仍依序先將報告事項委員之提案列於前並標示【委一】（即委員提案第一頁）、【政】（政府提案）【報】（報告事項）【討】（討論事項）。

㈣法律案提案之要項

法律案之關係文書：除列明本案之印發之日期、議事處給予之院總編號、委員提案序號之外，並依立法院議事規則第二章第七條之規定應「附具條文及立法理由」。一般而言，法律案之提案通常會以摘要性文字敘明「案由」，並逐項「說明」提出案法案各條文之特質以及提案之目的等，其後並附法案對照表。法案對照表通常將修正條文列於最上一欄，將原條文列於中間一欄，最下一欄則依條次逐條提出立法理由及說明。

此外依據立法院議事規則第八條之規定，法律案之提案應有「三十人以上之連署」，因此需要列明該法案之主提案人以及連署人。

二、議事錄

議事錄爲院會開會後之重要紀錄。立法院議事規則第九章議事錄專章有詳細之規定：

㈠議事錄記載之項目

立法院議事規則第五十三條規定議事錄應記載下列事項：

1.屆別、會次及其年、月、日、時。

（記載開會之屆次、會期、會次並分別開會之起訖時間。）

2.會議地點。

3.出席者之姓名、人數。

4.請假者之姓名、人數。

5.缺席者之姓名、人數。

6.列席者之姓名、職別。

7.主席。

8.記錄者姓名。

9.報告及報告者姓名、職別，暨報告後決定事項。

10.議案及決議。

（通常「報告事項」紀錄決定文，例如各法案一讀交付審查之情形；「討論事項」紀錄決議文、二讀時則紀錄條文修正情形、三讀紀錄文字修正情形及附帶決議等。）

11.表決方法及可否之數。

（如各議案有經表決則紀錄表決方式及結果，如為記名表決則另需紀錄贊成、反對、棄權委員之姓名）

12.其他事項。

（例如朝野協商結論經院會通過之決定文）

院會議程進行之順序，除非有變更議程，通常是依照議事日程所列議事程序進行，各項目之順序也與議事日程所列者一致。議事錄有增列者為委員於院會中提出之議案，例如修正動議或臨時提案之類，但均僅記載提案案由及決定或決議情形。

㈡議事錄之登載及分送

依照立法院議事規則第五十四條及第五十五條之規定【註七】，議事錄必須於下次院會時由秘書長宣讀、印送全體委員並登載於立法院公報。因此立法院公報均會刊載前一次會議之議事錄（例如立法院第八十九卷第七十二期公報【上】，刊登立法院第四屆第四會期第二十三次會議記錄於第三至第二一六面，第二一七至二五六面則刊登第四屆第四會期第二十二次會議議事錄）。

三、立法院公報

議事錄與立法院公報紀錄最主要之區別在於公報為發言之逐字紀錄，議事錄則為院會決定、決議事項及其他重要事項之紀錄等。此外立法院公報另將委員會之紀錄及國是論壇等項予以登載。僅將立法院公報之登載要項介紹如下：

㈠院會紀錄

1.第一部分為院會之會議記錄：先記錄院會屆次、會期、會次、再記錄時間、地點、主席、秘書長及秘書長宣讀出席人數等。

⑴報告事項：公報之登載，先將院會於十時左右進行之報告

事項列於前；報告事項除登載議事人員於院會宣讀程序委員會所列議事日程之報告事項及程序委員會所列意見外，另將主席處理程序、委員之意見及主席宣告院會所做決定等事項逐字加以記載。例如：

立法院公報第八十九卷第六十九期（八十九年十二月九日發行）刊登第四屆第四會期第二十次會議記錄（八十九年十二月五日星期二）報告事項第四案：本院委員潘維剛等三十一人擬具「刑事訴訟法部分條文修正草案」，請審議案。程序委員會意見：擬請院會將本案交司法委員會與相關提案併案審查。（以上均照議事日程所列宣讀）；主席：請問院會對本案照程序委員會意見處理，有無異議？（無）無異議，照程序委員會意見辦理。（以上爲院會處理程序：主席徵詢院會之意見及主席宣告院會所作之決定）

⑵**質詢事項**：報告事項之後分別列出：甲、行政院答復部分及乙、本院委員質詢部分之主旨外，並於其後將全文及文號刊列於院會記錄第二部分。

⑶**變更議程**：如有委員依議事規則第十七條規定（註：立法院議事規則），提出變更議程案，則於質詢事項處理完畢，討論事項進行前處理。

⑷**朝野協商**：依立法院職權行使法第七十一條之規定：「黨團協商經各黨團代表達成共識後，應即簽名，作成協商結論，並經各黨團負責人簽名，於院會宣讀後，列入紀錄，刊登公報。」因此朝野（黨團）協商事項，經達成共識之後之結論，經院會作成決定後需列入紀錄並刊載於公報。

⑸**討論事項**：依議事日程所列之討論事項（如有變更議程則依院會通過之議程進行），先列出案由，再依議案進行討論之程

序，記錄主席向院會報告本案交付委員會之會次及裁示宣讀審查報告……等之處理；其後並將委員會審查完竣所作之審查報告：主旨、說明、該法案條文對照表……等附於其後；再其次依程序爲該議案召集委員之說明、進行廣泛討論之發言、（院會法案協商之結論）、逐條討論、（修正動議）……以及委員對於各條文之發言及主席之裁示等，院會發言逐字之紀錄。

三讀條文如與二讀相同則依例予以省略、（三讀如有作文字修正則記錄文字修正之情形）、主席宣讀對本案所作決議並徵詢院會之意見（無異議則通過本案）、本案所作附帶決議以及其他有關本案之發言及表決等紀錄。

⑹**臨時提案**：依立法院議事規則第九條之規定（註9），院會於下午五時至六時處理臨時提案，依委員登記之順序由提案委員說明提案之旨趣（公報需登載提案全文包括提案案由、說明、主提案人及連署人等）及處理之經過與院會所作決議等。

2.院會紀錄第二部分刊登「質詢及答覆」全文之文件。

3.第三部分登載國是論壇：國是論壇立法院議事規則第二十二條第二項之規定於上午九時進行，每位委員發言三分鐘，此部份則將委員於院會國是論壇之發言逐字加以記錄登載。

㈢議事錄

立法院公報依例會將前一次院會之議事錄，列於本次院會紀錄之後。依照立法院議事規則第五十五條：「議事錄應印送全體委員，經宣讀後，除認爲秘密事項外，並登載本院公報。」

㈣委員會紀錄

如有委員會開會之紀錄，立法院公報通常會依各委員會之順序分別記錄其會議進行之程序委員之發言。

㈤專載

刊登總統公布法律案之令及其全文。

㈥附發言紀錄索引

依本次院會進行之程序分報告事項、討論事項、臨時提案、國是論壇等各議案、各委員發言之情形、次數及刊登在公報之頁次等。

立法院公報之紀錄，依立法院議事規則第五十六條之規定：「院會中出席委員及列席人員之發言，應由速記人員詳為記錄，並將速紀錄印送全體委員。」

四、法律案專輯

法律案專輯是以個別之法案為主題，通常在法律案完成三讀，並由立法院咨請總統公布後，由主審該法案之委員會負責編輯，通常是一個法案編輯成為一個專輯；其內容大綱則依法案審議之程序，將法案由提出至完成三讀咨請總統公佈後之文件逐一編輯刊印成册。僅將其內容介紹如下：

㈠法律案之提出

1.政府提案：刊印政府所提之議案，函文案由及所附之說明、法案對照表等。

2.委員提案：委員提案之案由、說明提案及連署人、條文對照表等。

3.第一讀會-交付審查

⑴院會交付審查議事錄：刊印當次議事錄之時間、地點、出席請假委員、主席、列席、紀錄及該案列於報告事項之議案及院會決定交付委員會之情形。

⑵法院議事處函：立法院議事處依據院會之決定，發函將法案交付委員會審查之函文。

㈡法律案之審查

1.委員會（聯席）會議紀錄：各委員會在審查該法案時所召開例次會議之紀錄。（每次之紀錄分：甲、發言紀錄，乙、議事錄等兩部分）

2.審查報告：列委員會審查法案完竣之後將該法案函請議事處提報院會之函文、審查報告及法案條文對照表。

㈢法律案之討論

第二讀會三讀會-當次院會之會議紀錄：

甲、發言紀錄：刊登公報有關該案（討論事項）之發言紀錄。

乙、議事錄：刊登議事錄有關本案（討論事項）之記載。

㈣法律案之公布

1.總統公布法律令：刊登公告法律命令之公文。

2.公布該法律之全文及公布日。

五、立法專刊

立法專刊由立法院議事處於每會期結束後，將各該會期所通過之議案及其全文，依所通過議案之性質類別編輯成書，由公報處刊印發行。

如果僅需要查詢通過法案之全文，並且確知該法案通過之日期或會期，依日期或會期之線索，直接查找該輯之立法專刊，即可便捷的查出該法案之全文。茲將該書之組織架構說明如下：

㈠法律案：依各該法律案所屬之行政機關體系歸類。

1.行政類：

除將各機關之組織法及其他不單屬於一個部會之法律列於前外，於下大略依行政院各部會之組織架構分為「組織、內政、外交、財政、教育、法務、經濟、交通、農業、勞工、公平交易、衛生、環境保護、其他……等」。

2.立法類：與立法院有關之法案。

3.司法類：與司法院有關之法案。

4.考試類：與考試院有關之法案。

5.監察類：與監察院有關之法案。

㈡其他類：

㈢本院內規：通過立法院內規（如立法院議事規則）……等議案。

㈣附表：附⑴議案通過日期、會次及公布日期一覽表⑵廢止法律通過日期、會次及公布日期一覽表。

六、議案審議概況表

程序委員會（議事處議程科負責）於會期中均會按月編製議案審議概況表，列出截至目前爲止議案提出及審議狀況，其內容架構大略分下列五部：

㈠ 當會期截至目前（刊印日）所通過之議案

分一「法律案」，二「預算案」，三「廢止案」，四「本院內規」，五「其他議案」，六「臨時會通過之議案」（無臨時會則本項目不列）等項。

㈡當會期所提出之議案

僅列「當會期」所提出之議案。分「政府提案」與「委員提案」兩部分。

㈢當屆第一會期至前一會期待審議案累計表

列出該屆第一會期開始至前一會期所提出之議案。分「政府提案」與「委員提案」兩部分。

㈣各委員會待審法律案概況表

院會交付委員會審查，委員會尚未完成審查之法案。按下列委員會之順序分內政及民族、國防、經濟及能源、財政、預算及決算、教育及文化、交通、司法、法制、衛生環境及社會福利、外交及僑務、科技及資訊、修憲等委員會順序列出在各該委員會之議案。

㈤院會待審法案

院會待審之法案爲經各委員會審查完竣，再提報院會審議之議案。於下依議案之性質分：法律案、預算案、決算案、條約案、戒嚴案、修憲案、人民請願案經審查結果應成爲議案及其他議案等類。

前述各類之下均有分別統計各該類議案之件數。各類之下所列之議案則依提案之先後順序排列。每案之下依各類之性質分別列出：法案名稱、提案機關或提案委員、提出日期及會次、審查委員會、審查報告提報院會之日期及會次、審議進度（院會審議情形）、備註（註明該法律案之條數、提案併案審查、逕付二讀或改交委員會審查……等）。

對於前述之出版品如能深入了解其組織架構、編輯體例及其記載項目、查檢方式……等，對於查詢立法資源或議事文件，或答復委員、職員及一般民衆之詢問應該可以得心應手。

參、立法院檢索法案及其相關資料的工具：（電子資源部分）

但前述之出版品均需以人工方式查詢，如果不能確知所要查詢之議案所在之會期、時間等線索，必然無法立即找到所需要之資料。

在傳統的圖書館，檢索法案或其他之文獻，通常都會編製目錄或索引等工具提供讀者檢索，在以往立法院圖書資料室（現爲國會圖書館）編印之立法院法律全文及法律沿革全書等工具書即是提供按字順檢索相關法律條文立法要旨以及法律沿革的工具書。此外早期建置之立法院議事系統、立法院法律系統、委員質詢與（行政院）答復系統……等，均是極爲便捷的電子化檢索工具。

現今國會圖書館已於民國八十七年起建置網站，提供線上即時檢索之服務，僅將目前已開發建置完成之網站資源介紹如下：（註 10）

一、網站資源概述

㈠立法資源

包括法案追蹤（法律案提案、審查、法律全文、沿革、議事系統及專爲一種法案所作之專輯）、最新法案（最近一會期或當會期所通過之法案一覽表，並可點選顯示全文）、立法記事、立法統計、新知、法案簡介及立法館藏資源等。

㈡立委問政

提供各委員資料（依姓名、選區排列）、委員參加各委員會、歷次（屆）會期及起訖日期對照，委員發言、法律提案及質詢之系統。

㈢焦點議題

提供總質詢、國是論壇、行政院施政報告及各部會報告、專題資訊及新知彙集（依法律案提供各國相同法規制定之法條）等。

㈣國會新聞

提供國內外輿論及剪報專輯資訊。

㈤館藏資源

提供國會圖書館所藏圖書、期刊、報紙、光碟、縮影及電子資源等。

㈥立法智庫

分立法院所開發之資料庫及購置於國內或國外各種之資料庫。

㈦數位資訊

提供網際網路之資源、及線上閱覽（含多媒體）資源。

㈧線上服務

提供讀者推薦網站、圖書資源、上課、反映意見、本館相關出版品、導覽、相關規定及網站指引等。

㈨國會圖書館資訊快遞

傳遞最新之輿情（剪報）、法案、質詢、國是論壇、施政或部會報告立法新知等。

前述各大類中之子資料庫，爲查詢之考量，有將同一資料庫置於不同之類別之下。例如法案追蹤之下，前四個子系統：法律提案、法案審查、法律系統及議事系統等，與「立法智庫」下之前四個子統相同。讀者可選擇適當之類別進入查詢。

二、檢索議案審議有關之系統

立法智庫是爲委員問政之重要知識庫：下依其性質略分爲立法院資料庫（是爲立法院依據委員問政之需要所開發之資料庫）、中文資料庫及外文資料庫等三種（以上兩類多爲購置國內外所開發之資料庫所）。「立法院資料庫」下涵蓋：立法院法律提案系統、立法院法案審查系統、立法院法律系統、立法院議事系統、立法委員發言系統、立法院質詢系統、立法院新聞系統、全國法政紀要系統、立法院期刊系統及立法院法制局研究成果等，以上除最後一項法制局研究成果之外，其餘七項均爲爲立法院國會圖書館所開發之系統，茲將第一項至第六項與委員質詢與議案查詢相關之資訊系統列表如下。（表一）

表一：立法院查詢委員發言與質詢、提案及議案審議等相關資訊系統一覽表

<table>
<tr><td colspan="2"></td><td>一、立法院法律提案系統</td><td>二、立法院法案審查系統</td><td>三、立法院法律系統</td><td>四、立法院議事系統</td><td>五、立法委員發言系統</td><td>六、立法院質詢系統</td></tr>
<tr><td rowspan="2">收錄範圍</td><td>索引資料</td><td>第四屆第一會期（88年2月）迄今</td><td>第一屆第七十八會期（75年2月）迄今</td><td rowspan="2">民國59年迄今</td><td>第一屆第七十八會期（75年2月）迄今</td><td>第一屆第七十八會期（75年2月）迄今</td><td>第一屆第七十三會期（73年2月）迄今</td></tr>
<tr><td>影像範圍</td><td>第四屆第一會期（88年2月）迄今</td><td>第四屆第一會期（88年2月）迄今</td><td>第二屆第一會期（82年2月）迄今</td><td>第四屆第一會期（88年2月）迄今</td><td>第二屆第四會期（84年2月）迄今</td></tr>
<tr><td colspan="2">資料內容</td><td>提供立法委員、行政院、司法院、考試院及監察院等政府所提之法律案</td><td>有關法律案之審議、行政命令之審查紀錄</td><td>1.法律現行條文：立法院制定之法律、條例、通則（不含海關進口稅則暫停適用及喪失時效之法律）
2.法律修正過程資料庫：59年迄今立法院制定、修正或廢止之資料庫。
3.法律條文沿革資料庫：59年迄今立法院制定、修正、廢止法律前之條文內容及修正理由。</td><td>立法院之會議紀錄、法案審查紀錄、委員發言及提案紀錄。</td><td>立法委員於院會、委員會發言之紀錄。</td><td>立法委員施政總質詢、預、決算質詢、專案質詢（書面質詢）</td></tr>
<tr><td colspan="2">資料來源</td><td>立法院議事日程</td><td>立法院公報</td><td>立法院議事處</td><td colspan="3">立法院公報</td></tr>
<tr><td colspan="2">使用說明</td><td colspan="2">查閱影像需下載影像程式</td><td>文字檔（.TXT）資料庫</td><td colspan="3">查閱影像需下載影像程式</td></tr>
<tr><td colspan="2">更新方式</td><td colspan="6">即時更新</td></tr>
</table>

㈠立法院法律提案系統

法律提案系統是提供查詢立法委員（黨團）及政府（行政、司法、考試、監察）所提的法律案。例如查詢有關圖書館法有哪些提案，查詢步驟如下：

1.進入立法院法律提案系統之程序

由國會圖書館首頁之立法智庫進入，點選其下所屬之「立法院資料庫」，在視窗右邊即出現屬於「立法院資料庫」下之十種子資料庫系統，點選第一項資料庫「立法院法律提案系統」右邊之「查詢」功能，即可出現「立法院法律提案系統」檢索畫面。

2.檢索法律提案之過程

進入「立法院法律提案系統檢索畫面」後，依所列之檢索方式（通常選擇不限欄位查詢）輸入關鍵字詞『圖書館法』，按執行檢索進行查詢，即可出現檢索結果。此外可以從提案之委員或提案機關、法案名稱、法案編號、會期或提案日期等作爲檢索條件。

3.顯示結果或切換詳細目錄

顯示檢索結果圖書館法草案計有三筆資料，計有行政院於88年6月8日所提之草案，刊登於第四屆第一會期第十五次會議，報告事項第一至十五頁（或可依其會次及頁次查詢議事日程之原件資料）、游委員月霞於88年10月12日所提第十五條之修正草案，刊登於第四屆第二會期第四次會議，報告事項第四七七至四七九頁；以及江委員琦雯等於89年6月2日所提之草案，刊登於第四屆第一會期第十五次會議，委員提案第三十三至第四十二頁。

如需進一步顯示詳目，（或可勾選其中幾項）點選顯示詳細目錄鍵參考詳細之資料記錄。

4.點選原件閱讀或列印之步驟

如需參考原提案之全文（第一次需先下載影像程式後再執行tifsetup.exe 檔案），無論詳細目錄或簡明目錄在頁碼一欄有標示底線部分均可點選查看原件影像資料檔。點選後會出現顯示影像檔案之畫面，具有跳頁、放大縮小……等功能，如需列印可點選列印直接將該提案文件影像檔列印出來。

㈡立法院法案審查系統

法案審查系統之查詢方式，與前一系統相近似（於下各系統均不再重複介紹檢索方式及過程），所不同者在於法案審查系統將該法案進行之整個過程（刊登於公報之資料）包括一讀、委員會審查、院會進行廣泛討論（將委員會所作之審查報告刊登於當次之公報上）、逐條討論、完成二讀及三讀之過程逐一檢索出來。

例如以「圖書館法」檢索法案審查系統，除可將行政院及委員之提案查出外，並將該相關法案在院會一讀時歷次被退回之紀錄、以及委員會審查及三讀之紀錄一併檢索出來。

㈢立法院法律系統

法律系統之特色在於可將現行之法律條文以純文字檔顯示出來，如爲經過修正之法律案，則可查詢歷次之修正情形及其立法理由。

㈣立法院議事系統

主要爲查詢議案刊登在公報所在卷期出處，議事系統除可查詢前述法律外，有關公報刊載之其他之議案，無論院會或委員會開會之紀錄，除可依照已知之線索如會期會次、日期、法案名稱……等作檢索之外，還可以關鍵詞或主題作檢索。

㈤立法委員發言系統

可按委員姓名或以會期會次或日期等作限定條件之檢索，主要在查詢委員在院會或委員會發言之紀錄。

㈥立法院質詢系統

包括委員對行政院長施政方針、施政報告、總預算編制情形之質詢……等，以及委員所提書面質詢與行政院答復委員質詢列入院會刊登於公報之文件等。

除前述之資料庫系統之外，各委員會審查法案或開會情形，透過立法院之網站，亦可進入各委員會網站，查詢在各該委員會議案審查之進度或開會之狀況。

肆、結 論

無論透過人工方式查找印刷文件，或透過線上資源檢索議案關係文書，除需要對立法程序有相當之認識之外，還要對其編輯體例或檢索方式有相當的體驗，最重要的還需要能靈活運用；例如對某一事件在公報或議事錄都無法獲得時，可由新聞系統之輔助，得知其發生的日期，在依其日期查詢該日期前後之議事錄、公報等資源就可找到相關之文件。

在整個立法議事過程中，圖書館雖處於下游之幕後作業單位，但對於立法資源之整理與提供，有一定之貢獻，除積極的支援上游立法作業外，並能透過網路提供國內外民眾的檢索，不僅解決許多民衆在以往必須長途跋涉，親自前來查詢文件的困境，並可達到傳佈立法新知、宣導法制觀念的目的。

期待將來能進一步結合立法作業之上游，從議案之提出置完成三讀均能有立即建置資料的機制，以提供立法院內或民衆更便捷的資訊檢索。

【附　註】

註 1　立法審查理論與實務/許劍英著. - - 初版. - - 台北市：五南，民 89 年（第二面）

註 2　議會立法過程的比較研究/日本比較立法過程研究會編,許介鱗譯 - - - 立法叢書 - - 台北市：立法院秘書處，民 80 年（第二面）

註 3　立法審查理論與實務/許劍英著. - - 初版. - - 台北市：五南，民 89 年（第三面）

註 4　中華民國憲法第六章第六十三條。

註 5　立法院職權行使法第六十一條（行政命令審查之期限）規定：「各委員會審查行政命令，應於院會交付審查後三個月內完成之；逾期未完成者，視爲已經審查。但有特殊情形者，得 經院會同意後展延；展延以一次爲限。（第一項）前項期間，應扣除休會期日。（第二項）；六十二條第二項之規定「前條第一項視爲已經審查或經審查無前項情形之行政命令，由委員會報請院會存查。」

註 6　立法院職權行使法第六十七條第二項「請願文書經審查結果不成爲議案者，應敘明理由及處理經過，送由程序委員會報請院會存查，並通知請願人。但有出席委員提議，三十人以上連署或附議，經表決通過，仍得成爲議案。」

註 7　立法院議事規則第五十四條：「每次院會之議事錄，於下次院會時，由祕書長宣讀，每屆最後一次院會之議事錄，於散會前宣讀。（第一項）前項議事錄，出席委員如認爲有錯誤、遺漏時，應以書面提出，由主席逕行處理。（第二項）

第五十五條　議事錄應印送全體委員，經宣讀後，除認爲秘密事項外，並登載本院公報。

註 8　立法院議事規則第十七條規定：「遇應先處理事項未列入議事日

程，或已列入而順序在後者，主席或出席委員得提議變更議事日程；出席委員之提議，並應經三十人以上之連署或附議。（第一項）前項提議，不經討論，逕付表決。（第二項）」

註 9 立法院議事規則第九條規定：「出席委員提出臨時提案，以亟待解決事項爲限，應於當次會議上午十時前，以書面提出，並應有二十人以上之連署。每人每次院會臨時提案以一案爲限，於下午五時至六時處理之，提案人之說明，每案以一分鐘爲限。（第一項）臨時提案之旨趣，如屬邀請機關首長報告案者，由主席裁決交相關委員會。其涉及各機關職權行使者，交相關機關研處。（第二項）法律案不得以臨時提案提出。（第三項）臨時提案如具有時效性之重大事項，得由會議主席召開黨團協商會議，協商同意者，應即以書面提交院會處理。（第四項）」

註 10 立法院國會圖書館網址爲：http://npl.ly.gov.tw

【參考資料】

㈠中文圖書

1.議案審議：立法院運作實況/周萬來著.--初版.--台北市：五南，民 89

2.立法審查理論與實務/許劍英著.--初版.--台北市：五南，民 89

3.議會立法過程的比較研究/日本比較立法過程研究會編；許介鱗譯--台北市：立法院秘書處，民 80--（立法叢書）

4.國會政策與政策過程/Walter J. Oleszek 原著；湯德宗譯--第二版--台北市：立法院秘書處，民 81--（立法叢書）

㈡法規

1. 立法院組織法：中華民國八十八年六月二十二日修正八條增訂一條 中華民國八十八年六月三十日公布。

2.立法院各委員會組織法：中華民國八十八年六月二十二日修正. 中華民國八十八年六月三十日公布。

3.立法院職權行使法：中華民國八十九年十一月七日修正 中華民國八十九年十一月二十二日公布。

4.立法院議事規則：中華民國八十八年一月十二日立法院第三屆第六會期第十四次會議通過修正全文。

㈢立法院相關文件

1.議事日程：立法院第四屆第四會期第二十八次會議議事日程，中華民國九十年一月二日（星期二）、三日（星期三）。

2.議事錄：立法院第四屆第四會期第二十八次會議議事錄，中華民國九十年一月二日（星期二）、三日（星期三）。

3.立法院公報/立法院公報處：第八十九卷第七十二期【上】，中華民國八十九年十二月二十日（星期二）。

4.立法專刊/立法院議事處編：第九十九輯（第四屆第三會期）：立法院公報處印，中華民國八十九年九月一日。

5.法律案專輯第一百六十二輯：兒童福利法/立法院秘書處編印：中華民國八十二年九月。

6.立法院議案審議概況表/程序委員會製表，中華民國九十年二月九日。

㈣網站

1.立法院國會圖書館網站；網址：http://npl.ly.gov.tw

2.立法院網站；網址：http://www.ly.gov.tw

附記：

我是在盧老師照顧之下成長的。回想民國六十五年就讀世界新聞專科學校時，獨自由偏遠的東台灣隻身來到陌生的台北，能夠得到老師全家人的照顧，那是我這一生中最感溫馨的事。第二次由於更換工作，在無處棲身的困境下，再次住到盧老師家。跟在老師身邊的這一段時間裡，學到的不僅是作學問的方法，讓我覺得受益最多的還在於為人處世的道理；在潛移默化中，原是冥頑不靈又不聰明的我，不僅在性格上有極大的改變，甚至在思想觀念上都有極大「成長」。雖然，我並不是聰明的學生，在工作上也沒有顯赫的功績，但總覺得沒有盧老師的開導與照顧我是沒有今天的成就。總之，能夠使一個平凡的學生「開竅」，需要花費更多的時間與精神；老師不僅能讓聰明的學生能有更高的成就，更能夠讓資質平庸的學生有所心得；讓每位受教者都能有所體會與收穫，應該是盧老師從事教育事業的偉大之處。

謹祝福 恩師身體健康！萬壽無疆！

佛教典籍在中國傳統目錄之分類

阮　靜　玲

國家圖書館編目組助理編輯

摘　要

本文探討佛教典籍在中國傳統目錄佛教類地位及其分類體系與發展，進而由歷代佛典目錄發現，佛教傳入中國後，歷經佛教界人士致力於佛典的整理，從專記一人、一地或一時之譯經錄，逐漸建立起經律論三藏類目，並依主張內容分大小乘，經律論進而依派別細分。佛典目錄除經律論外，還包括諸宗、懺悔、傳記、纂集、護教、目錄、音義、序讚詩歌等類目，建立中國佛典精良的分類體系。

關鍵詞：佛典目錄　分類　佛教　目錄

一、中國傳統目錄佛教類

源於印度的佛教傳入中國後，除僧侶到中國傳教外，佛教典籍也隨之進入中國，也有中國僧人前往印度、西域去尋求佛教典籍並攜回國內，佛教典籍得以不同途徑傳入。東漢明帝佛教傳入時就有佛經翻譯，後來譯經事業受到帝王重視，有譯場成立專事佛經翻譯工作，歷朝所翻譯的經典雖然有因前朝人翻譯的語彙與當時不合，或是有較完善典籍傳入而重譯外，歷朝翻譯的佛典數量相當龐大。(註 1)隨著印度佛教發展時期的不同，所傳入典籍也依時間差異而傳入不同宗派的典籍。

自佛典傳入並經歷朝翻譯，數量上是持續成長，西晉荀勗《中經新簿》已開始蒐錄佛經，(註 2)六朝宋王儉在《七志》中將佛經列爲附錄，附在「道經錄」之後，但無法得知二書的佛經安排順序。至梁阮孝緒《七錄》，增入佛道二錄於外篇，阮氏提到：「釋氏之教，實彼中土，講說諷味，方軌孔籍。王氏雖載於篇，而不在志限，即理求事，未是所安，故序佛法錄爲外篇第一。」(註 3)阮孝緒《七錄》的「佛法錄」先於「仙道錄」，爲外篇第一，「佛法錄」中將佛經分爲五類，即戒律部、禪定部、智慧部、疑似部、及論記部五部，(註 4)即是依資料內容分類。

唐長孫無忌《隋書經籍志》（《隋志》）仿《中經新簿》與《七志》將道佛附於四部之末，(註 5)其中「佛經部」分大乘經、小乘經、雜經、雜疑經、大乘律、小乘律、雜律、大乘論、小乘論、小乘論、雜論、記等十一類，(註 6)《隋志》在分類上是先將佛經分經、律、論、記四門，其下再細分各子目，雖然《隋志》列有佛經的目錄，但卻將高僧名僧諸傳及內典博要因果記等應列於佛經類的典籍，放在史部雜傳記與子部雜家錄，開後世以體不以義之例，(註 7)但在「佛經部」中將經、律、論分爲大小乘，這種分類方式已近於佛典目錄的分類。

到宋王堯臣《崇文總目》時，佛典爲一子目，稱「釋書」，單獨列於子部之末，(註 8)自《崇文總目》後，歷代有佛經類的四部法目錄，乃至五部法、十二部類法等都是將佛經放在子部或諸子部，先後順序則隨各家目錄對佛經重視程度不同而有差異。佛典收錄數量及著錄項目多數也相當簡略，大部份僅著錄書名，也不再將佛典加以細分。(註 9)其中僅宋鄭樵《通志藝文略》諸子類 12 釋家，將佛典分傳記、塔寺、論議、銓述、章鈔、儀律、目錄、音義、頌贊、語錄十類。(註 10)《通志藝文略》的傳記、塔寺、目錄、音義等四類是以書的內容分類，論議、詮述、章鈔則是以書的形式分類，內藤龍雄認爲這在分類名目上缺乏一貫性，(註 11)除了缺乏一貫性外，也無經律論類目。《通志藝文略》分類上與現代分類法一樣具有以內容與形式分類的類目，如果能將其層次關係加以調整以及增加相關類目，佛教類的類目將較完善。明焦竑《國史經籍志》的子類 3 釋家將佛典分爲經、律儀、論、義疏、語錄、偈頌、雜著、傳記、塔寺等九類，(註 12)該書與《隋志》相同，將佛教極爲重要的經、律、論列爲類目。明祁承㸁《澹生堂書目》在子部 6 釋家類將佛典分爲大乘經、小乘經、宋元續入經、東土著述、律儀、經典疏注、大小乘論、宗旨、語錄、止觀、警策、詮述、提倡、淨土、因果、記傳、禪餘、文集等十八類，(註 13)是將經、論分大小乘，至於疏與原典則分錄兩目。

二、佛典目錄

中國傳統目錄對於佛典收錄的重視程度不一，加上中國傳統以儒家思想爲正統，佛典在目錄上分類往往也無法盡如人意，如《隋志》以體不以義情形，以及初期目錄對於較爲艱深的佛經不甚重視，(註 14)未將佛典完整蒐錄，相較之下，歷代的佛典目錄蒐錄情形較完整，而且編製佛典目錄者皆是佛教界人士，對佛典的了解遠較一般人深入清楚。佛典目錄依梁啓超認爲有五點優於普通目錄：「一曰歷史觀念甚發達；二曰辨別眞僞極嚴；三曰比較甚審；四曰蒐采遺逸甚勤；五曰分類極複雜而周備，或以著譯時代分，或以書之性質分。性質之中，或以書之函義內容分，如既分經律論，又分大小乘，或以書之形式分，如一譯多譯、一卷多卷等等。同一錄中，各種分類並用。」(註 15)

㈠晉道安撰《綜理眾經目錄》

晉之前，有漢魏之際的朱士行《漢錄》與西晉竺法護《衆經目》等的佛教目錄，(註 16)但先後相傳的幾部佛家經錄眞僞難辨，體例未定，同時也只記載一人，或一地，或一時之譯經錄，(註 17)至東晉釋道安的《綜理衆經目錄》（《安錄》），才開始有全部佛教著作整理，奠下佛經目錄基礎。(註 18)雖然《安錄》已佚，但從僧佑的《出三藏記集》（《佑錄》），可以知道《安錄》包括古異經錄（以譯人年代爲序）、失譯錄（不知譯人姓名）、涼土異經錄（知譯書地點，無譯人姓名）、關中異經錄（知譯書地點，無譯人姓名）、古異錄（摘譯）、疑經錄（道安判定爲僞造）、注及雜志等七種。(註 19)

《安錄》在體裁上，純以年代爲序、失譯者別自爲篇、摘譯者別自爲篇、嚴眞僞之辨、注解之書別自爲部不與本經混，(註 20)由此可知，《安錄》時尚未以資料內容分類，而是先依版本、次依譯者時代及翻譯時間先後爲分類標準。《安錄》又創注解的書與原書分開放置，由此可以發現分類方式與現代分類方式有所不同，現代圖書分類多先依圖書內容的學術性質，必要時得採用體裁、地域、時代等爲輔助標準，(註 21)《安錄》則是先依版本再依譯者時代區分。另一特色則是注解的圖書與原書分開，與現代分類法中經律論的注疏隨原書放置同一處不同，而道安之前，佛教學者對經律論的觀念和現在不同，當時律與論也稱之爲經，(註

22)因此也就無經律論的區分。

㈡佚名《眾經別錄》

佚名的《衆經別錄》(《別錄》)分大乘經錄、三乘通教錄、三乘中大乘錄、小乘經錄、篇目闕本、大小乘不判、疑經錄、律錄、數錄、論錄等十篇,(註 23)姚名達評《別錄》是創造最優良分類法的目錄,姚氏認爲其書:「從教義上分大乘、小乘、不判乘;又從體質上分存、疑、闕;佛經之外,又首創律、論、數三類。其分類法之原則蓋有教義、體質、文裁三項,俾經、律、數、論,各有定居,眞、僞、完、闕,不從含混。而專習一乘者,自可即類求書;初學佛經者,不爲疑僞所誤。」(註 24)

《別錄》先將佛典分爲經、律、數、論四類,經又分爲眞經與疑經兩類,眞經下分大乘、三乘通教、三乘中大乘、小乘、篇目闕、及不判乘六類,雖然姚氏認爲《別錄》分眞、僞、完、闕而不相混,但由《長房錄》可以得知,《別錄》中並無「闕目」,而是「篇目闕」。(註 25)由《內典錄》所記載《別錄》篇目中的「篇目闕本錄」,(註 26)會讓人誤認爲是收錄闕本,但《別錄》已佚,無法由《長房錄》與《內典錄》作明確判斷。《別錄》分類方式是之後各錄依據,經已分大小乘,不過律及論尚未分乘。

㈢ 梁釋僧佑撰《出三藏記集》

梁釋僧佑《出三藏記集》(《佑錄》)爲現存最古的經錄,內容分:三藏緣記、名錄(保存《安錄》並補當時所得佛典)、經序、雜經錄(收錄十種目錄)、列傳。(註 27)除了有一部分沿襲《安錄》外,其餘爲其所自創,包括新立「異出」一部(將不同譯本加以區分,分爲一譯與異譯兩種)、新立「抄經」一部(節抄之本與原書分開)。(註 28)

法經在《隋衆經目錄》中提到：「《佑錄》小大雷同、三藏雜糅、抄集參正、傳記亂經等四項缺點。」(註29)梁啓超卻認爲：「《佑錄》不以大小乘分類，爲當時風氣，因爲隋唐之後才崇大抑小，雖然《佑錄》不以經律論分類，但已別律於經，《佑錄》創經律分紀，而論附於經，則是當時論的數量不多所致，『抄經』另錄則創於《佑錄》，傳記亂經則是該書甚少，不足以別立部門之故。」(註 30)雖然由梁氏所言可以得知，《佑錄》限於當時狀況，無法大小乘分乘，也無法分立三藏，但如依據成書先後時代判斷，早於《佑錄》的《別錄》在分類上已分三藏經律論，也分大小乘，因此實不能依梁氏所言是因爲限於當時的狀況而無大小乘分乘與分立三藏。該書對於後世目錄影響應只限於創立「異出」與「抄經」各立一部，以及保存《安錄》三項。

㈣北魏李廓撰《魏世眾經錄目》

已佚的北魏李廓《衆經目錄》（《廓錄》），將佛典分爲大乘經、大乘論、大乘經子注、大乘未譯經論、小乘經律、小乘論、有目未得經、非眞經、非眞論、全非經愚人妄稱等十類，(註31)《廓錄》之前的《衆經別錄》只有經分大小乘，律與論則未分大小乘，到了《廓錄》時，將佛典分大小乘，大小乘之下又再分爲經、律、論。

本錄特色有：一大小乘分類、二經律與論分類、三未譯經論別存其目，僞書類分爲「非眞」、「全非眞」兩類，爲後來「疑惑」、「僞妄」分科之嚆矢，但《廓錄》僅分經律論三藏，其他如傳記等書無目可歸。(註 32)《廓錄》應是建立中國佛經目錄大小乘經律論分類的基礎，同時也開創疑惑與僞妄分科，但仍未建立完整的目錄分類，需經後世的佛典目錄慢慢建立起中國完善的佛教典籍分類方式。

㈤北齊法上撰《眾經目錄》

異於《廓錄》的法上《衆經目錄》（佚）（《法上錄》），將佛典分雜藏錄、修多羅錄（經錄）、毘尼錄（律錄）、阿毘曇錄（論錄）、別錄、衆經抄錄、集錄、人作錄（內典錄作「人撰作錄」）八錄，(註 33)本書依照佛典內容分類，將經律論三藏分別立部，但不採用經律論的名稱，而是使用中國早期修多羅、毗尼、阿毘曇的經、律、論名稱，(註 34)經律論未分大小乘，其中衆經抄錄、集錄、人作錄三類，是依中土佛典產生方式區分，抄錄與集錄均出自佛典，未加個人文字，人作錄則屬於注經、記、傳之類，(註 35)雖然《法上錄》分爲八類，但分類方式並無創新之處。

㈥梁釋寶唱撰《眾經目錄》

已佚的梁釋寶唱《衆經目錄》（《寶唱錄》），內容分大乘、小乘、先譯異經、禪經、戒律、疑經、注經、數論、義記、隨事別名、隨事共名（《內典錄》作隨事失名）、譬喻、佛名、神咒。(註 36)本錄依《廓錄》將經分大小乘，大小乘下再分「有譯人多卷經」、「無譯人多卷經」、「有譯人一卷經」、「無譯人一卷經」，(註 37)由《長房錄》的記載，可以發現，《寶唱錄》在經典部分分大小乘，戒律則未分大小乘，其中數論、隨事別名、隨事共名無法得知所指爲何種佛典。《寶唱錄》在分類上相當瑣碎，經典除有大小乘之分外，其下採一卷與多卷區分，未取其義而分，論不別主類，不知何屬，禪經以下，分析太繁，無有系統，異譯之經，本宜別類，乃反不別。(註 38)《寶唱錄》仍延續之前的分類方式將經分大小乘，但律與論則未分大小乘，除經律論外，較之前的佛典目錄多蒐錄了其他典籍，並加以區分。

㈦隋法經等撰《大隋眾經目錄》

隋法經《大隋衆經目錄》(《法經錄》),包括大乘修多羅藏、小乘修多羅藏、大乘毘尼藏、小乘毘尼藏、大乘阿毘曇藏、小乘阿毗曇藏、佛滅度後抄集、佛滅度後傳記、佛滅度後著述九類,(註 39)《法經錄》多依《法上錄》分類,但《法經錄》在大乘經藏至小乘論藏六錄下又各分爲一譯、異譯、失譯、別生、疑惑、僞妄六種流傳情形,至於佛滅度後抄集至著述三錄之下,分爲西域聖賢抄集與此方諸德抄集二種不同地區的著述。

《法經錄》分類方式可以分爲兩種,一是以書的內容本質分類,另一方式是以書的流傳情形分類。以書的內容本質分類是分大小乘的經律論、抄集錄、傳記錄、著述錄;就佛典流傳情形分類分「著錄」(一譯、異譯、失譯)、「存目」(別生、疑惑、僞妄)兩種。(註 40)本書融合歷代佛經目錄,將大乘、小乘及其經、律、論一一分類,抄集、傳記、著述又分西域聖賢、此方諸德,可將經律論以外的各書包括其中,是一部極爲科學的目錄。(註 41)

(八)隋費長房撰《歷代三寶記》

隋費長房《歷代三寶記》(《長房錄》)卷一至卷三是年表,卷四至卷十二完全依時代序著錄歷代譯經,卷十三與卷十四則是大小乘入藏目,各典籍順序是先分大小乘,次依經律論分類,其後再分有譯與失譯,卷十五列出前十四卷目次及歷代目錄類目,(註 42)《長房錄》在分類上沒有任何獨特之處,與之前的各目錄差不多,分類也只有分大小乘的經律論六類。

(九)隋彥琮《眾經目錄》

隋釋彥琮《隋衆經目錄》(《琮錄》)分單本(大乘經單本、大乘律單本、大乘論單本、小乘經單本、小乘律單本、小乘論單本)、重翻(大乘經重翻、大乘律重翻、大乘論重翻、小乘經重翻、小乘律重翻、小乘論重翻)、聖賢集傳、別生(大乘別生、大乘別生抄、小乘出別生、小乘別生抄、別集抄)、五分疑僞、闕本。(註 43)《琮錄》是先依翻譯的情形分單本與重翻(再分大乘經律論、小乘經律論)、聖賢集傳、別生、疑僞五類。分類上除大小乘經律論及聖賢集傳的內容區分外,其餘主要還是以流傳情形爲分類方式,與之前的各錄無太大差別。

㈩唐釋道宣撰《大唐內典錄》

唐釋道宣《大唐內典錄》(《內典錄》)則是開闕書目錄先例,並首次結合歷代傳譯與別分乘藏二種經錄形式,(註 44)篇目爲:一歷代衆經傳譯所從錄、二歷代翻本單重人代存亡錄、三歷代衆經見入藏錄、四歷代衆經舉要轉讀錄、五歷代衆經有目闕本錄、六歷代道俗述作注解錄、七歷代諸經支流陳化錄、八歷代所出疑僞經論錄、九歷代衆經錄目始終序、十歷代衆經應感興敬錄十類,其中歷代翻本單重人代存亡錄與歷代衆經見入藏錄又分別分爲大乘(經律論)、小乘(經律論)、賢聖集傳。(註 45)

梁啓超認爲《內典錄》是集《法經錄》與《長房錄》的優點並改善二錄缺點,是一本有系統且合理的組織分類,《內典錄》在分類整理部分,也是採取大小乘分別,大小乘再分經律論,另外還有聖賢集傳,《內典錄》較《法經錄》善者包括立「有目闕本」作爲將來採訪之資,將疑惑僞妄合而爲一,保存別生,(註 46)不過《內典錄》在分類仍未能脫離以往各錄的分類方式。

⑪唐釋智昇撰《開元釋教錄》

釋智昇《開元釋教錄》(《釋教錄》),在經、論部分分類詳細精密,條理明晰,被認爲是一部佛教學術史,後來佛典目錄的分類都沿用之。(註 47)從《廓錄》開始,已將佛典分類爲大乘經、大乘律、大乘論、小乘經、小乘律、小乘論、以及後人撰述的著作，《廓錄》之後的各錄大都是延續這種分類方式，《釋教錄》除參酌歷代各錄的分類方式，採用大小乘經律論的分類方式外，《釋教錄》在分類上更加詳細，其體例大抵仿《內典錄》，但大小乘經律論之下又再加以細分，爲派別分類之始。(註 48)

《釋教錄》大乘經分般若經新舊譯、寶積經新舊譯、大集經新舊譯、華嚴經新舊譯、涅槃經新舊譯、五大部外諸重譯經、大乘經單譯七類，大乘律未再分，大乘論分大乘釋經論、大乘集義論二類，小乘經分根本四阿含經、長阿含中別譯經、中阿含中別譯經、增一阿含中別譯經、雜阿含外諸重譯經、小乘經單譯七類，小乘律分爲正調伏藏、調伏眷屬藏二類，小乘論下分有部根本身足論、有部及餘支派論二類。(註 49)

除依照歷代佛典目錄將典籍分爲大小乘經律論外，經律論之下又再加以細分，可以想見至唐朝的時侯，佛教發展到極至，典籍出版數量相當龐大，原有大小乘經律論的分類方式已不敷使用，除大乘律未細分外，大乘經、大乘論、小乘經、小乘律、小乘論都分爲二類至七類不等。《釋教錄》整部書的結構是先將佛教典籍分爲兩部分，一正錄，乃群經總錄，有如現代分類法的總類，二別錄，有如專門性質的類目，(註 50)別錄分七小錄，小錄之後又再加以細分，相當於現代分類法中的其他類目。

㈩明釋智旭《閱藏知津》

明釋智旭《閱藏知津》（《知津》）以提要體裁，將佛典分爲經藏、律藏、論藏、雜藏四大類，經律論三藏之下又各自分爲大乘與小乘，經藏部分，參酌明釋蘊空《彙目義門》，依五時教將大乘經分爲華嚴部、方等部、般若部、法華部、涅槃部五部，(註 51)小乘經未細分。律藏部分：大乘律與小乘律未再分，論藏的大乘論分釋經論、宗經論、諸論釋三類，小乘論未細分。(註 52)

經律論三藏依循歷來佛典目錄的分類方式。雜藏部分，則分「此方撰述」與「西土撰述」兩類，「西土撰述」未再細分，「此方撰述」分懺儀、淨土、台宗、禪宗、賢首宗、慈恩宗、密宗、律宗、纂集、傳記、護教、音義、目錄、序讚詩歌、應收入藏此土撰述等十五類。(註 53)

《知津》在分類上主要是承襲歷代的佛典目錄，但仍有其獨創之處，(註 54)即：一、雖然歷來目錄在經律論之外，有一類處理此方撰述與西土撰述的典籍，《知津》除依循往例保留外，並名之為「雜藏」，處理三藏以外的典籍，雜藏中的此方撰述並加以細分，二、打破歷來目錄將單本重本分開的情形，將二者合併，以內容區分而不以形式區分，三、大乘論分宗經論、釋經論、諸論釋三類，四、變更《釋教錄》中大乘經所分五部的順序，《釋教錄》五部的順序分別是般若、寶積、大集、華嚴、涅槃五部，《知津》則調整為華嚴、方等、般若、法華、涅槃五部。

由《知津》的「此方撰述」類目可以發現，自佛教傳入中國以後，佛典翻譯的數量極為龐大，歷朝佛典目錄所蒐錄多是這些翻譯的經律論及其注疏，乃至歷代高僧傳記及佛經目錄，但當一個宗教成為一個國家或地區的一個主要信仰時，各方著述也會陸續產生，加上佛教由印度傳至中國時已有不同宗派，融合了民族的特質，形成了中國的各宗派，各宗派的教義以及相關論著也陸續增加，基於這種情形，「此方撰述」就有諸宗的撰述，除諸宗類目外，還包括懺悔、傳記、纂集、護教、目錄、音義、序讚詩歌等類目，這些類目現代分類法有延襲與變更，成為現代分類法使用的類目名稱。

㈩大正新修大藏經

自宋太祖開寶年間雕刻的《開寶藏》開始，至清末共有十餘次官私木刻板本大藏經的雕造，(註 55)雖然大藏經不屬於佛典目錄，但是歷代藏經所蒐錄的典籍數量相當大，在蒐錄的典籍中，《開寶藏》的分類順序是依《釋教錄》，之後歷代的藏經也是依照歷代佛典目錄的分類順序或是根據之前的藏經順序，直至《大正新修大藏經》（《大正藏》）分類才有部分的改變。(註 56)

日本《大正藏》全書分內篇與外篇，內篇先依著述者國籍分印度撰述、中國撰述、日本撰述三部分。印度撰述分爲經律論三藏。經藏分阿含部、本緣部、般若部、法華部、華嚴部、寶積部、涅槃部、大集部、經集部、密教部十部，律藏未再分，論藏分釋經論部、毘曇部、中觀部、瑜伽部、論集部五部。中國撰述分經疏部、律疏部、論疏部、諸宗部四部，日本撰述分章疏部與宗典部兩部。外篇則分史傳部、辭彙部、目錄部、疑似部、外教部、雜部六部。(註 57)《大正藏》除承襲中國歷代佛典目錄的結構，也建立中國佛典分類的新架構，《大正藏》完成後，典籍順序以小乘爲先。(註 58)

三、結　論

由中國傳統目錄佛教類中可以發現，傳統目錄對於佛典收錄的重視程度不一，而且中國傳統是以儒家思想爲正統，佛典在目錄上分類無法盡如人意也就可以想見，我們可以經由中國傳統目錄，如梁阮孝緒《七錄》、唐長孫無忌《隋書經籍志》、宋王堯臣《崇文總目》、明祁承㸁《澹生堂書目》等，了解傳統佛目錄對佛教典籍處理態度與位置。由於歷來儒家思想爲中國學術主流，其他學術思想較難獲得文人的重視，唯有靠各學術人員加以保存與發揮，佛典目錄就是在這種情形之下建立出自己的分類系統。

由歷代佛典目錄，包括晉道安撰《綜理衆經目錄》、佚名《衆經別錄》、梁釋僧佑撰《出三藏記集》、北魏李廓撰《魏世衆經錄目》、北齊法上撰《衆經目錄》、梁釋寶唱撰《衆經目錄》、隋法經等撰《大隋衆經目錄》、隋費長房撰《歷代三寶記》、隋彥琮《衆經目錄》、唐釋道宣撰《大唐內典錄》、唐釋智昇撰《開元釋教錄》、明智旭《閱藏知津》、《大正新修大藏經》等所建立精良的類例。印證梁啓超肯定佛典目錄的價值及其優於普通目錄的方法，包括歷史觀念發達、辨別眞僞極嚴、比較甚審、蒐采遺逸甚勤、分類極複雜而周備五項優點。(註 59)

雖然佛典目錄由早期的體例未定，只記載一人、一地或一時之譯經錄，(註 60)逐漸發展爲全部佛教著作整理，蒐錄完整的佛典目錄，依版本、譯者時代爲分類標準。最初雖然無律與論（都統稱爲經），不過隨著時代的前進與佛教典籍不斷翻譯，建立起經律論三藏的類目，並依主張內容分大小乘，建立起大小乘及經律論的分別，在經律論之下再加以細分，也創立異出、抄經、疑惑、僞妄等分科。最後大小乘經律論下又再依派別細分，以佛陀五時說教與《大正藏》的順序，將大乘經典分爲華嚴等五部，三藏各部亦應時代的不同而加以細分。發展中的佛典目錄除經律論外，還包括諸宗、懺悔、傳記、纂集、護教、目錄、音義、序讚詩歌等類目，在中國著述部分也慢慢建立起分類的模式，佛典目錄因此建立起一套中國佛典精良的分類體系。

【附　註】

註 1　王文顏，《佛典漢譯之研究》（臺北市：天華，民73），頁27-51。

註 2　阮孝緒，〈七錄序〉，昌彼得，《中國目錄學資料選輯》（臺北市：文史哲，民 73），頁 217。

註 3 同前註，頁 306。

註 4 同註 2，頁 338。

註 5 河惠丁，《歷代佛經目錄初探》（國立臺灣大學圖書館學研究所，碩士論文，民 77 年 6 月），頁 138。

註 6 唐長孫無忌等撰，《隋書經籍志》，《叢書集成簡編》第 1 冊（臺北市：臺灣商務，民 55），頁 130-134。

註 7 蔣元卿，《中國圖書分類之沿革》（臺北市：臺灣中華，民 46），頁 61。

註 8 宋王堯臣，《崇文總目》，《叢書集成簡編》第 3 冊（臺北市：臺灣商務，民 55），頁 310-324。

註 9 同註 7，頁 58-59。

註 10 宋鄭樵，《通志藝文略》，《叢書集成初編》第 3 冊（臺北市：新文豐，民 78），頁 432。

註 11 同註 5，頁 142。

註 12 明焦竑輯，《國史經籍志》，《叢書集成簡編》第 4 冊（臺北市：臺灣商務，民 55），頁 146-176。

註 13 明祁承㸁撰，《澹生堂書目》，《叢書集成續編》第 3 冊（臺北市：新文豐，民 78），頁 612, 688-698。

註 14 同註 5，頁 2。

註 15 梁啓超，〈佛家經錄在中國目錄學之位置〉，《佛教目錄學述要》（臺北市：大乘文化，民 70），頁 21。

註 16 李瑞良，《中國目錄學史》（臺北市：文津，民 82），頁 86-87。

註 17 戴樸庵，〈中華佛經目錄與版籍〉，《中華文化復興月刊》21:8（民 77 年 8 月），頁 50。

註 18 姚名達，《中國目錄學史》（臺北市：臺灣商務，民 77），頁

230。

註 19　梁釋僧佑，《出三藏記集》十五卷，《大正新修大藏經》第 55 册目錄部（臺北市：新文豐，民 72），頁 1-114 。

註 20　同註 15，頁 31。

註 21　王省吾，《圖書分類法導論》（臺北市：中國文化大學出版部，民 69），頁 126。

註 22　晉仁，〈經錄概說〉，《佛教目錄學述要》（臺北市：大乘文化，民 70），頁 329。

註 23　隋費長房，《歷代三寶記》卷十五，《大正新修大藏經》第 49 册史傳部（臺北市：新文豐，民 72），頁 125。

註 24　同註 18，頁 253。

註 25　同註 23，頁 125。

註 26　唐釋道宣，《大唐內典錄》卷十，《大正新修大藏經》第 55 册目錄部（臺北市：新文豐，民 72），頁 337。

註 27　同註 19，頁 1-114 。

註 28　同註 15，頁 34-35。

註 29　隋法經，《衆經目錄》卷七，《大正新修大藏經》第 55 册目錄部（臺北市：新文豐，民 72），頁 148-149。

註 30　同註 15，頁 34-36。

註 31　同註 23，頁 126。

註 32　同註 15，頁 36-37。

註 33　同註 23，頁 126。

註 34　同註 5，頁 121。

註 35　陳莉玲，〈中國佛教經錄譯典之分類研究〉（淡江大學中國文學研究所，碩士論文，民 82 年 12 月），頁 17-18。

註 36　同註 23，頁 126。

註 37 同註 5，頁 121。

註 38 同註 15，頁 39。

註 39 隋法經等撰，《衆經目錄》七卷，《大正新修大藏經》第 55 冊目錄部（臺北市：新文豐，民 72），頁 115-149。

註 40 同註 17，頁 53。

註 41 同註 15，頁 39-40。

註 42 同註 23，頁 22-127。

註 43 隋彥琮，《衆經目錄》五卷，《大正新修大藏經》第 55 冊目錄部（臺北市：新文豐，民 72），頁 150-180。

註 44 同註 35，頁 31。

註 45 唐釋道宣，《大唐內典錄》十卷，《大正新修大藏經》第 55 冊目錄部（臺北市：新文豐，民 72），頁 219。

註 46 同註 15，頁 45。

註 47 同註 16，頁 21。

註 48 同註 15，頁 49。

註 49 唐釋智昇，《開元釋教錄》二十卷，《大正新修大藏經》第 55 冊目錄部（臺北市：新文豐，民 72），頁 477。

註 50 陳鴻飛，〈佛教典籍分類之研究〉，《佛教目錄學述要》（臺北市：大乘文化，民 70），頁 111。

註 51 明釋智旭，《閱藏知津》序（臺北市：新文豐，民 62），頁 2。

註 52 明釋智旭，《閱藏知津》總目卷 1-4（臺北市：新文豐，民 62）。

註 53 明釋智旭，《閱藏知津》卷 42-44（臺北市：新文豐，民 62）。

註 54 陳友民，〈佛書分類探源〉，《佛教圖書分類法》1996 年版（嘉義市：香光書鄉，民 85），頁 23。

註 55 方立天，《中國佛教與傳統文化》（臺北市：桂冠，1990），頁 117。

註 56　蔡念生，〈三十一種藏經目錄解說〉，《大藏經研究彙編》下册（臺北市：大乘文化，民 66），頁 224-350。

註 57　大正新修大藏經刊行會編，《修訂新版大藏經總目錄》（臺北市：新文豐，民 81），頁 1-6。雖然《大正藏》爲日本大正新修大藏經刊行會編，並非是中國佛典目錄，但國內撰述論文時多引其資料，在此亦討論其分類體系。

註 58　同註 56，頁 347。

註 59　同註 15，頁 21。

註 60　戴樸庵，〈中華佛經目錄與版籍〉，《中華文化復興月刊》21:8（民 77 年 8 月），頁 50。

大學圖書館館藏發展之探討

李　明

輔仁大學人文科學圖書館

摘　要

館藏是圖書館一切活動的根源。館藏發展實為圖書館有系統、有計劃地建立館藏，評估使用者的需求、制定館藏發展政策、確認選擇及採購的目標及原則、評估現有館藏的強弱、並對館藏作適度地淘汰、及與他館作資源分享等一系列之圖書館活動，以滿足讀者的資訊需求。大學圖書館是學術研究的中心，是教學支援的重要機構，對於館藏發展更應特別地重視。

關鍵詞：館藏發展　大學圖書館館藏發展

大學圖書館館藏發展大多以各系教學及研究上的需求爲導向，然以一個圖書館有系統之發展，實須有一個館藏發展政策，以均衡圖書館的發展，建立完整的館藏。

一、館藏發展之界說

圖書館界對館藏發展的定義，並非很一致，在此將幾個館藏發展的定義列舉如下：

㈠本術語包含有關圖書館館藏發展的一些活動，這包括選擇政策的決定與協調、使用者及潛在使用者需求之評估、館藏使用之研究、館藏評鑑、館藏需求之確認、資料之選擇、資源分享的計劃、館藏維護、及淘汰。(註 1)

㈡規劃一個館藏採訪的過程，不只是要滿足即時性的需求，而且要建立一個未來有條理可信賴的館藏，以達到服務的目標。這術語強調館藏的深度及品質，而且包括透過宣傳、館員訓練來利用館藏等等的相關活動。(註 2)

㈢規劃資料的採訪，以達到使用者目前及未來的需求。(註 3)

㈣館藏發展係指圖書館有系統、有計畫地依據既定政策建立館藏，並且評鑑館藏，分析館藏強弱，探討讀者使用館藏情形，以確定能夠利用館內及館外資源，來滿足讀者資訊需求的一種過程。館藏發展的內容包括：社區分析、館藏發展政策之訂定、選擇、採訪、館藏評鑑、館藏淘汰等活動。(註 4)

㈤ Baughman 認爲：館藏發展包含規畫(planning)、執行(implementation)、以及評鑑(evaluation)。所謂規畫館藏係指依據圖書館的需求、目的、目標、優先順序來蒐集、彙集資料的設計活動；館藏執行則是指獲取資料以提供讀者利用的過程；館藏評鑑則是指依據目的、目標來評量館藏的活動。(註 5)

筆者認爲館藏發展實爲圖書館有系統、有計劃地建立館藏，評估使用者的需求、制定館藏發展政策、確認選擇及採購的目標及原則、評估現有館藏的強弱、並對館藏作適度地淘汰、及與他館作資源分享等一系列之圖書館活動。

二、館藏發展政策

(一)館藏發展政策的定義：

所謂館藏發展政策(collection development policies)，並不是模糊地存在於館藏發展館員或選書館員的腦海中，它是指形之於文字的明確敘述，它說明館藏的目的、館藏選擇與淘汰的原則，列舉館藏的範圍及深度，確定選書工作的職責等等。館藏發展政策是館員建立館藏的日常工作指引，也是規劃館藏、及館際、館內的溝通工具。(註 6)

(二)館藏發展政策的目的：

館藏發展政策是圖書館為做好館藏發展所訂定的政策，無論是對內或對外在工作的執行上較能順利達成目標。在讀者服務方面有較好的依據；在選擇資料時有其標準，不因個人偏見而影響館藏；在人員異動上，有館藏發展政策，新進館員有依循及訓練的工具；在館藏資料的評鑑及淘汰上也有客觀的依據；館藏的發展上不致有所偏頗，達到均衡完整的效果；館藏發展政策更可顯示館藏的特色及性質，有助於館際合作及資源分享的進行。茲列舉幾項學者、專家所認為館藏發展政策的目的如下：

1. 標示館藏發展的方向。
2. 能解釋圖書館的館藏需求及作業方式。
3. 使圖書館有計畫的從事選書工作。
4. 使每個有關的人瞭解館藏的性質與範圍。
5. 使每個有關的人瞭解圖書館蒐藏的優先順序。
6. 能使各學科館藏達到預定的均衡性。
7. 減少個別館員及個人偏見的影響。
8. 幫圖書館建立選擇及淘汰資料質的標準，有助於館藏評鑑。

9. 作爲新進館員職前及在職訓練的工具。

10. 有助於維持工作的一致性，而不受人員變動的影響。

11. 提供館員評估其定期執行狀況的一種方法。

12. 提供的資訊可幫助預算分配的進行。

13. 作爲館員處理讀者報怨的指引。

14. 有助於經費分配的合理化。

15. 作爲公共關係的文件。

16. 作爲評估館藏發展工作整體表現的工具。

17. 提供圖書館自我檢討及反省的機會。

18. 提供外界瞭解本館館藏發展的資訊，有助於館藏合作及資源共享。

大學圖書館是屬學術性的圖書館，對於館藏水準的要求更應審慎地思考，館藏的優劣關係著教學及研究地進行，良好的館藏發展政策對大學圖書館是有其必要性。館員才能瞭解館藏發展的方向，作爲選擇及採訪的依據。

㈢館藏發展政策的項目：

館藏發展政策究應包含那些項目，美國圖書館學會的Guidelines for the Formulation of Collection Development Policies 列舉了館藏發展政策應包含的項目：(註 7)

1. 一般目的分析：說明圖書館的服務對象，館藏學科範圍概述，支援的計畫，選擇的優先順序或限制等等。

2. 學科範圍詳述：詳列館藏學科範圍，並說明各學科的館藏深度(level of collection intensity)、語言、資料年份、地區、資料類型、選書責任等等。

3. 各類型資料之選擇：主要說明報紙、期刊、視聽資料等非書資料的館藏政策。

4. 索引：主要爲前述學科範圍所列學科(或主題)之索引，以及館藏發展政策中重要字彙之索引。

Gardner 認爲館藏發展政策通常包括以下項目，並指出其順序：(註 8)

1. 簡介：描述爲何要政策及由誰執筆。

2. 哲學及目標：描寫圖書館的目標。

3. 選擇的敘述：包括誰做選擇？將如何做？做那些？政策也指出選擇資料的標準，使用那些選擇的工具，選擇資料的職責，館藏的範圍及深度，及預算的限制也必需考慮。

4. 問題部份：包括複本資料的購買，破損、遺失、裝訂、或急切需要時如何取得替代，用平裝或精裝。

5. 特殊格式類型(format)：通常處理非書類型，例如：期刊、報紙、小册子、手稿、縮影資料、及各類型的視聽資料，電腦資料庫亦屬該範圍。

6. 贈送：贈送圖書館的資料應如何處理，其標準應與購買時的選擇標準是一致的。

7. 淘汰：淘汰的職責必需分配，那些要淘汰及如何處理。

8. 智慧自由：該部份最重要的是報怨如何處理的細部計劃。

9. 修訂：館藏發展政策必須定時更新，必須有彈性，當需要時必須重新檢查及修訂。

吳明德則認爲完整的館藏發展政策至少要包括下列項目：1. 圖書館的目的；2. 社區的描述；3. 館藏學科範圍；4. 非書資料的館藏政策；5. 贈書處理；6. 爭議性資料的館藏政策；7. 選書工作的職責；8. 選書工具；9. 館藏淘汰；10. 與他館的合作計畫；11.

讀者意見的處理；12. 館藏發展政策的訂定與修訂。(註9)

Elizabeth Futas將六十一家不同大小、不同類型、不同概念及不同理論的圖書館所提供的館藏發展政策，編輯整理成*Collection Development Policies and Procedures*一書，並將館藏發展政策內容分爲如下內幾項：1. 任務及基本目標；2. 圖書館的目的；3. 社區的分析；4. 經費的分配；5. 選擇的政策；6. 選擇的職責；7. 館藏的深度；8. 選擇的標準；9. 閱選訂購(Approval plans)；10. 贈送及紀念刊物；11. 讀者分析；12. 合法問題及智慧自由：如檢查制度、著作權及智慧財產權的問題，以及智慧自由等權利問題；13. 合作館(Consortia)：彼此可瞭解館藏的狀況，作爲合作採購的依據；14. 館藏維護；15. 主題(Subjects)：那一類型的圖書館應蒐集那些資料，具有爭議性的資料範圍應如何處理；16. 格式類型(formats)：館藏發展政策應包括圖書館各類型的資料。(註10)

以上諸位學者專家所提館藏發展政策應包括的項目，可供圖書館制定館藏發展政策時的參考，各館情況不一，訂定政策時必需根據各館的實際狀況，配合本身的目標及任務，考慮經費預算的多寡，思考所要提供服務讀者的需求，選擇最適切的資料，並採用一致化的標準，同時加強各館的合作，以增強各館服務能力，這些都是做好館藏發展所必須考慮的項目。

近年來，大學圖書館光碟及網路資源的盛行，電子資料不斷地產生，舊的館藏發展政策有些並無法涵蓋該項資源的發展，因此，館藏發展政策應留有彈性，在需要的時刻便應作適當的修正或修訂，以符合圖書館眞正需求。

University of Iowa 圖書館爲因應新的需求，特制訂電子資源管理的政策，內容包括：1. 圖書館的角色；2. 該政策的目的：提供大學圖書館在選擇、採訪、檢索、及電子資源的維護，有全文及綱要式的資料作參考；3. 與相關單位的關係：提供檢索電子資源時所可能牽涉到的經費、設備、資料儲存、位置、遠距檢索問題、及資訊技術等等的說明；4. 該政策的範圍：如：電子資源的選擇與徵集、電子資源的檢索，包括數字資料檔、全文檔、書目檔、圖形及多媒體檔、課程及教學檔、全球資訊網的資源、特殊應用軟體等等；5. 圖書館選擇與採訪的責任：包括一般原則及其他標準，一般原則，茲舉幾個比較重要者，如：1) 圖書館應選擇適當的電子資源，2) 圖書館應提供經費預算購買電子資源，3) 館藏管理的館員應對欲加入圖書館的電子館藏作負責，4) 館藏管理的館員對於操作特殊電子資源的應用程式應具溝通及聯絡的責任，5) 館藏管理的館員應負選擇網際網路資源之責任，6) 館藏管理委員會需對昂貴的電子資源作審查等；6. 圖書館執行的責任：圖書館必須遵守著作權法，圖書館經由書目控制、儲存等方式提供電子資訊的檢索及利用，圖書館需與廠商溝通遵守使用權限的規定；7. 複製複本、複本用不同的格式產生，如光碟或印刷的方式；8. 替代：是否以電子資源取代，決定於對資源的需求、取代的成本、及從其他校區或遠程可獲得來決定；9. 贈送：圖書館對於電子資源的贈送之接受、評估及處理，必須與採購的處理標準一致；10. 保存：電子資料的保存與圖書館其他資料的保存政策是一致的；11. 淘汰：電子資源必須定期的觀察、評估，並決定是否有繼續保存的必要，如沒有利用的價值則將其淘汰；12. 政策的評估：每三年或有需要時即需作評估。(註 11)該政策之大綱與館藏發展政策大同小異，但在內容上完全以電子資源爲對象，因此，圖書館在修訂館藏發展政策時，可將電子資源獨立作一個電子資源的管理政策，或將電子資源列入館藏發展政策中的其中幾項。

例如：University of Toronto 其館藏發展政策便將電子資源列

爲其中的項目，內容包括：1. 簡介；2. 館藏的一般敘述：含主要館藏及其他館藏；3. 主題範圍；4. 館藏的深度；5. 語言/館藏資源的限制；6. 館藏層次的應用：包括：電子資訊產品、一般館藏及論文、參考館藏、期刊館藏、微片館藏、視聽館藏、光碟產品及微電腦軟體、主題分析系統館藏、兒童文學館藏；7. 館藏管理：包括：複本管理、新課程資料的徵集、替代辦法、保留政策；8. 與其他館藏的關係；9. 贈送政策。(註 12)在該項館藏發展政策中，便將電子資訊及光碟產品明訂在館藏發展政策的項目中，亦可作爲圖書館在制訂或修訂館藏發展政策時的參考。

三、選擇及採購的目標及原則

「大學及獨立學院圖書館之設置，應配合大學及獨立學院之目的，蒐集、組織和運用圖書資料，以達到支援教學，配合研究與推廣學術三大使命。」(註 13)在選擇圖書資料時，必需符合圖書館的目的、符合讀者(包括教師及學生)的需求、維持館藏的均衡、與其他圖書館建立合作關係、注意圖書資料的品質(註 14)及館藏的深度及範圍。

大學圖書館是學術研究爲主，在資料(包括圖書、期刊、非書資料及電子資料等)的採購上，必須以教師及學生的教學及研究之需求爲導向，在資料的內容上必須具備學術研究價值，深度及專門性都必須重視。

在圖書資料的品質上，必需注意：資料的正確性、新穎性及客觀性；著者的權威性；出版社的聲譽；資料編排的邏輯性及可讀性；資料的外形及格式；資料所提供的索引及參考書目等。

在館藏的深度及範圍方面，若以美國圖書館學會的指南將館藏深度層級分 0 至 5 級，大學圖書館則必須符合支援教學及研究級，內容如下：

3 支援教學級：

此層級的館藏，足以有系統地傳授與保存某主題的知識，然不若研究級強。館藏包含廣泛的基本作品、相當數量的經典性回溯資料、重要作者著作的完整蒐藏、次要作者選擇性的作品、具代表性的期刊、機讀資料庫的檢索、及與該主題相關的參考工具書與基本的書目工具。此層級的館藏足以支援公共圖書館及專門圖書館讀者作獨立研究和大部份的學習需求，以及支援大學部和一些研究所的學習。應經常評鑑館藏的時效性，保留基本及重要的資料。

3a 支援教學級：

此層級的館藏，足以有系統地傳授與保存某主題的知(初級)識。館藏包含廣泛的基本作品、經典性回溯資料、重要論題的所有主要期刊、次要論題的選擇性期刊及重要作品、機讀資料檔的檢索、與主題相關的參考工具書和基本書目工具。此層級的館藏可支援大學部課程，包括大學部進階課程，以及公共與專門圖書館讀者獨立研究的需要，但它不足以支援研究所碩士班所需。

3b 支援教學級：

此層級的館藏，足以有系統地傳授與保存某主題的知(進階)識，館藏包含相當數量的主要和次要論題的重要作品及期刊；相當數量的回溯資料；適量的次要作者的著作；較深入地討論與該主題研究、技術及評鑑有關的作品；機讀資料庫的檢索、相關主題的參考工具書和基本書目工具。此層級的館藏可支援大學部及研究所碩士班所有課程，以及公共圖書館與專門圖書館讀者進一步獨立學習的需要。

4 研究級：

館藏包含博士論文及獨立研究所需的各種主要出版品、涵蓋研究報告、新的調查結果、科學實驗結果及其它對研究者有用的資料。儘量蒐藏所有重要的參考著作、大量的專書、廣泛的期刊蒐藏、主要的索引及摘要。包含適當的外文資料。舊的資料通常爲研究之用而加以保留且積極地維護。此層級的館藏可支援博士班及其他原創性的研究。」(註 15)

圖書館館藏的範圍及深度是圖書館員作爲選擇及採訪時的參考。圖書館界定了館藏的範圍及深度，選擇時便有所遵循，更是與讀者溝通很好的文件，採訪時便能依照選擇的結果作採購，但在採訪時，也必需確認其目標，才能使圖書館的採訪工作順利進行。

圖書資料採訪的目標一般需注意如下幾項：(註 16)

㈠儘可能迅速取得圖書資料。

㈡儘可能以最便宜的價格取得圖書資料。

㈢圖書資料的採購確保其正確性。

㈣採訪工作的處理和過程儘可能簡單，使圖書資料的單位成本降低。

㈤控制經費的支出。

㈥經費的維持與正確的報告。

㈦圖書資料收到後，在一定時間內支付。

㈧供應商的表現需長期觀查和評估。

㈨和出版商維持熱忱和專業的關係。

㈩無論資料是否已採購，正確及定期向選擇及館藏發展單位報告。

⑪提供讀者需要的合適資料。

⑫圖書資料採購的目標和圖書館的整體目標兩者是一致的。

(十三)圖書館應建立一套贈送政策，使負責的館員有所遵循。(註 17)

(十四)圖書館應建立交換政策及交換計畫，以互通有無。(註 18)

圖書資料採訪的目標除了上述所列外，筆者認為尚需注意：㈠資料複本的控制，大學圖書館到底需要多少複本？在政策中必需明訂，以免複本太多而造成浪費；㈡資料類型的決定：有些資源在出版時，採用不同類型的媒體出版，例如：有些出版社同時以印刷媒體(紙張)或光碟及網路資源(電子媒體)出版，圖書館採購時，便需考慮採用何種類型，此時便需視讀者的需求及館內各項設備而定，包括電腦、週邊設備、各種軟體及使用方式等；㈢與供應商保持良好且密切的關係：供應商是圖書館的上游單位，消息來源多、新、且完整，圖書館若能慎選供應商，並與其保持良好密切的關係，將有助於資源的快速提供及良好折扣的取得；㈣妥善處理交換、贈送：交換、贈送是圖書館取得資料的來源之一，有很多政府出版品、學術機構的研究報告、實驗的結果、各大學的學術出版品、網路資源，都是免費贈送，圖書館採訪館員必需經常留意資料的動向，隨時與這些機構、單位保持聯繫，以獲取更多、更完整的資源，必要時，可以單位的出版品或多餘的複本與之交換。

選擇及採訪資料是館藏發展中重要的工作項目，不僅應培養良好的選擇及採訪館員，更應有原則及目標的依據，不因個人的偏見影響館藏的發展。大學圖書館館藏發展是圖書館重要的一環，要做好館藏發展並不容易，但選擇與採訪工作確是做好館藏發展的基本要件。

在大學圖書館中，選擇圖書資料的工作也有很多由教授擔任，其優點如下：(註 19)

㈠教授本身即是圖書館的使用者，他們知道自己需要那些資料。

㈡教授擁有學科知識，也瞭解學科的發展趨勢，這些背景都是一個好的選書者所應具備的條件。

㈢學生是大學圖書館的主要使用者，學生利用圖書館館藏的情形必然會受教授的影響，教授瞭解學生的需求。

但教授擔任選擇圖書資料工作也有下列的缺點：

㈠教授選書通常不會考慮圖書館整體的館藏發展，他們所關心的通常是自己所研究或教學的學科(或主題)，而不注意他們所選擇的圖書與整個館藏的關係。

㈡教授無法完整地掌握出版消息，他們所依賴的多半是專業期刊中的書評、廣告或出版社所寄的目錄。

㈢教授的主要工作是教學與研究，並不是所有的教授都熱心從事選書工作，有些教授可能一年才推薦幾本圖書，有些學系可能推派一位教授負責全系的選書工作，難免會造成選書的偏差。

㈣可能只反映教授的研究興趣而忽略了學生的需求。

㈤可能會佔用教授不少選書的時間。

相對地，由館員擔任選擇工作有下列的優點：(註 20)

㈠館員瞭解圖書館的館藏發展政策，能夠依據館藏範圍、館藏深度來選擇圖書資料。

㈡館員較能從全館館藏發展的立場來從事選擇工作，比較不會偏頗。

㈢館員能有系統地掌握出版消息。

雖然由館員擔任選擇工作有上列的優點，但在大學圖書館中，完全由館員負責選擇圖書資料的並不多，原因如下：

㈠有些館員雖具備學科知識，但與教授相比仍有一段差距。

㈡館員雖能掌握出版消息，但大學圖書館所蒐藏的一些圖書資料(例如：實驗報告、未出版的會議論文)，卻不一定是館員所能掌握，教授往往有自己的管道掌握這些資料。

㈢如果沒有適當的社區分析，館員不能瞭解教授及學生的資訊需求。

最好的方法就是融合教授及館員共同從事圖書館選擇的工作：

㈠具有學科背景或對某學科有興趣的館員，儘量依據書評及其他選擇圖書資料的工具來作選擇。

㈡圖書館應更積極蒐集出版書目，主動提供教授選擇圖書資料時參考，以避免教授僅依賴少數來源選擇圖書資料，造成偏頗。

㈢協助教授瞭解現有館藏強弱。

㈣與各系教授協調溝通，共同訂定圖書館選擇政策(主要指各學科的蒐藏範圍、館藏深度)，使教授選擇圖書資料能夠有所遵循。

㈤隨時掌握教授選擇圖書資料的情形，比對書評及出版書目或其他選擇圖書資料的工具，找出教授選擇圖書資料疏漏之處。

㈥與書商保持聯繫，請書商多提供現貨書或閱選書，供教授直接挑選。

㈦有關光碟資料庫或線上資料庫，請廠商提供展示使用說明，最好能提供試用期。

如此將有助於大學圖書館選擇及採訪工作的進行。

四、館藏評鑑與淘汰

館藏評鑑能使圖書館有系統地評估館藏，正確描述館藏的機會，獲得有關館藏大小、深度、範圍的可靠資訊，確認館藏強弱，作爲館藏淘汰及改進的依據，明瞭並修訂未來館藏發展的策略。可達到如下的目標：

㈠可正確瞭解館藏的範圍、深度、及其效益；

㈡作爲館藏發展的一種指引及基礎；

㈢協助館藏發展政策的擬定；

㈣作爲館藏發展政策有效的評估；

㈤決定館藏的適宜度及品質；

㈥作爲館藏不適合的修正及改進之道；

㈦將人力及經費資源用在最需要關心的地方；

㈧作爲圖書預算增加的理由；

㈨向管理者證實某些事的完成需要更多的錢；

㈩可建立館藏存在的強與弱；

⑪作爲檢核淘汰及館藏控制的需求，並建立需求的優先順序。(註 21)

在館藏評估方面，以館藏爲中心的評估法包括以下四種方式：

㈠編列統計資料：此爲圖書館常用來評估館藏的方式，常用的統計方法包括：館藏總數量的統計；每年增加的册數及比例；圖書館未達到的需求，如讀者需求未能提供或館際互借未能達到；經費的運用等。

㈡書目核對法：如：以一些標準書目或基本書目來核對圖書館館藏，以瞭解圖書館館藏質的標準。

㈢館藏的直接觀察：這是由一個或多個主題專家、學者、圖書館員、或顧問直接觀察館藏。檢查館藏的項目包括：館藏大小、範圍、深度、及館藏的重要性、新穎度、館藏使用及未使用的程度等。

㈣**應用標準：**有一些專業的協會或社團，常提供館藏發展及評估的指引或導覽，作為圖書館館藏評估的標準。

以讀者為中心的評估法包括以下六種方式：

㈠**使用者的評估：**有多種方式，如：讀者對不同資料類型及服務的需求；讀者對於圖書館滿足其資訊需求的感受；及讀者對於圖書館改進其館藏、服務及政策的看法等等，作為評估的方式，通常以問卷或訪問法來進行。

㈡**可利用(Availability)及可獲得(Accessibility)的評估方法：**可利用是指當讀者需要資訊時，讀者便可在架上找到他們想要的資訊；可獲得是指讀者在獲取資料的困難情形。利用這兩種方式，可評估圖書館提供讀者資料的能力。

㈢**引文分析法：**引文分析是一種量的評估法，主要目的在於探討圖書館館藏支援讀者從事學術活動的能力，以著作中的引用文獻與館藏核對，計算引用文獻為館藏擁有的比例，比例越高，表示圖書館館藏支援學術活動的能力越高。

㈣**流通統計：**流通統計是讀者館藏利用的評估方法，適當地及持續性的流通統計，可幫助館藏管理及評估的決定，如：淘汰、儲存、保留、購買多個複本、記錄不同版本、重新編目等。流通統計可幫助採購預算的分配、也可瞭解研究及課程所需資訊的提供情形。

㈤**館內使用評估：**館內使用評估是用來彌補流通計錄之不足。大部份的圖書館在進行館內調查時，多要求讀者從書架取出之書籍閱讀後，將該書留在閱覽桌上或置於指定的地方，館員再於事先預定的時間將閱覽桌上或書籃內的書籍加以記錄分析，以瞭解讀者使用的狀況。

㈥**期刊使用研究：**期刊使用研究常使用的方法包括：引文分析、館際互借需求、影印需求、使用者調查、借閱的統計、上架的統計等等。但比較好的方法是區分館藏那些是使用過的，那些是未使用過的，作爲寄存、保留、淘汰、或停訂的依據。(註 22)

至於電子資料庫的選擇及評鑑方面，下列幾項因素必須考慮：資料庫的內容、範圍、新穎度、檢索的軟體及索引、介面的設計、資料檢索的時間、所需的成本及成本效益、標準及相容等情形(註 23)、資料的權威性、正確性、資料的處理及排列方式(註 24)、資料的適時性、完整性、與明確性；資源的著作權、資源的對象處理、其它特性(包括：資源的索引、語彙、圖表、地圖、圖形等)(註 25)、與其他作品之關係、資料的精確性及與紙本的差異性、取用方式(包括：取用形式，如經由電子郵件、檔案傳輸遠程載入等方式取用各類資源)、串聯之穩定性(是否可順利取得串聯的文獻)、取用的可靠性(牽涉到儲存與提供的方式、使用時間、地址及關機時間)、使用限制(如：時間、地域、對象、開放人數、計費、儲存與相關軟硬體設備等)(註 26)、參考性及研究價值(該資源被引用的程度；以及被索引摘要等工具書收錄的情形)、時效性、易讀性、許可協議制度(由於電子期刊的訂購，不再適用傳統的作業程序，而轉變成爲圖書館與出版者之間的許可協議，即是出版者同意圖書館付費使用資訊。因此，圖書館在訂購電子期刊時，必需與出版者協商清楚，圖書館付費訂閱電子期刊，除取得使用權之外，是否可儲存於館內或收藏一份備份)、他處可得性等(主要在於其他圖書館是否已訂購該資料，並且可經由館際互借或其他途徑取得)。(註 27)

圖書館館藏評鑑的方式有很多種，每個圖書館得視本身館藏的情況，訂定館藏評鑑的標準，並經常作適當地評鑑，以確實瞭解館藏的強弱，作爲選擇採訪時的參考，更可作爲淘汰時的依據。

在館藏的淘汰上，各類型圖書館面臨到館藏的迅速成長、空間的短缺、高成本的開放書架，迫使圖書館不得不重視館藏淘汰的問題。(註 28)館藏淘汰是將過多的複本、罕用的書及不再使用的資料排除或轉移儲存的實際作業。圖書館執行館藏淘汰，其主要原因包括：節省空間、改善查詢檢索、節省經費、爲新資料保留空間。至於淘汰的標準爲何，一般包括下列幾項：㈠複本；㈡不請自來或無需要的贈書；㈢過時的書，尤其是科學類；㈣舊的版本，可被替代的書；㈤破損的圖書；㈥字體太小、紙張破碎、及缺頁的圖書；㈦未被使用或已無需要之套書；㈧沒有索引的期刊；(註 29)㈨機構的目標改變，圖書館的目標也跟著改；㈩儲存的成本；(註 30)(十一)違反著作權法之出版品。(註 31)而電子資源的淘汰一般認爲：電子資源必須定期的觀察、評估，並決定是否有繼續保存的必要，如沒有利用的價値則將其從館藏中剔除淘汰。(註 32)

對大學圖書館而言，需求並不是決定某書是否該留在館內的評量標準，許多具有學術價値的圖書，但卻很少被利用。有些圖書內容過於專業，也僅有少數人會使用。因此，若僅就使用的次數及頻率做爲淘汰的標準並不十分恰當。圖書使用之情形可用來初步決定那些圖書應予淘汰，但最後的決定仍需由學科專家予以審核。大學圖書館通常會將外形已破損不堪的圖書予以註銷，至於罕用的圖書如需淘汰，則多採移架儲存的方式非採取註銷的方式，原因是學術研究的需求很難預估，冒然註銷可能會影響未來的使用。(註 33)

五、館際合作與資源共享

由於知識的爆炸及書刊資料的增價遠超過圖書館購買的能力，館際之間，由早期的競爭邁向協調，如今則步向館際合作的時代。「館際合作」係指兩個或多個圖書館爲了提高圖書館工作效率、促進資源的運用、提供讀者更好的服務而共同進行的各種活動，其目的在於資源共享。館際合作通常包括館際互借、合作採訪、合作編目、合作典藏、及其他有關人員的交流、電腦設備的共用、和通訊網路的分擔。(註 34)

Internet也存在一個很重要的觀念—資源共享的精神，這種精神使國界及洲界消失於無形，讓電腦與電腦、網路與網路間彼此可連結起來，互相使用彼此的傳輸路線、電腦硬體及電腦應用軟體。(註 35)由於電腦價格的下滑，使用者、及圖書館都可輕易獲得，再加上電腦科技不斷地進步，微電腦科技的進展更是一日千里，瞬息萬變。功能的增強，價格的下降，使一般公司行號、機構、乃至個人都普遍使用微電腦，圖書館自然也不例外，利用微電腦來處理圖書館的業務。(註 36)因此，電腦的使用，也使館際間合作的腳步加快，更促進彼此間資源的共享。

由於資訊不斷迅速地成長，任何一個大學圖書館館均無法完全滿足讀者的需求，合作館藏發展將是未來發展的方向。合作館藏發展有下列的功用：㈠提供讀者更廣泛的館藏及服務，擴大資料的範圍及深度；㈡提高讀者獲得資料的比例；㈢減少罕用資料的重複購置；㈣使個別圖書館能提昇館藏的專門性，以反映本館讀者的基本需求；㈤藉著利用合作組織內各館的資源，使圖書館資源擴充而不增加成本；(註 37)㈥各館合作可將工作重新做整體的分配，分擔工作的結果可使館員更專精、提供讀者更好的服

務；㈦圖書館彼此合作可減少讀者到處找資料的困擾；㈥可改善合作館之間的工作關係。(註 38)

合作館藏發展對一個經費、人力、館舍有限的個別館而言，實有其需要彼此互相合作，共享資源。

我國圖書館界在館際合作方面雖有若干成就，但在合作館藏發展方面則進步緩慢，吳明德就我國圖書館應如何規劃合作館藏發展，提出數點意見：㈠建立合作館藏發展的觀念；㈡由專責單位負責規劃全國合作館藏發展；㈢各館應訂館藏發展政策；㈣各館應進行館藏分析工作；㈤以館藏綱要描述館藏；㈥訓練館藏發展館員；㈦建立圖書館自動化網路；㈧提高館際互借效率。(註 39) 如國內圖書館界彼此有此共識，建立合作館藏發展，相信能有效控制資源，達到資源共享的地步，更可解決各館經費、人力、館舍不足的困擾。

【附　註】

註 1　Heartsill Young, ed., the ALA Glossary of Library and Information Science (Chicago : American Library Association, 1983), p.49.

註 2　Ray Prytherch, comp., Harrod's Librarians' Glossary (England : Gower, 1995), p. 146.

註 3　Stella Keenan, Concise Dictionary of Library and Information Science (London : Bowker-Saur, 1996), p.142.

註 4　吳明德，《館藏發展》(台北：漢美，民 80)，頁 3。

註 5　同註 4，頁 2。

註 6　同註 4，頁 62。

註 7　同註 4，頁 68-69。

註 8　Richard K. Gardner, Library Collections : Their Origin, Selection, and

Development (New York : McGraw-Hill, 1981), pp. 226-228.

註 9 同註 4，頁 69-77。

註 10 Elizabeth Futas, Collection Development Policies and Procedures (Arizona : Oryx, 1995), pp. 184-316.

註 11 University of Iowa Libraries Policy for Electronic Resources Management
URL: http://www.lib.uiowa.edu/collections/policy.html

註 12 FIS Library Collection Development Policy, University of Toronto
URL: http://www.fis.utoronto.ca/library/libcolpl.htm#application

註 13 教育部，〈大專院校圖書館標準草案〉《教育部圖書館事業委員會會訊》3 期(民 80 年 7 月)，7 版。

註 14 同註 4，頁 89-92。

註 15 Bonita Bryant, ed., Guide for Written Collection Policy Statements, (Chicago : American Library Association, 1989), pp. 8-9.

註 16 吳明德、薛理桂，《圖書選擇與採訪》(台北：空大，民 84)，頁 3-8。

註 17 同註 16，頁 224-225。

註 18 同註 16，頁 293。

註 19 同註 4，頁 106-107。

註 20 同註 16，頁 49-53。

註 21 G. E. Gorman; B. R. Howes, Collection Development for Libraries (London : Bowker-Saur, 1991), p. 120.

註 22 Blaine H. Hall, Collection Assessment Manual for College and University Libraries, (Arizona : Oryx, 1985), pp. 7-68.

註 23 Norman Desmarais, The Librarian's CD-ROM Handbook, (London : Meckler, 1989), pp. 1-23.

註 24 Evaluation of Information

URL: http://alexia.lis.uiuc.edu/~janicke/eval.html

註 25 陳雪華，《圖書館與網路資源》(台北：文華，民 85)，頁 234。

註 26 陳亞寧，〈網路資源評鑑之探討〉《 國家圖書館館刊》 2 期(85 年 12 月)，頁 59-78。

註 27 郭麗芳，網路電子期刊之評估研究-以生物醫學資源爲例 (輔仁大學圖書資訊研究所碩士論文，民 85 年 6 月)，頁 68-74。

註 28 Stanley J. Slote, Weeding Library Collections : Library Weeding Methods, (Englewood, Colorado : Libraries Unlimited, 1989), p.3.

註 29 G. Edward Evans, Developing Library and Information Center Collections, (Littleton, Colorado : Libraries Unlimited, 1987), pp. 291-305.

註 30 同註 21，p. 325。

註 31 李建二等，〈國立成功大學圖書館館藏發展政策〉《國立成功大學圖書館通訊》 11 期(民 82 年 7 月)，頁 15-26。

註 32 同註 11。

註 33 同註 4，頁 218-219。

註 34 楊美華，〈館際合作與資源共享〉《資訊傳播與圖書館學》 1 卷 3 期(民 84 年 3 月)，頁 31。

註 35 曾瑞源，《新版 Internet 實務手册：WWW 增訂版》(台北：第 3 波，民 84)，頁 0-4。

註 36 薛理桂，《現代資訊科技與圖書館》(台北：台灣學生，民 81)，頁 6-52。

註 37 同註 4，頁 237。

註 38 同註 29，pp. 335-336。

註 39 同註 4，頁 263-266。

註24 Evaluation of information

URL: http://alexia.lis.uiuc.edu/~janicke/eval.html

註25 [illegible]

註26 [illegible]

註27 [illegible]

註28 Stanley J. Slote, Weeding Library Collections: Library Weeding Methods (Englewood, Colorado: Libraries Unlimited, 1989), p.3.

註29 G. Edward Evans, Developing Library and Information Center Collections (Littleton, Colorado: Libraries Unlimited, 1987), pp. 291-305.

註30 [illegible]

註31 [illegible]

註32 [illegible]

註33 [illegible]

註34 [illegible]

註35 [illegible]

註36 [illegible]

註37 [illegible]

註38 [illegible]

註39 [illegible]

人力資源管理及其對技專院校圖書館之啓迪

靳烔彬

弘光技術學院圖書館館長

摘　要

技職教育向來不受到國人重視，甚被視為「次等教育」；但在前教育部長吳京先生提出「三條教育國道」理念，並積極鼓勵績優技專院校升格。在此改變過程中，技專院校圖書館配合各校改制，扮演著極重要的角色。然而，技專院校圖書館向來除了經費匱乏外，人力資源嚴重不足才是其最大隱憂。本文希望藉由界定人力資源管理的定義、特徵、阻礙因素、功能、步驟及目的，其次探討人力資源管理之內外環境、組織架構、管理發展、及館員激勵等因素對技專院校圖書館之啓迪。文末筆者由一位技專院校圖書館從業人員角度，提出技專院校圖書館實踐人力資源管理理念之十項建議。

關鍵詞：人力資源管理　技專院校圖書館　矩陣式組織結構　學習型組織　工作倫理　導航制度

壹、前　言

管理大師彼得・杜拉克（Peter Drucker）曾說過：「人與金錢是企業的二大資源」；尤其在現今社會中，各行各業無時無刻面臨著各種變化及各項競爭，所以各種機構或組織必須擁有最優秀的人力資源，以面對隨時隨處之嚴苛挑戰。而圖書館因應資訊科技日新月異之變化及同類型圖書館競爭之壓力，必須藉由企業界人力資源管理之觀點及實務，擬出一套屬於圖書館有效的人力資源應用策略，以創造未來圖書館發展之新契機！

以往技職教育不太受國人重視，且認爲技職教育乃是「次等教育」；但自前教育部長吳京先生提出三條教育國道理念；第一條爲普通教育，第二條爲技職教育，第三條爲推廣教育。另外，教育部於民國八十四年十一月修正公佈「專科學校法」第三條第一款，增訂條文賦予法源依據，積極輔導績優專科學校改制爲技術學院，更進一步改制爲科技大學，且輔導鼓勵原有的技術學院改制爲科技大學。從此，技職教育體系蓬勃發展，截至八十九年止，全國共有八十五所技專院校（不含新改制的專科學校），其中科技大學十一所、技術學院五十一所及專科學校二十三所。不論在教育部改制、訪視、督導及評鑑的各項過程中，圖書館均扮演著極重要的角色，舉凡館舍建築之興建、館藏資料之增購及館員素質之提昇，各館皆不餘遺力地配合，以期提升全校之競爭優勢。

基於上述所言，技專院校圖書館日益受到重視，本文試先說明人力資源管理的定義、特徵、阻礙因素、功能、步驟及目的。其次筆者以技專院校圖書館從業人員八年的工作經驗，實際引用人力資源管理之各項理念及探討其對技專院校圖書館實際人力資源運用之啓示。

貳、人力資源管理之探討

一、定義

所謂人力資源管理(Human Resource Management)，指的是執行管理工作中與員工或人事有關的資源，包括工作人員的能力、知識、技術、態度及士氣等相關部份所需具備的觀念和技術。這些觀念和技術，包括工作分析、人力需求規劃、招募適當人選、甄選合適員工、對新進員工提供引導與訓練、薪酬和福利管理及評估工作績效等。簡言之，人力資源管理就是決定組織應雇用什麼樣的人、招募或甄選具有潛力的員工、設定績效標準、進行績效評估工作、設計並給付員工適當之薪酬與福利、爲員工設計及提出生涯發展與訓練計劃。（註 1）

人力資源管理專家吳美連教授認爲人力資源管理是以專業化、積極主動的態度且富有前瞻性及整體性的觀點，將傳統的人事職務擴大，從以前控制員工的角度，轉爲員工能夠參與人力資源的規劃、取得、運用與發展的策略性與操作性的管理。而且她認爲人力資源管理本質上既然屬於一種管理，就必須有其一套系統的知識範圍，也就是綜合了心理學、社會學、社會心理學、經濟學及管理學系跨領域的學科知識。所以，有效的人力資源管理是結合了管理、技術及行爲三方面的知識，而它除了是一門科學（Science）外，也是一種藝術（Art）。

二、特徵

克魯利斯・藍道（Krulis-Randa）提出人力資源管理的特徵如下：

㈠強調水平式的職員互動，較不強調階層制的上下統屬；打破了管理與非管理之間涇渭分明的界限。

㈡強調有關人的管理之責任，應該對每位線上管理人員充分授權；人事專家的角色扮演應著力於支持、強化各種任務分配下的線上管理（line management），而非一味的想控制它。

㈢人力資源規劃具備極強的先驗性（proactive），往往與組織整體規劃相融和；人力資源的課題被視爲達成整體目標的策略性方法之一。

㈣員工應被視爲有潛力、足以幫助組織成長、發展的實體；人力資源管理的目的就是在確認此種潛力，並將其培育爲組織發展所需要的動能。

㈤人力資源管理的根本看法：不論管理或非管理者都將從組織的成功獲得共同利益。因此，人力資源管理的目的爲讓員工與組織產生利害與共的感覺，進而致力於共同目標的完成。（註2）

三、阻礙因素

在久保淳志所著的「能力開發之進行方法」一書中，列出九種妨礙人力資源管理的障礙，分別爲：

㈠待遇系統的不完備。

㈡未有公正的評價。

㈢期望的能力形象不明確。

㈣上司對部屬指導不足。

㈤本人的自我啓發意願不足。

㈥研習會的質與量不足。

㈦沒有發揮能力的機會。

㈧沒有工作輪調制度。

㈨沒有憧憬。（註3）

四、功能

人力資源管理部門是機構中人力資源提供策略及實際執行的單位。人管部門除了傳統的人事業務管理之外，也必須考量機構特有的人力資源狀況，設計符合機構中人力資源發展之各項活動，以期發揮人力資源管理之最大效能。誠如美國人力資源管理學會（The Society of Human Resource Management）所提出的相關活動，以便達成人力資源管理的六項主要功能：

㈠人力資源規劃與人才羅致及遴選，其相關活動爲：

1.由工作分析瞭解機構中不同階層人員所需的資格及條件。

2.預估機構完成目標所需的人力資源。

3.研擬並實施上述需求的計劃。

4.網羅機構可達成目標的人力資源。

5.遴選機構中適用的人力資源。

㈡人力資源發展，其相關活動爲：

1.訓練員工。

2.研擬及實行機構之發展計劃。

3.設計員工個別的績效評估系統。

㈢獎勵與酬償，其相關工作爲：

1.設計及執行酬償與福利系統。

2.確保酬償與福利之公平與一致性。

㈣安全與健康，主要工作在於：

1.設計與執行員工安全與健康計劃。

2.設計懲戒與申訴系統。

㈤員工與工作關係，主要是：

1.成爲員工代表團體與機構高階管理的中間人。

2.提供會影響員工個人問題的各種協助。

㈥人力資源研究，主要包括：

1.提供人力資源資訊基礎。

2.設計與執行員工溝通系統。（註 4）

五、步驟

欲規劃出人力資源最大的效果，必須採行下列步驟：

㈠機構中每位成員必須先體認其所處機構之設立宗旨，進而瞭解其長期之經營理念，並且更加確立短期之經營目標，配合所屬部門全體同仁，群策群力，努力達成機構所交付之短、中及長程目標。

㈡機構中人力資源管理部門必須隨時蒐集即時之人事法令，並瞭解與舊有法令之區別，立即應用更新於機構中。

其次必須掌握每年就業市場人力資來源、趨勢及供需情形。最後必須研擬出適合本機構之工作方式及工作時間，避免工作人員倦怠、使工作時間富有彈性、提高工作人員滿意度，達到最高的生產效力。

㈢機構中人力資源管理部門可利用下列方法來評估現有人力狀況：

1. 職位分析（Job Analysis）

為一項應用觀察及研究方法，以蒐集及整理某一特定職位的相關資訊的程序。藉由職位分析的程序，可得到下列兩項結果；一為職位說明（Job Description），為一份有關某項特定職位的特定文件，說明該職位的任務、責任、作業內容及作業執行應有績效等要求。另一為職位規範（Job Specification），係指一份有某項特定職位的書面文件，說明擔任該職位之人力所應具備的能力、技術及素質等條件。

2.技能調查（Skills Inventory）

係爲機構現有的人力資源情況彙總有關的基本資訊；包括其整個機構中全體員工的資訊，從而爲該機構的現有人力提供一幅綜合的圖面，也就是要瞭解該機構所擁有人力資源的現況。而技能調查所應包括現有的員工資訊，應有下列七大類別：

⑴員工個人資料：年齡、性別、婚姻狀況等。

⑵員工技能：教育程度、職位經驗、所受訓練等。

⑶員工特殊資歷：是否爲專業社團會員、個人特殊成就等。

⑷薪資及職位經歷：目前薪級、過去薪級、加薪時間、以往職位等。

⑸有關服務於本公司的資料：享有福利等級、退休資訊、服務年資等。

⑹個人能力：測試得分、個人健康情況等。

⑺個人喜好：喜好之職位、喜好之工作地點等。（註 5）

㈣機構中的管理階層人員必須先能預估機構的未來發展計劃，告知各部門主管，並由各部門主管推估其未來所需人力，由此成爲機構未來的人力淨需求（Net Human Resource Requirements），意指機構中所需人力與現有人力之差距。依據此人力淨需求，可擬定出人力資源管理的相關業務，主要包括人才的羅致、遴選、教育、訓練、激勵、升遷、調職、解聘、遣散及退休等項目。

六、目的

藉由瞭解人力資源管理的定義、特徵、阻礙因素、功能及實施步驟，透過高階管理人員的大力支持、人力資源管理部門的活動設計、機構內各部門的溝通協調及所有成員對機構目標的深刻體認，以期提昇機構經營的最高效能、凝聚機構文化的最高共識及發揮機構人力的最大效率。如此讓每個成員與機構同步成長，使人力資源發揮極致，藉以提昇機構整體生產力，達到永續經營的理想。

參、人力資源管理對技專院校圖書館之啓迪

由上述一切探討，可知人力資源對於任何機構均是最重要的資產。當然，對於技專院校圖書館亦不例外；因此身爲技專院校圖書館從業人員的一份子，必須努力思考如何將人力資源管理的理念，有效地應用於技專院校圖書館的人力資源管理實務上。其次，並就下列幾個方向，探討技專院校圖書館之實際人力現況，且試著提出一些建議之方法：

一、環境因素部份：

人力資源管理之環境組成要素，可分爲內環境及外環境二大部份，其中內環境部份包括組織、個人及工作三個要素；外環境部份則涉及經濟、政治、社會及科技等因素，分別討論如下：（註6）

㈠內環境部份

1.組織

技專院校近年來紛紛加以改制成技術學院及科技大學。因此，技專院校圖書館除了協助校內教學相關工作及提供實務性資料之外，更肩負著另一項艱鉅的任務—支援學校學術研究。但是，技專院校圖書館的經費額度及館員員額遠不如一般大學圖書館，而所需提供的服務品質及讀者訴求又遠高於中、小學圖書館。因此，技專院校圖書館的人力資源管理將有別於大學圖書館及中、小學圖書館。

2.個人

技專院校圖書館的工作人員，當然都來自不同的專業背景、

具備多元性的能力、擁有多樣性的性格及存在層次不同的自我認知與期許。因此，機構必須針對每位成員的特性加以充分瞭解，安置每位成員在最恰當的職位上，使其「適才適所」，並將其專長發揮得淋漓盡致。

3.工作

技專院校圖書館的工作人員人數普遍不足，每日負荷工作量不輕，經常造成一位工作人員當成兩個人使用；且因爲普遍組織分工並不精確，常造成一個工作人員必須同時處理館內跨部門的業務，時常會有「疲於奔命」的感覺。因此，館方應盡可將業務加以精簡及業務輪調，以激發館內工作人員最高工作士氣，讓每位成員均能樂在工作。

㈡外環境部份

1.經濟

技專院校圖書館大致上與此項因素有關的部份爲工作人員的薪資及教育訓練費用。工作人員應努力提昇圖書館整體形象，讓校方高階管理人員充分認同圖書館價值，仍願意保留圖書館教育訓練的費用，而不受經費緊縮的影響。

2.政治

影響人力資源管理的政治因素應是指機構之高階管理人員，對機構有著特定之目標並發展出其獨特之管理哲學，也因此影響到各部門人力資源的規模大小。

而技專院校圖書館在各校改制、訪視、督導及評鑑各階段均扮演舉足輕重的角色，甚至於教育部在每年購置圖書期刊經費明訂有最低下限；改制評鑑過程中，亦明確訂立最低基本圖書册數、各專業系科期刊種數及完成全館業務自動化。藉由這些任務的推展，可提昇圖書館的校園地位，也才可獲得學校高階管理人員的肯定及重視。圖書館管理人員也應好好掌握此一契機，明確地讓校方瞭解欲完成這些任務，必須投注大量的經費，更必須投入有效的人力資源，以期讓技專院校圖書館發揮最大的工作效能。

3.社會

社會因素以組織文化與工作群體爲主。所謂組織文化是指「組織成員所抱持與共享的意義體系，及區分一組織不同於其他組織的特質」。而一企業之組織文化的實質內容可從其經營方式、對待顧客與員工的方式、單位部門中所擁有的自主權及員工忠誠度看出端倪。事實上，組織成員的個人態度、行爲彼此間的互動模式，是組織行爲的主要展現。所謂工作群體是指組織中的行爲大部份以群體方式呈現出來，亦即一個工作群體是由二或二人以上組成，他們互相依賴、溝通與互動以完成任務。而一個有效的工作群體有助於組織目標的達成。（註 7）

由前所述，技專院校圖書館日益受到校方高階管理人員重視及尊重。圖書館應建立起屬於自己特有的組織文化，而此文化最重要的精髓乃應該體認圖書館是學校最重要的學術服務單位。因此，必須以著親切、主動及積極的服務態度，提供專業、迅速及正確的服務品質。而館內每位工作人員必須確實遵循此一文化，修正個人既有的工作理念及服務讀者的態度，並藉由充分的溝通及良好的互動模式，形成一個有效的工作群體，以達成圖書館所交付的各項任務。

4.科技

隨著知識爆炸的時代來臨，資訊科技一日千里，身爲以知識管理單位的圖書館受到的衝擊更大。不論在圖書館相關資訊科技軟體或硬體方面，館方工作人員必須隨時隨地加以瞭解、掌握及學習，確實掌握資訊科技演進脈動。技專院校圖書館的工作人員亦須思考如何利用現有資訊科技，來簡化繁重的圖書館業務、減輕人力負擔及提昇整體工作效率。

二、組織因素部份：

各種組織因素對於人力源管理也是極其重要的一環，現就有助於技專院校圖書館人力資源管理的兩種組織加以探討，分述如下：

㈠矩陣式組織結構

矩陣式組織又稱爲專業式組織，在傳統之直線及幕僚組織結構中設置若干專業小組（Project Teams）之方式。所謂專案小組，係指企業機構爲實現某項特定目的，召集組織中之部分人力資源及非人力資源，構成一項臨時編組之意。由於專案小組通常均有一定之設置時限，故企業機構應有一項管理及組成之方法，俾使其原有之組織結構得以依然存在、且仍能保持適當之效率。在此項矩陣結構下，參加專案作業之員工均係由組織機構指派於該專案小組，同時亦隸屬於其原屬部門。

矩陣組織結構之主要優點，爲有關人員及資源之組成易於隨專案之變動而變動。此外尙有其他優點；此一方式可使企業機構對專案作業之充分重視；且人力運用靈便，專案完成，專案成員立可回歸本位。

由於專案管理人須肩負多種角色，其管理才能會受到磨練，員工也會因而持續地受到各種挑戰，並在各部門之間培養出合作的氣氛。（註 8）

技專院校圖書館之所以可以考量矩陣式組織結構，乃是因爲近年來許多業務量爆增。例如：短期之內必須大量採購圖書、盤點圖書、分編圖書、圖書加工、資料鍵檔、圖書上架及調架工作。

尤其技專院技圖書館人力極度不足，無法由採編部門、典藏部門或其他部門之人員單獨完成。因此，筆者的經驗有此體認，只要涉及整館且龐雜的業務時，必須集合全館之人力資源，採行臨時任務編組，共同完成上述工作。唯應避免館內工作人員在原有職位與任務編組工作上，產生角色模糊及角色衝突。另外，館內管理人員也應將臨時任務編組之工作表現一併列入考核評估。

㈡學習型組織

面對新世紀內外在環境更快速變遷與國際間的挑戰，組織內之個人常已不足以應付，須有賴健全的組織與團隊，而建立一具效能及創新力的組織或團隊，則須建構一組織學習（或學習型組織）。以便改進以往傳統組織被動而不夠積極、僵化而缺乏彈性及遲滯而無法進步等重大缺失。組織學習是一種透過團隊思考，互動與共同學習以促進內部學習訓練與發展的一種過程。學習型組織是藉由持續的學習如何學習的態度，回應環境的改變，具有強化組織創新與成長的動力，而不斷地擴展與開創未來的能力，以實現共同願景的一種組織體。（註 9）

學習型組織的特色，具有下列數點：

1.重視改進。

2.不斷的實驗，而不在尋找最後的答案。

3.尋找設計行動的新方案，而不是防衛的傳統做法。

4.組織成員寧有爭論也不會保持沉默。

5.鼓勵懷疑並發現矛盾，而不是去除它。

6.視策略性的改變爲學習的必經之路。（註 10）

根據彼得・聖吉（Peter M. Senge）所著「第五項修練」一書所述，「學型組織」的核心修練爲—

1.自我超越（Personal Mastery）

2.改善心智模式（Improving Mental Models）

3.建立共同願景（Building Shared Vision）

4.團隊學習（Team Learning）

5.系統思考（Systems Thinking）（註 11）

技專院校圖書館在校園內扮演著教育的角色，因此圖書館必然是一個學習型組織，而館內工作人員也應嘗試上述五項修練，由改變心智模式做起，隨時隨地學習如何學習，增進自我能力，培養自己嶄新的系統思考方式，學習自我突破。其次，藉由館內工作同仁的實際參與，發揮團隊學習的精神，以建立出屬於圖書館的共同願景。

三、館內管理人員部份：

人力資源管理者在管理人力資源時扮演重要角色，欲成爲一位成功的人力資源管理者，必須具備「領導能力」，現就「領導」一詞加以闡述：

㈠領導之定義

・領導是領導者影響他人爲達成目標而努力的行爲。

・韋氏大字典對領導一詞的解釋是：「獲得他人信任、尊敬、效忠和合作的行動」。

・心理學家史托爾（R.Stogdill）將領導定義爲：「針對組織目標而影響團體活動的程序」。

・企業管理學者坦那堡（Tannenbaum）認爲領導是「使他人達成某些目標的影響力」。

・行政學家費富納（J. Pfiffner）則把領導視爲「協調和激勵別人達成預期目標的藝術」。（註 12）

㈡領導之特質

1.全球化思考

新式科技普遍運用及全球貿易快速遽增，使領導者都要將自己視爲世界的公民，擁有寬廣的遠見和價值觀。

2.欣賞不同的文化

未來領導人必須要能夠接受各種文化，包括領導風格的多樣性、產業、個人行爲和各種價值觀，「尊重彼此的差異」不僅可瞭解文化對行爲模式的影響，也將可更有效的因應文化特色，達成激勵員工的各種有效策略。

3.強調科技重要性

瞭解科技發展將是未來全球領導人必備的關鍵本領，一定會擁有競爭優勢，此對建立整合的全球夥伴與合作網路皆有實質的幫助。

4.建立夥伴關係

有能力協調複雜的聯盟組織，管理複雜的關係網路會愈來愈重要；客戶、供應商與夥伴的角色也會逐漸重要。

5.分享領導機會

領導人應該是徵求他人的想法與他人分享資訊才對，召募並將員工留在組織內，將會是一項重要的能力與資產。（註 13）

除了領導特質之外，館內管理人員亦須採行管理發展的方法，使自己成爲一位更有效的管理人。這些方法如下：

1.隨業指導

隨業指導（coaching）係由富有經驗之管理人爲指導人員，同時對其多數部屬，管理人灌輸應負之職責。

2.參與特定專案

管理人參與組織中之特定專案小組，亦屬管理發展方式之一。此一方式，可使受訓人對特定專案獲有學習之機會。

3.委員派職

委員派職（committee assignment），類似於參與特定專案，必須於組織組成特定委員會時，始能運用。

4.個案研究

理想的個案研究，應能迫使受訓人深思該問題、提出解決方案、從中做選擇，並分析決策的結果。

5.角色演練

該法乃爲參與人被指定於各個不同的角色，並依眞實的情況扮演這一些角色。（註14）

綜合上述所言，領導能力及管理發展對於人力資源管理者是非常重要的。技專院校圖書館內管理人員亦須具備上述之領導能力，他們應當擁有豐富的專業知識、邏輯性的推理能力、靈活的想像力及正確的判斷能力，來處理館內有關人的各種問題。其次，他們能夠充分瞭解與圖書館相關科技的重要性、充分尊重館內每位成員的差異性、充分建立圖書館聯盟的合作性及充分提供領導資訊的分享性。最後，絕大多數的技專院校圖書館組織內，並無獨立的人事管理部門或專責的人事管理者。因此，館內管理人員不僅需與校方高階管理人員建立良好的溝通管道，也需與館內所有成員建構無礙的協調環境，還需負責館內人力資源管理絕大部份的業務。綜而言之，卓越的館內管理人員應該認知管理是一種科學及藝術的工作，應竭盡所能爲館內成員創造出一個最理想的工作環境，並肯定每位成員的能力及表現，讓每位成員認同圖書館，激發他們的工作意願，以提昇圖書館最高的工作效率。

四、館內工作人員部份：

不論各種規模的圖書館，館內的所有工作人員才是構成圖書館人力資源管理最重要的因素，如何擁有足夠數量且具備專業能力的館員，一直是各圖書館人力資源發展最重要的課題。而技專院校圖書館向來在人力資源管理方面，所面臨的最大難題就是—館員人數極度不足。根據教育部八十九年度委辦專案計劃「全國技專校院圖書館營運現況調查」（註 15），可得到下列技專院校圖書館之重要資訊（如表一所示）。

【表一】

	平均館員（人）	服務對象（人）	圖書數量（册）	期刊數量（種）	每週開館（小時）	每日進館（人）	每日圖書流通數量（册）
科技大學	10	14,252	166,690	1,177	79.4	1,460	549
技術學院	5	13,952	103,245	597	74.2	664	286
專科學校	6	8,118	74,221	426	57.7	362	158

註：1.平均館員包括專任館員及教師兼任行政工作

2.服務對象不含對校外開放之服務人數

3.期刊數量包括中、外文期刊總數

筆者僅就館員人數、服務對象、核心資料

數量（圖書及期刊）、每週開館時間、每日進館人數及每日圖書流通數量等因素加以彙整展現。而未包含之資訊爲電子資源館藏、參考服務、推廣活動、館際合作、自動化業務、資料庫檢索服務及執行經費等業務。單就服務對象（不含對校外開放服務人數）此項業務，可得知平均一位科技大學館員須服務 1,425 位讀者、一位技術學院館員須服務 2,790 位讀者及一位專科學校館員須服務 1,353 位讀者，更遑論還有其他許多業務必須加以執行！所以如何引導人力資源管理的各種理念及方法，應用於技專院校圖書館嚴重不足的人力資源上，以便提昇館內工作人員的質與量。現就下列幾方面加以探討及提出一些建議的方法：

㈠館員認知部份

在館員認知部份，首先必先瞭解「工作倫理」。而工作倫理也就是從事各行各業的人員，必須認知其工作領域之基本觀念、基本原則及基本態度，讓社會大眾藉由他們的工作表現，進而肯定及尊重他們的專業貢獻。而身爲技專院校圖書館的一份子，必先體認圖書館員的工作倫理。以其工作場所圖書館而言，是人類知識保存的所在，且負有人類知識發展傳揚的責任。進一步說，圖書 館員的工作倫理可以從兩方面來思考，一是工作內容（乃爲知識），另一 是工作對象（乃爲讀者）。而知識活動可分爲兩個不同方向，一是向高深發展的專精研究，另一是向普及發展的擴大傳播。無論是上述兩者，館員必須考量讀者對知識或資訊的需求，有兩個不同的層次——是他們所需要的，另一是他們該需要的。另外，在工作對象方面，一是讀者個人，另一是國家社會。圖書館員的工作倫理，除了要面對上述的知識以外，當然還要兼顧對讀者個人以及國家社會的責任。（註 16）

㈡館員的甄選與任用

技專院校圖書館人員的甄選及任

用，與企業界人力資源管理的論點是相通的。首先，圖書館應針對每一位館員職務進行「工作分析」來決定其職稱、等級、隸屬、最低學經歷要求、專長及職責功能等資料。（註 17）以此作爲圖書館規劃人力資源的標準，亦爲圖書館甄選館員的依據。一般而論，甄選館員的管道如下：

1.圖書館內張貼公告。

2.委請館員介紹。

3.委請圖書館系所推薦。

4.委請圖書館相關團體推薦。

5.在相關網站上刊登圖書館徵才訊息。

6.在專業刊物上刊登圖書館徵才訊息。

至於，可利用下列方式甄選館員：

1.先經由檢閱應徵者之相關文件，包括學歷證明、工作經歷證明、自傳及推薦信等，以便瞭解應徵者個人背景資料。

2.針對欲徵求館員的職務特性，設計一套相關測驗，包專業知識測驗、個人人格性向測驗及基本電腦能力測驗。

3.安排已通過測驗的合格應徵者，進行面談工作，而面談重點項目爲敬業精神、專業道德、團隊合作、溝通技巧及服務熱忱。

經由審愼的甄選過程，希望可爲技專院校圖書館任用最合適的工作人員。

㈢館員的訓練與發展

技專院校圖書館人力資源發展另一項重點，就是透過對館員訓練、教育，以滿足其發展的需求。訓練乃針對館員現階段的工作，而教育則是著眼於館員將來從事不同工作時，所須事先累積的學習經驗。至於發展就是館方應提供學習經驗，幫助館員適應未來圖書館的發展與變化。

館員的訓練發展工作，可分爲新進人員訓練及在職人員訓練兩種。新進人員訓練的目的爲讓新人快速認識環境、減少探索時間、增加對單位目標的瞭解，以期增加新進人員對圖書館之認同感。另外，館方可替在職人員安排參加各種知識性或技術性的訓練活動，包括研討會、參訪考察、展覽示範會、人際關係及管理科學等活動。

再者，技專院校圖書館館員亦應接受繼續教育（Continuing

Education），可針對下面幾個方向來考量：

1.導覽訓練的設計

對剛進入專業工作職場的新進館員來說，全方位的導覽訓練是第一階段的繼續教育。透過這樣的設計，新進館員可對實務工作能有較爲清楚的認識。

2.領航制度（montor）的建立

對於理論與實務的差距，透過資深或具工作經驗館員驗傳承，這樣的學習落差能夠降到一個可接受範圍。

3.專業討論體系的架構

架構一個可與個人化模式平行，對相同關心議題公開討論，刺激彼此具實務且專業的對話機制是必須的。

4.管理課程的強化

館員需要培養其他相關事務的專業素養。人力資源、溝通技巧、經費預算、談判藝術及決策過程都是在圖書館及資訊專業外，圖書館員所需要強化的。

5.溫故知新的機制

對圖書館及資訊科技的發展掌握，仍是成功扮演圖書館員角色的必備條件。因此架構於上述的各種發展設計重點，溫故知新的機制依舊有其決定性的地位。（註 18）

其中領航制度（mentor）這個觀念，筆者認爲對於圖書館新進工作人員非常重要，在此再詳加探討之。Mentor 這個觀念是在一九七〇年代興起的，至一九九〇年代以後已成爲人事管理的重要課題。

就被教導的人（稱 mentee，或 protege）而言。Mentor 的角色扮演有下列幾種功能：

1.支持者（supporter）

2.顧問（counsellor）

3.專家（expert）

4.知識的來源（source of knowledge）

5.傾聽者（listener）

6.發問者（questioner）

7.教練（coach）

8.嚮導（guide）

9.學習典範（role model）

10.專業上的朋友（professional friend）

Mentoring 這個觀念，早期的由來是基於對新進員工的訓練，希望指定一個資深者帶領他，以減少工作壓力，增進專業技能，並促進工作的投注感和組織的認同感。（註 19）

技專院校圖書館館員的訓練與發展部份，尙可由下列兩個方向來加強之：

1.增加館員輪調制度

館員職位之輪調，乃加強館員在圖書館各個不同部門中汲取多元性的經驗，並可促進各部門間的瞭解與經驗交流。惟應避免輪調速度過快，無法深究各職位業務之全貌。

2.加強館員資訊科技技能

隨著資訊科技的快速進展，技專院校圖書館所服務的讀者都希望新一代的學習方式應爲「快速與全方位便利的學習」、「快速、高效率、可重複進行」、「任何時間、任何地方、任何知識及不分年齡」。（註 20）

針對這些學習方式，技專院校圖書館館員應加強網路相關知識、電腦軟體應用及電腦硬體維護等技巧。但是，在館員訓練與發展部份，應該避免下列情形：無目的或趕流行地實施訓練、指派不合適的人員去參加訓練及訓練資源分配不公。最後，館方也應定期實施訓練評估及檢討。

㈣館員的績效評估與激勵方法

館員的績效評估與有效的激勵方法，亦是技專院校圖書館人力資源管理不可忽略的一環。

1.績效評估

館員的績效評估，具有下列的作用：

⑴增進一個機構的效率以達成機構目標。

⑵協助員工的自我發展及成長，使能更勝任所擔任的工作。

⑶爲員工提供有關個人在工作上的表現和成就的評估和及時的回饋。

⑷輔導員工改進工作上的缺點。

⑸作爲決定薪酬及升遷的依據。

⑹加強員工與上司之間的溝通與瞭解。（註 21）

雖然館員個人的學識、能力、技術、爲人和努力程度有所不同，仍需要有適當的績效評估措施，使管理人員對館員有更多的瞭解，並可針對館員工作上的優缺點給予褒獎及建議，來建立彼此間的互動關係。而此份評估結果，亦可作爲升遷、調職、處分、解職、訓練及員工發展等依據。惟須注意的是應該努力訂立出一套客觀且符合時宜的績效評估標準，且必定尊重個人之差異性，以便達成績效評估之目的。

2.激勵方法

所謂激勵（Motivation）是指透過有效的誘因，促使館內同仁將圖書館的目標，與個人的目標結而爲一。當然，在館內的每位同仁都會有其特別之需求。而我們若想探討同仁的需求，可藉由許多激發動機的各種理論來加以瞭解；但筆者認爲亞伯拉罕・馬士洛（Abraham Maslow）的「需求理論」最爲精闢。現將五種層次的需求簡述如下：

⑴ 生理需求（physiological needs）：包括饑渴及性等需求。

⑵ 安全需求（safety needs）：即避免遭受傷害或危險之需求。

⑶ 社會需求（social needs）：即對於愛和被愛，以及友誼、歸屬之需求。

⑷ 尊敬需求（esteem needs）：即自尊和被他人尊重之需求。

⑸ 自我實現需求（self-actualization）：大致來說，即一人企望能成爲自己所希望成爲的人的需求。（註 22）

而在技專院校圖書館可實施之激勵方式如下：

⑴建請校方提供特別獎金給表現優異之館內同仁。

⑵提供一個更優質、舒適及愉快的工作環境給同仁。

⑶提供同仁一個公平且暢通之昇遷管道。

⑷建立一套完善的進修學習制度。

⑸校方應給予館內同仁更多的尊重、體諒及肯定。

另外，在現今技專院校圖書館所新甄選入館的人員，將會愈來愈多是所謂的「新新人類」。這批館內的生力軍是指在一九七〇年甚至一九八〇年後出生的人類。根據研究指出，新新人類的工作情緒安定性較低、對組織或機構的歸屬感薄弱、強調自我本位主義、對組織承諾度較低、欠缺思考力及主觀性過強等各種特質。因此，圖書館必須有效地運用這批新新人類特質，並透過教育訓練、尊重關心、給予充分自由與彈性、稱讚鼓勵及深入瞭解等方法，將他們的缺點改爲優點，必定能使技專院校圖書館的人力資源發揮更大之效用。（註 23）

㈤館內其他人力資源

技專院校圖書館普遍面臨人力不足的窘境，想要以有限的人力，完成最大的績效。圖書館必須積極開發一些潛在的人力資源—工讀生與志工。

1.工讀生

一般而言，技專院校圖書館的工讀生可分為按時計酬的兼職工讀生及按月計酬的全職工讀生。由於他們是有支領薪水，且在館內的時間比一般志工還多，所以他們是可接受部份特定業務訓練，包括：

⑴書目資料查証（複本查核、採購書目資料轉入、書刊登錄及驗收工作）。

⑵圖書加工（貼磁條、貼條碼、貼書標和護膜及蓋館藏章等）。

⑶書目轉入工作。

⑷出納流通（圖書借還作業）。

⑸書庫管理（書刊上架、整架及讀架工作）。

⑹簡易諮詢（館藏位置、閱覽規則及開放時間）。（註24）

2.志工

依據筆者的經驗，技專院校圖書館的經費較為匱乏。因此，儘量善用大量志工協助館方完成一般例行性之清潔工作、大規模之資料調架及遷館時之圖書傳遞工作，以減輕圖書館負荷。

技專院校圖書館在利用學生人力資源時，應該培養他們正確的工作態度及良好的讀者習性；惟因避免衍生出館內特權學生。如此一來，不但可降低圖書館的營運成本，更可將學生人力資源妥善應用於圖書館業務中。

肆、結論與建議

進入二十一世紀，各機構組織面臨的挑戰將更爲艱鉅，而藉由本文的探討，人力資源將是各機構最寶貴的資產。當然，圖書館也不例外。而技專院校圖書館現正面臨著社會環境瞬息萬變、各校競爭日益激烈、資訊科技快速變化及讀者需求日益增加等挑戰，但技專院校圖書館普遍面臨著人力資源不足之窘境。因此，各館應將有效地人力資源管理理念及各種方法，落實到日常一切館務中，這絕對是一項刻不容緩的任務。

綜合本文上述之各項探討，筆者試對技專院校圖書館人力資源管理，提出下列建議：

1.圖書館工作同仁，應持續充實專業學能及加強服務品質，以提昇圖書館在校內之整體地位。

2.全館同仁應配合學校發展目標，創造出屬於各館之組織特色。

3.圖書館執行全館性業務時，可採用矩陣式組織結構。

4.全館同仁應具備學習型組織的各項修練。

5.圖書館管理人員應培養高度的尊重包容、溝通協調及專業判斷等能力。

6.全館同仁應實踐敬業的工作倫理。

7.圖書館應建立一套公正客觀的甄選、任用及績效評估標準。

8.圖書館應制定具前瞻性的訓練、教育及發展活動。

9.圖書館應研擬各種有效的激勵方法。

10.圖書館應善用學生人力資源。

總而言之，技專院校圖書館若能貫徹實行人力資源管理的論點與方法，必可將技專院校圖書館的功能發揮到極致！

【附　註】

註1　陳光榮、陳文蓉，〈21世紀人力資源管理新挑戰〉，《人力發展月刊》，第七十四期（民89年3月），頁14。

註2　張添洲，〈人力資源管理—提昇組織經營效能〉，《勞工行政》，第一二二期（民87年6月），頁31。

註3　久保淳志，《能力開發之進行方法》（台北市：台華，民78年），頁15- 55。

註4　吳美連、林俊毅，《人力資源管理理論與實務》（台北市：智勝，民88年），頁8-9。

註5　賀力行，裴文，楊振隆，《管理學技巧與應用》（台北縣：前程，民88年），頁313-314。

註6　林文睿，〈人力資源管理在圖書館之運用〉，《台北市立圖書館館訊》，第十三卷，第三期（民85年3月），頁33。

註7　同註4，頁26-27。

註8　同註5，頁274-276。

註9　龔文廣，〈知識經濟與新世紀人力資源發展趨勢〉，《勞工行政》，第一四九卷（民89年9月），頁13。

註10　顏嘉德，〈學習型組織對於學校人事及管理部門的啓示〉，《人力發展月刊》，第七十六期（民89年5月），頁41-42。

註11　彼得‧聖吉（Peter M.Senge）著，郭進隆譯，《第五項修練—學習型組織的藝術與實務》（台北市：天下文化，民83年）。

註12　張澤霖，《領導與改革》（台北市：商務印書館，民80年），頁90-95。

註13　翁慧敏，〈新多元時代人力資源發展策略—淺談「無疆界」領導理論〉，《人事月刊》，第三十二卷，第三期（民90年3月），頁

26。

註 14 同註 5，頁 351-355。

註 15 林慶弧，《全國技專校院圖書館營運現況調查》（台中市：修平技術院，民 89 年）。

註 16 盧荷生，〈淺談圖書館員的工作倫 理〉，《台北市立圖書館館訊》，第 十三卷，第一期（民 85 年 3 月），頁 26-28。

註 17 李華偉，《現代化圖書館管理》（台北市：三民，民 85 年），頁 96。

註 18 羅思嘉，〈從專業展看圖書館員的繼續教育需求〉，《國立成功大學圖書館館刊》，第四期（民 88 年 10 月），頁 20-21。

註 19 楊美華，〈圖書館的人力資源發展〉，《台北市立圖書館館訊》，第十三卷，第三期（民 85 年 3 月），頁 19-20。

註 20 黃鄭鈞，〈人力資源變革推手：網路學習〉，《管理雜誌》，第三一五期（民 89 年 9 月），頁 79。

註 21 同註１７，頁 129。

註 22 許士軍，《管理學》（台北市：東華，民 79 年），頁 279。

註 23 同註 4，頁 155-156；233-234。

註 24 朱碧靜，〈學生在圖書館人力資源久應用與管理〉，《台北市立圖書館館訊》，第十三卷，第四期（民 85 年 6 月），頁 44-45。

整合 XML 技術之文獻傳遞系統架構

余 顯 強

交通大學資管所博士生

輔仁大學圖書資訊學系兼任講師

摘 要

本文主要目的是藉由 XML 技術整合圖書館現有系統及文獻傳遞系統，協助使用者透過圖書館 Web 線上公用目錄檢索資料時，能夠立即取得原文的技術架構。不僅希望能加速電子出版品的發展，也可在網際網路時代重新將圖書館定位在資訊中介者的角色，加速資訊流通服務並確保交易之間的安全與付款機制。本文所欲達成的目標有下列三點：(1) 解決線上電子文件付款的機制；(2)縮短查詢、文獻實體傳遞之間所需的時間，並提昇資訊檢索的求現率；(3) 將圖書館定位成 Web 資訊的中介角色和降低館藏徵集的負荷。

關鍵詞： 電子文獻傳遞　延展式標示語言　圖書館中介　電子資料交換　資料加密

壹、前 言

當使用者要查詢所需的文獻時，通常會利用圖書館的目錄，或書目中心的聯合目錄來檢索是否有收藏所需的資料。近幾年來，Z39.50資訊檢索協定（註1）在圖書館自動化系統及書目資料庫檢索方面的應用，提供使用者以一種檢索方式、指令，即可檢索不同的書目資料庫，並且以相同的畫面顯示檢索結果，大大地提昇了資料檢索的範圍。但是，隨著電腦及網路的發展，讀者對於資料的獲取更著重方便性及時效性。因此只提供書目性服務而無全文資料的傳統圖書館線上目錄(Online Public Access Cataloging，OPAC)，已無法滿足讀者即查即得的需求。

傳統圖書館在文件的管理與徵集，大多是偏向紙本媒體。讀者透過圖書館線上目錄查詢資料，取得原件的途徑不外是到館借閱或影印等方式。但是，資訊持續以驚人的速度成長，事實上圖書館不可能在有限的空間和經費，購買和儲存所有的資料，即使網路化的電子圖書館亦如此。而且出版品的價格不斷上漲，圖書館的經費卻反而呈現下降趨勢（註2）。如何在有限經費之下，有效處理館藏之徵集，便成爲圖書館一項重要的工作。爲彌補館藏之不足，順應讀者的需求，並爲促進圖書資源共享的目的，如果使用者所需的資料在該圖書館並未收藏，便必須透過館際互借來取得原件。但是，通常需要花費許多時間才能取得所需的資料。

電子出版的普及與網路的發達，使得圖書館的館藏政策從「擁有」(ownership)轉爲「取得」(access)爲導向。這種說法的實質意義乃在提醒圖書館：使用者能否得到資料原件，比圖書館是否擁有該資料更重要。另外，在數位資訊的時代，文獻提供者往往採用電子媒體形式以租代賣。是故善用網路科技，可節省資訊購買及空間儲存的成本，尤其在電子文獻傳遞數量逐漸增加的今日，如何有效縮減資訊檢索與文件傳遞的程序，提供讀者快速取得原件的管道，變成了一個重要的課題。

另一方面，延展式標示語言((Extend Markup Language，XML)的彈性、單純和同時具備了機器與人類可讀的特性，能夠提供不僅只有資料處理的應用範圍，XML 簡潔的文法與明確的結構，使其非常適合在大型的專案中應用。因為，XML 比現有的資料格式更容易地傳遞、調整、處理、分解和重製。

因此，本文主要目的是探討使用 XML 技術整合後端各文獻提供者的電子文獻傳遞系統架構，結合現有圖書館自動化系統，並提昇 OPAC 的功能。透過圖書館中介的服務，提供使用者能夠上線查詢到所需的書目並需要傳遞所需的資料時，能夠將需求直接轉送至文件擁有者或出版商的系統內。無論是否收費，或是由圖書館、還是使用者付費，使用者均可透過此系統立即獲得電子文件全文，達成了查詢求現率。而且，圖書館不一定需要具備館藏，也能達成相同的線上服務，間接的往無人圖書館服務邁向一大步。

電子文件供應商可以透過圖書館的線上目錄，達到文件線上電子交易的行為。不僅圖書館可以減少館藏徵集負荷，不須購買過多的複本；甚至還可由轉介的服務，向電子文件供應商收取適當的轉介費用，循環使用來擴大圖書館其他的服務。而且，電子文件供應商也可藉由使用者下載文件而獲得實質收益，使得文件發行電子版本的銷售管道更為快速，連帶的影響各種電子媒體與電子書的整合，如此必能加速電子化出版品的發展。

貳、相關文獻

一、XML

由於標準通用標示語言(Standard Generalized Markup Language ，SGML)的複雜，及軟體工具成本過高與使用不易，因此限制了其應用的範圍。而 HTML 則受限於其在 Web 上使用的專屬性，因而全球資訊網聯盟(World Wide Web Consortium，W3C)公布一套依據 SGML 標準製訂，且能適用於 Web 作業環境的 XML，作爲新一代的資料標示語言。XML 支援語言中立(language neutral) 的定義和平台中立(platform neutral)，並且能提供定義在 Web 環境上結構化文件交換的資料格式。XML 是由 SGML 的專家們和 W3C 合作制定簡化 SGML 的子集合規範，並於 1998 年 2 月正式公布 1.0 版本。不像 HTML 由固定的標籤集合所構成，XML 允許使用者自行定義所需的標示語言。因此，可以將資料內容以清楚的標籤表現其意義，並可廣泛地應用在各種領域，例如：化學、電子、商業等等。應用相關的標籤界定個別的資料項目或資料群組，使應用程式能夠很容易地將 XML 文件中的資料分離而加以利用（註 3）。

由於 XML 支援語言中立(language neutral) 的定義和平台中立(platform neutral) 的特性，因此圖書館和文件供應商兩者既有的自動化系統都能夠輕易地修改符合以 XML 交換資訊的功能。除此之外，本文所研究之電子文獻傳遞系統採用 XML 尚有兩個主要理由：一個是語言因素，另一個則是實際應用因素。在語言方面，XML 能夠提供發展者建立和運用自己的標示標籤(tag)，而且透過 CSS(Cascading Style Sheets)能夠將 XML 文件依據實際所需的任何樣式，正確地在瀏覽器上顯示。瀏覽器(例如微軟的 Internet

Explorer5.0 版)能夠正確地解析及呈現 XML 的內容，使它能夠作爲良好的資料交換格式。而在實際應用的因素上，XML 已有許多應用在電子商務成功的例子，不僅可整合不同類型的文件，並且可提供機器之間方便的資料交換格式。

㈠結構化。設計及讀取 XML 的程式能夠在工作結束前輕易找出資料是否被中斷，或是未完全成型。

㈡彈性。對任何資料集，XML 均能提供多種方式來表達。

㈢文件有效性(Valid)。不論是運用文件型別定義(Document Type Definition，DTD)或是更新發展的 XML Schema，開發者都能建立表達資料的規則。

㈣適用性。使用者可以更改應用程式、作業系統、程式語言、資料庫、資料格式，而 XML 資料仍舊可以不需重新編碼，依舊保有其可讀性。

㈤標準化。XML 爲標準化語言，其使用並不需要要求授權，同時有沒有企業能夠使 XML 與其他應用程式不相容。

二、電子文獻傳遞系統

電子文獻傳遞系統的概念，可以回溯到最早電腦應用的時期。Cawkell 在此領域的專案計畫報告中，敘述在 1960 年代中期開始使用傳眞複製的技術，並將電子文獻傳遞系統做了釋當的詮釋，其原文如下（註 4）：

"The phrase 'electronic document delivery system' self-evidently implies the supply and reproduction electronically of the kind of information usually provided in the form of print on paper".

現今，主要的電子文獻傳遞系統大多是由商業性線上資料庫、期刊目次、文獻摘要等供應商、以及圖書館所提供。基本上依據其提供服務的架構可以區分爲三代：線上訂購系統、非整合

性全文影像系統、以及整合性獨立的全文影像系統。（註5）

㈠第一代系統：線上訂購系統

DIALOG與EAS/IRS提供這一類的服務系統，其運作方式是經由專屬的應用程式連結到參考的資料庫，產生需要文獻傳遞的工作清單。再由人員依據清單將所需之文獻影印複製，最後透過傳統的郵件或傳眞方式遞送給申請人。

此種系統最主要的缺點是缺乏有效率的處理方式，不管文獻是否被重複申請，每次均需依賴人工至架上取出資料影印，相當耗費時間與人力。

㈡第二代系統： 非整合性全文影像系統

第二代文獻傳遞系統引進新的供應驅動(supply driven)方法，並利用影像來儲存文獻內容的方式，以解決效率的問題，ADONIS系統即屬於此種類型。而供應驅動方法主要是提倡使用掃描器將文獻內容掃描成影像檔，再儲存至資料庫。透過這種方式，可避免重複處理使用者經常性的文件需求。儘管如此，這一代系統主要的缺點是遞送的過程仍然需要透過人工處理。

㈢第三代系統：整合性獨立的全文影像系統

第三代系統大多仍然是將文件以影像方式處理爲主，但採用了需求驅動(demand driven)方法來降低運作上的負荷與花費。前端使用者能直接透過電腦的操作進入系統查詢所需的資料，當使用者找到所需的書目或文獻資料時，系統能提示具備該文件的全文影像資料。當使用者按下電腦上的下載按鈕時，即可將該全文內容傳輸至使用者端。

符合第三代系統特性的單位包括 CARL 的 Uncover (http://www.carl.org/uncover)、OCLC的ContentFirst、ArticleFirst、ContentsAlert, Faxon Finder、SWETSCAN、EBSCOdoc、ISI 的 Current Contents 等。

影像爲主的系統有一個主要的缺點是不夠開放(open)，以致於無法適應未來的發展。而另一個缺點是無法整合館際互借及既有的文件傳遞程序，使用者必須逐一至各資料庫中查詢所需的資料，再逐一決定是否執行遞送或下載的程序。

解決上述缺點最簡單的方式就是透過一個中介的機構，負責整合各文獻供應者的目次，提供前端使用者一次檢索即可查詢所有的資料庫，而這一個中介機構最適合的單位便是圖書館。

圖 1　圖書館應作爲使用者與文獻提供者之間的中介者

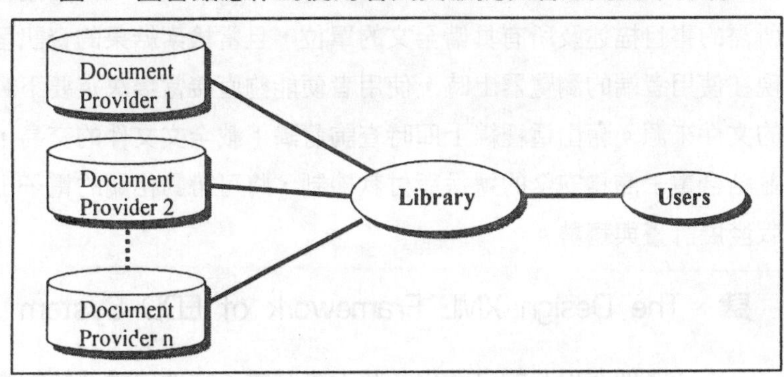

但由於現有電子文獻傳遞系統大多著重於「如何處理電子期刊」和「如何由紙本轉換成光碟版本(CD-ROM)」，而不是「如何從查詢到遞送文件的完整解決方案」。爲解決現有電子文獻傳遞系統的缺點，本文將嘗試提出新的電子文獻傳遞系統架構。

三、研究目的

雖然電子文獻傳遞所需的基礎技術已存在有一段時間，但是實際應用的比率仍舊不高，出版商發行的資料仍是以紙本爲多，其原因如下（註 6）：

㈠在技術方面：電子出版品最主要應用的環境—Web，一直到 1995 年才具備有基本安全防護技術。缺乏安全的網路交易，使得 Web 的使用者曝露於包括數位竊聽(digital eavesdropper)、封包窺探(packet sniffing)、IP 冒充(IP spoofing)等衆多的安全威脅裡。

㈡在實用方面：缺乏提出完整且具體的電子出版品發展計畫。

因此在文獻傳遞系統上必須考慮版權、付款方式和如何在使用者端顯示各種不同媒體形式的文件內容。在此種概念之下，如何快速將文獻送達至讀者手中，便比電子資料的格式與其硬體配備還要來的重要。當使用者能透過整合性的一次檢索，便能獲得所需的書目描述及所有具備全文的單位，且當檢索結果的資訊呈現在使用者端的瀏覽器上時，使用者便能夠直接當場決定要下載的文件來源。藉由這種線上即時查詢訂購下載全文文件的交易，並結合電子商務安全的遞送與付款機制，將可帶動相關的電子出版發展計畫與趨勢。

肆、The Design XML Framework of EDD System

為了降低在現有的自動化系統上實行電子文件傳遞系統的衝擊，以及考慮整體的成本，我們必須儘量減少修改現有系統的情況，並且簡化系統的複雜度。因此本系統模型在資料交換與處理上的設計將採用具有彈性的 XML，其主要概念如下：

㈠圖書館系統使用 XML/EDI 與各個文件供應商之間處理資料的交換。

㈡ Web 伺服器(如 WebPAC)必須能下載 XML 文件至使用者端的瀏覽器。而 XML 文件的 metadata 應該能夠標示如何存取文件供應商系統所需的資訊與協定。

因此，本電子文件傳遞系統模型的架構和系統提出應用 XML 框架的文件檢索上，有下列三個主要關鍵點：

㈠將檢索的結果(result set)轉換成爲 XML 文件格式。

㈡建立檢索結果的 metadata。

㈢透過 XML 文件能夠超連結進入文件供應商系統。

一、電子文獻傳遞系統架構

本系統模型採用瀏覽器作爲前端使用者與 HTTP 伺服器溝通的介面。在伺服器端，既有的圖書館自動化系統必須結合一個 Web 版本的 OPAC，和提供電子文獻傳遞系統的前台(front-end)查詢功能。如圖 2 所示的內容，電子文獻傳遞系統必須由現有圖書館系統增加一些運算和網路處理功能。而最方便的方法，就是將圖書館與文件供應商之間的資訊交換透過 XML/EDI 代理人(agent)（註 7）程式處理。

圖 2　整合之電子文獻傳遞系統架構

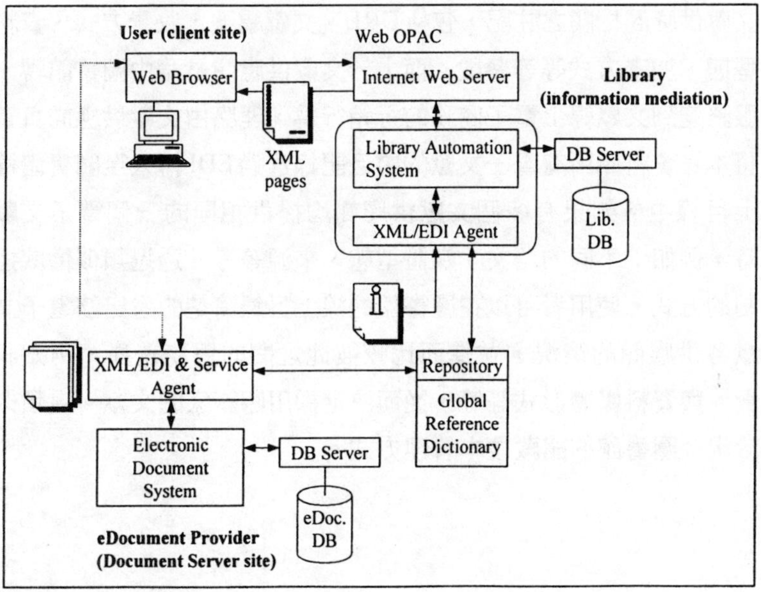

圖書館方面的代理人程式負責處理的事項是接收文件供應商的代理人程式所傳遞過來的 XML/EDI，內容主要包括：

㈠文件供應商的新進資料明細：系統可以依據這些資料自動更新至資料庫線上目錄。

㈡服務記錄(service log)：記錄使用者和文獻提供商之間的交易往來資訊。

文件供應商方面的代理人程式負責處理的事項則包括：

㈠系統存取控制(access control)。

㈡處理前端的全文資料需求。

㈢瀏覽器 Plug-in 程式分發。

㈣文件加密、加密鍵值計算。

㈤付款控制。

二、電子文獻傳遞系統之運作

圖書館在編定書目記錄時，可以考慮在書目資料中增加記錄文獻供應商相關之註記，包括URL、文獻編號、收費方式、資料型態、加密方式等等參數。而由於文獻供應商是藉由圖書館轉介服務達到文獻線上電子商務的行銷行為，理應由文獻供應商負責將本身資料庫所有電子文獻的書目記錄透過 EDI 轉入至圖書館線上目錄中。如果有多個文獻供應商均提供相同的一個電子文獻時，例如：不同的語文、媒體型態、來源等等。透過類似權威控制的方式，使用者可以在圖書館的線上目錄清楚的看出該電子文獻各供應商的情況，並進而比較彼此之間的服務差異，例如收費、與資料媒體形式等等，從而決定採用哪一家的文獻。這類似於現今圖書館的館藏複本管理方式。

圖 3 OPAC 以 XML 格式將使用者查詢之結果傳輸至使用者端之瀏覽器

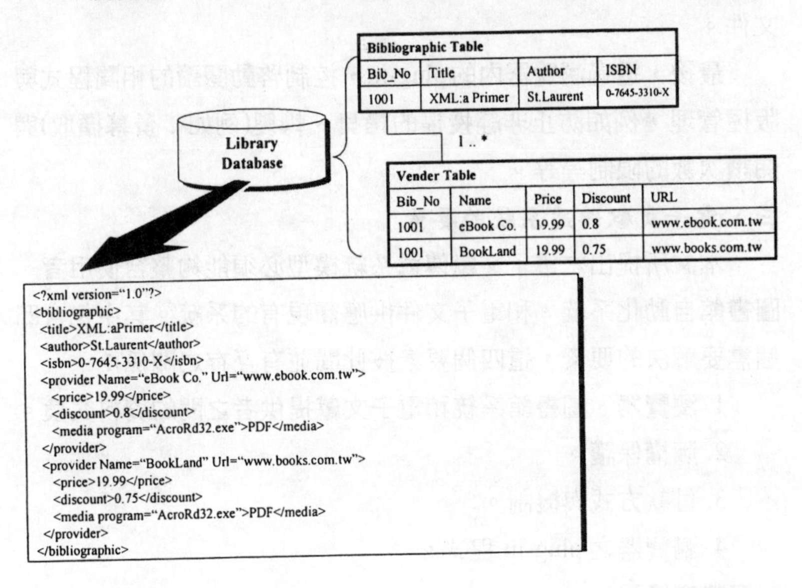

當使用者進入圖書館 OPAC 查詢所需的的資料時，圖書館伺服器端會以 XML 文件格式，將查詢結果之書目與相關資訊下載至使用者端，而瀏覽器便能夠依據下載的資料呈現在螢幕上供使用者瀏覽。這時使用者可以依據個人實際需要與圖書館提供的媒介，決定取用資料實體的方式。如果圖書館收藏有該文獻紙本媒體，使用者便可以線上預約或到館借閱；如果文件的資料來源即在圖書館的電子儲存媒體內(Web 網頁或資料庫)，使用者便可以直接在線上顯示內容。

但是若是文件並不在圖書館內，而是以電子媒體形式儲存在出版者(或文件供應商)。這時便可以直接由使用者端瀏覽器內所 plug-in 的程式，透過圖書館自動化系統或直接向文件供應商提出電子文件下載的需求。而下載文件之安全保護與付費方式，除免費之外，可以依循電子商務之付費方式，只是交易之商品是電子文件。

最後，透過瀏覽器內的plug-in，控制啓動閱讀的相關程式與版權管理，例如防止非經授權的拷貝、轉製(例如：螢幕擷取)與閱讀次數的限制等等。

三、電子文獻傳遞系統的要素

本文所提出之電子文獻傳遞系統模型必須能夠整合使用者、圖書館自動化系統、和電子文件供應商現有的系統。其中包含四個需要解決的要素，這四個要素彼此間並有互存之關係：

1. 瀏覽器、圖書館系統和電子文獻提供者之間的資料交換。
2. 版權保護。
3. 付款方式與機制。
4. 瀏覽器之 plug-in 程式。

㈠資料交換

無論是圖書館或是電子文件供應上的自動化系統必須增加Web版本的EDI系統軟體，而既有的圖書館自動化系統和供應商之間已經具備有期刊和書目採購的EDI功能，因此使用XML/EDI（註7）是一個方便達到此種需求的捷徑。

XML/EDI提供了廣泛不同系統之間的基本組織，包括可提供搜尋的線上目錄到電腦之間的交易子系統。資料交換系統能夠制定一個處理 EDI 訊息結構的公用 DTD，並且允許合乎文法(well-formed)的 XML 文件不具備有效性(validate)。系統也允許利用一個 XML 直接包裝完整或部份的 EDIFACT/X.12 訊息。

XML/EDI和其他電子資料交換格式最主要的不同，是系統能夠將文件的資訊由原來的格式轉換成更為精確和複雜的結構。透過 XML 標籤與 DTD 的使用，處理的應用程式便可以「了解」XML/EDI 文件內的交易資料，並且可以直接存取所需的交易項目。

本系統模型採用XML/EDI的原因，尚包括下列幾個理由（註9）：

1. 建立一個開放性的標準。

2. 提供一個自我描述的交易方式。

3. 允許在既有的系統上加入新的工具程式。

4. 介面能夠與舊系統相容。

5. 接受物件導向的資料一例如：包含資料和規則的文件。

6. 便宜與容易實作。

更重要的是 XML/EDI 能夠透過 Web 存取「互動」的交易資料，而不是被限制在「系統」或「批次」的交易資料。

㈡付款機制

當使用者接收到所需的電子文件時，其所需付款的種類包括下列三種：

1. 免費：例如部份學術論文或現今許多網頁內所提供的文獻均是不收費。

2. 圖書館付費：例如學校圖書館提供校內老師或學生的文件服務，通常是由圖書館自行吸收，或是購買線上資料庫 (例如：ABI/INFORM、IDEL、EBSCO) 等，提供使用者直接查詢與下載文件。

3. 使用者自行付費。

若是第一種方式，通常文件的資料來源即在圖書館的電子儲存媒體內。若文件的資料來源是在其他網頁內，最簡單的方式便是建立資源描述格式(Resource Description Format，RDF)，透過資源的描述連結該文件的原始來源。如果該文件的取得必須付費時，其中若是透過線上由出版者或供應商傳遞所需的電子文件，並由圖書館付費，這種方式必須建立在出版者/供應商與圖書館之間如何計算實際使用量的機制。另外，若使用者藉由網路取得文件供應商所提供的電子全文，而需由使用者自行付費，則必須建立在圖書館與電子文件供應商如何計算使用者實際使用量的機制。

以下分別列出圖書館付費與使用者付費，兩種不同付費方式之系統模型循序圖表(sequence diagram)：

1. 圖書館付費

圖 4　圖書館付費之電子文獻傳遞系統

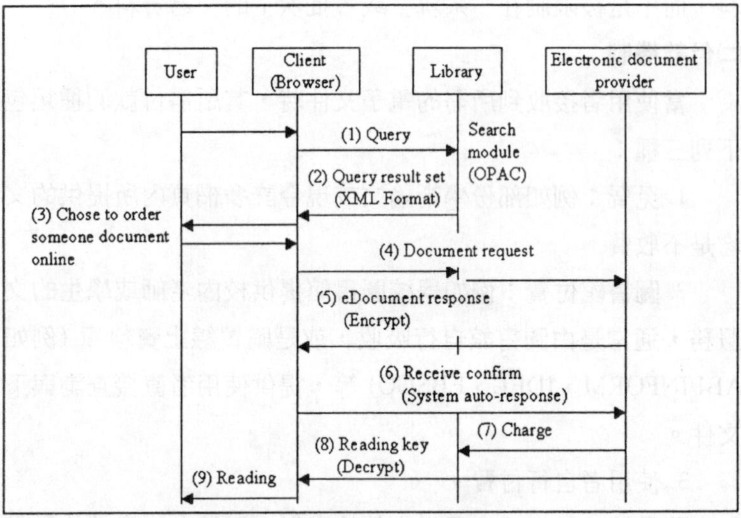

(1)使用者透過瀏覽器連結進入圖書館的 OPAC 系統，檢索所需的資料。

⑵依據使用在瀏覽器上所輸入的檢索需求，圖書館後端系統執行相對應之檢索，並將查詢的結果以 XML 格式傳回前端。

⑶前端瀏覽器接受到 OPAC 系統所傳回的 XML 文件。該 XML 文件包含如圖二所示之查詢結果的顯示資訊，以便提供使用者檢視。

⑷當使用者在瀏覽器上瀏覽查詢結果的書目或文章的目次表列，並以滑鼠在需要全文內容的項目上按下滑鼠左鍵時，瀏覽器便會依據 XML 中所包含的原文之電子供應商(Electronic Document Provider，EDP)網站位址，超連結至該網站。連結時，並傳送前端使用者之相關資訊(包括先前由圖書館所下載的一些必要資訊，如使用者名稱、圖書館單位、合約範圍、收費方式、相對應之書目或文章目次等)。當 EDP 系統依據 HTTP 協定接獲前端的連結時，依據啓動的代理服務程式(Agent)決定是否允許將所需的全文資料下載，或判斷傳送的方式與格式等。

⑸爲了達成 Internet 上交易的安全與機密性，EDP 必須將傳送之文件內容予以加密。

⑹當瀏覽器接收到文件後，必須回應一個「交易確認」的訊息給 EDP 系統，以達成「不可否認」之線上文獻傳遞交易。

⑺ EDP 系統根據前端回送的交易確認訊息，紀錄須向圖書館收取之費用。

⑻ EDP 系統將解密所需的金鑰傳送至前端。

⑼前端瀏覽器將接收的資料內容解密後，呈現於螢幕上。

2. 使用者付費

圖 5 使用者付費之電子文獻傳遞系統

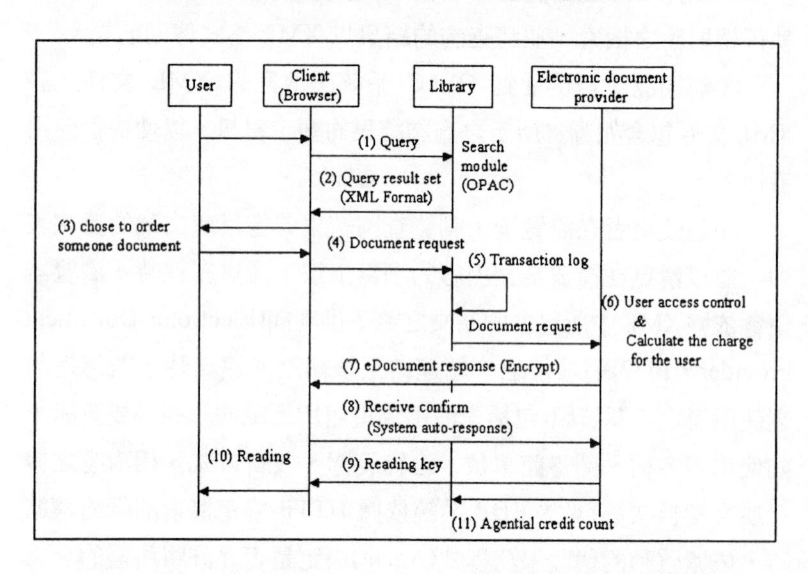

第⑴到第⑷和第⑺到第⑽步驟與圖四相同，因此於此不多贅述。

⑸作爲一個信賴第三者(Trusted Third Party，TTP)，圖書館的OPAC 系統必須紀錄使用者與 EDP 之間的相關交易(transaction log)。

⑹EDP 系統能夠透過存取控制決定是只有註册之使用者方能進入系統下載相關的資料，而達到收費的機制。當使用者經由瀏覽器登入進 EDP 系統並下載所需的全文資料時，EDP 系統即會將所需的費用紀錄，並依據規範決定收費的時機。

⑾如圖五所示的循序圖，圖書館便是介於前端使用者與後端各個 EDP 系統之間的中間人。如果運作得宜，圖書館甚至可以向 EDP 收取適當的中介費用。

㈢版權

除了透過電子格式處理電子文件之外，爲了防止使用者在未經授權的情形之下複製或轉換電子媒體形式，而侵犯到著作權，因此電子化文件在傳遞應用上也必須考慮版權保護的機制。版權保護的方法主要包括加密與浮水印兩種方式：

1. 加密方法

這一個服務主要的目的是確保文件僅能夠被授權的對象使用，透過祕密鍵值(secret key)、私用鍵值(private key)、或安全權杖(token)等加密方式。

如圖 4 和圖 5 所顯示的內容，供應商系統經由系統之間交談(session)所動態產生的祕密鍵值將文件加密之後，再將加密後的文件傳遞給前端的使用者。前端使用者的瀏覽器之 plug-in 程式無法直接解密並正確地呈現在螢幕上，除非前端接受到供應商系統所傳送過來的祕密鍵值。另一方面，如果下載電子文件必須由使用者付費，便可以前端使用者之公用鍵值(public key)加密，並透過圖書館作爲受信任之第三者(Trusted Third Party，TTP)，這樣便可達到使用者端的不可否認性(non-repudiation)控制。

另外，安全的網路電子交易基礎則是非常仰賴公鑰基礎架構(Public Key Infrastructure，PKI)，以確保網路上的電子交易能夠面對各種挑戰。值得注意的是數位認證、加密、PKI 三者之間是相互依存的，數位認證仰賴加密技術，而加密技術則仰賴 PKI，PKI 則需數位認證極佳密來證明宣稱者即爲宣稱之對方。

加密的方法也可以應用在數位簽章，數位簽章是經過加密演算法將整篇文章經過私用鍵值及非對稱性加密演算法所計算出的檢查值，可用來防止未經授權的僞造（註 10）。通常使用單項雜湊函數(one way hash function)，將所計算得到的檢查值附加在原文件上，以供證明資料未經竄改的完整性。此外，文件供應商(或電子文件的原始來源)亦能夠在計算數位簽章前附加上時間標示。因爲電子簽章能保證資料的完整性，所以能確保標示時間的有效性，如此便可以控制資料使用有效的期限。除此之外，數位簽章還包括了不可否認性(non-repudiation)的機制，也就是使用者可以藉此確認發送端是否爲眞正的電子文件供應來源。

2. 數位浮水印技術

透過網際網路，使電子文件傳佈更快速、簡便。但是電子媒體容易複製與轉換的特性，如果沒有良好的防護機制來管制，使用者可能會不經作者的同意而任意複製、修改，而侵害原創作者的著作權，或造成了許多智慧財產權的紛爭。要證明電子媒體其原出處最簡單的方式就是利用包括可視與不可視的數位浮水印技術(digital watermarking technology)，將圖章、簽名等圖像，隱密添加在電子媒體中。即使圖片、資料被下載後經過處理，圖章、簽名的圖像也不會被破壞。如果未來發生智慧財產權糾紛，只要將圖像或資料中的圖章或簽名暗記叫出來，就可以證明智慧財產權歸屬。

㈣ Plug-in

階層式樣式樣板(Cascading Style Sheets，CSS)和延展式樣式語言(Extensible Style Language，XSL)能夠與 XML 非常順利的結合，再由 OPAC 傳送至前端使用者的瀏覽器上將資訊以美觀的樣式呈現出來。因爲電子文件可能會有許多不同的媒體型態(例如：PDF、影像格式、有聲資料)；閱讀限制(例如：時限、特定使用者)；付款方式(例如：會員點數、信用卡、電子錢包)，因此瀏覽器必須 plug-in 能夠適當處理文件傳遞交易與閱讀電子文件的程式。如果電子文件必須有上述這些特殊的處理方式，則必須由文件供應商支援 plug-in 程式，而不是圖書館。此外，plug-in 還可有利於降低文件供應商既有系統的修改程度。透過 plug-in，文件供應商既有系統並不需大幅度的修改，甚至完全不需修改。而如果是新系統，則可以簡化開發的複雜度，並符合多層次(multi-tier)架構的潮流。

伍、比較與討論

經由上述的討論與分析，我們能夠推斷本文所提出的電子文件傳遞系統的功能框架能夠協助圖書館改善傳統文件傳遞系統的服務型態。並且，藉由和其他文件傳遞系統 (NAILDD 計畫，1993（註 11）；ARIADNE 系統等) 概括性的比較如下：

系統 功能	本文所提出應用 XML 架構之電子文獻傳遞系統	一般電子文獻傳遞系統
彈　性	系統可隨時加入連結圖書館或文獻提供者的代理人系統，允許採取逐步擴充服務範圍的步驟。	系統可隨時加入連結圖書館或文獻提供者的系統,但系統間差異不可太大(例如 OhioLINK(註 12))
便利性	使用者可透過單一圖書館 Web 查詢介面，同時取得存在各供應來源的資訊服務。	使用者必須逐一登入個別資料庫查詢,無法直接檢索圖書館有提供之所有文件資源。
系統花費	圖書館不需要大幅修改程式，但須依據代理人執行的目的,擴充所需之功能	獨立運作模組，不易整合既有的圖書館自動化系統。
技　術	結合 XML 和代理人技術,符合現今資訊技術(IT)應用趨勢。	一般性的網路資訊服務技術
負　荷	圖書館不須額外人工處理，容易達成完全自動化的目標。但若電子文獻提供者並未自動藉由 XML/EDI 提供新文件目錄資訊，則必須由編目人員人工建立對應之目錄。	如果圖書館採用購買全文資料庫的方式，必須隨時維護或更新資料庫。若只單純轉介至全文資料庫公司，則不須額外工作。

六、結　論

資訊查詢系統必須能夠處理不斷暴增的期刊和書目資料來源。藉由運用XML的標示技術，使EDD系統能夠提供前端使用者達成整合文獻檢索及獲取的直接管道。尤其今日，有越來越多的資料，無論是書籍或期刊，都已經轉換成為電子媒體。因應這些重大的轉變，新一代的電子文獻傳遞系統必須能夠處理這些資料媒體，並且在考量圖書館有限的經費之下，不須大幅度修改現有自動化系統的架構。

本文使用的XML標示技術所提出的電子文件傳遞系統模型，同時結合圖書館與文件供應商既有的系統，具備了下列兩點的貢獻：

⑴在讀者服務方面：本模型提供了前端使用者一個整合文件查詢和檢索的服務，並且解決了電子文件在使用上付費的方式，以及縮短查詢至取得電子文件實體所需的時間，並提昇了資料查詢的求現能力。

⑵在圖書館方面：本模型能夠將圖書館重新定位在Web資訊中介人的角色，並且降低圖書館館藏徵集的負荷。

本系統模型能夠將電子文獻傳遞系統完全整合至圖書館自動化系統，透過有效的電子文獻傳遞與付款機制，不僅加速電子出版品的發展，還可提昇資訊流通與提供安全的版權保護，促進提供圖書館扮演良好的Web資訊中介者的角色。依據上述結論，本模型尚需繼續下列工作：

⑴分析處理電子出版者實際的複雜交易模式。

⑵設計介於圖書館與EDP之間處理資訊往來的代理服務程式(Agent-based)技術。

(3)依據公鑰基礎建設(Public Key Infrastructure)，設計良好的線上交易安全的運作機制。

【附　註】

註 1　Juha Hakala, "Z39.50-1995 Information Retrieval Protocol: An Introduction to the Standard and It's Usage", available over the Internet at URL: http://renki.helsinki.fi/z3950/z3950pr.html

註 2　Judy Luther, "Electronic Book '98- Turning a new page in knowledge management: NIST Conference", Library Collections, Acquisitions, & Technical Services, 1999, Vol. 23, No. 2, pp.179-181

註 3　"Extensible Markup Language (XML) 1.0", W3C Recommendation, World Wide Web Consortium, 1998, URL: http://www.w3.org/TR/1998/REC-xml-19980210

註 4　Cawkell, A.E., "Electronic document supply systems", Journal of Documentation, 1991 Mar, vol.47, no.1, pp.34-37

註 5　Hans Roes, Joost Dijkstra, "Ariadne: the next generation electronic document delivery systems", The Electronic Library, Jan 1994, available over the Internet at URL: http://www.kub.nl/~dbi/users/roes/articles/ariadne.htm

註 6　Hal Berghel, "Value-Added Publishing", Communications of the ACM, 1999 Jan, Vol.42, No.1, pp.19

註 7　Pamela Mccauley-Bell, "Intelligent agent characterization and uncertainty management with fuzzy set theory: a tool to support early supplier integration", Journal of Intelligent Manufacturing, 1990, Vol.10, pp. 135-147

註 8　Webber, David R, "Introducing XML/EDI Frameworks", EM - Electronic

Transactions. EM - Electronic Markets, Mar 1998, Vol. 8, No. 1, available over the Internet at URL: http://www.electronicmarkets.org/netacademy/publications.nsf/all_pk/804

註 9 "Introducing XML/EDI: the e-Business framework", available over the Internet at URL: http://www.geocities.com/WallStreet/Floor/5815/start.htm

註 10 ISO/IEC 10181-1 "Information technology- Open Systems Interconnection- Security frameworks for open systems: Overview", Aug 1996, pp. 11

註 11 "Access & Technology Program/NAILDD Project", Association of Research Libraries, available over the Internet at URL: http://www.arl.org/access/naildd/naildd.shtml

註 12 "The Ohio Library and Information Network", available over the Internet at URL: http://www.ohiolink.edu/

族譜文獻的有效利用：

談家譜總目與人名資料庫編纂計畫

廖慶六

Director, Chinese Genealogy
Cybersia.com(SEA) Pte Ltd
Singapore

摘　要

本文敘述圖書館及網站單位推動編纂家譜總目，及建置人名資料庫計畫案的內容與重要性，分析如何落實有效利用族譜文獻的方法。從個案中窺探它們在中文文獻共建共享合作計畫所扮演的角色，及充實網際網路資源應有的地位，並了解兩個計畫案的時代意義。

關鍵詞：上海圖書館　中國家譜總目　尋根網　族譜人名資料庫

一、前　言

上個世紀下半葉，由於電腦資訊及相關科技的日益進步，對於圖書文獻的整理與利用帶來鉅大的影響與變革。舉目所見，各種文獻資源的開發，隨著無遠弗屆的網際網路傳播及數以億萬網友的供需互動，正逐漸呈現出一片欣欣向榮的景象。在中國歷史文獻方面，正史、方志及人物傳記，其資訊化作業均已有實質的成果表現，而族譜文獻雖然起步稍遲，但是因爲日漸受到各種研究領域學者的重視，加上海內外數千萬華人尋根的需求，公私單位也開始將其目光轉注在如何有效利用族譜文獻的課題上。

現藏族譜文獻數量龐大，但是因爲各姓氏族譜編輯體例相當不一致，主要收藏者又分散在世界各地的圖書館，加上民間收藏數量亦相當可觀，因此要進行有效的收集與整理，當事者確實要面對比較多的挑戰。經過近二十年來時代觀念的改變及有識之士共同努力的結果，針對如何有效開發與利用族譜資源問題上，目前確已獲得一些共識與進展，尤其是進行族譜總目編纂及內容數位化處理兩項工作的需求與迫切性，更已受到多方的肯定與支持。其中，由大陸上海圖書館牽頭的《中國家譜總目》編纂計畫，及新加坡尋根網(www.chineseroots.com)負責推動的《族譜人名資料庫》編纂計畫，目前業已開始啓動，這兩大計畫案均屬跨國性的艱鉅任務。他們從最基本的中國家譜收藏總調查開始，發動群策群力編纂提要式藏書總目，到逐頁數位化處理並完成建置索引式人名資料庫，從而擴增網路資源並發揮共建共享目標，當中還牽涉到海峽兩岸文化交流及海內外圖書館共同合作問題，其實這也是處於新經濟環境及環球化趨勢的衝擊下，一項落實族譜文獻有效利用所必須面臨的必然結果。

二、古今圖書整理一瞥

回顧中國圖書館史，在以私人藏書爲主的年代裏，可以發現有正史藝文志記載先人著作概況，及歷代皇帝敕編的大型類書與叢書，還有佛、道兩教人士整理的宗教經典鉅編，民間學者窮畢一生編撰的文獻工具書，從目錄、索引、解題到全集、類書、叢書等，各種圖書整理形式並不尟見，其成果利用亦堪稱方便。但是如今圖書館事業蓬勃發展年代，要藉助現代科技之優勢去整理古籍，才能更有效幫助讀者利用更多的古籍文獻，而典藏機構及圖書館員也必須盡到一份專業服務的職責。歷代整理文獻的目的，就是為了保存文化及幫助傳播文化，相信後人開發數量龐大的族譜資源，也將會對民族文化做出更具體的貢獻。

族譜古稱譜牒，它是一種家族歷史文獻，主要記載內容有姓氏淵源、人物世系表及歷代祖先傳記等資料，家譜資料內容極為豐富，可以和正史、方志並列為中國史學的三大支柱。族譜亦名家譜或宗譜，它另有多種不同俗稱，其差異是隨年代、地域、姓氏或編纂者之不同而產生。根據調查，中外現有公私藏中文族譜數量至少有三萬部以上，年代要以清朝及民國三十八年以前刊印或抄寫者為最多，而目前所見族譜文獻，仍以線裝本古籍形式為主要部份。檢視目前所見的族譜文獻整理成果，除了歷代藝文志有史部譜系類部居外，其它仍以近二十年來所出版的族譜目錄為大宗。(註 1)

反思過去、策勵將來，為了協助推動編纂總目及人名資料庫新計畫，特先將歷代圖書文獻的整理形式與成果，以及近二十年來出版的中國族譜目錄，簡述如下以供比較和參考：

㈠ 歷代圖書文獻整理形式與成果：

我國古籍數量與種類繁多，歷代祖先亦有各種形式的蒐集與整理，從傳統經、史、子、集分類中，大致可歸納出書目(目錄、索引、摘要、解題、藝文志)、文集、類書、叢書等幾種文獻整理形式。近代圖書館及出版社興盛之後，各種有益古籍利用的整理形式亦紛紛出籠，例如續四庫全書總目提要、十三經、廿五史、全唐詩、宋詞、道藏、大藏經、歷代文選人物索引、傳記索引等等。此外，過去不同朝代盛世時期，均有編纂大部頭圖書文獻的優良傳統，自宋朝以降，其中比較大型的文獻整理成果如下：

1. 冊府元龜(1,000 卷，宋朝)
2. 永樂大典(22,877 卷，明朝)
3. 嘉興大藏經(12,600 卷，明朝)
4. 古今圖書集成(10,000 卷，清朝)
5. 四庫全書(79,018 卷，清朝)

㈡ **近二十年中國族譜目錄出版概況：**

目錄揭露族譜文獻的流傳與典藏概況，從過去歷代所修的藝文志及日本多賀秋五郎編撰的《宗譜之研究・資料篇》(東京，1960 年)，已經大約可以看出部份族譜文獻的遞增與典藏狀況，但是大量編纂族譜目錄的情況，卻以近二十年之成果最爲明顯。依目前所見，以單行本形式出版的族譜目錄如下：

1. 國學文獻館現藏中國族譜資料目錄初輯(台北，1982 年)
2. 美國家譜學會中國族譜目錄(台北，1983 年)
3. 臺灣區族譜目錄(桃園，1987 年)
4. 〔山西家譜中心〕中國家譜目錄(太原，1992 年)
5. 台北市文獻會族譜資料圖書目錄(台北，1994 年)
6. 中國家譜綜合目錄(北京，1997 年)
7. 上海圖書館館藏家譜提要(上海，2000 年)
8. 國立故宮博物院所藏族譜簡目(台北，2001 年)

三、中國家譜總目編纂計畫

㈠ **計畫簡介：**

1. 緣起：上海圖書館是世界上典藏中國家譜數量最多的圖書館，近年來曾經舉辦過兩次大型的族譜資源開發與利用學術研討會，會後並出版兩本研討會論文集，同時也編印一本館藏家譜摘要。上海圖書館為了擴大調查海內外家譜典藏實況，並落實家譜文獻的有效利用，特於 2000 年初草擬一項中國家譜總目編纂計畫，隨後順利獲准列入海峽兩岸五地「中文文獻共建共享合作計畫」八大立項之一，這是由大陸、臺灣、香港、澳門、新加坡，海峽兩岸五地之國家圖書館，或主要圖書館及大學機構共同發起，並於 2000 年中開始執行的大規模中文文獻整理計畫。

2. **主辦：**本項目委由上海圖書館負責總編輯，主要經費提供者有上海市政府、新加坡尋根網及美國猶他家譜學會。

3. **期間：**本項目從 2001 年起實施，計畫用三年分四個階段進行，預計在 2003 年底完成編纂與出版工作。

4. **目標：**出版《中國家譜總目》一書及提供網上目錄檢索服務

5. **配套：**編纂《中國家譜大辭典》、《中國家譜系列叢書》、《百位中國名人家譜簡介》等相關書籍，幫助了解族譜體例內容及探索豐富的族譜資源。

上海圖書館屬於大陸地方級的綜合性研究型公共圖書館，其藏書規模排名全世界第七大，它擁有數千萬件的古籍文獻收藏品，其中家譜文獻一項就有 12000 部，約 10 萬册之多，是世界上典藏中國家譜數量最多的圖書館。上海圖書館出版過不少著名的藏書目錄與圖書資訊學研究專著，《中國叢書綜錄》一書就是其精心編纂的著作之一。1998 年 11 月及 2000 年 5 月，分別舉辦族譜資源開發與利用學術研討會，會後並出版《中國譜牒研究》、《中華譜牒研究》兩本研討會論文集，另外也出版一本館藏家譜目錄專書—《上海圖書館館藏家譜摘要》。2000 年 6 月，首次「中文文獻共建共享合作會議」在北京香山召開；2000 年 11 月，上海圖書館也順利在該館召開《中國家譜總目》編纂會議。編纂會議共有來自海內外25家家譜收藏單位參加，經過兩天熱烈的討論，並就編纂方案、家譜收錄範圍、著錄規則及具體的操作形式等問題，獲致九項主要結論，其中以揭櫫編纂總目的意義，分配編委工作任務與職責，及出版著錄規則與編纂工作簡報最爲顯著而具體。

據上海圖書館指出，《中國家譜總目》項目是中國家譜資源開發與利用中的一項基礎性工作。近年來，上海圖書館與海內外譜牒資源收藏機構加強聯繫，積極進行《中國家譜總目》的有關工作，其目的就是爲了編纂一部比較科學、精確的中文本家譜總目，其中於 2000 年 5 月出版的《上海圖書館館藏家譜提要》一書，便是其階段性成果之一。如今上海圖書館更上一層樓，主辦總目編纂工作並負責籌集所有經費，其用心與表現，眞可謂是：爲「弘揚中華民族優秀的傳統文化、繁榮學術研究、促進文明建設」之遠大目標，向前邁出一大步。(註 2)

㈡ **著錄規則：**

在去年第一次編纂會議中，來自海內外圖書資訊界 32 位代表，詳細討論由上海圖書館事先擬訂的《中國家譜總目編纂方案》、《中國家譜總目著錄規則》及《編委單位的職責》等文件，最後再由上海圖書館綜合與會者的意見，進行修改與定稿。其後出版《中國家譜總目》著錄規則小册子，它是用來規範本項計畫之編目工作手册；同時在《中國家譜總目》編纂工作簡報第二期中，也附錄一份《中國家譜總目》著錄項目表，以供全體編委複製與遵循之用。事實上，《中國家譜總目》著錄工作之依據與核心，是由編輯方案、著錄規則、著錄項目表三項組合而成：

1. 編輯方案：共計七項內容：包括名稱、編纂宗旨、著錄範圍、參加單位與編委會構成、編纂計畫、資源共享形式、經費問題。在「編纂宗旨」中，敘述家譜豐富內涵，必將對人文社會科學和自然科學的研究起到有力的推動作用，同時對海內外華人、華僑的尋根認同，以及增強中華民族的凝聚力均有積極的意義。在「著錄範圍」中，闡述收錄範圍廣及海峽兩岸及外國藏書機構收藏和散見于民間的、公元2000年之前編輯的、用漢字記載的中國各民族家譜，包括家乘、族譜、宗譜、世譜、支譜、房譜、統譜、總譜、通譜等不同命名的譜牒文獻，無論是刊印本、稿本、抄本，還是複印本、微縮影捲與光碟複製本，一概加以收錄。

2. **著錄規則：**這是按照大陸地方對於古籍文獻的著錄規則，並參考上海圖書館編纂《上海圖書館館藏家譜摘要》的工作經驗而制定的。在一本14葉小册子中，共分成六項內容敘述族譜總目的著錄規則，包括適用對象、收錄範圍、著錄項目、著錄格式、著錄用文字、著錄項目細則。在最主要的「著錄項目細則」中，又針對9個著錄項目詳舉範例說明之。事實上，它與古籍著錄規則大同小異，但是爲了能夠眞正反應族譜文獻所具有的血緣與地緣關係內容，在「書名項」下特加一「譜籍」子項。譜籍指譜主的實際居住地，它以始遷祖的遷居地做爲基本的界定標準，並以加括號置於正書名之前，其格式爲：〔譜籍〕→正書名→卷數。細則中列出九種情形須於正書名前加譜籍，而譜籍不詳和譜籍存有疑問者，於「備注項」說明之。「先祖名人項」也是專爲著錄族譜而附加的項目，本項著錄原譜所記宗族的始祖、始遷祖和本支名人。另外，「附注項」是針對一般著錄項目內容作必要的補充說明；而「備注項」則提供譜籍標引問題及其它需要再說明問題的補充說明。

3. **著錄項目表：**這是著錄每部家譜時所必須塡寫的表格，基本上，它是依《中國家譜總目》著錄規則小册子內容製作而成的。表中共列 9 個著錄項目及 1 項編目員資料，包括書名、責任者、版本、載體形態、附注、先祖、裝訂、收藏者索書號、備注、編目員。如前所述，「先祖項」專供被著錄譜主中、主要始祖或始遷祖等傳主的名諱填寫而設，同時也可著錄譜中有那些舉世名人，此項特色可以幫助認識不同家譜文獻所蘊藏的研究價值。爲了方便上網服務，除了書面填表著錄書目外，主辦者也建議有條件的單位，最好也能同時提供機讀目錄格式(CNMARC)的電子版。

㈢ **工作進度：**

在 2001 年底前爲第一階段，這是家譜的調查與條目的初編階段，上海圖書館至今已經出版《中國家譜總目》編纂工作簡報三期，以及《中國家譜總目》著錄規則小册一本，這些資料是上海圖書館與全體編委間，得以保持連繫及追蹤報導的主要通訊文書。

1. **《中國家譜總目》編纂工作簡報第一期：**刊載《中國家譜總目》編纂會議第一次會議紀要，上海圖書館馬館長致辭，中國文化部社會文化圖書館司陳司長致辭，國家檔案局、教育部、文化部關於協助編好《中國家譜綜合目錄》的通知(國檔會字〔1984〕7 號)等內容。

2. **《中國家譜總目》編纂工作簡報第二期：**刊載《中國家譜總目》編纂方案，《中國家譜總目》著錄規則，《中國家譜總目》編委單位名錄及分工，《中國家譜總目》編委單位職責等內容。

3. **《中國家譜總目》編纂工作簡報第三期：**刊載文化部辦公廳關于協助編好《中國家譜總目》的通知，河南、上海、安徽、湖北、遼寧、美國猶他家譜學會、浙江等地區、單位編纂工作正式啓動，《中國家譜總目》著錄項目表例稿(參考稿)等內容。

4.《中國家譜總目》著錄規則小册子：詳細刊載本計畫的家譜總目編目規則之內容。

㈣ 預期成效：

如上所述，最近二十年來兩岸已經編印了八種以上的族譜目錄，但是詳細查考各書內容，可以發現其缺點是收錄族譜的重複性與典藏地的侷限性問題。雖然全部收錄書目總計高達五萬五千餘部，但實際族譜數量卻在三萬種左右，這種情形就是數種目錄重複收錄同一館藏族譜書目所造成的。(註 3)另外，也有一種目錄僅僅收錄單一館藏的族譜書目，加上各書編纂體例繁簡相當不一，對於族譜文獻的特殊屬性，亦無法單獨立項著錄，這些目錄確已不足顯示海內外各地藏譜的現況與揭露族譜利用的價值所在。在前述編纂方案中，主辦單位已明白表示，總目工作步驟分四個階段進行，最後階段是在 2003 年底前完成，預估收錄家譜高達 6-8 萬種。最後成果將會交付出版社正式出版，並將條目製成數據庫上網服務，屆時不但可以比較眞切而全面性地反應族譜文獻的流傳與典藏狀況，而且還可幫助達成中文文獻資源共享的鉅大目標。同時，在嚴謹的著錄規則及統一的著錄項目表下作業，可以規範目錄內容與編輯品質，這一捐棄管見、不分國界的新世紀館際合作項目，如能如期完成編纂與出版，相信將爲圖書館史締造一部永世不朽的書目鉅著。

四、族譜人名資料庫編纂計畫

㈠ 計畫簡介：

1. 緣起：爲了有效利用族譜文獻資源，確有必要將所有族譜記載的祖先人名編製成索引資料庫，有鑑於此，新加坡家譜尋根網站(www.chineseroots.com) 即首先發起建置族譜人名資料庫計畫，上海圖書館及山西省社科院家譜資料研究中心隨後亦表示贊同並願協助編纂作業。新加坡家譜尋根網站是由 Cybersia.com (SEA) Pte. Ltd.公司，於 1999 年 8 月在新加坡創立的，它是以華人姓氏家譜資料爲主要內容的商業性網站(ICP)。自成立以來，已經分別和最主要的姓氏家譜典藏與研究機構，包括大陸上海圖書館、山西省社科院家譜資料研究中心及台灣的台灣省各姓淵源研究學會，互相締結合作關係，其目標就是要建置最完整的華族人名資料庫，有效幫助網友進行族譜研究及家族尋根。(註 4)

2. **主辦：**新加坡家譜尋根網站(www.chineseroots.com) 負責提供經費、設備及資料庫整體規劃與執行，合作單位則負責提供家譜資料及輔助編纂工作進行。

3. **期間：**2001 年 1 月起，以三種方式進行：初期計畫(Pilot Project)、大規模建檔、分批上網，預計在二年內完成族譜人名資料庫建檔。

4. **目標：**將現藏華人姓氏族譜所記載的人名，都收錄在族譜人名資料庫中，並由尋根網站按完成建檔先後順序，分批上網以供檢索。

5. **配套：**除贊助並參與上海圖書館《中國家譜總目》編纂計畫外，同時也規劃出版一系列族譜影像光碟，及編纂全國地方志及各種名人錄之人名資料庫。

在英語系國家中，以族譜尋根做爲內容的網站，其設立時間較早且很普遍。以美國爲例，爲了滿足民衆血緣與地緣尋根熱潮，很多單位包括族譜學會、檔案機關、圖書館、出版社及宗教團體，都紛紛開闢尋根網頁或設立族譜網站，其中比較知名者，有 www.Ancestry.com, www.Familysearch.org, www.Rootsweb.com, www.Genealogy.com 等專業族譜尋根網站。其中 www.Ancestry.com 就是廣受歡迎的熱門網站之一，目前網上資料庫超過三千個，每天被瀏覽頁數(Page-view)超過六百萬。www.Familysearch.org 則是由摩門教所屬的美國猶他家譜學會創立，該會家譜圖書館(Family History Library)典藏族譜文獻之歷史已逾一百年，並在全球 75 個國家設立 3,400 個家譜中心(Family History Centers)，他們免費提供尋根者查閱微縮影捲家譜資料。(註 5)

在華人世界裏，同樣有很多家族也很熱衷於編修家譜及進行尋根，尤其對於海外僑胞而言，回祖籍地謁祖尋譜之意義更是重大。雖然華族人口衆多而且上網人口成長速度也相當快，但是提供專業性族譜尋根的網站卻是一片空白，一直到新加坡族譜尋根網站創設之後，全球華人才能方便地透過網路進行姓氏尋根與家族聯繫。尋根網借鏡美國知名族譜尋根網(Genealogy Website)之經驗，同樣以積極建置祖先人名資料庫爲努力目標，並儘量設法幫助華人達成他們尋根的心願爲目的，因此網站內容除了撰文介紹族譜利用價值外，更以開發各類型人名資料庫之網路資源爲職志。網站現有主要頻道(Channel)爲「家譜中心」、「姓氏大全」、「姓名大觀」；資料庫類型則有書目式的上海圖書館典藏家譜目錄及萬萬齋編輯族譜目錄，全文式的資料庫則有姓氏資料庫及輩序資料庫，族譜人名資料庫及全影像族譜資料庫還在分批建置、掃瞄中，相信在短期內即可完成測試，並且儘早上網提供服務。(註 6)

㈡ 資料庫建置：

族譜資料庫 的呈現方式，大致可分成書目式(Bibliographic Database)、全文式(Full-text Database)及全影像式(Full-image Database)三種類型，尋根網獨家與上海圖書館合作推出的中國家譜目錄，就是屬於書目式資料庫，目前收錄目錄將近三萬條。因爲人名資料庫是根據各姓氏族譜的核心內容(core content)—世系表(family tree)編製，這是建置族譜人名資料庫的主要資料來源，也就是把世系表中的祖先人名資料一一標建索引。事實上，族譜人名資料庫就是尋根網站所有計畫開發各類型人名資料庫的核心工程，執行計畫亦訂有編輯凡例及作業流程。茲將本項資料庫編纂計畫的資料結構(data structure)、使用者介面(users interface)、檢索系統(retrieval system)，分別簡要說明如下。

1. **資料結構**：資料庫從上而下之分層結構，爲總體資料庫(Database)→分組資料庫(Datasets)→筆數(Records)→欄目(Fields)，其中以筆數(Records)爲資料輸入(data entry)之基本單位。分組資料庫是依據原譜於 1949 年前出版者，以每譜(title)編成一個分組資料庫；1949 年以後出版者，則依地域或姓氏別合編數譜爲一個分組資料庫。爲了能夠有效幫助血緣與地緣尋根之需，資料庫共設計 10 個欄目，依建檔排列順序爲：傳主姓名/父親/子女/兄弟/別名/朝代/地域/始遷祖/世代別/文獻出處。其中，傳主之「父親」、「子女」、「兄弟」是組織三代世系表的必備資料，「地域」可以顯示譜籍地緣之關係，而「始遷祖」可以擴延世代尋根之上限。

資料內容之來源，是以各姓氏族譜中世系表祖先人名爲主，各種中國家譜文獻資料之人物爲輔。每個傳主都要記載其上下三代關係之家庭成員名字，但原譜資料缺漏者可以不記。資料建檔是應用 Wordpad 或 Notepad 軟體來建置純文字檔資料(text file)。因爲絕大部份族譜文獻是以繁體中文字書寫記載的，所以資料輸入亦以繁體中文字爲妥。

2. **使用者介面**：使用者介面是讓使用者感到親切而方便查詢

資料的一種畫面設計，它必須配合資料結構特性與檢索系統功能而精心設計。人名資料庫建檔雖然以繁體中文字輸入，但爲了滿足所有華人之需要，因此尋根網同時提供繁體與簡体中文兩種不同版本的查詢畫面。

族譜人名資料庫使用者介面，可以導引網友利用資料庫，並以循序漸進式進行尋根，因此從開始進入查詢(search)畫面到顯示最後結果(result)畫面，中間可能有 1-2 層的畫面路徑，再從「人物小檔案」、「三代世系表」及「族譜文獻」不同資料選項中，進入查閱最後一層的結果顯示。

3. 檢索系統：族譜人名資料庫之檢索系統，可以支援索引引擎(indexing engine)與查詢引擎(searching engine)兩種功能，而查詢功能也能支援欄位瀏覽(field browsing)與全文查詢(full-text searching)之雙重功能。基本上，使用者可依本身對於資料庫查詢操作熟稔程度，分別從基本查詢(global search)、修正查詢(refined search)、高階查詢(advanced search)不同機制切入，或採取必要的查詢步驟與策略，以期達到快速獲得結果或提高結果精準度(recall of accuracy)之目的。

網上查尋族譜人名資料庫，可以選擇不同資料庫類型及不同欄位別進入，並從姓名、地域及始遷祖等重要訊息中進行尋根。此外，經查詢結果顯示出來的三代世系表，從表中所顯示人名再做全方位的超聯結(hyperlink)，它可以向上或向下探索家族之綿延網絡，這是發揮族譜尋根功效的一種特殊設計。

(三) 目前進度：

本項計畫截至 2001 年 3 月底爲止，是屬於初期計畫(Pilot Project)試驗階段，它以內部建置(in-house develop)爲主軸，並由尋根網相關部門人員參與計畫之執行，包括資料收集與整理、網頁設計及檢索軟體系統開發，均在公司內部分工進行。預計四月底完成資料庫測試後，自五月份開始，部份資料庫(Dataset)就開始分批上網，同時與合作單位展開大規模與全面性族譜人名資料庫建檔作業。

㈣ **預期成效：**

建置族譜人名資料庫可以充實網路資源，一方面達成編製族譜文獻人名索引工作，一方面幫助網友進行血緣與地緣尋根心願，這也是爲了達成有效利用族譜文獻的最佳手段之一。同時配合人名資料庫建置進度，也將逐步完成全影像的族譜光碟掃瞄，如此不但可以方便網友研讀族譜內容，而且可以輔助圖書館保存珍貴的族譜。此外，從編纂族譜人名資料庫之實務及網路使用者的回饋互動中，可以吸取更多編製資料庫的經驗，以供往後陸續開發各種人名資料庫的參考依據。族譜人名資料庫可以收錄億萬筆數姓名，並將各姓氏祖先大名重現在網際網路上，如果網路業務及資料庫建置一切都很順利發展，相信對於提昇網路資源及發揚傳統家族文化，都會做出很有意義的貢獻。

五、結　論

㈠ **機緣：**

本文主旨在於探討族譜文獻的有效利用，並以上海圖書館《中國家譜總目》編纂計畫及尋根網族譜人名資料庫編纂計畫做爲研究個案。因爲上海圖書館是典藏族譜數量最多的圖書館，而新加坡尋根網則是起步較早且內容較豐富的族譜網站，兩者本有緊密的合作關係，現在又各自推動一項開發族譜資源的大型計畫；這種同時參與彼此編纂工作純屬因緣際會，如此卻能收到互相支援與協助之效果，相信對於兩大計畫案順利達成目標，一定

會有莫大的助益。(註 7)

㈡ **意義：**

進入二十一世紀就啓動二項關於族譜利用的有效方案，兩案又是從整理族譜文獻及開發網路資源理念出發，其中《中國家譜總目》編纂計畫，是兩岸圖書館「中文文獻共建共享合作計畫」八大立項之一，它能配合尋根網的人名資料庫編纂計畫，並喚起海峽兩岸圖書資訊界關注並發揮群策群力之功效，這不僅是達成族譜文獻有效利用的捷徑，而且對於落實中文文獻共建共享之目標，同樣具有劃時代的意義。

㈢ **問題：**

族譜文獻一直有保存用繁體字刊印的傳統，它可說是一種數量非常龐大的古籍，因此當事者在計畫執行上，確實要面臨較多的文字輸入及網路中文內碼之問題。例如，中文字彙不足，如何處理難、異、闕字問題；兩岸使用不同中文內碼，如何避免繁簡字轉換所衍生的內容正誤偏差。此外，投入計畫案所需的資金及人力問題，民間族譜收藏數量到底有多少問題，如何統一編製中文機讀目錄問題，它們對於計畫案的進行與完成，都會造成一些考驗。

㈣ **建議：**

編目工作與資料庫建置都是圖書館員的專業職責之一，在當前網路資訊時代，世界知名的資料庫出版商與入口網站經營者，均對圖書資訊專業人員抱有很高的期待，圖書館員編輯與指導建置資料庫是責無旁貸的，因此圖書資訊系如何加強培育資料庫專業人才，確實值得我們深思與重視。

【附　註】

註 1 本文關於族譜書目資料及統計數字，主要是引用自筆者碩士論文：《我國族譜文獻蒐集整理與資訊化之研究》(1998 年，天主教輔仁大學圖書資訊學系)。

註 2 本文關於《中國家譜總目》編纂計畫內容，主要是引用自上海圖書館編印之《中國家譜總目》編纂工作簡報一、二期(2001 年)及《中國家譜總目》著錄規則小册子(2001 年)。

註 3 八種中文本族譜目錄，總共著錄 55,590 部族譜書目。

註 4 本文關於尋根網及家譜人名資料庫編纂計畫內容，主要是引用自尋根網相關網頁及筆者負責規劃的方案。

註 5 http://www.familysearch.org/Eng/Library/FHL/frameset_library.asp

註 6 拙作，「談族譜數位化之發展—以新加坡尋根網爲例」，宜蘭文獻 47 期，頁 95-110。

註 7 筆者服務於新加坡尋根網，目前擔任中國家譜總策劃一職，負責族譜人名資料庫總規劃並兼任上海圖書館《中國家譜總目》編纂計畫副主編，兩項計畫案都能恭逢其盛而倍感榮幸。

大學校院圖書館評鑑之相關資料整理與探討

胡英麟

育達商業技術學院通識教育中心講師

摘要

圖書館經營有無標準可循，影響其發展的方向和成效至極，訂定一套合理的評鑑標準，不但可以減少圖書館進行相關服務的摸索時程，亦能讓圖書館的服務成效不至於偏離一般要求太多，進而可保障讀者的權益。臺閩地區的圖書館發展，雖然以大學校院圖書館的發展較為健全。不過，在大學校院圖書館評鑑標準方面，至今仍無一套標準可資遵循，因此，不論是新建或擴建館舍者，及進行圖書館相關業務時，圖書館同道之間的相互徵詢，經驗交換成為寶貴的參考資源；但是，當「眾說紛紜、標準不一」時，可能讓工作進行更困難。本文旨在整理及探討大學校院圖書館，進行評鑑工作時可資參考的相關法令、標準及規定等，希望透過此一整理及探討能夠提供大學校院圖書館進行評鑑工作時參考。

關鍵詞：圖書館評鑑　圖書館標準　大學圖書館

壹、前　言

在圖書館的管理工作中，評鑑是一項重要的工作，尤其是大學校院圖書館肩負著支援教學研究及提升讀者資訊素養(Information literacy)的重要使命，更應重視評鑑的工作。吳明德教授引述路易士(Louis Round Wilson)的論點認爲就大學的功能來看，大學圖書館的任務應包含保存知識與觀念、支援教學研究、出版、推廣及服務、研究成果的解釋等。(註 1)由此可見，大學校院圖書館在大學母機構中之重要性是不容置疑的，而評鑑工作的積極目的即在於檢視圖書館是否發揮上述的功能。

再者，評鑑工作的進行需依循一定的標準，而相關標準的制定者，必須相當瞭解大學圖書館的特性，才有可能訂定出一套適宜的評鑑標準。具有一定規模的大學校院圖書館，雖然是大學母機構的附屬單位，然其服務機制之複雜程度，亦使其在組織分工上和學校整體組織有一定的對應性，例如：圖書館內需設行政管理、資料選購、流通典藏、資訊系統維護等部門或機制；此外，亦需進行活動推廣、資訊利用指導等工作，若說大學內的活動爲一系列的「知識活動」，那麼，圖書館無疑是扮演「知識活動」推廣的重要角色。因此，在建立大學校院圖書館的相關服務機制時，除需配合母機構的整體發展外，亦需兼顧本身運作機制的差異。倘使評鑑標準的制定者不清楚上述的特性，視圖書館爲一般的行政單位，即有可能訂定出影響圖書館功能發揮的評鑑標準，例如：在圖書館人員聘用標準上，若想充份發揮圖書館知識活動的意涵，則應編制有利從事支援教學及研究工作的人員，如學科顧問、圖書館教師、研究員、技術士等，然現行可資參考的相關規定中，似乎不重視此部分。

因此，欲充份發揮大學校院圖書館的功能，除工作人員的自重、自省與自勵之外，建立一套合宜且具前瞻性的評鑑標準實在是一件刻不容緩之事，如此各館方能在行有章法可據，維持一定的服務水準之後，才更進一步地去發展各館的經營特色。本文試整理及探討國內近十年(民國八十年起)可供大學校院圖書館在進行評鑑工作時參考的相關法令、標準、規定及重要研究報告等，希望透過此一整理及探討能夠提供大學校院圖書館進行評鑑工作時參考。

貳、圖書館評鑑之目的

計劃、執行、評鑑係任何行政管理工作者所熟知的程序，其中評鑑是提昇工作效率及效能的手段。圖書館實施評鑑時，其內部及外部相關單位和人員亦不能錯將手段當目的，因而失去評鑑的意義。一般認為圖書館的評鑑工作，主要是欲達到下列幾項具體的目的：

1.為診斷、修正服務，比較預測讀者需求，確定達成目標的程度，而這些功能的最終目標是在回饋圖書館設立時的服務宗旨，藉以改進缺失，幫助讀者找尋所需資訊與營造自學環境。(註2)

2.為爭取足夠的經費，各圖書館一方面要提出績效報告，一方面要研究改進服務的品質。(註3)

3.為有效管理圖書館的人力、財物及資訊資源，使這些資源充份發揮其效益，以達成圖書館的經營目的。(註4)

李華偉博士在「現代化圖書館管理」一書中引述蘭卡斯特(F. W. Lancaster)對圖書館評估的看法，蘭卡斯特認為圖書館的評鑑工作至少有下面四項目的：1.找出現行服務的水準點和標竿(Benchmark)，以作爲日後評估的比較；2.與其它圖書館比較彼此的成果；3.證明圖書館存在的價值及其成本效益；4.診斷圖書館作業的缺點，以便採取改善的措施。李華偉博士則認爲圖書館的評估工作不僅是要決定究竟「做得有多好？」(How is it doing？)還要找出「做得對不對？」(Is it doing what it should be doing？)。(註 5)

換言之，評鑑的主要目的是要藉著對圖書館業務瞭解的過程，檢討圖書館經營的成效，以達到一定水準的服務品質，就大學校院圖書館而言，藉由評鑑工作以提高支援教學研究的效能即爲最終的目的。

參、現有圖書館評鑑之相關標準

所謂「工欲善其事，必先利其器」，圖書館評鑑工作若要求得較客觀的評鑑結果，以作爲改善服務成效之依據，即有賴評鑑標準的建立，而標準的建立也不能全然單從一方之見而成，通常需考量相關的法規、研究報告及現實狀況等因素；此外，政府在平時就應該多進行相關的調查和研究，累積效度較高的資料作爲工作參考。以美國爲例，除圖書館學會及相關協會經常進行調查統計與評鑑工作之外，政府單位如美國國家教育統計中心(National Center for Education Statistics，簡稱 NCES)等亦經常進行類似的工作(註 6)，如此才能提供足夠的資料及資訊供圖書館界參考。

我國高等教育的評鑑工作，雖然早在六十四學年度即開始，但是完整的高等教育評鑑制度卻尚未建立(註 7、8)，因此教改會在第一次委員會教育部簡報時，將大學評鑑制度的改革列爲重要改革課題。(註 9)本節僅就目前可資圖書館營運基準參考的相關法令、標準、行政規定、重要草案、會議記錄、評鑑工作表(Worksheet)及研究報告等，進行簡介及適用範圍之說明。

一、重要之法令及標準

㈠大學法

大學法於民國三十七年一月十二日經國民政府制定公布全文三十三條，其間經四次修定，最近一次修定經〈華總㈠義字第〇〇三〇號令〉(83.01.05)修正公布全文三十二條，其中第十一條第四款明定圖書館爲應設單位，負責蒐集教學研究資料，提供資訊服務。該法爲設立大學校院的母法，圖書館據此在大學校院中有其法定位階，以確立圖書館執行公務暨提供相關服務的正當性。

㈡大學法施行細則

該細則於民國八十三年八月十九日經行政院台八十三教字第三二〇七五號函核定，最新修定版經〈教育部台(86)參字第八六一一九四〇二號令〉(86.10.15)修正發布全文三十條。就其正面意義而言，第九條規定「圖書館置館長一人，由校長聘請職級相當之人員兼任或擔任之」，該條文明定了圖書館主管之職稱、職級和任用方式；第十條分組辦事的相關規定則讓圖書館在組織編制上更具有彈性。

㈢大學法修正草案

大學法自民國八十三年元月五日修正公布實施以來，關心大學教育的人士對該法的評價有其正反不同的意見，持反面意見的人士認爲大學法實施以後，學府殿堂已成爲權力鬥爭的場所，派系林立，紛爭不斷。(註 10)因爲夾雜太多的政治因素，在修法其間爭議多方的問題未能有坐下來充分討論的機會，再加上立法院歷次會期的人事更迭，缺乏眞正了解大學教育的內行人，導致其間問題重重，令人難以滿意(註 11)等等。誠然，我們很難期待以法律去解決所有的問題，因此，隨著時空背景的更易做適度的修正是有其必要性。教育部亦因應此一須求，於民國八十七年五月成立「大學法修法專案小組」，進行修法的相關工作，並於民國八十九年四月籌組「大學法草案工作小組」，就大學法草案條文再進行檢視及修正的工作。

該草案中對學校應設單位雖不再明訂組織名稱，但依大法官第四五零號解釋文(87.03.27 公布)之解釋理由書：「大學法第十一條第一項第一款至第四款所列教務處、學生事務處、總務處、圖書館爲支援大學教學及研究所必要，第七款至第九款之秘書室、人事室、會計室爲協助大學行政之輔助單位，該法定爲大學應設之內部組織，與憲法保障大學自治之意旨尚無牴觸。」所以，在修正草案具體規範應掌理的事務內容中，仍包含圖書資訊一項，如果沒有意外，在修正草案完成立法後，圖書館仍可據此在大學校院中有其法定位階，以確立圖書館執行公務暨提供相關服務的正當性。

㈣各級各類私立學校設立標準

該標準經教育部〈臺參字第八七一四四〇〇〇號令〉(87.12.16)修正發布全文十三條，其中第七條-私立專科學校之設立標準及第八條-私立大學校院之設立標準，與圖書館相關之規定爲：「應設圖書館；並備置足夠之基本圖書、資訊、專門期刊及相關設備。」上述兩條文均規定圖書館爲應設單位，可讓圖書館在私立學校的組織編制上佔有一定位階，亦可據此進一步參考其它標準，完成組織建置並提供相關服務。

㈤圖書館法

該法由教育部在民國七十六年開始進行研擬工作，經〈華總一義字第九〇〇〇〇〇九三二〇號令〉(90.01.17)公布全文二十條。係本國圖書館經營的根本大法，檢視其中和大專校院圖書館經營有關之規定如下：第四條第三款爲「大專校院圖書館：指由大專校院所設立，以大專校院師生爲主要服務對象，支援學術研究、教學、推廣服務，並適度開放供社會大衆使用之圖書館。」該條文除明定大專校院圖書館的設立宗旨、主要服務對象及內容外，並意含大學爲社會公器之意義，認爲可適度開放供社會大衆使用，根據此條文之精神來經營圖書館，則大專校院圖書館不但可與當地社區產生良性互動，更可增進當地居民對學校的認同。

針對「大學及獨立學院圖書館標準」及「專科學校圖書館標準」教育部至今尚未核定，其主要因素係圖書館法一直未予訂定，如今此一母法已完成立法並公布施行，將有利於訂定標準工作之推展，儘速將相關營運標準制定完成。

㈥中國國家標準(CNS13151 號)圖書館統計標準

統計資料通常是圖書館界在評鑑時的重要依據，以往各圖書館爲因應主管機關要求的各式統計表格而造成困擾及負擔，常造成不知該如何提供統計資料，有鑑於此，圖書館界乃積極致力於統計標準的制定。中國圖書館學會標準委員會於民國八十年九月與中央標準局簽定計劃協議書，進行十二項與圖書館相關的國家標準研究工作，其中包含了「圖書館統計標準」，該標準之研究計劃委由國立臺灣大學陳雪華教授主持，其間除參考國際圖書館統計標準(ISO 2789：1991 年)、美國圖書館統計標準(ANSI Z39.7：1983 年)、德國圖書館統計標準(DIN 1425：1981 年)及加拿大圖書館統計標準(1988 年)之外，並參考「圖書館法草案」、「大專院校圖書館標準草案」等資料，並參酌國情狀況後研議而成。(註 12)

該標準由經濟部中央標準局(現改制爲標準檢驗局)於民國八十二年一月二十八日公布，其目的在於定義圖書館統計的項目名稱，並闡釋其內容及範圍，以做爲圖書館紀錄與報告圖書館統計數據之標準。該標準的適用對象包含了中華民國臺閩地區各類型圖書館及資料單位。其內容則包括通則說明、用語釋義、圖書館統計資料之報告等三大範疇，其中以圖書館統計資料之報告爲該標準的重點所在，從表一可以看出其報告內容即爲評鑑工作的順序和內容，因此，該標準的實質內容亦具體反應在教育部評鑑工作表(Worksheet)當中。依據此國家標準所制訂出來的統計內容及數據清晰易懂，可收標準化之效，亦可令全國一致甚可與世界同步。(註 13)

表一　中國國家標準，CNS13151 號圖書館統計標準(簡表)

1.適用範圍	3.6 館藏
1.1 目的	3.6.1 館藏總量
1.2 原則	3.6.2 館藏增加量
1.3 適用對象	3.6.3 館藏淘汰量
2.用語釋義(略)	3.7 館舍與設備
3.圖書館統計資料之報告	3.7.1 圖書館建築總面積
(節錄 1 至 3 層項目名稱；4 至 5 層細項略)	3.7.2 閱覽席位
3.1 通則	3.7.3 設備
3.2 統計資料報告涵蓋日期	3.8 服務與資源使用
3.3 圖書館	3.8.1 讀者人數
3.3.1 圖書館名稱	3.8.2 借閱量
3.3.2 母機構名稱	3.8.3 圖書館開放時間
3.3.3 圖書館行政主館	3.8.4 圖書資料重製服務
3.3.4 行政單位及服務處所	3.8.5 館際互借
3.3.5 圖書館類型	3.8.6 參考服務
3.4 圖書館工作人員	3.8.7 推廣服務
3.4.1 依其工作性質，計算圖書館工作人員總數	3.9 電腦使用
	3.9.1 技術服務
3.4.2 依其學經歷背景，計算圖書館工作人員總數	3.9.2 讀者服務
	3.9.3 行政管理
3.5 經費	3.9.4 其他
3.5.1 經常費	
3.5.2 開辦費	

二、教育部相關規定與圖書館標準有關者

㈠私立大學校院學雜費彈性收費條件

據教育部臺(83)高字第〇四一七四六號函(83.07.29)之規定，在私立大學校院學雜費彈性收費的多項條件中，圖書館的開放時間是否能配合教育的需要？圖書館藏書的質與量，是否能視教育的需要而調整？均被視為校方增收雜費的必須條件。

㈡ 教育部遴選專科學校改制技術學院並核准附設專科部實施辦法

該辦法經教育部臺(86)參字第八六一四九五三九號令(86.12.24)修正發布全文十條，其中第四條第五款設備部份，規定「應設有圖書館，並已完成學術、校園網路連線及圖書業務自動化設施與功能。學生人數在三千人以下者，其圖書館基本圖書量至少六萬冊；學生人數逾三千人者，以一千人為一級距，每一級距應再增置圖書量至少一萬冊。每系、科之專門期刊至少二十種。」。

㈢技術學院改名科技大學審核作業規定

該規定經教育部臺技字第八八一二二二〇七號函(88.10.14)訂頒，其中規定「應設有圖書館，圖書館總館樓地板面積不得低於五千平方公尺以上；並已完成學術、校園網路連線及圖書館自動化設施與功能。圖書館基本圖書量至少十五萬冊，每系（科）之專門期刊至少二十種。」該辦法中具體規定圖書館的樓地版面積、藏書量及資訊設施等。

三、其它重要草案、會議記錄、評鑑工作表(Worksheet)及研究報告

㈠大學圖書館營運要點（草案）

該要點於民國八十四年經由中國圖書館學會研擬後公布，共計三十五條條文，分成總則、組織與人員、經費、圖書資訊資

源、建築與設備、服務及管理等七大項。該要點之訂定在條述大學圖書館設立的基本要求，並可作爲營運時的參考準則與評鑑之依據。圖書館評鑑工作與圖書館營運要點有相當密切的關係，因此，該要點雖然目前尚未經教育部正式通過實施，但實爲現行大專校院圖書館經營的重要參考標準。於民國八十七年召開的大學圖書館館長會議中，與會者認爲不論是「大學圖書館營運要點(草案)」，或是「專科學校圖書館營運要點草案」，對圖書館的經營均有莫大的影響，爲使圖書館經營有標準可循，因此建議由中國圖書館學會直接發布各營運要點，並將「草案」二字刪除，以做爲圖書館經營之依據標準。此外，中央主管機關日後訂定各類圖書館之設立及營運基準時(依圖書館法第五條規定圖書館之設立及營運基準，由中央主管機關定之)，期能多加參考該要點。

㈡「全國技專校院圖書館業務推動工作小組」相關記錄

該業務推動工作小組的前身爲「技專校院圖書館自動化工作小組」，運作至今已進入第三年(第三階段)，目的在於透過小組成員的討論，針對技專校院圖書館所面臨的各種問題，進行相關研究暨討論，並在取得與會者的共識之後，再將意見提供給教育部做爲對技專校院圖書館業務執行時之參考。根據「全國技專校院圖書館業務推動工作小組」第二次會議記錄(民國八十八年三月六日)中，有關技專校院圖書館業務評鑑的意見如下：

1.組織：各圖書館應成立「圖書館發展委員會」以強化圖書館的營運機制。

2.員額：各圖書館專業館員之比例至少爲全館工作人員的二分之一以上；非專業館員在接受圖書館相關學科訓修滿 20 個學分後，即可升爲專業館員。

3.館藏：

⑴各館必須要有逐年增購新書計劃。

⑵館藏量必須平均至少每位學生 20 冊。

⑶應有館藏汰換之計劃。

㈢教育部評鑑工作表(Worksheet)

該工作表為教育部技職司於民國八十九年辦理校務評鑑公聽會的相關文件，圖書館評鑑的部份共列有八大項，分別為組織編制、經費狀況、館舍空間、館藏現況、採編作業、借閱服務、參考諮詢及自動化系統。各大項之下另羅列評鑑細目及相關附表，整份工作表共計二十餘頁，和以往的評鑑工作表相較差異甚巨(過去的評鑑工作表約僅有三至五頁的內容)。雖然該表對不同體系之大學校院圖書館的適用性尚待檢驗，但就目前而言，該表確實可作為圖書館自我檢視的重要參考資料。本文因篇幅所限，僅將八大項次及項目簡列如表二。

表二　教育部技職司 89 年校務評鑑圖書館評鑑工作表(簡表)

項次	評　鑑　項　目
1	組織編制 ⑴ 圖書館在學校組織之層級 ⑵ 圖書館組織結構（分組及職級等） ⑶ 館員背景（學歷、專業人員與非專業人員比例） ⑷ 館員在職進修情形
2	經費狀況 ⑴ 全年圖書館經費總額及分配數（佔全校經費之比例） ⑵ 各項經費來源 ⑶ 圖書資料購置費（經費數、佔總經費之比例） ⑷ 各類型資料之經費分配數及比例 ⑸ 每位讀者平均分配圖書資料購置費 ⑹ 各系所運用圖書資料購置費情形

3	館舍空間 ⑴ 圖書館總面積 ⑵ 讀者服務區及技術服務區空間分配 ⑶ 服務動線之順暢性（各部門空間關係及動線設計） ⑷ 館藏空間擴充性 ⑸ 閱覽空間標示 ⑹ 工作空間分配
4	館藏現況 ⑴ 現有書資料量 ⑵ 各類型書資料年成長率 ⑶ 館藏發展政策 ⑷ 圖書資料量與讀者之比例 ⑸ 圖書資料汰舊情形（處理方式、年報廢、報損率）
5	1.採編作業 ⑴ 各項文件、表格資料之建檔與取用 ⑵ 全年購置圖書資料量（各類型資料種數及册數） 2.採購編目流程（作業之銜接、資料轉移） ⑴ 分類編目作業方式（採用之標準、工具及合作編目情形） ⑵書目資料回溯建檔情形（建檔書目、館藏量佔現藏資料之比例）
6	借閱服務 ⑴ 教師、學生借書比例 ⑵ 圖書館開放時間（自修區及各閱覽區開放時間） ⑶ 圖書館座位數 ⑷ 期刊閱覽服務（現期期刊及過期期刊陳列方式、服務項目等） ⑸視聽媒體服務（軟硬體設備、服務方式等）
7	參考諮詢 ⑴ 全年參考諮詢服務量（指引型、專題型、研究型等） ⑵ 圖書館利用指導 ⑶ 電子資料庫之提供（中西文資料庫量、資料庫利用方式及利用情形） ⑷館際合作服務（參加之合作組織、借入及貸出量）
8	自動化系統 ⑴ 圖書館自動化程度（採訪、編目、流通、線上公用目錄、期刊管理等自動化情形） ⑵ 主機系統（機型、功能及用途） ⑶ 個人電腦數（讀者服務區、技術服務區） ⑷ 全球資訊網網頁建置（內容與服務項目） ⑸系統管理人員（人數、專門技術人員或館員兼辦）

㈣大學校務綜合評鑑指標建構之研究

該研究為教育部委託國立臺灣師範大學教育研究中心所進行的研究計劃，於民國八十七年七月結案，教育部於八十七年九月以台（87）高㈣字第87098879號函送各校周知。該研究將圖書資源列為十大指標項目之一，主要內容包括館藏、經費、使用率、館際合作等。參考該研究內容有助於對大學校院校務評鑑及發展有一較整體及宏觀之瞭解。

㈤大學暨獨立學院、專科學校圖書館標準研究計畫報告書(註14)

該報告書於民國八十年一月提出，其研究目的在探討當時臺灣地區大學暨獨立學院以及專科學校圖書館現況，並參考國外的大學校院圖書館營運標準及衡量當時國內教育學術環境，草擬出客觀可行之最低標準，以作為各圖書館規劃、參考之依據與評鑑之準繩。該報告書提出至今雖然已時隔十年，但是，其結論與建議事項仍可作為現今圖書館營運的參考。此外，經由該專案小組依據文獻分析、各方意見及問卷調查之研究擬訂的「大學暨獨立學院圖書館標準」草案及「專科學校圖書館標準」草案，至今仍具相當高的參考價值。

㈥技術及職業校院法(草案)

該草案以教育部在民國八十二年草擬完成「技術及職業校院法(草案)」的架構及條文為藍本，再依據當前國內技職教育實際發展狀況，衡酌未來技職教育改革趨勢以及國家經濟建設和產業發展需要，並參考新近公布、修訂之相關教育法令，先委由專案工作小組逐條檢討、增減彙整；其後並由教育部技職司舉辦三梯次之研討會，邀請學者專家、政府代表、技職校院代表參與研討，進而擬定草案條文。其後又分北、中、南三區舉辦四場次分區座談會，廣邀產、官、學及各民意機關等各界代表約二百四十人參與座談，提供修正意見。經整理分區座談會建議意見後，函請省市教育廳局、各相關部會、技職院校與教育部各司處研擬修正意見後，再逐條檢討修正成本法草案條文。(註 15)

㈦八十九年度全國技專校院圖書館營運現況調查

該調查報告爲教育部八十九年度委辦專案計劃，執行單位爲修平技術學院，調查的對象爲國內的科技大學、技術學院及專科學校圖書館，目的在瞭解技專校院圖書館的經營現況並提出建議。該項調查的成果及建議事項，可作爲各館營運基準並提供政府擬訂相關法令時之參考。

肆、結　語

大學校院圖書館評鑑標準的建立，對大學校院圖書館發揮支援教學研究、推廣利用並適度開放給社區公衆使用等功能有其重要的影響，日前公布的圖書館法，亦賦予中央主管機關訂定圖書館設立及營運基準之權責，應此政府應積極訂定相關評鑑基準，以增進圖書館營運之績效。

以現有機制而言，在「教育部圖書館事業委員會實施要點」中(民 87 年 4 月 7 日教育部臺(87)社㈢字第八七〇三四四九五號函送)，即明定該委員會的任務包括：圖書館法規與標準之研訂事項、圖書館之組織與服務之改進事項、全國圖書館服務系統與技術規範之規劃事項、圖書館資訊發展政策之制定事項、圖書館與資訊教育之改進事項、圖書館事業之評鑑事項及關於圖書館事業其他興革事項等七項。因此，中國圖書館學會實應積極推動相關工作，並配合暨落實「教育部圖書館事業委員會」的機制和功能來運作，

此外，筆者亦呼籲政府在訂定營運基準時，應多考慮時空環

境差異等特性，訂定出整套合理適用本國圖書館的營運基準。以圖書館之建築規劃爲例，除了中國圖書館學會於民國五十四年訂定的「圖書館建築設備標準」以及民國八十五年的「公共圖書館建築標準」可資參考外，並無其它適用標準，且上述標準並非針對大學院校圖書館而訂定；即便是大學校院，我國高等教育的學府類型與功能差異性甚巨，若以直接參考甚至引用國外標準(如美國大學暨研究圖書館協會認可的「大學圖書館標準」，又容易產生「水土不服」的現象，因此，國內倘使能訂定適用於各類型圖書館的標準，將有助於解決標準適用性與否的問題。

最後，圖書館工作人員實應將評鑑工作視爲「當然」之工作，不論是來自內部自評或外部評鑑，均不應有抗拒或怕麻煩的心態，唯有透過評鑑的工作，不斷地審視現有的服務內容和效益，依此循序漸進，除弊興利，圖書館的服務成效自然可以日積有功。

【附　註】

註 1　吳明德。〈大學圖書館員角色的省思〉，《大學圖書館》，1：1，民 86.01，頁 5。

註 2　呂春嬌。〈從 CIPP 評鑑模式談圖書館的評鑑〉，《大學圖書館》，3:4，民 88.10 ，頁 27。

註 3　吳美美。〈演進中的圖書館評鑑工作與評鑑研究〉，《教育資料與圖書館學》，34:1，民 85，頁 41。

註 4　國立編譯館主編。《圖書館學與資訊科學大辭典》。台北市：漢美，民 84，頁 2073。

註 5　李華偉。《現代化圖書館管理》。台北市：三民，民 85。頁 210-212。

註 6　Christopher C. Marston 。“Coverage Evaluation of the Academic Library Survey”。
USA：National Center for Education Statistics，1999。
URL：http://nces.ed.gov/pubsearch/pubsinfo.asp? pubid=1999330

註 7　楊國賜。〈高等教育改革與國家發展〉。《教育資料與研究》，21，民 87.3，頁 31-46。
URL：http://www.nmh.gov.tw/edu/basis3/21/kk7.htm

註 8　楊濬中。〈私立大學校院之運作與發展〉。《教改通訊》，15，民 84.12，頁 10-13。

註 9　：郭為藩。〈教育改革的重要課題〉。《教改通訊》，1，83.10，頁 5-6。

註 10　張鏡湖。〈論大學法的修訂〉，華崗網站・師長言論集。URL：http://www.pccu.edu.tw/

註 11　劉源俊。〈論大學法再修訂的大方向〉，《教改通訊》，民 84.5，頁 15。

註 12　鄭寶梅。〈我國圖書館統計標準之制定及其應用-以臺閩地區圖書館統計調查為例〉，《中國圖書館學會會報》，65，民 89.12，頁 79。

註 13　梁富吉。〈國家標準介紹・圖書館統計〉，《工業財產權與標準》，6，民 82.9，頁 112。

註 14　張鼎鍾等。《大學暨獨立學院、專科學校圖書館標準研究計畫報告書》。教育部研究計畫，民 80 年 1 月 30 日，93 頁。

註 15　教育部。〈辦理技術及職業校院法草案，建立技職教育一貫體制〉，教育部技職司資料庫檢索。URL：http://www.edu.tw/rules/index.html

書店經營對圖書館的啓示

葉怡君

親民工商專校共同科人文組講師

摘要

圖書館與書店同樣是為知識服務的機構，近年來臺灣實體書店與網路書店在書店業者的用心經營之下蓬勃的發展，尤其實體書店更成為臺灣別具特色的文化產業之一。本文分別就實體書店與網路書店的經營方式與經營理念加以探討，期對圖書館工作者有所助益。

關鍵詞：書店　網路書店　圖書館

壹、前言

身爲一個圖書館工作者，在進行各項圖書館工作之時，總不忘提醒自己「從讀者的角度出發」，而圖書館的各項工作無非希望吸引更多的讀者利用圖書館的資源，然檢討個人「利用圖書館」的經驗：在學生階段因著報告、論文、工讀、實習而進入圖書館、利用圖書館；離開學校後因從事圖書館工作，所以每天進出圖書館，眞正去利用圖書館資源，僅限於有研究方面需要之時。

近幾年來臺灣書店業蓬勃的發展，無論是大型的連鎖書店，亦或是別具風格，傳達個人特色的個性書店，及一家接著一家開站的網路書店，這股書店風潮帶領起臺灣的書店文化，讓「逛書店」、「買書」逐漸成爲日常生活的一部份，因此越來越多的人逛書店，甚至有計畫、有預算的去買書。無可諱言的，書店亦屬資訊的供應者，爲知識服務，就此角度來看是與圖書館同質性的機構，而今書店業者逐漸意識到消費者不再只是單純的買一本書，更重視買一本書的過程，而漸漸將書店經營成一個服務比較好、資訊比較新、環境較優的圖書館！

反觀今日臺灣圖書館界深陷於人力與經費的泥沼中，不見成長的曙光。書店屬營利機構，書店的經營者勢必要更錙銖必較於人力與經費，把「人」放在適當的位置，把「錢」花在刀口上，是經營者共通的要求。書店也是運用其有限的人力與經費慘淡經營，且辦理各項的活動，藉著活動的辦理吸引消費者進入書店、建立書店本身的特色，並且建立起基本客戶群。

本文分就實體書店與網路書店經營的策略可供圖書館借鏡之處加以探討，期對圖書館工作者有所助益。

貳、實體書店的經營策略

圖書館和書店有何不同？圖書館的藏書豐富！其實不少大型連鎖書店在「館藏」方面雖比不上學術圖書館，但要和公共圖書館比美可也遜色不了多少；圖書館辦推廣活動，書店的推廣活動辦得更徹底：圖書館辦座談會，書店不僅辦座談會，還辦新書發表會、作者簽名會；圖書館辦讀書會，近來書店也辦；圖書館製作新書簡介，書店所印製的新書簡介，還加上書評及專家評選；

圖書館提供線上公用目錄檢索，書店也紛紛上網，提供查書的服務；圖書館在各地蒐集各地地方文獻，整理過去的歷史，書店也在各地開設分店時，更是以市場調查瞭解鄰近地區的組成份子，作爲各地分店特色的依據，整理的是目前的狀況；圖書館有 SDI 服務，部分書店做了基本的 SDI，新書通告的服務。書店的各種服務不斷往圖書館方向前進，而且「青出於藍」，因爲除此之外，各家書店還營造一種自身獨特的氣質，並帶領出一股書店風潮，讓書店成爲臺灣聞名海外重要的「文化產業」。

無可否認的，書店的經營策略成功的吸引了客戶進入書店，對圖書館來說，應有其足供參考、啓發之處：

一、書展：（註1）

書展是一般書店最常見的促銷手法。一般而言，書店舉辦的書展活動大致可以區分爲二大類型：一是具有話題性或主題性的「主題書展」，配合季節、時令、節日、熱門話題等做變化，是屬於有固定檔期，時間較長的大型書展；一是以出版社作爲區別的「個展」，多半是以小型書展的形式呈現。長久以來是許多書店定期的活動之一。

書展的成功與否與主題的訂定有關鍵性的影響。因此書展的舉辦必須考慮「天」、「地」、「人」三要素。以「天」來說，季節與時令的變換是主題書展更替的一個很好的主題；以「地」來說，必須注重區域的特色，唯有選擇與使用者屬性相符合的主題展示，才能達到預期的成效；以「人」來說，書展是經營者建立風格的最佳媒介，故亦有其形象上的意義。

對圖書館來說，長久以來書籍的排放方式過於刻板，便可利用定期舉辦各種主題的書展，讓館藏圖書的排放方式更靈活。作法就如同主題書展，將圖書館各種資料類型，依主題整理出來，各圖書館可依其館藏數量決定訂定主題的大小，如館藏量少的圖書館若以「環保」爲主題，館藏量較豐的圖書館便可以「鯨豚保育」爲主題。

將館內有關該主題之一般圖書、參考工具書、期刊、視聽資源、電子資源均整理出來展示。當然也不要忘了，活動的目的在吸引使用者利用館內資源，所以所有原本可供借閱的資料在展示期間應也是可以借閱的。

不管舉辦任何的活動都必須宣傳，善盡告知的義務，善用所有的管道，讓「衆所皆知」，是「促銷」的第一步。

二、排行榜：

金石堂書店將全台各分店的銷售數字作一統計，製作「暢銷書排行榜」，各家書店紛紛跟進製作各家書店的暢銷排行榜，這是一種促銷手法，對書店的買氣有相當的助益。

有人質疑排行榜造成讀者同質化、庸俗化，的確排行榜只是「量」的排行而非「質」的比較。但畢竟「書」的「質」如何比較高低，這是見仁見智的看法，而「量」就顯得單純的多，也顯得客觀的多（註2），也比較容易得到普羅大衆的認同。總之，金匱石室之書或藏諸名山的不朽作品不一定就能出現在排行榜中，排行榜本身的目的在表達出「大衆」的喜好，如果以「高水準」、「高品質」來要求排行榜，無非緣木求魚，也非製作排行榜的本意。

而對圖書館來說亦然，圖書館製作每日報表、每週報表、每月報表，何不利用這些現成的統計數字製作排行榜？針對館藏的借閱情況製作「熱門借閱排行榜」，或針對讀者借閱記錄製作「讀者借閱排行榜」、「班級借閱排行榜」，針對進館人次統計製作「館藏利用排行榜」。定期製作，或登載於圖書館簡訊，或製作成海報張貼於佈告欄。

三、推薦書：（註3）

不論是「強力推薦書」，亦或是「店長推薦區」、「推薦新書」等，推薦書成爲書店經營促銷的當紅手法。推薦書的形成不外是藉著出版社及書店共同的努力及篩選，以建立幫客人選好書的口碑。

就書店經營者而言決定推薦某本書的標的包括六大準則：一是出版社的出書品質；二是作者的知名度；三是市場的反應與接受度；四是該書是否具有話題性；五是口碑；六是出版社或經銷商的配合活動。雖其中不乏商業考量，然店家爲維護品牌與形象，對推薦書無不謹愼小心，因此，一個行銷手法，書店也做起書籍的守門員，發掘叫好又叫座的暢銷推薦書，打起散播書香，建立書香社會旗號，而深獲社會認同。

而圖書館要做推薦書難嗎？是否又因爲考慮是否專業，考慮社會教育的責任問題而卻步。其實大可不必，許多現成可用的社會資源：有不少媒體作選書的工作：報紙如聯合報的讀書人、中國時報的開卷、中央日報的出版與閱讀；雜誌類如：亞洲週刊；乃至網路上的票選好書活動。圖書館界如台北市立圖書館好書活動、國家圖書館的全國新書月刊。官方如金鼎獎入選好書。都是可供推薦的參考。

而圖書館進行推薦書時與書店不同，不適宜一次一本書的方式，應以一次多本書，或刊載於圖書館的簡訊，或於館內另設推薦書區，結合書評資料、讀者心得分享做更完整的推薦。

四、特色營造

「書店想要生存下去，一定要有自己的特色」。

對大型連鎖書店來說，店內必須提供多元化的選擇，所以必須賣場大、書種多，且強調複合式的經營，不僅是單純的賣書，還包括 CD、錄音帶，咖啡、下午茶等等，更重要的還包括他們的服務態度。而且必須重視書店形象的外觀，一個顧客對書店設備的重視，超越店中書籍的狀況，另外還要提供藝文活動，除了可以吸引消費者之外，亦提升文化推廣的形象。（註4）誠品書店無疑是各大連鎖書店中最佳的典範，「誠品販賣的不只是書，還有生活的風格」，誠品書店成功的把「商品」包裝成「文化」在販賣。（註5）

因此書店越來越重視「賣場氣氛」的營造，因爲銷售行爲是以漸次而非立即發生的，因此在達到販售書籍的最終目的之前，應先致力於如何使消費者樂於前來閱讀的近程目標。而好的「賣場氣氛」的意義便在於縮短「消費者」與「閱讀」之間的距離，也就拉近了「消費者」與「書店」之間的距離。（註6）

同樣的道理，將「書店」代換成「圖書館」，如何塡補讀者與圖書館之間的鴻溝？圖書館是否提供了一個讓讀者樂於前來閱讀的環境？這意義絕不等同於爲準備考試而到普通閱覽室自修。氣氛的營造是圖書館工作者應更進一步思考的問題。

另外，中小型書店則趨向於精緻化、專業化、個性化：如臺灣ㄟ店就是一家以臺灣本土文化爲特色的書店；書林主要是進口和出版英文書籍；女書店的主題鮮明，就是一家屬於女人的書店。

同樣的，圖書館建立館藏特色的政策亦是行之有年。可議之處在於館藏特色的訂定過程，是否能與服務對象的資訊需求相符。圖書館與書店的不同在於，書店是開店者理念的實現，但圖書館是爲社區居民服務的，如果一個已經沒有漁民漁村的圖書館，仍然堅持以「漁業」做爲館藏特色是否適宜？因此在訂定館藏政策之時，服務對象的實際需求應列入考量。又一些小圖書館，因鄰近大館，而讀者人數不多，更應以建立精緻、別具特色的館藏爲發展方向。

五、其他：

書店經營者亦積極努力提升書店的角色，讓書店不僅是一個販售圖書的地方，也是一個文化傳播的管道，因此辦理許多動態活動，如：新書發表會、作者簽名會、座談會、研討會、演講、親子活動、或與政府單位、表演團體合辦活動。並建立與消費者溝通的管道，如辦理讀書會、印製書訊發送等。

顯而易見的，書店的經營從圖書館身上得到不少啓示，從如此多樣化的活動辦理，書店展現出它驚人的活動力。同爲文化工作者，同樣爲知識服務，圖書館是否過於「沈默」了些？

參、網路書店的經營

臺灣的出版業、書店業、網路業紛紛投入網路書店的市場，網路書店相較於實體書店，其競爭優勢在於：

一、書種齊全：在地小人稠的臺灣開一家書店，店面租金是每個店家最沈重的負擔，由於店面的空間有限，因此一家書店能夠擺置十萬册左右的圖書已經算是相當不容易，因此書店展示的圖書多以新書及暢銷書爲主。

相較之下，網路書店因爲沒有空間上的限制，可提供的書籍種類因此較多、也較完整。網路書店業最大的優勢就在於書種齊全，亞馬遜網路書店提供了四百萬種圖書，臺灣的博客來網路書店也有二十萬以上的圖書。實體書店的空間有限，造成書本上架壽命短，網路書店因爲沒有空間的限制而讓舊書復活了。

只要建立良好的物流中心，網路書店無所謂店面大小的問題，也就無所謂租金的問題。因此網路書店乃在建立良好的物流與資訊流，結合兩者，提供服務。

二、突破實體書店在時間與地域上的限制：實體書店有營業時間上的限制，網路書店是全年無休的二十四小時服務。這種無論何時何地均可提供服務的方式無形中吸引了部分實體書店的潛在客戶，也提供了偏僻地區逛「大型書店」的機會。

三、完整書訊的提供：網路書店由於是線上服務無法讓消費者眞正見到書的實體，而是以「圖書閱讀報導」的媒體形式來幫助消費者購書。由於網路書店對書籍的介紹除該書之基本資料外，往往提供了「序言」、「目次」、「導讀」、「書評」、「網友意見」等等。

此外，出版訊息、作家消息報導、主題書展、銷售排行榜、……也都在網路書店的首頁中。這些資訊的提供，無非能增加消費者購書的可能，但也爲網路書店所提供的資訊帶來加值的效果。

根據文建會與天下知識網一九九八年針對網路書店瀏覽與購買行爲的調查結果顯示，受訪者使用網路書店購買書籍的原因，依序爲：提供圖書資訊搜尋功能、二十四小時服務能配合個人作息、方便、節省時間、提供個人化服務、免除銷售人員的壓力、提供各項折扣優惠、種類豐富、提供專業人士的書評或推薦、找尋市面上少見的書籍、購買行爲具隱密性、可接觸其他讀者的意見等。（註7）換句話說，使用者至網路書店購書的原因，也就是網路書店吸引消費者的原因。

故乃就在網路上提供服務的網路書店的服務內容與方式，提供圖書館在網路服務上的參考，分述如下：

一、檢索方式：

查詢功能是網路書店不可或缺的服務項目，清楚友善的使用者介面是達成此項服務最重要的因素。

以博客來網路書店爲例：博客來網路書店採用的是「openfind」作爲檢索軟體，提供使用者「全文檢索」與「精確搜尋」兩種方式：「全文檢索」一個檢索值搜尋書名、作者、出版社；「精確搜尋」是由書名、作者、出版社、ISBN、出版日期等做組合檢索。除檢索功能外，亦可採依主題類別分類瀏覽的方式，瀏覽各類圖書。

圖書館的 WebPAC 系統在在以使用者導向爲改革方向的今日，不斷開發新的檢索技術，以有效檢索出資料庫的內容，在檢索功能部分，如：布林邏輯、自然語言、控制詞彙……，較網路書店的查詢功能要豐富許多許多。

然網路書店所提供的檢索方式的可取之處，也在於它的「不專業」。除了介面的呈顯因爲少了如標題、集叢名（叢刊名）等「專業用詞」而較具親和力之外，圖書館與網路書店同樣具備依圖書主題類別查詢圖書的功能，可見「分類查詢」是一種十分重要的檢索方式，網路書店依照該書店自訂的分類方式供使用者分類瀏覽，雖各書店分類的方式繁簡不一，優劣難斷，然卻以「一般用語」讓使用者可以清楚明瞭知道；反觀，圖書館的分類查詢功能是以圖書分類法爲主軸，或僅提供分類號，或提供分類號及類名的對照，但是對使用者來說還是有距離的。舉例來說，星座、血型方面的圖書要判斷屬「200 宗教類」已不容易，何況往下的「290 術數；迷信；奇蹟」；散文、小說類屬「850 特種文藝」。總之，分類法中部分的類名並不容易被理解，造成圖書館提供的分類查詢功能最致命的缺點。

二、查詢結果顯示：

以博客來網路書店爲例，在查詢結果的顯示可分成二大部分，一是書的訊息，包括了：該書封面影像、書名、作者、譯者、出版社、類別（博客來書店的分類方式）、叢書、高廣、面頁數、ISBN等等，該書的基本資料；二是有關該書內容的介紹，則包含博客來導讀（簡介）、內容介紹、前言（序）、目錄（目次）、讀者評薦等部分。有關該本書的詳細訊息於查詢結果畫面得到完整的訊息。

網路書店在查詢結果的顯示上爲了彌補消費者不能眞正翻閱一本書提供了完整的書訊。圖書館是否也應提供使用者同樣的服務？答案是肯定的！無論是進館的使用者或線上的使用者，在目錄的顯示上提供足夠的資訊供使用者判斷是必要的。

在出版業逐漸資訊化，網路書店因之得以掌握資訊流提供完整的書訊，圖書館應也必須要做到，尤其當網路書店以掌握完整書訊，扮演起「讀書閱讀指導」的功能時，圖書館更應不落人後。尤其在校園BBS上都設有各類書籍討論的留言版，也常有激烈的討論，如何將這些討論者與所討論的精彩內容結合圖書館的圖書查詢系統在圖書館發表，這是集體創作的「書評」資料，是學校圖書館可參考的作法。

三、網頁服務項目：

「獲取資訊」是上網者進入此一網站的重要因素，因此網站自然必須能夠滿足上網者在資訊方面的需求。以網路書店的網站爲例，上網者可以在網頁中搜尋到感興趣領域的書籍訊息、新書資訊、作家報導訊息、書評、銷售排行榜、圖書預購，亦可透過分類獲得與主題相關書籍的訊息，甚至知道讀過某書網友的想法與看法。

使用者對「服務」的需求是無所不在的。因此在網頁上的常問問題集（FAQ）、公司簡介、服務電話、傳眞、e-mail 等都是必要的。身爲「服務業」除了在使用者需要服務時，能夠獲得服務之外，網路書店以訂閱電子報的方式定期主動提供消費者（使用者）新書資訊、出版訊息、作者資訊，以激發消費者的興趣與購買動機。

圖書館可以向「服務業」效法的地方，在於服務業者積極掌握每個服務的管道，且努力開拓新的服務管道，以積極、主動的態度對使用者提供服務的精神。如不少圖書館會定期印製簡訊，簡訊的內容不就是該圖書館的電子報！與其將簡訊寄送各圖書館，該館的使用者不該是最重要的讀者嗎？

四、行銷策略：

有專家指出網路商機並非適用於所有的產品或服務，唯有高涉入、資訊內容豐富的產品，消費者才會在網路上主動搜尋資訊的產品，並且購買。（註8）網路行銷的工具則包括了，諸如：親切友善的介面、互動性的網站設計、E-Mail 廣告、個人化服務、主動資訊提供技術、虛擬社群、網路會議、網站追蹤與上網分析、使用者資料整合等等，深入瞭解使用者的需求，以提供個別化且深入的服務。（註9）另外，配合網路特質，舉辦雙向、多向溝通的活動，例如：好書票選、讀者書評活動、讀書會、作家聊天室等等。

從使用者的角度去探討一網站所提供的服務，首先將從使用者介面的設計考量其便利性，再者此網站是否提供個人化服務衡量其能否滿足顧客個別的需求，三再從此網站是否提供互動機制來評估其與顧客之間的溝通性。（註 10）網路此一媒體的特質就在於「互動」，行銷的方式首先就在善用此一特質與使用者建立關係。除了上述各項活動之外，資訊服務走向個人化，圖書館應可利用網路對使用者進行分析、研究，建立使用者興趣檔，再由系統的設計提供使用者個人化的使用介面、個人化的服務資訊、個人化的推薦資訊、個人化的 SDI 服務。

如亞瑪遜網路書店的「wish list」服務讓使用者可以將自己喜好的各類商品放入「wish list」中，圖書館的OPAC系統，也可依法炮製製作一個「my choice」，目前 OPAC 系統可以提供讀者做借閱記錄的查詢，只要在此功能當中增加一個待借閱檔，讓讀者可能因借閱權限或時機因素無法借閱的圖書有一個「擺放」的位置，甚至可以讓讀者建立「個人經典藏書」。

肆、結　語

新絲路網路書店以「知識服務」（Knowledge Service Provider）爲書店的定位，在知識生產和消費的連結中從三個層面去思考（註 11）：

一、對知識的生產者而言，如何讓所生產的知識容易地被消費者接觸到？傳統出版的門檻能否降低？生產者的利潤能否再提高？

二、對知識消費者而言，如何容易、立即地找到他需要的知識？這些知識是否依他的需求來供給？而這些知識又是以何種型態來儲存和傳送？

三、對商業通路提供者而言，傳統的通路模式是否可以協助、改善上述知識生產者、消費者的問題與需要？如果是有困難的，那麼創新的、促成知識流通的通路模式，又該有怎樣的面貌？

目前圖書館所提供的各項服務，就算無法爲進館找資料的讀者找到完整的資訊，但至少能做到，提供一定的線索給讀者。但是，讀者走進到圖書館一定是爲了找資料嗎？也許這是位路經圖書館而走進圖書館的讀者，或是一位爲渡過空堂時間的學生，就像走在街上因爲路經一家書店而走進去逛逛，沒有任何「目的」的，圖書館爲這些沒有「目的」的讀者做了些什麼？書店的經營者可是用盡各種的方法（如：舒適的閱讀環境、閱讀氣氛的營造、親切的服務…）來吸引消費者在書店中多待一會兒，再利用各種的行銷方式（如：暢銷書排行榜、店長推薦書、主題書展…）刺激消費者，使得原本沒有消費意願的消費者很自然的買下一本書。這樣「刺激」使用者「資訊需求」的用心是圖書館所缺乏，換句話說，圖書館的服務對讀者而言沒有「刺激」，因爲圖書館對於沒有意識到自身「資訊需求」的讀者缺乏主動的服務，所以期刊區、閱報區總是圖書館最熱門的地方。

就意義上而言，圖書館與書店業者同樣是爲知識服務的，同樣肩負著知識傳遞與文化傳承的責任。圖書館於知識保存、社會教育、資訊正義等方面絕對有其不可抹滅的存在價值與意義，然在人稱知識爆炸的二十一世紀，完善的服務該是發揮自身價值與功能的有效途徑。

【附 註】

註 1 編輯小組，〈書店促銷面面觀㈠書展〉，《出版流通》60 期（86 年 3 月），頁 4-7。

註 2 韓維君等著，《臺灣書店風情》（台北市：生智，民 89 年），頁 29-31。

註 3 編輯小組，〈書店促銷面面觀㈡推薦書與動態活動〉，《出版流通》61 期（86 年 4 月），頁 4-7。

註 4 馬立群，〈書店一由傳統過渡到現代新型態的書店經營〉，《書府》第18、19期（87年6月），頁173-174。

註5 韓維君等著，《臺灣書店風情》（台北市：生智，民89年），頁49-55。

註6 邢曼雲，〈書店促銷又一章一賣場氣氛營造〉，《出版流通》69期（86年12月），頁9。

註7 林珊如、洪曉珊，〈網路書店使用者資訊行爲之研究〉，《資訊傳播與圖書館學》5卷4期（民88年6月），頁25-26。

註8 蔡明達，〈網路書店之行銷策略探索〉，《佛光學刊》2期（88年），頁317。

註9 蔡明達，〈網路書店之行銷策略探索〉，《佛光學刊》2期（88年），頁318。

註10 金承慧，〈網路書店行銷策略比較與競爭優勢分析〉，《大學圖書館》4卷2期（89年9月），頁87。

註11 新絲路網路書店知識服務新思路：書店簡介，〈http://www.silkbook.com/function/service/introduction.asp〉

【參考文獻】

陳惠瑜。〈我國大專校院WebPAC系統介面與特性之評估比較〉。《大學圖書館》4：2（89.09），頁57-79。

高鵬。〈我國網路書店採用中國圖書分類法之探討〉。《大學圖書館》4：2（89.09），頁38-56。

金承慧。〈網路書店行銷策略比較與競爭優勢分析〉。《大學圖書館》4：2（89.09），頁80-92。

廖又生。〈試論圖書館事業的休閒機能〉。《中國圖書館學會會報》62期（88.06），頁23-34。

李光祥。〈現代連鎖書店經營策略與傳統獨立書店的因應之道〉。《中華民國出版年鑑》（87.06），頁 35-44。

陳日陞。〈圖書業店銷通路的流通現狀及未來展望〉。《中華民國出版年鑑》（87.06），頁 27-34。

張天立。〈網路書店是圖書出版業的美麗新大陸〉。《中華民國出版年鑑》（89.08），頁 186-191。

洪美娟。〈連鎖書店掀起風雲〉。《天下雜誌》193 期（86.06），頁 106-118。

李孟熹。〈書店通路變革面面觀：掌握自店定位商圈〉。《出版流通》56 期（85.10），頁 10-13。

出版流通。〈書店促銷面面觀⑴：書展〉。《出版流通》60 期（86.03），頁 4-9。

出版流通。〈書店促銷面面觀⑵：推薦書與動態活動〉。《出版流通》61 期（86.04），頁 3-9。

出版流通。〈書店促銷面面觀⑶：會員制度 VIP 與禮券發行〉。《出版流通》62 期（86.05），頁 3-9。

編輯小組。〈同行不是冤家，異業可以爲師：臺灣連鎖塾之消費者行爲〉。《出版流通》63 期（86.06），頁 3-8。

出版流通。〈書店促銷〉。《出版流通》64 期（86.07），頁 34-35。

書店小組。〈書店賣場安全管理（上）〉。《出版流通》68 期（86.11），頁 36-37。

周孟蒨。〈讓營業員成爲好伙伴〉。《出版流通》68 期（86.11），頁 8-9。

書店小組。〈書店賣場安全管理（下）〉。《出版流通》69 期（86.12），頁 26-27。

邢曼雲〈書店促銷又一章-賣場氣氛營造〉。《出版流通》69 期（86.12），頁 8-9。

楊志偉。〈書店經營：賺錢商圈何處尋-2-〉。《出版流通商品情報》13 期（88.09），頁 26-27。

楊志偉。〈尋找好地點：未開店先成功一半〉。《出版流通商品情報》17 期（89.01），頁 8-9。

楊志偉。〈書店賣場規劃⑴〉。《出版流通商品情報》19 期（89.04），頁 26-27。

楊志偉。〈書店賣場規劃⑵〉。《出版流通商品情報》20 期（89.05），頁 6-7。

楊志偉。〈書店賣場規劃⑶〉。《出版流通商品情報》21 期（89.06），頁 4-5。

楊志偉。〈書店賣場規劃⑷：商品之配置〉。《出版流通商品情報》22 期（89.07），頁 18-19。

楊志偉。〈營造舒適的購書空間〉。《出版流通商品情報》18 期（89.02-03），頁 8-9。

鍾芳玲。〈書店可已有不同的逛法：國外著名書店網站導覽〉。《出版界》50 期（86.05），頁 10-13。

李淑清。〈網際網路與電子商務趨勢〉。《出版界》58/59 期（86.05），頁 56-59。

雷碧秀。〈電子商務的應用：網路書店趨勢與未來〉。《出版界》58/59 期（89.05），頁 4-9。

王士峰。〈連鎖書店間顧客滿意之差異性研究〉。《出版學刊》2 期（88.06），頁 27-29。

王宏德。〈華文網路書店探索之一：從亞馬遜的傳奇談起〉。《全國新書月刊》11 期（88.11），頁 3-4。

王宏德。〈華文網路書店探索之二：電子商務與商業革命〉。《全國新書月刊》13 期（89.01），頁 8-9。

蔣嘉寧。〈閱讀新科技：「E-書」〉。《全國新書月刊》20 期（89.08），頁 3-8。

李健成。〈從資訊科技看電子書的未來發展〉。《全國新書月刊》20 期（89.08），頁 9-11。

明宗敬。〈邁入電子書的時代〉。《全國新書月刊》20 期（89.08），頁 12-13。

吳賦哲、楊鈺崑。〈華文網路書店探索之四：從數位時代網路書店的特質看三民網路書店的發展〉。《全國新書資訊月刊》20 期（89.08），頁 14-17。

彭若青。〈應用科技軟體打造最柔軟的文化空間〉。《管理雜誌》。307 期（ ），頁 92-94。

林珊如、洪曉珊。〈網路書店使用者資訊行為之研究〉。《資訊傳播與圖書館學》5：4（88.06），頁 21-33。

蔡明達。〈網路書店之行銷策略探索〉。《佛光學刊》2 期（88.11），頁 315-334。

黃威融。〈一種書店的誕生：誠品在場已十年〉。《社教雙月刊》94 期（88.12），頁 39-42。

蔡明達。〈網路書店之策略規劃與建置管理〉。《研考雙月刊》24：3 = 217（89.06），頁 25-32。

吳芳宜。〈書店風景〉。《書府》18/19 期（87.06），頁 193-208。

馬立群。〈書店：由傳統過渡到現在新型態的書店經營〉。《書府》18/19 期（87.06），頁 171-192。

李驊芳。〈博客來網路書店總經理張天立在網路中發現金礦的老頑童〉。《能力雜誌》533 期（89.07），頁 67-68。

陳慈暉。〈以 Amazon.com 為標竿：金石堂的網路書店大街〉。《商業現代化》39 期（89.03），頁 4-11。

陳振燧、林婉玲。〈連鎖書店領導品牌：金石堂行銷策略之探討〉。《華人企業論壇》1：2（89 夏），頁 125-138．

張威龍。〈連鎖書店經營關鍵成功因素之研究：以北部地區消費者角度探討爲例〉。《萬能商學學報》5 期（89.08）頁 181 ＋ 183-211。

我國佛教寺院藏書概述

黃德賓

輔仁大學圖書資訊學系研究所碩士生

摘要

寺院藏書，為中國藏書史上的重要體系之一，本文係以宏觀的視角，加上史料的引證，來論述佛教寺院藏書的概況。首先，探討寺院藏書典藏的範圍，以及經書徵集的途徑。接著，說明寺院藏書的典藏方式，別是帙號法的演變，還有經書的維護工作。再來，便是以寺院清規為主軸，介紹寺院藏書管理職務--藏主的職責，和各種清規中關於藏書借閱的規則。最後，便是討論寺院藏書的功能，以呈現出我國佛教寺院藏書文化的整體風貌。

關鍵詞：寺院藏書　經藏　輪藏　藏經　清規　藏主

一、前言

佛教自東漢時代逐漸傳入中國後，佛經即陸續翻譯成漢文，使得佛教在中國從初期的老莊格義到自成一系，並且茁壯發展成各大宗派，完全融合於中華文化思想當中。漢文佛典隨著佛教在中國的傳佈與發展，再加上中土佛教撰述不斷地湧現，逐漸形成了一部龐大的漢文大藏經。基於對佛典的崇敬與教理的研究，寺院僧侶常會典藏數量衆多的經籍資料，而爲有效的管理與使用，便發展出一套有系統的目錄組織與管理模式，並且同時能符合教理的發展與儀制的規範。

佛經目錄在前人成果相續的努力之下，終能獨樹一格，在中國目錄學上成就非凡，此爲現今學界普遍所知之事。可是除了佛經目錄外，佛教寺院藏書在經營管理方面的研究，似乎就乏人問津。因此，筆者在此即針對寺院藏書事業的各項議題，做一初步的探討，以彌補這一方面的缺憾。

二、寺院藏書的內容與徵集

中國歷史上的藏書事業，除了保存珍貴的文化資產外，也曾經是中國傳統社會中傳播文化的重要場所。自從雕版印刷術興盛與普及後，圖書數量大爲增加，相對的藏書事業就較以往更爲蓬勃發展。佛教寺院藏書即在歷代僧俗共同努力下，逐漸豐富而完善，形成以大藏經爲中心的寺院藏書體系，且與官府藏書、私家藏書和書院藏書共同組成中國古代藏書事業的主體。(註 1)

關於寺院藏書的濫觴，王子舟認爲最早於道安撰錄時，即能肯定他所居住的寺院已有經本收藏，所以客觀地說，寺院藏書是在東晉時代開始的，盡管此時藏書量不大，但已經有了收藏、保管佛教經籍的專門藏書處所。(註 2)到了隋唐時代，寺院的藏書已是非常豐富，而存放經典的處所——經藏，也就成爲寺院內不可缺少的建築物之一，所以湯用彤指出：「隋唐藏經之所，想遍天下，文集中常見藏經序文，方志中所記寺廟常有藏經之院。」(註

3)

㈠寺院藏書的內容

自古以來，有關寺院藏書內容的記載，想當然主要都是以佛教經、律、論爲主體，再加上中華僧徒的撰述所構成的。可是在衆多的史籍中，我們不難發現，一些寺院藏書的範圍，事實上並不只有佛教的經籍，而是包含了更多四部、醫方、志書乃至家譜等等非佛教圖書。(註 4)例如，在《高僧傳》卷十四「序錄」記載，慧皎於會稽嘉祥寺作此傳記時，除了參考過將近二十種有關佛教的史傳著作外，更述說：

> 嘗以暇日遇覽群作，輒搜撿雜錄數十餘家，及晉、宋、齊、梁春秋書史，秦、越、燕、涼荒朝僞曆，地理雜篇，孤文片記，並博諮古老，廣訪先達，校其有無，取其同異。(註 5)

由慧皎的敘述看來，嘉祥寺的藏書相當豐富，才足以提供慧皎寫作時所需的各種資料。於此，陳援庵也指出：「梁元帝撰《金樓子・聚書篇》，有『就會稽宏普惠皎道人搜聚』之語，則其富於藏書可想。」(註 6)

另外，在《續高僧傳》中的「釋法融傳」，記載唐太宗貞觀年初：

> 丹陽南牛頭山佛窟寺，現有辟支佛窟，因得名焉。有七藏經畫：一、佛經，二、道書，三、佛經史，四、俗經史，五、醫方圖符。昔宋初有劉司空造寺，其家巨富，用訪寫之，永鎮山寺，相傳守護。(註 7)

傳中云佛窟寺有七藏，筆者認爲是指七座書櫥，其中放置了五類圖書(註 8)；從這五類圖書可知，佛窟寺的藏書相當豐富，甚至連道書都有收藏。此外，傳中又言法融在貞觀十七年(643 年)

前，曾於佛窟寺中閱藏，且「內外尋閱，不謝昏曉」達八年之久，更證明了寺中的藏書確實汗牛充棟。

寺院所藏外學圖書中，儒家的經典較爲常見，而其中值得一提的是，文人儒士的著作總集，有時也會整套收藏，這以白居易的《白氏文集》最爲著名。白居易在「東林寺《白氏文集》記」中說：

> 昔余爲江州司馬時，常與廬山長老於東林寺經藏中，披閱遠大師與諸文士唱和集卷。時諸長老請余文集亦置經藏，唯然心許他日致之，迨茲餘二十年矣！今余前後所著文大小合二千九百六十四首，勒成六十卷，編次既畢，納於藏中。……仍請本寺長老及主藏僧，依遠公文集例，不借外客，不出寺門。幸甚！(註 9)

白居易與東林寺諸位長老交遊甚篤，因而答應諸位長老的請求，在其晚年整理了自己的詩文集，奉置於與他有因緣的寺院：一部置於東都聖善寺鉢塔院律庫中；一部置於廬山東林寺經藏中；一部置於蘇州南禪院千佛堂內轉輪經藏中。(註 10)《白氏文集》雖非佛教書籍，但寺方仍主動徵求，並將其置於經藏之中，足見古代寺院對於收藏外學圖書的態度，是相當開放的。此外，嚴耕望於「唐人習業山林寺院之風尙」文中則認爲，由於當時除中央有秘書監、集賢書院藏書外，實無固定藏書機關，惟大寺院藏書可以恆久，故時人樂於寄藏。(註 11)

㈡寺院藏書徵集的途徑

自古以來，寺院都將請藏視爲開山立業之千秋大事，莫不發弘願以求之。雖然藏經的造價昂貴，而且官版藏經大多需要轉奏請旨，才得以印製，可是種種的困難卻都阻擋不了僧衆請藏供養的誓願。關於寺院藏書徵集的途徑，筆者考察衆多史料後，歸類分爲：朝廷頒賜、私人捐置、募款請購、自行繕寫或雕印等四種。以下分別說明之：

1.朝廷頒賜

自隋代以來，朝廷頒賜大藏經給名山古刹的記載，不絕於書。對於寺院而言，承蒙御賜大藏經，乃無上之光榮，故北宋以來，天下名寺流行建碑刻載經藏記等，其原因即在此。到了明代，獲賜大藏經之佛寺者，石刻「藏經護敕」的聖旨之風，更是興盛。(註 12)明英宗正統十年(1445 年)，皇帝曾頒賜《永樂北藏》給北京法海寺、南京靈谷寺等各大寺院，而在法海寺即立有「藏經護敕」的聖旨碑，其碑文如下：

> 朕體天地保民之心，恭成皇曾祖考之志，刊印大藏經典，頒賜天下，用廣流傳。茲以一藏安置法海禪寺，永充供養。聽所在僧官，僧徒看誦讚揚，上爲國家祝釐，下與生民祈福，務須敬奉守護，不許縱容閑雜之人私借觀玩、輕慢褻瀆，致有損壞遺失；敢有違者，必究治之！諭。(註 13)

因爲大藏經印造所費不貲，而全國寺院往往能獲賜者十不得一，所以獲頒大藏經的寺院，都視其爲鎮寺之寶，無不建樓以藏之，立碑以記之；崇敬之情，由此可見。

2.私人捐置

除了朝廷頒賜藏經以顯皇恩之浩蕩外，信眾捐置藏經以求佛菩薩之庇佑，亦時有耳聞，而這些記載則散見於各種史料或藏經卷後的題記中。例如於宋神宗與哲宗期間，文彥博曾撰「永福寺藏經記」，記載其捐置大藏經於所奉之墳寺：

> 介休空王西院、西京資聖院乃因舊院，已各有藏經，惟永福、教忠院，近特捨俸賜金帛，各置經一大藏，付逐院收掌，逐時看轉，以克資薦。(註 14)

在普見信眾捐置藏經的記載之餘，偶而也會看到聖德高僧將其豐厚的供養，捐捨請購藏經的事蹟。於《金石萃編補正》卷四中，有李謙的「元洞林寺藏經記」一文，就記載元順帝至正年初，雪堂捐藏的偉業：

雪堂大禪師厲志勇猛，倡道有緣。……今上在潛邸，師嘗奉命持香禮江浙名藍，法航所至，州府寮屬作禮供養，日積幣賚，購所謂五千餘卷滿二十藏，爲函一萬有奇；浮江踰淮，輦運畢至，凡所統十大寺，率以全藏授。(註 15)

高僧雪堂以一人掌管十大叢林，並將個人所得之供養資財，請購《弘法藏》萬函有餘，捐置十寺，此其願力之宏廣，雖在佛門，亦可稱爲大施主矣！

3.募款請購

由於請一部大藏經，要花費在印製與運送之金額相當可觀，若無獲得朝廷贈藏的情況下，就算是名山古剎傾竭其資產來請購，也難有所成，於是募款請藏，就成了古代寺院常見的途徑。例如在明毅宗崇禎六年(1633 年)，元賢前往建州寶善庵拜謁廣印時，就曾爲寺中監院欲請大藏經一事，寫疏募款云：

監院心師，思請大藏普潤群機，時有文學徐君，首發大心，揮金爲倡。然大廈非一木之能搆，爲山非一簣之可成，倘得同出一手，共贊嘉猷，則一文一粒，皆濁海之寶帆，而佛果之眞種也。(註 16)

誠如疏言「大廈非一木之能搆，爲山非一簣之可成」，募款之事也非一蹴可幾，因此爲請藏一事苦募數年甚至十餘載，在史料中俯拾皆是，其中辛勞，亦可想而知。

4.自行繕寫或雕印

中國素有著書立說之傳統，而佛教緇素亦重視教義的撰述，作爲教化之媒介。宋代以來雖有大藏經的雕印，然而佛教著作不斷產生，這些單行未入藏的書籍，就靠寺院之間繕寫流傳，或是自行雕印出版，也因此成爲寺院藏書的一部份。在《百丈清規證義記》卷六中，就有記載「印房」一職，依其陳述內容推知，寺院出版的各類佛書，包括了：流傳廣泛的常行經典及注疏、歷代祖師的語錄和撰述等。(註 17)再舉近世著名的寺院藏書——鼓山湧泉寺爲例，清末民初時，該寺藏書除了歷代大藏經之外，還包括了：明清兩代本寺高僧元賢、道霈等所著的經書，共計七千五百八十六册，以及從宋代開始雕印的經板萬餘塊，還有清代手抄經書二百二十五册等等。陳錫璋即指出，鼓山經籍之多，爲海內所無，堪稱爲一座佛經的寶庫。(註 18)

三、寺院經書的典藏方式和維護工作

在古代藏書固然不易，入藏後若不加整理編帙、庋藏列架以便取閱，則無異雜紙一堆。至於藏書事業想要維持長久，則有賴良好的藏書管理，亦即完善的制度與確實的執行。換句話說，舉凡編目、合帙、庋架、閱覽，乃至防蟲、除黴、曝曬、修補，都是繁瑣而持續的工作，需要詳密的規則與持之以恆的精神。佛教寺院藏書事業的發展，不僅在佛經目錄與收藏數量方面，均有不錯的成績，甚至在典藏借閱的制度與管理方面，那更是令人刮目相看，尤其是寺院清規中對於藏書管理的各種辦法，制定鉅細靡遺，以及使用「千字文」作爲排架的序號等，都與今日圖書館的管理制度有著許多異曲同工之處，實在叫人佩服先賢的智慧與用心。

㈠大藏經帙號法的演變

中國古代藏書發展的歷程中，由於經典卷數越來越多，易致散亂，因此發明將約十卷的經書合爲一帙，以便於庋藏與取閱；佛經庋藏的方法，亦是如此演變，所以每部經卷庋藏時，都是以帙爲單位來管理。可是，如何透過目錄有秩序的庋架，即成了庋藏工作的重要關鍵，需要研發專門的方法，以使在茫茫的書海中，迅速找到想要的書籍。有關大藏經帙號法的演變，方廣錩根據敦煌文獻的各種記載，考證出大藏經標誌的方法，先後出現了：經名標誌法、經名帙號法、偈頌帙號法、千字文帙號法等類型，分別略述於下：(註 19)

1.經名標誌法

經名標誌法是在大藏經合帙後，出現的一種標誌法，即是以帙中的某經名來標誌該帙。若一部經分作多帙或自成一帙，以經名來標誌是直接而無問題的；但若多部經合成一帙，則標誌時均只標出該帙第一部經的經名，並註記該帙的總卷數或部數。此時，經錄或帙皮上出現的經名，實際上代表的只是這部經所在的那一帙。

2.經名帙號法

經名帙號法是在經名標誌法的基礎上，另行發展的一種佛藏帙號標誌法。當遇到多部經合成一帙時，經名標誌法對於該帙已失去意義，所以乾脆予以簡化，將用作標誌的經名，擷取其中某一單字當作帙號。擷取時並無一定的標準，但必須與之前已取做帙號的字互不重複。這樣的標誌法，方廣錩命名爲「經名帙號法」。

3.偈頌帙號法

偈頌帙號法是採用佛教的偈頌，作爲大藏經帙號的一種方法。由於經名帙號法中，帙號與帙中的佛典不再有直接的關係，於是提示了僧人可以改用另一種有序的帙號來代替。在敦煌文獻中，可以看到僧衆利用當時常念誦的一些偈頌，刪除其中重複的字句，來作爲大藏經帙號。這種新帙號本身雖與帙中佛典的內容無關，但由於它是有序的，可以反應該帙在整部大藏經的位置，從而提示出帙中佛典的內容。

4.千字文帙號法

所謂千字文帙號法，即是以「千字文」來作大藏經的帙號。「千字文」是一篇由一千個不重複的字所寫成的文章，四字一句，押有韻腳，內容包括簡要的天文地理、人事倫常、立身處世、愼言勸善等觀念與行爲，爲古代童蒙教育的讀物之一。由於大藏經需要有序的文字作爲帙號，且數量高達五百種字以上，佛教偈頌自然無法承擔此一任務。而「千字文」自南北朝以來，流傳相當廣泛，識字者都會背，恰能符合大藏經帙號的需求，於是在晚唐至五代之際，千字文帙號法就逐漸傳佈開來，一直到清朝，歷代沿用不衰，成爲漢文大藏經唯一的標誌法。

關於千字文帙號法是由誰發明的？古來學者們均認爲是《開元錄》的作者智昇所創，然而方廣錩透過各種史料分析考證，認爲千字文帙號法非智昇所發明，並且進一步推測千字文帙號法產生於會昌廢佛後的晚唐時期，而五代時已在全國各地廣泛地流傳。(註 20)王重民認爲，千字文帙號可說是我國最古老的排架號與索書號，故知在八世紀初葉，我國圖書館在藏書和取書上的技術，已經達到相當科學的程度。(註 21)由繁化簡，從無序發展成有序，「千字文」終使大藏經的組織與帙號緊密地結合，而庋藏與排架的工作也因此有了依據。當刊本大藏經開始雕印後，爲使所刻各板片不致錯亂，千字文帙號甚至還刻在每塊經板的版首與中縫處，成爲刊本大藏經頗具特色之處。

㈡經書維護的工作

書籍聚散無常，輾轉流傳間，難免會受到不同程度自然或人爲的毀損。明代高僧袾宏所撰《雲棲共住規約》附集中的「藏經堂事宜」，即開宗明義說：

諸方藏經所以久而散失，以至壞滅者，其故有二：一者借出，謂借者或不能切切送還，管者又不能勤勤取討，年月漸深，不知誰借？其故一也。二者失管，謂應曬時不曬，取出時不記帳，收入時不勾銷，看閱時不細行展卷安頓，其故二也。(註 22)

因此元代德輝重輯的《敕修百丈清規》卷四「知藏」條中，說明知藏必須要克盡其職：

函帙目錄常加點對，缺者補完，蒸潤者焙拭，殘斷者粘綴。(註 23)

故知古代僧侶對於寺院藏書，會定期查點和曝曬，若發現有黴斑與蠹痕，則立即撿出修補，如此才能與其他典藏管理的方法配合，妥善維護藏書的完整。

在查點與修補藏經的例證上，方廣錩說：「從現存敦煌遺書可知，敦煌寺廟經常清點寺內的佛典與各類藏書，現已發現各種清點記錄共三十多號。清點佛典與藏書，無非是查看有無借出而沒有歸還的，有無殘破而不堪使用的。若有未歸還的，則須抓緊催還，敦煌遺書中存有幾件催還狀，正是這種活動的實錄；若有殘破的，經修補可繼續使用者，則修補之。……而那些殘破不堪使用的，則須將它們從藏書中剔除，並視需要而進行相應的配補。敦煌遺書中存有一批配補錄，就是這種活動之證明。」(註 24)

在曬書方面，我國漢唐時期即有曝書活動的記載，可謂流傳已久，因此寺院僧人曬書的時間和方法，與民間的傳統差別不大。例如《雲棲共住規約》中說明：

> 六月曬經，但取晴明，不必拘定初六。每曬一百函，不得多少。近山廚，九月再曬一次。(註 25)

《理安寺志》卷六的「箬菴禪師兩序規約」中，則說明：

> 每年夏季六月，鋪齋棹二十張，先曬東櫥，後曬西櫥，候冷收櫃。(註 26)

夏至後的伏天，氣候乾燥炎熱，通常是一年之中最適合曬書的季節，不過因各地風土氣候的不同，也會有些差異，所以袾宏才說「不必拘定初六」，相當懂得因時因地而隨機應變。至於書籍曝曬後，不能立即放回櫃中，是因書頁中的水分多已蒸發，須待其涼透，回吸部分水氣之後，紙張才不致變得焦脆易裂，墨色也才不易變質。而且尚存餘熱的書册收回櫃中，溫度累積昇高，會促使蠹蟲更加活躍，反而造成更嚴重的書傷。(註 27)

四、寺院藏書管理的規章制度

中國初期的寺院制度，基本上爲佛教戒律的延伸，並配合實際運作情形，做大略的職責分工。後來寺院規模越來越大，僧衆數量亦越來越多，於是管理寺院生活的辦法，也因需求而制定。到了中唐時期，禪宗名僧懷海於百丈山別立禪院，並根據中土國情和禪宗特點，折衷大小乘戒律而制定清規，開創了中國佛教的叢林制度。(註 28)因懷海成名於百丈山，故後人稱爲「百丈禪師」，稱其制定的清規爲《百丈清規》，或是《古清規》。百丈懷海制定清規之後，隨著叢林與社會的互動和發展，叢林制度進一步修訂，到宋徽宗崇寧二年(1103 年)時，宗賾爲了復興百丈的《古清規》，制定符合時代的叢林生活規範，於是遍訪十方叢林，網羅種種規範，撰成了《禪苑清規》。《古清規》於元代時早已不傳，而《禪苑清規》則是目前現存最早的一部清規，就其內容來看，北宋時期叢林制度已燦然大備，南北普遍流行。

㈠寺院藏書管理一職之職責

當造立經藏的風氣普遍盛行後，專門負責管理經藏的職務也就應運而生。在本章第一節提到梁武帝於華林園總集佛典，並敕令寶唱掌管寶雲經藏，因此寶唱可說是史載政府所設立的佛教圖書館館長第一人。另外在《續高僧傳》卷十二「釋慧覺傳」中，也記載隋煬帝於即位後，旨令慧覺掌理寶臺經藏的「知藏」一事。(註 29)此外，方廣錩根據敦煌文獻的記載，指出唐代敦煌寺院管理經藏的機構叫「經司」，而經司的管理人則稱「知經藏所由」。(註 30)從這些零散的史料可知，經藏管理的專門職務早在南北朝時已產生，只是早期在職務的名稱上並無一致而已。

在清規成立之前，有關經藏管理制度的各種史料，除敦煌文獻外，鮮有記載下來，最多只有零星數言而已。例如白居易曾敘述其新修香山寺經藏堂之經過：

> 於諸寺藏外雜散經中，得遺編墜軸者數百卷帙，以《開元經》錄按而校之，……合是新舊大、小乘經、律、論、集五千二百七十卷，乃作六藏，分而護焉。寺西北隅有隙屋三間，土木將壞，乃增修改飾，爲經藏堂。堂東西間闢四窗，置六藏，藏二門，啓閉有時，出納有籍。(註 31)

可見「啓閉有時，出納有籍」，和上述白居易於「東林寺《白氏文集》記」中說「不借外客，不出寺門」，都是最基本的借閱管理之規則了。

至於宋代以降，各種版本的清規所記載之藏主職責，幾乎是大同小異，因此筆者選擇條序分明的清規，即明代通容撰述的《叢林兩序須知》，錄其內容作爲代表：

> 藏主須知：經藏輝煌，佛祖命脈所寄也。司其柄者，貴乎

勤謹小心，以護持聖教爲念。若夫几案不嚴、喧煩不息，則非藏主待衆之道矣！……

一、藏內所有經典，宜敬重。

一、藏內經典宜照字號次第安放，以便尋覽。

一、藏內經典函帙若干、安放某處，宜置總簿記定，以便查閱。

一、藏內經典溼潤蠹壞，須照顧晒焙及時。……

一、藏內所有經典函帙目錄，常加點對，有殘斷缺失者，須粘綴增補之。

一、藏內經典衆有請出披閱者，宜然名登簿，及閱畢送還，仍照簿交收入藏，毋致散失。

一、職掌藏內經典，亦宜用心博稽，廣其聞見，毋徒目爲故事。

一、經藏鎖鑰，須嚴謹。

一、潔淨藏堂，及嚴拭几案等。

一、凡方丈所囑大小事物，行之果否，當回覆。

一、處衆貴寬和，不得恃職亢上凌下。

一、各寮執事巨細相通，不得別户分門，妄生彼此。

一、不得大小諸寮，干涉餘事，除公務告請會議者。

一、本寮所有常住物件，宜私自登簿，以便查考。

一、退職日，將本寮常住物件并藏內經典函帙，照號對簿，簡點分明，交與新藏主掌管，毋混亂。(註 32)

從藏主的這些職責，吾人可窺知古代寺院經藏的經營管理，從排架、編目、維護，乃至職務上的應對與交接，都已具有規模和制度，而其精神更是值得現代佛教圖書館所學習。

㈡寺院清規中之借閱規則

寺院清規對於除了對藏主的職責有著詳細的說明之外，對於僧衆借閱經書的方法，也有完善的制定，而其中隨著時代的變遷亦有些許的差異。首先從現存最早的清規，即宗賾所編集的《禪苑清規》看起，有關當時借閱經典的方法爲：

> 請案之法，先白看經堂首座，借問有無案位，欲來依棲。如有案位，即相看藏主白之，茶罷，藏主引至經堂案位前，各觸禮一拜。……相看殿主，乞依時會經，並無拜禮。早晨大眾起、晚間放參前，殿主鳴鐘會經，交點出納。會經僧應於藏內燒香禮拜，殷重捧經，路中不得與人語笑。……堂中不得接待賓客，有人相訪，默揖歸寮，亦不得於看經窗外與人說話，恐喧大眾。……如欲退案，亦先白看經堂首座及藏主，還經入藏，方可如意。(註 33)

從上述可知，藏主如同今日圖書館館長的地位，看經堂首座則是閱覽部門的負責人，而藏殿殿主職掌的就是流通部門，可見宋代寺院經藏的運作管理，相當完備。至於文中述說禮拜的儀式與各種禁令，均顯示出僧衆對於經教的恭敬態度，以及注重閱覽環境的整潔與安寧，這相較於現代圖書館閱覽規則的精神，是不分軒輊的。

到了南宋中葉以後，借閱的制度逐漸有了改變，《敕修百丈清規》卷四中記載：

> 凡看經者初入經堂，先白堂主，同到藏司相看，送歸，按位對觸禮一拜，此古規也。今各僧看經多就眾寮，而藏殿無設几案者。……若大眾披閱，則藏主置簿，照堂司所排經單列名，逐函交付。看畢，照簿交收入藏，庶無散失。(註 34)

可見元代以後，僧衆開始改以借回寮房閱覽，至於《禪苑清規》中記載借閱時的各種儀式，也不再依循；雖然如此，在寮房中閱覽經卷的規矩，仍然相當嚴謹。例如宋寧宗嘉定二年(1209年)宗壽編的入衆日用中，就說明在寮房中的閱覽規則：

茶罷，或看經，不得長展經，謂二面也。不得手托經，寮中行不得垂經帶，不得出聲，不得背靠板頭看經。(註 35)

正襟危坐默閱經典，有利於淨心專一，並展現出僧衆嚴以律己以成就道業。

由於借閱時的儀式簡化，所以借閱的規則就剩下登記事宜。例如在儀潤的百丈清規證義記中，只說明著：

凡請看者，須登牌：某月、某日，某人請某字函經；還則消賬。若其人告假并餘事欲去者，先查取；遺失者，罰抄賠已，出院。(註 36)

出院，是相當嚴厲的懲罰，足見寺院對於藏書維護之重視。至於上述提到了關於遺失賠償的處理方式，使人聯想到在其他清規中，是否有清楚地規定違規處罰的方法？在雲棲共住規約中，就有訂定一些違反借閱規定時的罰則：

一、經不借出，以山門爲限。雖朝借暮還，亦決不借。借出，罰銀三兩。……

一、看取即記簿：某月、某日，取某函，某人取；後空一行，待收入時填寫。失寫，罰銀一錢。

一、開廚取經及入經訖，即鎖。失鎖，罰銀一錢。(註 37)

以上是針對經藏管理者失責的處罰，以提醒管理者時時小心維護經書。不論在賠償或罰則的內容上，古今處理的態度上，多少有些雷同之處，足見如何有效地維護館藏的完整性，一直是圖書館經營者所關注的焦點。

五、寺院藏書的功能

由於古代書籍的傳寫、雕印與保存不易，因此寺院藏書的主要任務，自然就是使法寶長存，這是毋庸置疑的。在典藏經書的任務之餘，寺院藏書相對也提供了僧侶修學、撰述參考等多項功能，於是筆者歸納了寺院藏書的功能，有如下四點：

㈠僧眾修學和閱藏

自古佛教義理的研究，一直是僧徒修學佛法的主軸之一，因此古代寺院的藏書，自然是以提供僧衆修學與閱藏，爲最主要的功能。在本文上述寺院清規中經藏借閱規則的制定，均能證明歷代僧衆時常借閱寺院的藏書，以研習教義。至於在僧衆閱藏方面，由於大藏經的卷帙浩瀚，義理深遠，通常若想完整有序的讀完一部大藏經，是需要有個良好的環境，且心無旁鶩花上一、兩年以上的時間，才得以如願。清代儀潤在《百丈清規證義記》卷五中，即建議說：

> 凡有藏經之處，宜供一閱藏之僧，使其日日翻閱看誦，即是法輪常轉，誠爲叢林吉祥善事，又有益於學人，倘其日新有功，即可延佛慧命，豈不美哉！(註 38)

於是有些寺院除經藏之外，還另闢閱藏樓，並提供食宿，讓專門前往閱藏的僧人有個清幽無虞的環境，可以專一深入法海。

㈡僧人撰著之參考文獻

在佛教大藏經中，有關中華僧人的撰述，除了佛經目錄、經本要抄外，還有類書、法數、音義等工具書，以及祖師法集、語錄等集成，其中二、三十卷以上的大作比比皆是。寺院僧衆在圖書齊全的環境中，往往學問淵博，著作等身，例如前述慧皎撰述《高僧傳》時，是參考利用會稽嘉祥寺的衆多藏書而成的，故知寺院藏書的功能之一，就是在僧人著作之時，提供了豐富的參考文獻。而利用豐富的藏書展開撰述的工作，也反應出寺院藏書在佛教文化活動中，是不可或缺的關鍵所在。

㈢信眾的崇拜與寺院的收入

古代寺院的藏書，從一開始便具有兩種意義：一是提供寺內僧人閱覽的實用價值，二是經典的神聖性促使信衆與僧人的崇敬禮拜。由於大乘經典時常強調讀經閱藏的功德無量，這種教義思想深植人心，促使了寺院藏書與宗教信仰活動的結合。自古至今，佛教的許多法會活動，就一直以誦讀某幾部經典爲主要的模式，而透過法會的舉行，即成爲寺院經濟收入的來源之一。

在宋元時期，更有一種與寺院藏書關係密切的法會活動，就是信徒供請僧衆閱讀整部大藏經。《禪苑清規》卷六「看藏經」一文，即詳細記載這個法會進行的內容：

> 如遇施主請眾看大藏經，……至時維那鳴鐘集眾，請經依位坐，法事聲螺鈸，知客點淨，引施主行香竟，當筵跪爐，維那表歎，宣開啓疏，念佛闍梨作梵，候聲絕，然後大眾開經。……如施主於看經了日，設齋供慶懺，更須讀罷散文疏，施主經錢並係堂司取掌分俵。(註 39)

另外在《玉岑山慧因高麗華嚴教寺志》卷七中，有「捨田看閱大藏經誌」一文，爲元仁宗延祐四年(1317 年)，杭州官員吉剌實思誌曰：

> 念四恩之至重，憫群迷之未覺，謹以中統鈔三百定規置田土，捨入天竺、高麗、淨慈三寺各一百定。歲以一月爲約，命僧繙閱三乘妙典一大藏，所集殊勳，上以祈國家之福，下以報父母之恩，旁資眾有共成正覺。(註 40)

可見宋元時期，看藏經法會相當普遍，應是寺院理想的資金來源。然而明代以來卻逐漸失傳，至今鮮爲人知，筆者推測其原因，或許是明清時期佛教衰弱不振，僧侶大多學識不足，若靠少數幾人，實難如期閱完整部藏經。

由寺院藏書發展成宗教信仰的活動中，除了看藏經法會外，還有屬於輪藏的信仰活動最爲顯著。輪藏爲轉輪經藏的簡稱，造型通常爲八面立體式可轉動的經櫥，宛如超大型的旋轉書架。輪藏主要以一大軸貫穿其中，下設機輪，若人來推動，則能運轉，象徵法輪的轉動；藉轉動一匝，恰似將輪藏上的佛經抄寫或唸誦一遍，其作用可爲死者求冥福，爲生者求安樂，因此輪藏有時也稱爲「壽山福海」。(註 41)唐中葉以後，寺院逐漸興起建造輪藏的風氣，到了宋元時期，輪藏已成爲佛寺，特別是禪院的必要建築。輪藏的發明，讓經典的崇敬禮拜有了具體的形象與活動，但南宋著名的藏書家葉夢得，於「健康府保寧寺輪藏記」中言：

> 吾少時見四方爲轉輪藏者無幾，比年以來，所至大都邑，下至窮山深谷，號爲蘭若十而六七，吹蠡伐鼓音聲相聞，襁負金帛踵躡户外，可謂甚盛；然未必皆達其言，尊其教也。施者假之以邀福，造者因之以求利，浸浸日遠其本。(註 42)

顯然宋代以後輪藏信仰的演變，已成爲寺院營利的項目之一。關於此點，黃敏枝於更說明，由於信徒轉動輪藏是需要支付一定的費用，所以宋代寺院爲了吸引更多的信衆前來，對於輪藏的建造無不費盡心思，竭盡能巧，不僅造得美侖美奐，而且裝飾珠貝奇珍，彩繪雕飾，動人心弦，炫人耳目，以達到最好的招徠效果。(註 43)

㈣文人儒士讀書之場所

自古有關文人儒士寄讀寺院的記載俯拾皆是，例如《梁書》

卷五十述說：

劉勰字彥和，……早孤，篤志好學，家貧不婚取，依沙門僧祐，與之居處積十餘年，遂博通經論。(註 44)

儒生讀書於寺院的風尚，到了唐代更是盛行，對於這個現象的成因，嚴耕望在「唐人多讀書山寺」一文中分析認為：「名山巨剎既富書藏，又得隨僧齋飧，此予貧士讀書以極大方便。當然政府不重教育，惟以貢舉招攬人才，故士子只得因寺院之便聚讀山林，蔚為時風，致名山巨剎隱然為教育中心之所在。」(註 45)

至明代，儒生讀書僧寺的風氣依然不減，陳援庵於《明季滇黔佛教考》中說：「讀書僧寺，恆事也。……元明以來，滇黔初闢，多未設學，合全省書院學宮之數，曾不敵一府寺院十之一，……此滇黔寺院所以衆也。學宮書院為後起，且多在城市，不在山林，潛修之士，輒惡其囂俗；惟寺院則反是，即在城市，亦每饒幽靜之處，故人樂就之。」(註 46)

六、小　結

關於中國圖書館事業的發展歷程中，盧師荷生教授認為過去圖書館事業成功的原因，除了帝王肯定圖書館的功能，而給予充份的支援之外，還有一點值得注意，那便是從事圖書館工作的人員，有著一股無比熱誠的奉獻精神。(註 47)這個原因，在過去寺院藏書事業的發展中，亦然！我們可以發現許許多多的佛教僧徒，不管在廣搜經籍、整編經錄，或是在典藏、雕印大藏經等各方面，都是殫思竭慮地策畫經營，充滿著「續佛慧命」的使命感，令人相當感動與敬佩。而佛教寺院藏書所遺留的成果，除了在保存中華文化上功不可沒外，其完整的保存了漢文佛教典籍，嘉惠我們這一代佛弟子得以深入經藏，更是值得我們緬懷與感激。

至於在佛教寺院藏書的研究方面，徐建華表示：「佛教寺院藏書在規模、功用、價值、貢獻等方面，理應在中國古代藏書史、翻譯史、印刷史以及教育史、學術思想史、中外交通史、文化交流史中，佔有重要的一席。然而，由於各種原因，佛教寺院藏書至今很少爲人們所認識與論及，偶有涉及，也大多語焉不詳。」(註 48)的確，學界一直鮮見涉及這方面的研究，使得佛教寺院藏書事業宛如一塊沙漠之地，很少人能眞正窺其堂奧。筆者不揣，以此文章抛磚引玉，除希望各方予以指正之外，實待有志趣的學者能共同來深入探討和研究。

【附　註】

註 1　徐建華，〈中國古代佛教寺院藏書若干問題研究〉，黃建國、高躍新合編，《中國古代藏書樓研究》（北京市：中華書局，1999 年），頁 79。

註 2　王子舟，〈公元四世紀東晉：佛教藏書的濫觴〉，《內蒙古圖書館工作》1990 年 4 期（1990 年 11 月），頁 28-30。

註 3　湯用彤，《隋唐及五代佛教史》（臺北市：慧炬，民 75 年），頁 125。

註 4　同註 1，頁 94。

註 5　(梁)釋慧皎撰，《高僧傳》，卷 14，《大正新修大藏經》，第 50 卷史傳部（臺北市：白馬精舍，民 81 年），頁 418 下。

註 6　陳援庵，《中國佛教史籍概論》（臺北市：新文豐，民 72 年），頁 22。僧傳中，「惠皎」與「慧皎」均指同一人，此處亦同。

註 7　(唐)釋道宣撰，《續高僧傳》，卷 26，《大正新修大藏經》，第 50 卷史傳部（臺北市：白馬精舍，民 81 年），頁 604 中。

註 8 關於唐代時「藏」字亦作書櫥之義，請見註 31 白居易之文，即可證明。

註 9 (唐)白居易，〈東林寺白氏文集記〉，(清)董誥等編，《全唐文》，卷 676，《重編影印全唐文及拾遺》，第 3 冊（臺北市：大化，民 76 年），頁 3100 上-中。

註 10 (唐)白居易，〈蘇州南禪院白氏文集記〉，(清)董誥等編，《全唐文》，卷 676，《重編影印全唐文及拾遺》，第 3 冊（臺北市：大化，民 76 年），頁 3102 上。

註 11 嚴耕望，《嚴耕望史學論文選集》（臺北市：聯經，民 80 年），頁 312。

註 12 小川貫一等著；譯叢編委會譯，《大藏經的成立與變遷》，《世界佛學名著譯叢》25（臺北縣：華宇，民 73 年），頁 103。

註 13 本碑文轉引自：李松，「北京法海寺」，張曼濤編，《中國佛教寺塔史志》，《現代佛教學術叢刊》59（臺北市：大乘文化，民 66 年），頁 201。

註 14 (宋)文彥博，〈永福寺藏經記〉，(清)徐品山修；(清)陸元鏸纂，《介休縣志》，卷 12，《中國方志叢書：華北地方》434，第 4 冊，臺一版（臺北市：成文，民 65 年），頁 972。

註 15 (元)李謙，〈元洞林寺藏經記〉，(清)方履籛編，金石萃編補正，卷 4，《金石萃編續編二十一卷補正四卷》，二版（臺北市：台聯國風，民 62 年），頁 730-732。

註 16 (明)釋元賢，〈寶善庵請大藏經疏〉，(清)釋道霈編，《永覺元賢禪師廣錄》，卷 17，《大藏新纂卍續藏經》，第 72 卷諸宗著述部（臺北市：白馬精舍，出版年不詳），頁 484 中。

註 17 (清)釋儀潤證義，《百丈清規證義記》，卷 6，《大藏新纂卍續藏經》，第 63 卷諸宗著述部（臺北市：白馬精舍，出版年不詳），頁

447 中-下。

註 18 陳錫璋，《鼓山湧泉寺掌故叢譚》（臺南市：智者，民86年），頁133。

註 19 方廣錩，《佛教典籍百問，宗教文化叢書》5，二版（高雄縣：佛光，民81年），頁174-190。

註 20 同前註，頁191-193。

註 21 王重民，《中國目錄學史論叢》（北京市：中華，1984年），頁129-130。

註 22 (明)釋袾宏撰，《雲棲共住規約》，附集，(明)王宇春等編，《景印蓮池大師全集（雲棲法彙）》，第4冊（臺北市：中華佛教文化館，民62年），頁63左-64右。

註 23 (元)釋德煇編，《敕修百丈清規》，卷4，《大正新修大藏經》，第48卷諸宗部（臺北市：白馬精舍，民81年），頁1131上。

註 24 方廣錩，〈敦煌藏經洞封閉原因之我見〉，《中國社會科學》1991年5期（1991年9月），頁220。

註 25 同註22，頁64右。

註 26 (清)釋通問，〈箬菴禪師兩序規約〉，(清)杭世駿撰，《理安寺志》，卷6，《武林掌故叢編》，第1冊（臺北市：台聯國風，民56年），頁216下。

註 27 李家駒，《我國古代圖書典藏管理的研究》（私立中國文化大學史學研究所，碩士論文，民75年6月），頁124。

註 28 方立天，《中國佛教與傳統文化，中國人叢書》8（臺北市：桂冠，民79年），頁167。

註 29 同註7，卷12，頁516中。

註 30 方廣錩，《佛教大藏經史：八～十世紀》（北京市：中國社會科學，1991年），頁111-112。

註 31 (唐)白居易，〈香山寺新修經藏堂記〉，(清)董誥等編，《全唐文》，卷 676，《重編影印全唐文及拾遺》，第 3 册（臺北市：大化，民76 年），頁 3099 下。

註 32 (明)釋通容述，《叢林兩序須知》，《大藏新纂卍續藏經》，第 63 卷諸宗著述部（臺北市：白馬精舍，出版年不詳），頁 668 中-下。

註 33 (宋)釋宗賾集，《重雕補註禪苑清規》，卷 3，《大藏新纂卍續藏經》，第 63 卷諸宗著述部（臺北市：白馬精舍，出版年不詳），頁 532 上-中。

註 34 同註 23，頁 1131 上-中。

註 35 (宋)釋宗壽集，《入衆日用》，《大藏新纂卍續藏經》，第 63 卷諸宗著述部（臺北市：白馬精舍，出版年不詳），頁 557 下。

註 36 同註 17，頁 444 中。

註 37 同註 22，頁 64 右-左。

註 38 同註 17，卷 5，頁 442 上。

註 39 同註 33，卷 6，頁 538 下。

註 40 (元)吉剌實思，〈捨田看閱大藏經誌〉，(明)李翥輯，《玉岑山慧因高麗華嚴教寺志》，卷 7，《武林掌故叢編》，第 1 册（臺北市：台聯國風，民 56 年），頁 484 上。

註 41 黃敏枝，〈關於代寺院的轉輪藏〉，佛光山文教基金會主編，《1995 年佛學研究論文集：佛教現代化》（臺北市：佛光，民 85 年），頁 361。

註 42 (宋)葉夢得，《建康集》，卷 4，《景印文淵閣四庫全書》，第 1129 册集部別集類（臺北市：臺灣商務，民 72 年），頁 616 上。

註 43 同註 41，頁 362。

註 44 (唐)姚思廉撰，《梁書》，卷 50，臺一版（臺北市：鼎文，民 64 年），頁 710。

註45 嚴耕望，〈唐人多讀書山寺〉，《大陸雜誌》2卷4期（民40年2月），頁33。

註46 陳援庵，《明季滇黔佛教考》，臺一版（臺北市：彙文堂，民76年），頁118-119。

註47 盧荷生，《中國圖書館事業史》（臺北市：文史哲，民75年），頁12-13。

註48 同註1。

桃李報師恩

王國強

澳門圖書館暨資訊管理協會理事長

人生漫長，您能否一一把自已認識的人惦記下來，甚至偶爾在夢中聽到他們的聲音，看到他們的面容呢! 在我的一生卻沒有幾人，其中一位就是我的恩師盧荷生老師。

我在台灣生活了五年，學生時期感覺盧老師在課堂上常常向大家說些做人的道理，以及圖書館館員應如何守分盡職，那時眞的有點不明白老師的用意。同學們直覺的反應是上課不是該說些課本的內容嗎? 爲什麼要……直到最後我留台工作，當上了盧老師的助教，與他共事一年，終於明白課本的內容祇是技術。技術要是能熟便能生巧，祇要掌握基礎，靠自己努力亦能瀟洒發揮。但是圖書館館員不是技術員，是一份專業的工作，有其專業的操守，別人才會尊重您。這些做人的道理是課本所不能傳達，祇能從盧老師的言辭中感受。過去的輔大圖館系畢業生給人的感受是一種踏實認眞的風範，這就是我們的系風。亦是他及系上老師們，爲「書的傳人」打造的成果。

盧老師有幾段名言時刻銘記我心，謹記如下：

> 當一個剛出社會工作的人，如果遇到一個很寬大的上司，這不是福氣，因爲他會習慣上司的仁慈，沒有吃苦的經驗，日後遇到其他嚴厲的主管，吃虧在眼前。

> 聘請新員工時，我的選擇標準不一定是找成績最好的，我要選擇操行最好的，不遲到不早退，因為責任比智慧更重要。

盧老師上課時也常列舉一些出色的學長學姐們的求學或工作的經驗，作爲我們的參考。想不到當我離台到澳門工作後，盧老師常向系上同學談到我的過去，這也是盧老師育才成功之道。他經常對學生作出無償的鼓勵與關心，學生感受到老師的重視，自然有自已奮發的目標與動力。正如當時在遠方的我，感到無限的支持力量，而決定努力爲圖書館事業奮鬥，以報答老師的恩德。這也是我們今後培育造就人才，值得效法借鑑的方法。

雖然與盧老師分隔已十四個年頭了，今日我若能對澳門圖書館事業有所執著與成就，都歸因於老師的教誨與啓迪。在此謹向盧老師致最崇高之敬禮！並祝賀盧老師七十大壽！特撰此文，以表桃李報師恩的心意！

王國強　於澳門

2001 年 4 月 3 日

永令我感念在心的盧爸爸

牛惠曼

國家圖書館助理編輯

每年年底，總習慣地寄一張賀卡給老師，或在聖誕節前，或趕在春節來臨時，寄出卡片後，很快地會收到老師回寄而來的賀年卡，老師是虔誠的天主教徒，但每年收到的都是中式賀卡，對於傳統，老師總是執著得很！

和老師的緣分打從還是世新學生開始，以前在課堂上聆聽老師講課時，覺得老師是個認眞而嚴肅的師長，課堂中除了敬佩老師的學識專業之外，偶有的時事評論與人生道理，更是令學生聆聽之後佩服得五體投地，而老師特出的地方還在於上課從不用課本，也不指定教科書或參考資料，沒什麼作業和報告，考試大概也只是一兩題的申論題，而且還要學生們不要背書、不要答得長篇大論。

及至輔大，又修了老師幾門課，老師照樣是上課不用課本，也不指定教科書，沒什麼作業和報告，考試也是一兩題申論題，一學期只點一次名，但慢慢地比較能體會出老師上課不用課本、答題不要答得長篇大論的用意，而且課堂中那個同學沒到、沒用心聽講，老師居然瞭若指掌，原以爲老師的課是一試定生死，沒想到老師對學生的評量參考來源，卻在他的每一堂課中。

民國七十七到七十九年，有幸在老師帶領的輔大圖書館學系

（現改爲圖書資訊學系）服務，對於老師的一言一行，就更爲熟悉了！當時是系主任的老師，除非一早校外開會，否則每天一定是第一個進系辦的人，說來還眞慚愧，當時的我住校，宿舍就在文友樓隔壁的文舍，從寢室走到系辦不用三分鐘，而老師每天搭校車從台北到輔大，卻可以比助教們早到！

還記得求學時代的電腦課，需到法管學院的電腦教室上課，在老師接掌系主任後，憑其一己之力規劃與籌措下，成立了文學院第一個電腦教室，二十部嶄新的個人電腦、印表機、冷氣、舒適的空間，讓文學院他系師生好生羨慕，而老師是個外表傳統的人，卻在上任後逐步加強系內學生資訊必修學分，延攬校內深獲好評之資工系所教師，新聘資訊領域專任教師，廣開電腦資訊課程，將偏向傳統圖書館學的一個系，給引領到應用與科技並重的現代圖書館學領域中。

系主任任內，老師熱心參與及辦理中國圖書館學會的各項活動，並積極申請成立圖書館學研究所，鼓勵老師們從事學術研究與著作升等，也激勵學生們繼續升學或參加高普考，及至後來榮任輔大文學院院長，對於圖書館學系，老師總有一份特別的關心與照應，有當時文開樓的構想藍圖與極力向校方爭取，才有現在圖書資訊系所老師與學弟妹們舒適的研究與學習空間。

而幾次學弟妹們的家境變故與系活動，更令我深刻感受到老師視學生爲己出的心境，猶記一次學弟騎機車出車禍，老師馬上獲得住院地點，親自趕過去探望病情，並交給學弟一筆錢，還交代班上同學務必盡力幫忙，有什麼困難直接找老師。另有一次是系裏辦生活營，老師特地把系學會的一些幹部及各年級男同學找來，要他們幫忙注意營區安全與保護女同學安危，生活營當天直到夜深人靜，還看到老師在營區附近來回走動巡視。

昔時於助教任內，和我一起共事的學長，是比較熱心活躍的，由於當時我們分工恰當，老師也總愛在人前人後說我們兩人一內一外搭配得宜，今日回想，不得不贊歎老師的識人之長，才使我二人得以盡藏所短。

後因高考而面臨不得不接受分發之際，實萬般不捨地離開了輔大圖書館學系，旋至台北市立圖書館報到，由於北市圖分館多，受完訓又被分派到比較偏遠的分館，老師知道後還擔心我每天下班走夜路，要我自己多多小心留意，而老師則開始注意其他分館人員出缺動態。

在北市圖的日子，也許有些落寞！可能是剛離開學校，環境不熟，及適應社會生態吧！老師感覺到我的情況，常請我到家裏坐坐，還向師母說明我的近況，當時的我常憶起輔大求學與工作的時光，及和師長、學弟妹、左鄰右舍老師助教們的點點滴滴，也常回想老師告訴我們的人生哲理，還有老師課堂中講到兒孫輩那種如數家珍般的神情，以及老師如何分析大姆指和其他指頭的差別，還有和學弟妹們到老師家包水餃時，師母慈祥親切地與我們閒話家常的情景，一切的一切，歷歷在目，彷如昨日。

民國八十年，有機會轉任國家圖書館，特別要感謝老師的大力推薦，以及當時的編目組鄭恒雄主任，在到國圖的一兩年內，偶還到老師家坐坐聊聊，後來由於工作、家庭、研究所課業，漸改以卡片傳達問候，反倒是老師每至國圖開會，有空便會繞到編目組看看我的近況，既讓我受寵若驚，也令我備感溫馨，向來老師知道我是一人北上求學、工作，因此事事特別關照，來自於老師的恩澤，我想我是享有足夠多的了！

雖然離開輔大已然好長一段時日，如今屈指一數，竟然十二個年頭已過，今年再收到老師寄來的賀年卡，看著卡片上熟悉得不能再熟悉的字，寫道「小孩好嗎？上小學了吧！」內心不禁湧現無限感動，老師到現在還是很關心學生，以前老師從不忘要我代問候家父母，如今連晚輩，老師一樣地放在心裏關心著。

去年再見老師，花白的頭髮配著老花的眼鏡，心中不免想多看一眼，畢竟現在不是學生了，沒辦法像學生時代，可以天天坐在課堂裏聆聽老師的教誨，最多也只能偶於報端展讀老師的精闢言論與『擇善固執』，我想是老師寫的吧！就當自己是上社會大學，回味一下學生生涯，也領受老師的再次教誨。

然而弟子不才，多年來於學識工作上無所建樹，深感愧對老師辛勞的教導與無盡的關懷，但卻也慶幸自己在人生懵懂無知的徘徊階段，有令我敬佩與感念的盧老師、盧爸爸，所給予我課業工作的教導與人生方向的指引，藉此，我要大聲地向老師說：「老師，謝謝您！」

頌獻南山 岡陵晉頌

靳炯彬

弘光技術學院圖書館館長

第一次與恩師盧老師見面是在十五年前。當時，我是一個由他校外系插班進入輔仁大學圖書館學系的大二「圖館系新鮮人」，正請示盧主任有關於我抵免大一學分的相關事宜。我永遠記得恩師對我說的第一句話就是：「你雖然大一修了將近五十個學分，但與本系相關而可抵免只有二十學分，所以你要好好努力喔!」，語句中帶著親切及期許，令我動容許久。而在輔大圖館系的三年中，共修了恩師的三門課程，分別是「中文圖書分類與編目」、「中文參考資料」及「圖書館管理」。恩師在講授每門課程時，不但注意專業知識的傳授，最令我感動的是他更注重各科基本理念的探討，以及身爲一個圖書館工作者應有的「工作倫理」。正所謂「技師易找，業師難尋」，從恩師身上我看到了一位教授、系主任、文學院院長及四十五年資深圖書館工作者之高深氣度及應有風範。

在恩師親撰推薦函及鼓勵下，民國八十二年獲得美國雪城(Syracuse University)圖書館學碩士。回國八年，分別擔任了五年的專科學校圖書館主任及三年的技術學院圖書館館長之職位。每當我在工作上受到挫折或是面臨抉擇時，我第一位請益的對象就是恩師。恩師每次均在輕鬆和藹的氣氛中，幾句話便能切入問題核心，解除我的疑惑，並讓我在往後工作生涯中走得愉快、踏實。

今值恩師七十大壽，對恩師感謝絕非三言兩語可表述，現僅以簡短拙文一段，表達心中謝意並恭祝恩師

頌獻南山　岡陵晉頌

南極星輝　洪範五福

吳牧臻

弘光技術學院圖書館行政老師

在輔仁大學圖書館學系求學的四年中，總計修習過恩師盧老師的「中文圖書分類與編目」及「圖書館管理」兩門課程。從這兩門課程中，我不但學習了分類與編目及管理科學的專業知識，更從恩師身上體認到成爲一個圖書館館員，所應擁有的基本工作理念與認知。雖然，距離那段歲月已有十餘年了，但每每回想起恩師認眞的上課態度、精闢的問題解析及對圖書館學專業的執著，令我永遠感佩不已!

從輔大圖館系畢業之後，第一份工作是在中央研究院美國文化研究所內，擔任西文圖書分類編目館員。在半年之後，恩師即找我返回系上擔任助教一職。而於擔任恩師兩年助教期間，更所謂受益良多，恩師經常告訴我說：助教乃是老師與學生之間的橋樑。因此，助教應該扮演好溝通協調的角色，處理事情時必須無私無我，一切均以學生最高利益爲考量。另外，讓我深深感動的一件事情，便是恩師體察圖書館學趨勢之轉變，持續規劃推動系上課程之變革，以更加符合未來圖書館之需求。恩師的公正無私、擇善固執及化繁爲簡的工作態度，一直是我終生奉爲圭臬的工作準則。

恩師不僅是我大學時代的良師、助教生涯的長官，更是我的

結婚證人，對於恩師的感謝，絕不是筆墨所能形容!現逢恩師七秩嵩壽，僅以短文一段，恭祝恩師

南極星輝　洪範五福

春風廣被　桃李盈牆

——側寫我心目中的盧老師

吳介宇

新竹市政府文化局

大三那年，時任文學院院長的盧老師受邀至中文系週會為成年禮致詞，亦在加冠之列的我首次親炙教誨，距離使台上的長者「望之儼然」。及至進入研究所修讀，幸蒙老師不棄，收為入門弟子，在老師的悉心指導下，漸能體會老師「即之也溫」的親和。抗顏為師的風骨，溫文和煦的風範，老師在我心目中永遠是這樣的形象。

真正的智慧是將複雜的問題簡單化。老師不以險僻的理論與艱澀的辭彙為尚，總是深入淺出地條析為學之道，平實且不失專業的教學方式，賦予原非圖書館相關科系出身，基礎知識相對薄弱的我，在陌生領域中探索的勇氣，且愈鑽研愈覺興味。馭繁為簡，化冗雜為單純，非智者不能為。

離開校園後，輾轉流離於職場，終無緣繼續留在圖書館界實證所學，忝辱恩師教導，最是慚愧，唯課堂上的傳授畢竟止於一時，人生迷津的解惑才更深刻可貴，倘我今日能稍具面對生命種種課題的寬宥或堅持，並勇於承擔天命所交付的成敗哀樂，全歸於老師平日身教的傳習，這不言之教，足令我受用終生。

恩師執教杏壇數十載，弟子於各界皆成就斐然，才疏如我，既乏卓著事功榮耀師長，且口訥語拙，難表感恩之情於萬一，僅致數語，恭祝恩師

耆英望重　松柏長春

感念與祝福

詹雅婷

臺北市立圖書館諮詢服務組組長

有時有人問我，上了研究所，最大的收穫是什麼？問到這個問題，我不禁自豪，因爲我學了永久受用的觀念和方法。

知識內容和技術會隨著時代的演進而改變，但思考的精神和做事的態度卻能根深柢固。跟隨盧老師在學期間雖僅兩年，我卻有不斷的領誤。冗長無味、抄抄寫寫的報告，老師不屑一顧，講出自己的道理，是老師教導學生的目標。剛開始，確實令我感到壓力，相信其他同學亦是如此，但經過一段時間的學習，也瞭解了老師的理念及教學內容的精神所在，不管講的是什麼主題，最重要的學習目標是解決問題，而解決問題的重要關鍵便是「思考」，在應用科學中，沒有必然或一定的結論，只要講得出道理便是成功。

因此，在老師的課堂上，我獲得了一連串的驚奇，不論在理論或實務上，我常想，要用什麼方法去解決問題，而老師講出的，卻是問題發生的癥結所在，可說是一針見血。找出問題的癥結，才能對症下藥、解決問題，這是老師最常提醒我們的觀念。

在成爲老師的學生後，再拜讀老師的大作「圖書館管理」一書，關於許多人認爲老師該著作很平凡的印象，我要舉反對意見。或許是老師的文筆流暢，用字淺顯，或許是沒有聽過老師的授課與分析，而令人覺得，他所說的，大家都知道，然而，卻未眞正讀懂其言下之意。這是老師多年在圖書館工作及教學經驗的累積，仔細對照到現實工作環境與狀況，時常有一語驚醒夢中人之感受。不論是老師的授課或發表的各項著作，都有其獨到的見解與一氣呵成的一貫風格。

盧老師除了是課業上的良師，更是學生眼中的益友，這可由學生們暱稱老師爲盧爸爸、盧爺爺看出。

今日忝爲老師的學生，在工作上所遇到的狀況不少，但時時記取老師的教誨，去發現問題、分析問題、設法解決，讓我在變化不斷的公共圖書館工作中，有了精神上的鼓舞，老師對於圖書館工作的熱忱及對圖書館學的深知灼見，使我想繼續向老師挖寶，但願老師能不吝繼續將其寶藏展現於圖書館界。

拾起老師的諄諄教誨吧，相信會對自己受用無窮的！想與同爲盧老師的徒子徒孫們共勉之。

祝老師

　　身體康泰

　　精神愉快

與師結緣

胡英麟

育達商業技術學院圖書館館長

如無前世種種因，何來今生萬般緣。與業師盧荷生教授的緣起可溯自民國七十九年開始，當時已役畢一年多且年滿二十五歲的我，在生活與學習都想兼顧的考慮下，考進了輔仁大學夜間部，並以第二志願選擇了圖書館學系就讀，時值業師任系主任的第五年(業師於民國七十四年八月至八十年七月擔任系主任)；雖然該年業師正好休假一年，而由高錦雪老師代理系主任，但此一選擇已是我和業師及圖書館學的緣起。

待業師銷假回校後，我也開始有機會接受親炙。在「圖書館學導論」一課中，業師的立論讓我日後對圖書館事業的喜愛產生了啓蒙和發酵的作用；「圖書館管理」一課則強化了我日後接觸實務工作的理論基礎，更重要的是，業師常以其豐富的人生經驗，給予學生相當多有關爲人處事之道的指導，這些更是一般「經師」所難總其成的。

大學畢業後，雖然忙碌於生活和工作，但在遇到困頓之際，業師仍是我解惑理亂的最佳徵詢對象，業師也從不厭煩於幫我們這些「受困子弟」指點迷津。畢業後二年，在行有餘力且深感所學不足以因應實務工作之際，於民國八十五年重回母校碩士班進修，也再次有機會以較完整的時間跟隨業師探究圖書館事業的相關問題，並進而成爲業師親自指導學位論文的學生之一。

如果要問我對業師的學思及爲人的感受爲何？我想引中庸「君子尊德性而道問學，致廣大而盡精微。」這句話來表達我對業師的感受和敬意，業師的日常行宜讓人有「德者應若是」之感，業師的學問和人生歷練，在師生互動之間常感其廣博和精微的不同面向，容人容物之量常可在業師寬解人事問題的態度上感知。今欣逢業師七十壽辰，除獻文一篇爲師祝壽外，並藉此向業師致上最深的謝意！感謝老師您多年來給學生的指導，希望在您八十、九十……大壽的時候，學生在圖書館事業上的一點點努力能讓您覺得不枉親炙親裁過學生。也願此善緣生生相繼。

教人不厭、誨人不倦

范純青

育達商業技術學院圖書館

「師者所以傳道、授業、解惑也。」對於研究所的生活一路走來，要感謝非常多的老師，就像論文前的感謝辭一樣，有時更是多到無法一一列舉，但其中最重要的就是指導教授囉！如果我沒有受到盧老師的指導，我可能無法順利的寫出論文，拿到文憑。

在學習的過程中，很多老師都給我們很多的智識，就像資料庫一樣，可以讓我們取之不盡、用之不竭，其中有很多是靠經驗的累積，就算尋遍各大資料庫都無法取得！曾經有人告訴我，老師像一座寶山一樣，看自己怎麼挖。對於學生的問題，老師決不會刻意的隱瞞，都會竭盡所能的答覆，甚至老師比學生更努力的找尋問題的答案呢！

除了上述這幾點外，盧老師給我的感覺和一般印象中的老師不同，沒有呆板的上課方式、制式化的回答方式，就像孔子所謂的「因材施教」，老師會先和同學討論各自過去的學習背景、興趣、個性等，進一步瞭解之後，再決定指導的方向，這樣在寫論文的過程中，較容易進入狀況，若僅一股腦跟著教授指定的研究方向走，那研究的過程必定少了很多樂趣，且也喪失了屬於個人的創作風格，自己做的東西當然沒有老師好，但努力、創作、啓發的過程是無可取代的，相較之下，和盧老師在一起多了種被重視的感覺。

在跟盧老師寫論文之前，老師都會問我們學生的學習狀況，熱心的解決學生的問題，在寫論文的過程中，我常遇到挫折，喪失信心，遇到困境，覺得一陣茫然，理不出頭緒，猶如陷入深淵，灰暗之中，失去方向，但只要和盧老師談話之後，即使是短短的幾分鐘，也能使我茅塞頓開，心情豁然開朗，也不知是什麼原因，總之有見著一線曙光，指引著我繼續朝著目標前進。

其實每次走進老師研究室時，心情是有點沈重的，因爲在寫論文的過程中，總會遇到挫折、瓶頸，失去自信，當遇到這種情況時，我便想到了盧老師，和老師談完後，心情變得非常的輕鬆，所謂「聽君一席話，勝讀十年書」，如沐春風的感覺讓我又重新看到了目標，在埋頭寫作的日子中，總會有迷失的時候，而且老師還會不時的給予鼓勵和肯定，讓漸漸失去的自信，又恢復了活力。

受到鼓勵和肯定是提昇氣勢、精神很重要的動力，不論是課業或工作，都需要適當的鼓勵和肯定，同一件事持續做久了，很容易會有倦怠感，甚至遇到了瓶頸，此時猶如龍困淺灘，有志難伸，其實有些事情僅缺臨門一腳，跨過了門檻，就海闊天空，一句鼓勵或肯定的話，都可能成爲契機，使人成長與進步，眞誠的讚美別人是一種美德。

在盧老師身上的白髮與皺紋雖是歲月的刻痕，更是智慧的象徵。一個人的修養和智慧從他的外表和談吐就能感覺出來，盧老師的風範、氣質、涵養、智識、求知以及教學的態度等等，都顯出他是多麼值得我們學習的對象，很幸運地能跟盧老師寫論文，老師給了我很多的啓發，「持續的做研究」是盧老師常告誡我們的話，因爲學無止境，學海無涯，我將謹記在心，並努力實踐它。很高興能趁著祝壽之名，表達我對盧老師的感謝之意，最後，恭祝老師福壽安康。

給敬愛的老師

李伯華

台北縣三芝鄉立圖書館幹事

畢業至今已兩年多，今年六月適逢恩師盧荷生教授七秩嵩壽，很榮幸能參與此活動，藉此寫下對恩師的感言短文。

記得剛進母校輔大圖書資訊學系研究所就讀時，開學第一堂課就是老師所講授的「圖書館管理專題」，老師講課不疾不徐，溫文儒雅的學者風範，令人印象深刻，恩師在課堂上是一位令人尊敬的老師，走出教室則宛如一位慈祥的長者。由於老師具有豐富的圖書館管理的實務經驗，因此課堂上經常舉實例來說明，理論與實務的結合，並適時提出自己的見解，同時鼓勵學生們多多思考相關課題及如何解決之道。上完課之後，腦海中總是印象深刻，心智上也得到新的啓發。

在撰寫論文的期間，老師也不斷地給予意見並發掘問題，使我不再茫無頭緒，每當完成一階段的論文之後，老師總是不吝惜的讚美－「你寫的很好」這句話總是掛在嘴邊，使我在有自信的狀態下，逐步順利的完成論文。

離開校園之後，能夠和老師見面的機會並不多，而去年老師得知我考上基層考試，親自來電到服務的圖書館所表達的關心及問候的話語，至今回想起來仍深深感動在心，非常感謝恩師的關懷與鼓勵。而今適逢恩師七秩嵩壽，在此祝福恩師身體健康！萬事如意！

盧荷生教授著作目錄

童年成長在長江北岸江蘇省境內的一個農村裡，三歲失怙，幸當時多爲大家庭，在祖父母及叔父們的撫養之下，絲毫未受喪父之苦。抗日軍興，時正就讀小學，終至輟學在家，祖父親自講授四書、古文觀止諸書。抗戰勝利，至縣城入泰縣縣立初中，畢業後升學鎮江師範，三十七年初轉南京入國民革命軍遺族學校就讀。一年後，時局頓變，隨校流亡來台。求學過程，諸多不順，初借讀台灣師範大學附屬中學，後因公費取消，轉學省立台中師範學校，幸能於四十年考入台灣大學歷史學系。畢業後，服役期滿，四十五年九月起服務於國立中央圖書館，爲參與圖書館事業四十五年之始。四十六年二月至四十九年一月，在台灣師範大學國文研究所目錄學組進修，獲碩士學位。五十三年八月轉台北一女中任教兼圖書館主任，後曾任夜間部主任八年。六十年初起兼任世界新聞專科學校圖書資料科講師，曾一度兼任該科科主任。六十四年八月起兼輔仁大學圖書館學系講師，七十年八月起專任輔大講師。七十一年升副教授，七十五年升教授，繼藍乾章教授之後任輔大圖書館學系系主任，至八十年暑假休假爲止，共任系主任五年。八十一年休假返校任專任教授。八十二年至八十五年兼任文學院長。八十五年暑假本已屆滿六十五歲，應圖書資訊學系之邀，先後延長五年，九十年八月一日起退休，共在輔大任教二十年。

專　書

1. 中學圖書館的理論與實務 台北市 撰者印行 民60 182頁
2. 圖書館行政 台北市 文史哲出版社 民75 180頁
3. 中國圖書館事業史 台北市 文史哲出版社 民75 259頁
4. 圖書館管理 台北市 漢美圖書有限公司 民83 211頁

單　篇

凡已收入專書之單篇均不再列入本目

1. 神權主義者洪秀全的失敗　思與言　1卷2期　民42.06　頁10-11
2. 圖書館的流通工作　圖書館學報（東海）　3期　民50　頁79-104
3. 圖書館的流通工作（續）　圖書館學報（東海）　4期　民51　頁269-276
4. 圖書館的裝釘工作　圖書館學報（東海）　5期　民52　頁201-210
5. 整理公文檔卷和手札函件的一些基本原則　圖書館學報（東海）　6期　民53　頁215-220
6. 宋高宗建炎南遷避敵考（上）　現代學苑　1卷5期　民53.08　頁13-16
7. 宋高宗建炎南遷避敵考（下）　現代學苑　1卷6期　民53.09　頁19-24
8. 目前我國中學圖書館的幾個問題　圖書館學報（東海）　7期　民54.07　頁195-200
9. 論圖書館流通工作的未來發展　自由青年　39卷8期　民57

頁 10-11

10. 「中華民國期刊論文索引」評介　大華晚報　民 59.06.08 版 8
11. 「中華民國期刊論文索引」評介　國立中央圖書館館刊（轉載）　新 3 卷 3/4 期　民 59.10　頁 85-86
12. 對宋太宗承位之剖析　國立中央圖書館館刊　新 3 卷 3/4 期 民 59.10　頁 29-33
13. 論辭書之編排　中央日報　民 59.11.27　版 9
14. 圖書館的實用價值　中央日報　民 59.12.07　版 9
15. 也談小書　中央日報　民 60.02.13　版 9
16. 中學圖書館行政工作障礙之清除（提要）　第一次全國圖書館業務會議紀要　民 61　頁 164
17. 二十年來的學校圖書館　中國圖書館學會會報　24 期　民 61.12　頁 22-24
18. 學校圖書館　中國圖書館學會會報　27 期　民 64.12　頁 37-39
19. 對小學圖書館經營的一個構想　圖書與圖書館　1 期　民 65.09　頁 23-28
20. 二十五年來的學校圖書館　中國圖書館學會會報　29 期　民 66.12　頁 74-76
21. 我國當前圖書館教育任務之探討　圖書館事業合作與發展研討會會議紀要　台北：國立中央圖書館　民 70　頁 132-137
22. 我所了解的「中國編目規則」　中國圖書館學會會報　33 期 民 70.12　頁 13-16
23. 導師的話　照曠　創刊號　民 72　頁 2
24. 學校圖書館的回顧與前瞻　中國圖書館學會會報　35 期　民

72.12　頁 52-55

25. 研究圖書館史的旨趣　藍乾章教授七秩榮慶論文集　台北：文史哲　民 73　頁 44-52
26. 從速調整圖書館的社會功能－兼論文化中心圖書館的經營　照曠　2 期　民 73　頁 3-5
27. 圖書分類研究　世界新聞專科學校學報　1 期　民 73.08　頁 137-161
28. 論當前中學圖書館之經營　中國圖書館學會會報　36 期　民 73.12　頁 1-7
29. 漫談「中國編目規則」－略述研討時的一些基本考慮　圖書館學刊（輔大）　13 期　民 73.12　頁 13-17
30. 圖書館員的社會角色　書農　1 期　民 74.03　頁 21-23
31. 修訂「中國時代複分表」芻議　教育資料與圖書館學　22 卷 4 期　民 74.06　頁 361-366
32. 澄清圖書館行政上的幾個觀念　台北市立圖書館館訊　3 卷 1 期　民 74.09　頁 10-13
33. 簡介「中國編目規則簡編」　書藝　22 期　民 74　頁 6-7
34. 漫談圖書館利用教育　圖書館利用教育研討會參考資料　台北：國立中央圖書館　民 74　頁 1-5
35. 中國編目規則簡編的編訂原則及其應用　中國圖書館學會會報　37 期　民 74.12　頁 21-24
36. 當今圖書館員應有的省思　圖書館學刊（輔大）　14 期　民 74.12　頁 4-7
37. 獨善其身兼善天下　國立中央圖書館館訊　9 卷 1 期　民 75　頁 8
38. 論中國目錄學的學術特性　慶祝羅總主教晉牧 25 年晉鐸 50

年論文集　台北：輔大　民 75　頁 464-478

39. 論文化中心圖書館之經營　圖書館學刊（輔大）　15 期　民 75.06　頁 5-10

40. 中國目錄學的歷史特性：略考中國目錄類例之演變　輔仁學誌－文學院之部　15 期　民 75.06　頁 193-209

41. 編目之任務首在傳達「資源」之訊息　圖書館事業合作發展研討會論文集　台北：國立中央圖書館　民 75　頁 13-17

42. 憶往述懷　文史哲雜誌　3 卷 1/2 期　民 75.09　頁 11-16

43. 漫談圖書館與讀者－以大學圖書館爲例　台北市立圖書館館訊　4 卷 2 期　民 75.12　頁 13-17

44. 談中文圖書編目面對的一個困境　圖書館學刊（輔大）　16 期　民 76.05　頁 7-10

45. 我心目中的「學刊」　圖書館學刊（輔大）　16 期　民 76.05　頁 4-5

46. 經部類例考述　輔仁學誌－文學院之部　16 期　民 76.06　頁 1-16(總 179-194)

47. 討論圖書館組織編制該思考的問題　台北市立圖書館館訊　4 卷 4 期　民 76.06　頁 3-7

48. 給書藝　書藝　24 期　民 76　頁 1

49. 漫談圖書館的行政管理　台灣教育　443 期　民 76.11　頁 5-9

50. 論現代圖書館員的職業倫理　蔣慰堂先生九秩榮慶論文集　台北：中國圖書館學會　民 76　頁 543-553

51. 對「圖書館法」週邊問題的省思　台北市立圖書館館訊　5 卷 3 期　民 77.03　頁 16-20

52. 子部類例考述　輔仁學誌－文學院之部　17 期　民 77.06　頁 1-12(總 129-140)

53. 圖書館學的特點　書藝　25 期　民 77　頁 6-7
54. 序毛著「英美編目規則第二版」析論　圖書館學刊（輔大）（轉載）　17 期　民 77.06　頁 4
55. 文化中心到底是「做」甚麼的？　民生報　民 77.06.11　版 2
56. 從中小學圖書館的特點論其未來發展　台北市立圖書館館訊　6 卷 1 期　民 77.09　頁 1-7
57. 圖書館與文化建設　社教資料雜誌　124 期　民 77.11　頁 1-7
58. 三十五年來的圖書分類編目　中國圖書館學會會報　43 期　民 77.12　頁 33-38
59. 子部類例考述（續）　輔仁學誌－文學院之部　18 期　民 78.06　頁 1-11（總 179-189）
60. 發展鄉鎮圖書館面面觀　書香　1 期　民 78.06　頁 9-11
61. 發展鄉鎮圖書館面面觀　圖書館學刊（輔大）（轉載）　18 期　民 78.06　頁 4-7
62. 我國圖書館界的智多星－恭祝沈寶環教授七時嵩壽　恭祝沈寶環教授七十嵩壽祝賀論文集　台北：台灣學生書局　民 78　頁 33-37
63. 徘徊在「教育」與「文化」之間的圖書館　民生報　民 78.11.23　版 2
64. 充實文化建設的理念　民生報　民 79.01.15　版 2
65. 論現代圖書館員的職業倫理　書香（轉載）　4 期　民 79.03　頁 1-8
66. 論鄉鎮圖書館之發展－兼述台灣省鄉鎮圖書館之現況　輔仁學誌－文學院之部　19 期　民 79.06　頁 1-16（總 185-200）
67. 關於我們的電腦室　圖書館學刊（輔大）　19 期　民 79.06

頁 6-7

68. 我所期待的鄉鎮圖書館　社教雙月刊　38 期　民 79.08　頁 33-35
69. 臺灣省各縣市文化中心圖書館合作經營之途徑　書香　6 期　民 79.09　頁 1-5
70. 中國的百科全書　中央日報　民 79.10.13　版 16
71. 要「建設」怎樣的「文化」？　民生報　民 79.11.10　版 2
72. 常態分班不是萬靈丹　民生報　民 80.02.27　版 2
73. 公共圖書館對青少年讀者提供服務的幾點基本考慮　台北市立圖書館館訊　8 卷 3 期　民 80.03　頁 11-14
74. 籃球迷怎麼不見了？　民生報　民 80.03.12　版 2
75. 我所看到的美國公共圖書館　台灣省社教機構首長聯席會議紀錄　台東：台東文化中心　民 80　頁 9-13
76. 集部類例考述　輔仁學誌－文學院之部　20 期　民 80.06　頁 1-10（總 95-104）
77. 試論當前圖書館學教育之改進　圖書館學刊（輔大）　20 期　民 80.06　頁 5-7
78. 淺談檔案的分類編目　研考雙月刊　15 卷 3 期　民 80.06　頁 14-17
79. 如何建立整體社會教育工作網路落實基層社教機構功能　研考報導　16 期　民 80.07　頁 50-56
80. 如何建立整體社會教育工作網路落實基層社教機構功能　社教資料雜誌　156 期　民 80.07　頁 1-5
81. 如何建立整體社會教育工作網路落實基層社教機構功能　圖書館學刊（輔大）（轉載）　20 期　民 80.06　頁 75-80
82. 淺談檔案的分類編目　書藝（轉載）　28 期　民 80.06　頁

1-4

83. 中國的百科全書　蔣復璁先生九四誕辰紀念集（轉載）　台北：中國圖書館學會　民 80　頁 83-84
84. 爲建立「中國的」圖書館學探路　中國圖書館學會會報　48 期　民 80.12　頁 45-48
85. 高中招生分組群，公平嗎？　民生報　　民 81.01.31　版 2
86. 大學評鑑應具教育功能　民生報　　民 81.08.29　版 2
87. 攜手共創圖書館管理的新時代　圖書館學與資訊科學　18 卷 2 期　民 81.10　頁 90-92
88. 送別輔大圖館系－懷念藍乾章老師　耕書集　96 期　民 81　頁 2-3
89. 對「中國的」圖書館學教育的省思　中國圖書館學會會報　49 期　民 81.12　頁 21-27
90. 怎樣「管理」高中圖書館？　高中圖書館館訊　4 期　民 82.05　頁 2-5
91. 怎樣「管理」高中圖書館？　圖書館學刊（輔大）（轉載）　22 期　民 82.06　頁 18-20
92. 論圖書館組織的建立　輔仁學誌－文學院之部　22 期　民 82.06　頁 1-18（總 15-32）
93. 史部類例考述　輔仁學誌－文學院之部　23 期　民 83.06　頁 1-16(總 1-16)
94. 台灣的公共圖書館事業簡介　圖書館學刊（輔大）　23 期　民 83.06　頁 5-10
95. 台灣地區權威檔之建立與問題探討　中國圖書館學會會報　52 期　民 83.06　頁 63-70
96. 王振鵠教授壽序　當代圖書館事業論集　台北：正中　民

83.07 頁 1-2

97. 圖書館技術工作的管理思考 當代圖書館事業論集 台北：正中 民 83.07 頁 421-428
98. 漫談如何修訂圖書館學校的課程 圖書館學刊（輔大） 24 期 民 84.06 頁 3-5
99. 圖書館學教育的管理思考 輔仁學誌－文學院之部 24 期 民 84.07 頁 1-6（總 1-6）
100. 淺談圖書館員的工作倫理 台北市立圖書館館訊 13 卷 1 期 民 84.09 頁 23-28
101. 我心目中的技術服務 中國圖書館學會會務通訊 80 期 民 84.09 頁 30-32
102. 研擬圖書館學校課程需要思考的問題 中華圖書資訊學教育學會會訊 4 期 民 84.06 頁 1-4
103. 規劃圖書館學校倫理課程的構思 中國圖書館學會會報 55 期 民 84.12 頁 1-6
104. 對「會訊」的回顧與期待 中國圖書館學會會訊 4 卷 1 期 民 85.03 頁 1-2
105. 圖書館如何藉「管理」改變體質？ 圖書館學刊（輔大） 25 期 民 85.06 頁 4-7
106. 爲「圖書館管理」進一解－兼論圖書館學的非技術層面 圖書館與資訊研究論集 台北：漢美 民 85.09 頁 55-66
107. 論台灣當前公共圖書館的經營 台北市立圖書館館訊 14 卷 2 期 民 85.12 頁 12-17
108. 高中圖書館的推廣工作 高中圖書館 19 期 民 86.06 頁 14-17
109. 當前圖書館學校設計核心課程必須思考的一些問題 圖書館

學刊（輔大） 26 期 民 86.06 頁 1-4

110. 論當前台灣圖書館事業之「管理」－兼談教育部圖書館事業委員會的功能 輔仁學誌－文學院之部 26 期 民 86.06 頁 1-13（總 135-147）

111. 公共圖書館如何參與社會建設 社會建設 97 期 民 86.09 頁 63-72

112. 我們需要一個明確的圖書館政策 台北市立圖書館館訊 15 卷 1 期 民 86.09 頁 64-71

113. 紀念 慰堂先生百歲誕辰－記述在我生命過程中的慰堂先生 蔣復璁先生百歲誕辰紀念文集 台北：中國圖書館學會 民 87 頁 84-87

114. 慰堂先生與台灣圖書館事業 中國書目季刊 31 卷 4 期 民 87.03 頁 1-6

115. 對圖書館法「難產」的省思 台北市立圖書館館訊 15 卷 3 期 民 87.03 頁 12-18

116. 談值得圖書館員思考的三個問題 圖書與資訊學刊 25 期 民 87.05 頁 1-5

117. 向輔大圖書館進一言：兼談圖書館現代化過程中館員的心理調適 圖書館學刊（輔大） 27 期 民 87.06 頁 1-3

118. 圖書館與書香社會 書苑 37 期 民 87.07 頁 1-6

119. 公共圖書館如何才能成爲社會資源？ 台北市立圖書館館訊 16 卷 2 期 民 87.12 頁 20-25

120. 我所期待的「全國新書資訊月刊」 全國新書資訊月刊 創刊號 民 88.01 頁 3-6

121. 談當前公共圖書館的定位問題 台北市立圖書館館訊 16 卷 3 期 民 88.03 頁 1-6

122. 落實館際合作可提升圖書館事業經營之境界　國家圖書館館訊　88 年第 2 期＝ 80　民 88.05　頁 3-4
123. 蔣慰堂先生與台灣圖書館事業　圖書館學刊（輔大）　28 期　民 88.06　頁 3-5
124. 我國當前公共圖書館之時代任務　書苑　41 期　民 88.07　頁 26-30
125. 資訊時代的公共圖書館　台北市立圖書館館訊　17 卷 1 期　民 88.09　頁 1-5
126. 展望廿一世紀的圖書館事業　圖書館學情報學論文集　北京：北京圖書館　2000.08　頁 99-104
127. 二十一世紀我國的圖書館事業　國家圖書館館刊　89 年第 2 期　民 89.12　頁 1-8
128. 我對＜圖書館法＞的一些看法　書藝　37 期　民 90.05　頁 15-18
129. 輔大圖書館學系成立三十週年　圖書館學刊（輔大）　30 期　民 90.06　編印中

編後語

盧荷生教授在教育界服務三十餘年，早年曾追隨國立中央圖書館蔣館長慰堂先生在中央圖書館服務，並擔任總務主任。其後在台北市立一女中、世界新聞專科學校任教多年。民國七十年應輔仁大學圖書館學系主任藍乾章教授之邀來輔大任教，轉眼二十年，其間擔任過系主任、圖書館館長及文學院院長等職務。三十餘年來，培育之專才遍佈我圖書館界，貢獻卓著。近年來且獲聘國家圖書館顧問，提供諮詢獻策，有助我圖書館事業之開展。

去年年初以來，圖書館界每有聚會，盧老師之友好及門生都提及如何為盧老師七十榮慶祝壽，以表敬賀之情。盧老師或有所聞，而有「不可煩勞大家」之意，榮慶祝壽事宜遂一再延展。去夏，在圖書館界的一次聚會中，諸多友好及門生復提及編印圖書館學術論文集，以備同道參研並表祝壽之意。輔大圖資系吳主任政叡率先響應，合從者衆，編印祝壽文集之事，遂得以積極進行。去年十一月間，方組成「慶祝盧荷生教授七秩榮慶籌備會」，委員有：鄭恒雄老師、張淳淳老師、陳昭珍老師、吳政叡老師、嚴鼎忠老師、陳忠誠先生、阮靜玲小姐、郭冠麟先生等。多位同道認為應以「平實無華」、「口耳相傳」之方式進行，以符合盧老師「樸實」之精神。數月以來友好及門生迴響者衆多，紛紛主動表示撰寫論文或表達對盧老師之情懷，一時篇目竟達四十餘篇，而欲罷不能！其後，又得出版家文史哲出版社發行人彭正雄先生慨允出版，方能梓行。

本文集之出版，首要感謝者為各位撰稿者，於百忙中惠賜宏篇！各項籌劃及編刊工作承蒙諸多老師及盧老師門生之熱心參與幫忙，無任銘感！文史哲出版社彭正雄先生並親爲校刊督印，均感激不盡。本文集之刊行或可供我館界同道參研，謹以此書恭祝盧老師荷生萬壽無疆！

慶祝盧荷生教授七秩榮慶籌備會 謹記

民國九十年五月二十五日